U0126156

經學研究論叢

◆第八輯◆

林慶彰主編
張穩蘋編輯

臺灣 學生書局 印行

編者序

《經學研究論叢》自民國八十三年四月創刊，迄今已有七個年頭，在海內外學者和同道的支持下，已出版七輯。這第八輯中雖沒策畫某種專輯，但所收的論文來源及內容，仍應向讀者交代。

在《周易》研究部分，宋代的復古《易》運動，是一個值得討論的論題，近來學者雖略有注意，但並未作系統的研究，東吳大學中文系講師許維萍，將以「宋代的復古《易》運動」，作爲博士論文的題目。本輯發表的〈呂祖謙與「復古《易》運動」〉是該論文中的一部分。

在《尚書》研究方面，《尚書·大禹謨》雖是晉人僞作，但對宋明理學的發展有相當大的影響。吳伯曜的〈論《尚書·大禹謨》的思想價值〉，即在肯定該篇對思想史發展的貢獻。伏生傳《尚書》，是爲今文《尚書》。他所作《尚書大傳》雖已亡佚，但有輯本。四川成都市社科所黃開國先生的〈簡論伏生與《大傳》〉，即在討論《大傳》的內容，及其在西漢前期儒學的地位。

在《詩經》研究方面，馬瑞辰、胡承珙和陳奐三人，可說是清乾嘉時代《詩經》學研究的代表。馬瑞辰的《毛詩傳箋通釋》已有多人研究，胡承珙和陳奐的研究，正在起步，淮北煤炭師院郭全芝教授的〈胡承珙與陳奐《詩》訓異同〉，比較兩家著作訓釋《詩經》之異同，郭氏以爲「胡書風格宏博，釋義精微；陳書風格省淨，釋《詩》完備。兩書內容各有側重」。

在《左傳》方面，劉家和、邵東方和費樂仁三位教授合著的〈理雅各氏英譯春秋左傳析論〉一文，除分析理雅各（James Legge, 1815－1897）的經學觀外，對理雅各氏譯文的得失，也有詳盡的論述，對深入了解理雅各氏翻譯中國經典的貢獻和侷限，有不少助益。

在《四書》研究方面，數年前得日本松川健二教授同意，邀集數位學生一起合譯松川先生所編《論語思想史》，該書即將譯完，本輯先刊出陳靜慧所譯〈王充

《論衡》與《論語》的關係〉一文。

此外，何淑蘋、繆敦閔、蕭開元、滕志賢、陳秀琳、蔡妙眞、羅繼祖、黃復山、許學仁、李添富等先生的賜稿，不一一介紹，在此表達衷心的感謝。張博成、葉純芳、陳淑誼、王清信、周美華等學弟，費心撰寫出版資訊；黃智明、張穩蘋學弟負責本輯之編校工作，也一併致謝。

二〇〇〇年三月 **林慶彰** 誌於

中央研究院中國文哲研究所

經學研究論叢　第八輯

目　次

【三禮研究】

【三傳研究】

【四書研究】

【孝經研究】

【小學研究】

【讖緯研究】

【專題書目】

【經學學會】

【出版資訊】

【附　　錄】

經　學　研　究　論　叢
第　八　輯　　　頁1～24
臺灣學生書局　2000年3月

北朝經學相關問題試探

何淑蘋*

一、前言

魏晉南北朝的經籍，因爲時代動亂而亡佚殆盡，使得此時期的研究十分困難，因此以南北朝爲討論範疇的經學研究相關論著成果，顯得格外稀少，不難令人感受到南北朝經學被忽視的程度。

論述南北朝經學概況者，今多依《北史．儒林傳》所言，然而所論多爲主流之情形，非南北經學全貌，學者易因而失之以偏概全，故本文首先就《北史．儒林傳》之相關記載，加以討論。

《隋書．經籍志》中關於南北朝經學的論點，大抵與《北史．儒林傳》相似，可以互爲參看。又後人對於其中所言，微有歧見，本文對此加以辨正，以申己說。

本文另立「南學、北學之比較」一節，利用史傳記載，簡略探討南學與北學相異之處，藉以申明北學特色所在。

本文雖是兼述南北朝經學，實際則以探究北學爲主。又所論者，爲經學史上之二三問題，非窮究一代經學之全貌，故題爲北朝經學相關問題試探，期能藉此對北朝經學有較深入的認識。

*　何淑蘋，東吳大學中國文學系碩士生。

二、《北史・儒林傳》說法之檢討㈠

關於南北朝經學的傳授概況，見《北史・儒林傳》記載：

> 江左：《周易》則王輔嗣，《尚書》則孔安國，《左傳》則杜元凱；河洛：《左傳》則服子慎、《尚書》、《周易》則鄭康成。《詩》則並主於毛公，《禮》則同遵於鄭氏。❶

由此看來，《周易》是北從鄭學，南宗王學；《尚書》是北從鄭學，南宗孔學；《左傳》是北從服學（亦即鄭學），南宗杜學。總而言之，《易》、《書》、《左氏》三者南北學風迥異，而《詩》、《禮》則南北學風一致。上述之言論，細考其實，則知《北史・儒林傳》所言，不過皆就主流而論，至於旁支，則略而不提，學者讀之，容易產生《周易》於北朝惟鄭學獨尊，而於南朝則惟王《注》是從，亦即北朝無王《注》而南朝棄鄭說等等的誤解。以下以《周易》、《尚書》、《禮》爲例，分別討論各經在南北朝之發展概況，以證《北史・儒林傳》所言，實有所偏。

㈠《周易》

《北史・儒林傳》以爲《易》學是王輔嗣行於江左，鄭康成行於河洛。劉師培論「三國南北朝隋唐之《易》學」云：

> 當南北朝時，鄭《易》盛行於河北。徐遵明以《周易》教授，以傳盧景裕、崔瑾。景裕傳權會，權會傳郭茂，自是言《易》者皆出郭茂之門。而李鉉亦作《周易義例》。惟河間青、徐之間，間行王弼之注。若江左所行，則以王注爲主，立于學官。及南齊從陸澄之言，始鄭、王并置，後復黜鄭崇王（梁、陳二朝間亦王、鄭並崇）。說《易》之儒有伏曼容、梁武帝、朱異、孔子袪、何允、張譏，以褚仲都、周弘正《義疏》集其大成。大抵以

❶ 李延壽：《北史》（臺北：臺灣商務印書館，1988 年 1 月），第 3 冊，頁 1106。

> 王《注》爲主，惟嚴植之治《周易》力崇鄭《注》。❷

可知北方雖盛行鄭學，但河間地區亦行王弼《注》，是北方《易》學不獨專鄭學之證。南方雖以王《注》爲主，但鄭學也同樣得立於學官，未遭廢置，再加上嚴植之等學者的努力，南方鄭學終不至於湮沒，是南方《易》學不獨專王學之證。又如蘇紹興〈兩晉南朝瑯琊王氏之經學〉中所說：

> 宋元嘉建學，《易》注仍以王弼、鄭玄並立，顏延之爲祭酒，方黜鄭置王，故齊世惟王書盛行。王儉頗不謂然，其答陸澄書云：「《易》理微遠，實貫群籍，豈可專據小王，便爲賅備，依舊存鄭，高同來說。」於是在齊之世，王、鄭皆置博士，下及梁、陳二朝，猶並列於國學。因王儉一人之力，遂改變梁、陳二代學《易》之風氣。❸

可知康成《易》學在南朝，除了齊代被黜不行外，於宋、梁、陳三朝皆是王、鄭並立，既能立於國學，其說豈有乏人問津之理？由以上所述，可知《北史・儒林傳》以爲《易》學於江左行王輔嗣，於河洛行鄭康成的論點，乃純指主流而言。

㈡ 《尚書》

《北史・儒林傳》以爲《尚書》於江左行孔安國，河洛行鄭康成。北朝《尚書》傳習，可見於《北齊書・儒林傳》記載：

> 齊時儒士罕傳《尚書》之業，徐遵明兼通之。遵明受業于屯留王總，傳授浮陽李周仁及渤海張文敬及李炫、權會，并鄭康成所注，非古文也，下里諸生，略不見孔氏注解。武平末，河間劉光伯（炫）、信都劉士元（焯）始

---

❷ 劉師培：《經學教科書》，收入《劉申叔遺書》（臺北：大新書局，1965 年 8 月），第 4 冊，頁 2360。

❸ 蘇紹興：〈兩晉南朝瑯琊王氏之經學〉，收入《兩晉南朝的士族》（臺北：聯經出版事業公司，1987 年 3 月），頁 229。

得費甝《義疏》，乃留意焉。❹

此為北朝《尚書》傳習之概況。可知北朝《尚書》以鄭學為主，至於孔《傳》，要到北齊末年後主武平年間才開始受到學者的注意，所以大體說來，河洛《尚書》學是以鄭康成為主的。《隋書・經籍志》云：

梁、陳所講，有孔、鄭二家，齊代唯傳鄭學，至隋，孔、鄭並行，而鄭氏甚微。自余所存，無復師說。又有《尚書》逸篇出於齊梁之間，考其篇目，似孔壁中《書》之殘缺者。❺

是知南朝應是孔、鄭並行，而北朝則傳鄭學。康成《尚書》學雖然在南北兩朝都通行，但到了隋代，晚起的孔《傳》則更受學者的重視，所以鄭學因而衰微。

據上所述，可知《尚書》於江左並行孔、鄭，非如《北史・儒林傳》所言江左則孔安國。至於《北史・儒林傳》為何如此說，可能是因為孔《傳》在北朝興起的時間較晚，不如南朝傳習的早，所以《北史》言江左則孔安國，可以凸顯出孔《傳》的價值與發展。

㈢ 禮學

關於禮學的流傳，《北史・儒林傳》以為南北同遵康成，實則不然。蘇紹興在〈兩晉南朝瑯琊王氏之經學〉一文中就認為：

南北朝禮學，《北史・儒林傳》僅以「禮則同遵於鄭氏」一語括之，彷彿南北禮學並無二致。然細考之，似又不然。南北因地域、氣候、風俗習慣、政治背景之不同，勢必有所差異，《顏氏家訓、風操篇》列舉南北人士大夫，各有不同之風操禮法，可以証之。北朝禮遵鄭注，可毋庸議，惟南朝則未盡然也。觀宋周續之《周氏喪服注》及齊王逡之《喪服世行記

❹ 李百藥：《北齊書》（臺北：臺灣商務印書館，1988 年 1 月），頁 311。

❺ 魏徵等：《隋書》（臺北：臺灣商務印書館，1988 年 1 月），頁 432。

> 要》等書，其說有異乎鄭玄者。……然鄭注在當時之禮學中，確爲主流。……可知當時南朝經學之最勝及最可稱者，當推三禮，三禮者何？據陸德明《釋文・敘》，稱鄭注《周禮》、《儀禮》、《禮記》者也。❻

由此可知，北朝篤守鄭玄禮學，而南朝雖奉鄭氏禮學，但也有對鄭說持不同見解者，不過，漢代以來，三禮之興，是由康成所建立起來的，捨康成則三禮學無由起矣，故南北禮學同以康成爲尊，《北史・儒林傳》僅以「禮則同遵於鄭氏」一語概括南北禮學，應是爲了強調康成禮學的重要性在當時是無人可以比擬的，不過嚴格說來，南朝學者對鄭說稍有異議，並未完全遵從鄭氏，以「同遵於鄭氏」來論，稍有不妥，不如說「禮則同以鄭氏爲尊」來的恰當。

綜上所述，可知《北史・儒林傳》所論的南北朝經學，只是就主流而言，並非南北經學之全貌，馬宗霍《中國經學史》論南北朝之經學，反對「後儒因謂兩漢經學行於北朝，魏晉經學行於南朝」之說，因分述各經皆行於南北，少有專立一家之說者，論之甚詳。故知《北史・儒林傳》所言，失之偏矣。

三、《北史・儒林傳》說法之檢討㈡

《北史・儒林傳》云：「南人約簡，得其英華；北學深蕪，窮其枝葉。」推其文意，似指南人約簡而得英華之學，勝過北學深蕪而徒窮枝葉，則此句似存褒南貶北之意。南人說經受玄風影響，務求約簡，對當時久承兩漢煩瑣章句形式之學者而言，確有一新耳目之優勢，然而是否約簡之言就等同於英華之言，則有待進一步的討論。此外，北方政權雖淪落於外族之手，但是北朝君主多能崇慕中華文化，致力於推行漢化與提倡學術，故漢末以來的經學得以傳授留存。北學承漢末之遺，少染浮華玄風，以鄭學爲主流，所以經說較爲純樸深蕪，然而是否因此如同《北史》所言有枝葉是窮的弊病，也應再加探討。

何謂「深蕪」？皮錫瑞《經學歷史》云：

---

❻ 同註❹，頁230。

> 孔穎達以爲熊（安生）違經多引外義，釋經唯聚難義，此正所謂北學深蕪者。❼

依據皮氏所言，則「釋經唯聚難義」是「深」；「違經多引外義」是「蕪」。解釋經傳的根本用意，就是要闡明經義，以利後世學者學習，如果釋經時徒聚難義，使學者獨之更加不明白，則與釋經的根本精神相反。北朝承兩漢章句之學，形式煩瑣，有可以簡單解釋之處，卻又不能簡潔明快地帶過，所以易於堆集難義，轉相解釋，反使學者不易明瞭。另外，如果引用外來的義理解經，容易產生與經義相違背的情形，也就是產生經義蕪雜的現象。

至於約簡，應是見仁見智的看法，如鄭學兼今古文之說以注經，旨在刪繁從簡，在魏晉人眼中，仍是煩瑣之至，所以約簡是相對而言的。可惜南北朝著作今多亡佚，無法詳細檢閱。本田成之《中國經學史》云：

> 南朝原因老莊之玄學流行，《易》王弼、《尚書》僞孔傳、《左傳》杜預極其流行，以達意而簡明的爲貴。但北朝以鄭玄底學問爲主，考故實本於制度，故一切都是緻密而樸實的研究方法。❽

是玄學的流行，帶動南朝經學以簡明達意爲風尚。而南學究竟與北學相比，又簡明了多少呢？仍有待探究。

對於《北史》所言「南人約簡，得其英華；北學深蕪，窮其枝葉」的說法，皮錫瑞《經學歷史》論云：

> 蓋唐初人重南輕北，故定從南學，而其實不然。說經貴約簡，不貴深蕪，自是定論；但所謂約簡者，必如漢人之持大體，玩經文，口授微言，篤守師說，乃爲至約而至精也。若唐人謂南人約簡得其英華，不過名言霏屑，

❼ 皮錫瑞：《經學歷史》（臺北：藝文印書館，1987年），頁186。

❽ 本田成之：《中國經學史》（臺北：廣文書局，1990年7月），頁216。

> 騁揮麈之清談，屬詞尚腴，侈雕蟲之餘技。❾

是皮氏以為說經確實應以約簡為貴，但南學只是在形式上比北學約簡，並未因形式的約簡而將英華展露出來。換句話說，北學雖然深蕪煩瑣，但英華或許雜在其中。南學已將經說約簡，則捨此說無他說，易流於片言屑語，而非精要之英華。

總之，傳統以南學勝北學的看法，多從《北史・儒林傳》所言而來，持平而論，南學雜以玄理，添加了新思想，又改兩漢煩瑣為簡明快意，一新學者耳目，從而習之者必然眾多，若如唐人所言，南人又已得經義之英華，則南學可謂盡善盡美，那麼唐初編撰《五經正義》，又何必據南北朝義疏再加修訂呢？劉炫、劉焯之著作為南北朝諸義疏中最佳者，《五經正義・序》中已明言之。二劉雖為北人，而又從南學，故能兼採南北之長，下導唐代之經說一統，可為南北學各有優劣之證，故知不可拘泥於《北史・儒林傳》之說。

四、《隋書・經籍志》問題試解

《隋書・經籍志》對南北朝的見解大抵如同《北史・儒林傳》所言，不過《隋志》中有一段對《尚書》傳習的記載，後人稍有爭議。原文如下：

> 梁、陳所講，有孔、鄭二家，齊代唯傳鄭學，至隋，孔、鄭並行，而鄭氏甚微。自余所存，無復師說。又有《尚書》逸篇出於齊梁之間，考其篇目，似孔壁中《書》之殘缺者。❿

其中的「齊代唯傳鄭學」一句，學者稍持不同的解釋。前句既言南朝的梁、陳，後面又言齊代，則此「齊代」應當作補充說明用的「南齊」，或當作與南朝梁、陳對立的「北齊」，實有待商榷。陳夢家先生以為應作「北齊」解，其《尚書通論》說：

---

❾ 同註❼。

❿ 同註❺。

《北史・儒林傳》云：「齊時儒士罕傳《尚書》之業，徐遵明兼通之，……並康成所注，並古文也。下里諸生，略不見孔氏注解。」《經典釋文、序錄》有宋姜道盛《尚書集解》十卷（《隋書、經籍志》作十一卷），《宋書、劉懷肅傳》曰：「道盛著古文《尚書》行於世。」《史記》宋裴駰《集解》引孔《傳》，是宋時孔《傳》已行。《經典釋文・序錄》云齊明帝時博士蕭衍用孔氏《尚書・序》議姚方興《舜典》，是南齊博士用孔《傳》之證。《隋書・經籍志》梁時孔子怯、巢猗、費甝、蔡大寶等均注古文《尚書》，梁劉昭《後漢書・祭祀志》中注已引《孔安國傳》，又《隋書・經籍志》云：「梁、陳所講，有孔、鄭二家，……至隋，孔鄭並行，而鄭氏甚微。」孔穎達《正義・序》云：「但古文經雖然早出，晚始得行，其辭富而備，其義宏而雅，故復而不厭，久而愈亮，江左學者咸祖焉。近至隋初，始流河朔。」⓫

陳夢家先生舉《北史》、《經典釋文》、《宋書》、《史記集解》等文獻來說明孔《傳》在南朝劉宋時早已流傳了，南齊博士亦有習孔《傳》者，因此南齊應該是鄭、孔並行的，所以《隋志》中的「齊代唯傳鄭學」一句，與南齊情況不合。另一方面，孔《傳》比鄭學較晚才通行，雖然南朝早已久行孔《傳》，但北朝一直要延遲到接近隋代才開始廣為流傳，也就是說，在北齊時期，應該是只行鄭學的，這恰好和《隋志》所指的「唯傳鄭學」情形相吻合。是故陳夢家先生以為《隋志》所指，當為「北齊」。

劉起釪先生則不贊同此說，他在《尚書學史》中提出了反駁：

……但在梁、陳之間插敘一句齊，這句顯然有問題。一是次序顚倒，齊不應當敘在陳與隋之間而應在梁之上；二是前後矛盾，……齊代把孔氏亡篇補入全書，立於國學，此時不容說「唯傳鄭義」。顯然齊代既行孔，也行鄭，與其前的晉宋，其後的梁陳無異。顯然這一句只是在順著歷史敘完晉

⓫ 陳夢家：《尚書通論》（北京：中華書局，1985年），頁131。

> 齊梁陳之後，另行敘隋代鄭學甚微時，插一句交代鄭學盛衰之跡，追述鄭學自東晉與孔學並立，本來至齊代尚有傳習，可是到隋就衰了。所以「齊代唯傳鄭義」之「唯」字顯誤，當作「尚」或「仍」，或者當如王引之《經傳釋詞》所釋的「唯」與「雖」同，才與上下行文相協，義始不悖。（陳夢家《尚書通論》釋此句之齊爲北齊，亦由於察覺此句在此不協，尋其與當時北朝行鄭義相合，故作此解釋。然《隋志》此段純敘南朝，無插敘北朝之理，其言雖有所見，終非此句原義。）⓬

劉氏提出了兩個疑點，一是次序顛倒，一是前後矛盾。就次序顛倒而言，若作「南齊」解，則此段敘述朝代次序顛倒無疑，但是若作「北齊」解，則《隋志》先說明南朝情況，再接著論及北朝，則朝代次序並未顛倒。另就前後矛盾而言，南齊孔、鄭並立國學，確實不容說「唯傳鄭義」，但是孔《傳》在北朝較爲晚起，在北齊時仍是「唯傳鄭義」，故若作「南齊」解則屬前後矛盾，若作「北齊」解則並無前後矛盾之情形。故知劉氏所說之疑點，乃是在釋齊字爲南齊的前提下所論的。

「齊代」二字是否有可能當作「北齊」，應先加以討論。翻檢《隋書》，北齊亦有以「後齊」、「齊」等詞語代之者。稱「齊」者，如《隋書・經籍志》云：

> 保定之始，書止八千，後稍加增，方盈萬卷。周武平齊，先封書府，所加舊本，纔至五千。⓭

「周武平齊」，指北周武帝滅北齊事，發生於北周建德六年（時爲南朝陳宣帝太建九年，西元 577 年）。又如《隋志》云：

> 魏正始中，又立一字石經相承，以爲七經正字。後魏之末，齊神武執政，自洛陽徙于鄴都，行至河陽，值岸崩，遂沒于水，其得至鄴者，不盈泰

⓬ 劉起釪：《尚書學史》（北京：中華書局，1989 年），頁 201－202。
⓭ 魏徵：《隋書》（臺北：臺灣商務印書館，1988 年），頁 429。

半。⓮

「齊神武執政」，指北魏末年，政權實際操縱在高歡，也就是北齊神武帝的手中，北齊立國雖創於文宣帝，但卻是在高歡輔政的時候奠下了穩固的權力基石。以上是兩個以「齊」代「北齊」的例子。又稱「後齊」者，如《隋志》云：

> 後魏始都燕代，南略中原，粗收經史，未能全具，孝文徙都洛陽，借書於齊，祕府之中，稍以充實，暨於爾朱之亂，散落人間，後齊遷鄴，頗更搜聚，迄於天統、武平（皆北齊後主年號），校寫不輟。⓯

「借書於齊」指的是南齊，北魏孝文帝太和八年遷都洛陽，時值南朝齊明帝建武元年，西元 494 年。孝文帝遷洛之後，南伐齊，後屢敗齊師，遂能得齊地之書以充祕府。「後齊遷鄴」，後齊乃指北齊。魏末政亂，高歡別立（東魏）孝靜帝，徙都鄴，後高洋受魏禪，是爲北齊文宣帝。由《隋志》此段記載看來，北齊亦可稱爲後齊，而南齊、北齊同時出現時，南齊則省稱爲「齊」，北齊則以「後齊」稱之，以示區別。另外，亦有後齊、北齊同時出現的情形，如《隋書・禮儀志》云：

> 梁武帝始命群儒裁成大典，……陳武克平建業，多準梁舊，……後齊則左僕射陽休之……在周則蘇綽、盧辯、宇文政並習於儀禮者也。平章國典，以爲時用，高祖命牛弘、辛彥之等採梁及北齊儀注以爲五禮云。⓰

綜上所述，可知在《隋書》中，「北齊」亦有作「齊」、「後齊」者，並未將稱呼全部加以統一。故《隋志》中之「齊」字，是有可能是當作「北齊」來說的。

劉起釪先生以爲「然《隋志》此段純敘南朝，無插敘北朝之理」，此論有待

⓮ 同註⓭，頁 444。

⓯ 同註⓭，頁 429。

⓰ 同註⓭，頁 54－55。

商榷。《隋志》中以類似言論記載南北朝經學概況的，另外還有《孝經》和《論語》。《隋志》關於《孝經》傳習的記載爲：

> 梁代，安國與鄭氏二家並立國學，而安國之本亡於梁亂，陳及周、齊，唯傳鄭氏，至隋，祕書監王劭於京師訪得孔《傳》，送至河間劉炫，炫因序得喪，述其議疏，講於人間，漸聞朝廷，後遂著令與鄭氏並立，儒者諠諠，皆云炫自作之，非孔舊本。⓱

而《隋志》對於《論語》傳習的記載爲：

> 梁、陳之時，唯鄭玄、何晏立於國學，而鄭氏甚微。周、齊，鄭學獨立，至隋，何、鄭並行，鄭氏盛於人間。⓲

由《隋志》對《孝經》和《論語》傳習的記載，可以發現《隋志》並不會只談南朝或北朝，都是兼述南北朝之發展，而且是先論南朝，後論北朝。由此可以推論，《尚書》部分應該不只是純敘南朝，北朝發展應該也包括其中了。另外，《孝經》部分有「陳及周、齊，唯傳鄭氏」一句，《論語》部分則有「周、齊，鄭學獨立」一句，此「齊」字指「北齊」。雖然依朝代順序而言，北齊應置於北周之前（北齊立國於西元550年，北周立國於西元557年，而北周又滅北齊，是北齊當在北周前之證），但《隋書》中往往以「周、齊」稱之。例如《隋書・北狄傳・突厥》云：

> 往者魏道衰敝，禍難相尋，周、齊抗衡，分割諸夏，突厥之虜，俱通二國。周人東慮，恐齊好之深；齊氏西虞，懼周交之厚。⓳

⓱ 同註⓭，頁439。
⓲ 同註⓭，頁441。
⓳ 同註⓭，頁847。

又如《隋書・北狄傳》云：

> 南向以臨周、齊二國，莫之能抗，爭請盟好，求結和親，乃與周合從，終亡齊國。⑳

又如《隋書・高祖帝紀》云：

> 遺詔曰：嗟乎！自昔晉室播遷，天下喪亂，四海不一，以至周、齊，戰爭相尋，年將三百，故割疆土者非一所，稱帝王者非一人。㉑

由上述舉例可知，《隋書》稱「周、齊」者，所在多有。

綜上所述，劉起釪先生的看法似未允當。《隋志》「齊代唯傳鄭義」一句，當作「北齊」解，較爲合適。

另外，《隋書・經籍志》關於《周易》的傳習云：

> 梁、陳，鄭玄、王弼二《注》，列於國學。齊代唯傳鄭義，至隋，王《注》盛行，鄭學浸微。㉒

是亦有和《尙書》的同樣的問題，由於上述已辨明之，此處不再申論，同理可知，「齊代」應指「北齊」，較爲正確。

五、南學、北學之比較

關於南北經學的比較，李威熊先生在《中國經學發展史論》中，列舉了三點不同之處。即：⑴南北說經各有所宗；⑵南朝說經雜有玄理，北朝尙不失樸實；⑶

⑳ 同註⑬，頁 856。
㉑ 同註⑬，頁 32。
㉒ 同註⑬，頁 431。

南朝君王重視經學程度不如北朝。以下，依主流學說、經說內容、說經方式、學習精神、重視程度五項，分別討論南北經學的差異。

㈠ 主流學說——南北各有所宗

南北朝經學的分立，主要是因爲南北朝經學主流不同所致。據《北史．儒林傳》云：

> 漢世鄭玄並爲眾經注解，服虔、何休各有所說，玄《易》、《詩》、《書》、《禮》、《論語》、《孝經》，虔《左氏春秋》，休《公羊傳》，大行於河北。㉓

北方《易》、《詩》、《書》、《禮》、《論語》、《孝經》都是以鄭學爲主，至於《左傳》雖是用服虔《注》，但依《世說新語》的記載，也受到鄭學相當大的影響來說。總而言之，北朝學術是以鄭學爲主流的，雖有不同的經說也同樣流傳於其間，但在隋代以前，始終不能達到與鄭學相抗衡的地位。

至於南朝經學則比較多樣化，據《北史．儒林傳》所說，《周易》用王弼《注》，《尚書》用孔《傳》，《左傳》用杜預《集解》。除了《詩》與北朝同遵《毛傳》外，《禮》也同樣用鄭《注》。可知鄭《注》在南朝並不如北朝能夠獨領風騷，王弼《易注》、孔《傳》都能與鄭學相抗衡。

總之，南北經學的主流不同，各有所宗。不過若是總合南北經學而論，鄭學爲影響南北朝經學的最重要思想，此說當可成立。

㈡ 經說風格——南玄理、北樸實

南朝盛行玄風，經說受其影響，有「辭尚虛玄，義多浮誕」的趨向。皮錫瑞在《經學歷史》中說：

> 如皇侃之《論語義疏》，名物制度，略而弗講，多以《老》、《莊》之旨，發爲駢儷之文，與漢人書經相去懸絕。此南朝經疏之僅存於今者，即

㉓ 同註❶，頁 1105。

此可見一時風尚。㉔

說明了南朝說經雜有玄理色彩的傾向。不過，馬宗霍則認爲：

南朝之學，世咸目爲大暢玄風，考自宋立總明觀，始有玄學之名。然與儒學分立，固無涉於經術也。諸經中惟《易經》與《老》、《莊》在梁世總謂三玄，故諸治《易》者，如雷次宗、祖沖之……等，咸以王弼《注》爲宗，亦莫不兼善《老》、《莊》，而太史叔明則以尤精三玄稱。餘經并去玄甚遠，未嘗以玄學之義亂之，亦不得蒙以玄名也。㉕

然而玄學極盛，確是一時風尙，學者鮮能不受其影響。故許多南朝學者在熟習經書之外，往往也精通《老》、《莊》之學。如《南史・儒林傳》云：「太史叔明，少善《莊》、《老》，兼通《孝經》、《論語》、《禮記》，尤精三玄。」又云：「張譏，通《孝經》、《論語》，篤好玄言。」另外，就思想而言，南朝經學的確有玄理化的現象產生，所以並非如馬宗霍先生所言只有《周易》受到玄風影響，「餘經并去玄甚遠」，皇侃的《論語義疏》就是最好的例證。

北朝經學則感染玄風的程度較少，顯得較爲樸質。《魏書》中記載：「李業興對梁武帝云：『少爲書生，止習五典，……素不玄學，何敢仰酬。』」說明的玄學在北朝並不像在南朝那樣的盛行。由於不雜玄談，所以北朝說經大多率由舊章而樸實無華。馬宗霍《中國經學史》云：

要之南方水土和柔，兼被清談之風，其學多華，北方山川深厚，篤守重遲之俗，其學多樸。華故侈生新意，樸故率由舊章。以是爲分，庶幾得其大齊。㉖

㉔ 同註❼，頁 186。

㉕ 馬宗霍：《中國經學史》（臺北：臺灣商務印書館，1966 年 9 月），頁 78。

㉖ 同前註。

故知南北經學以經說風格而論，則南主玄理，北主樸實。至於二者之優劣，實難比較，因為就禮學而言，典章制度、名物訓詁，皆不能憑空論斷，必需引理有據，適合以樸實方式說之，如用玄理來談，則易流於空疏。但是若就《易》學而論，玄理思想的配合可以豐富其討論的內涵，如果只以樸實方式來說經，則易流於枯澀。所以南北經說風格雖然不同，實各有特色。

㈢ 經說內容——南簡要、北廣博

南朝宋劉義慶《世說新語・文學》有一段討論南北學差異的記載：

> 褚季野語孫安國，云：「北人學問，淵綜廣博。」孫答曰：「南人學問，清通簡要。」支道林聞之曰：「聖賢固所忘言。自中人以還，北人看書，如顯處視月；南人學問，如牖中窺日。」㉗

劉孝標注云：

> 學廣則難周，難周則識闇，故如顯處視月；學寡則易核，易核則智明，故如牖中窺日也。㉘

劉孝標為南朝梁人，依其注語，似以為北學廣而不周，不如南學之精深，有揚南抑北之意。持平而論，淵綜廣博為北學之優點，清通簡要為南學之長處，各擅勝場。至於支遁所言「顯處視月」與「牖中窺日」兩句之境界，則難以斷定孰高孰低。顯處視月，雖開闊卻不鮮明；牖中窺日，雖鮮明卻不開闊。二者高低，難以一言蔽之。正因南北學各有所長，也各有所短，因此才需要交流和融合，進而在隋唐時期的學術漸趨於統一，令學者擺落煩瑣玄虛，一變而為明白通達的經說。

㈣ 說經方式——南明快、北煩瑣

本田成之《中國經學史》云：

㉗ 徐震堮：《世說新語校箋》（臺北：文史哲出版社，1989 年 9 月），頁 117。

㉘ 同前註。

> 南朝一方是老莊玄學，一方卻佛教流行，所以其解經書，往往取其方法，有很明快的東西。……要之，如林希逸《老莊解》一樣，只要稍有痛快之處，至於合乎經義與否，還是可疑的。在當時老莊、佛教盛行的南朝，經書的解釋，如果不是這樣，當時的人就不能理解。㉙

又云：

> 南朝原因老莊之玄學流行，《易》王弼、《尚書》僞孔傳、《左傳》杜預極其流行，以達意而簡明的爲貴。但北朝以鄭玄底學問爲主，考故實本於制度，故一切都是緻密而樸實的研究方法。㉚

南朝因爲受到玄學的影響，強調義理的探索，所以馳騁思想，以達意稱心爲務，對於經義的解釋，拋開兩漢以來的章句形式，既不喜煩瑣，則自然以簡明爲貴。北朝則以固守鄭學爲主，用樸實的方法研究，雖然不免有章句煩瑣的缺失，但考故實本於制度，能夠建構起縝密的理論，對結合政治施用而言，是最適合的思想體系。故在說經方式上，南學明快而北學煩瑣，但不能因此就論定南勝於北，若配合實際局勢來看，北學煩瑣，或有其環境需要。

㈤ 學習精神——南辯談、北實用

北朝經學比南朝更具有經世致用的積極精神，以《周易》和《禮》爲例，便可以了解。南北雖然對《周易》和《禮》都同樣的重視，可是所著重的層面並不相同。南朝《易》學，較重在義理的探討上，而北朝《易》學，則承兩漢象數、讖緯之學而來。在史傳之中，可以找出一些儒生獻策是託以讖緯而得行的記載。例如在《全後魏文》中所收的高允〈筮論〉：

> 昔明元末起白臺，其高二十餘丈。樂東平王嘗夢登其上，四望無所見。王以問日者董道秀，筮之曰：「大吉。」王默而有喜色。後事發，王遂憂

㉙ 同註❽，頁 211－212。

㉚ 同前註，頁 216。

死，而道秀棄市。道秀若推六爻以對王曰：「《易》稱『亢龍有悔』，窮高曰亢。高而無民，不爲善也。」夫如是，則上寧於王，下保於己，福祿方至，豈有禍哉？今捨于本，而從於末，咎衅之至，不亦宜乎！㉛

因爲北朝的統治者是文化程度較低的外族，所以帶有預言性的讖緯學說，較易於被執政者所接受，故儒生假託讖緯性的言論來獻策，往往能受到採納。換句話說，儒生解釋的重點不在《易》的經文，而在於「上寧於王，下保於己」的現實需要。

另外，就《禮》學而言，南朝比較著重在〈喪服〉這一篇，而北朝則對《周禮》特別重視。蘇紹興在〈兩晉南朝瑯琊王氏之經學〉中說：

南朝諸儒於三禮中，尤重《儀禮》中之〈喪服〉，其所以如此者，由門閥維持其門第，以別於異族故也。章太炎云：「南朝二百七十餘年，國勢雖不甚強，而維持人紀爲功特多。〈喪服〉一篇，師儒無不悉心檢討，以是團體固結，雖陵夷而不至斯滅。」……《困學紀聞》載：「朱文公謂六朝人多精《禮》學，當時至有以此專門名家，每朝廷有大事，常用此等人議之。」㉜

可知南朝之所以著重《儀禮・喪服》，是爲了要維持門第之尊嚴。至於北朝，則特重《周禮》，如北朝大儒熊安生，史稱其「博通五經」，但他最精通的，應該要算是《周禮》。在《北史・儒林傳・熊安生傳》中有一段記載：

天和三年，周、齊通好，兵部尹公正使焉，與齊人語及《周禮》，齊人不能對，乃令安生至賓館，與公正言。公正有口辯，安生語未所至者，便撮機要而驟問之。安生曰：「《禮》義弘深，自有條貫，必欲升堂覩奧，寧可汩其先後？但能留意，當爲次第陳之。」公正於是問所疑，安生皆爲一

㉛ 收入嚴可均撰，陳延嘉等點校主編《全上古三代秦漢三國六朝文》（石家莊：河北教育出版社，1997年10月），第8冊，頁461。

㉜ 同註❸，頁232。

一演說，咸究其根本，公正嗟服。㉝

齊人不想在學術較量上輸給周人，當然會派實力最好的學者去應付，由此可知，熊安生是相當精通《周禮》的。北朝儒生之所以特別重視《周禮》，主要是出於現實的政治需要。外族雖以武力統治北方，但是對於政府的建制、行政管理等方面都比較缺乏經驗，此時不得不依賴留在北方的漢族士大夫的輔助。而儒家經典之中，又以《周官》與建國定制有最大的關係，因此《周禮》中的《周官》就格外受到重視了，例如蘇綽就是以《周官》爲藍圖來設官置爵的。另一方面，政治的需要也促進學者對《周官》的研究，例如《北史・儒林傳・熊安生傳》有：「時西朝（北周）既行《周禮》，公卿以下，多習其業。」㉞由這一段話，可以得知《周禮》在當時的北朝，是相當受到重視，並普遍爲學者所傳習的。總之，北朝《周官》的研究，強調要與實務相結合，是非常具有現實的經世作用的。而與南朝儒生之重〈喪服〉相比，南朝只是爲了要消極地保存門第尊嚴，而北朝卻是積極的運用經典來制國定法，相比之下，北朝重〈周官〉的實用性，顯然是強烈的多了。

綜上所述，可知北朝經學的實用精神比較濃厚。南朝因爲受了玄風的影響，流行玄談，著重於義理的探索和哲理的思考。從其環境背景來看，南朝安逸繁華，而北朝士人則需刻苦經營，所以南朝學風自然不及北朝的務實。

㈥ 重視程度——北勝於南

本田成之《中國經學史》云：

> 以南北兩朝底經學比較起來，南朝似不及北朝，這因爲南朝政府當局不重視，故修之者少，只南齊初及梁武帝四十餘年間稍盛。北朝因興自夷狄，欲學中國聖人之文化，反而熱心研究。㉟

㉝ 同註❶，頁1120－1121。

㉞ 同註❶，頁1120。

㉟ 同註❽，頁209。

漢人偏安南方後，意志頽喪，風氣浮華，執政者多不積極改革，對學術並未努力推行。反觀北朝，雖然淪爲外族當政，可是北朝的君主，大多數是仰慕中華文化，有心於漢化的推展，對學術也是樂於支持的。例如《北史・儒林傳》讚美北周文帝宇文泰云：

> 周文受命，雅重經典。于時西都板蕩，戎馬生郊。先王之舊章，往聖之遺訓，掃地盡矣。於是求闕文於三古，得至理於千載，黜魏晉之制度，復姬旦之茂典。……由是朝章漸備，學者嚮風。㊱

又例如《北史・儒林傳》說北魏孝文帝：

> 魏道武初定中原，……始建都邑，便以經術爲先，立太學，置五經博士，生員千有餘人。天興二年春，增國子太學生員至三千人。……明元時，改國子爲中書學，立教授博士。太武始光三年，起太學於城東，後徵盧玄、高允等，而令州郡各舉才學，於是人多砥尚，儒術轉興。㊲

由此可知，北朝君主是頗爲致力於提倡學術的，而他們也獲得了相當的成果。以北魏爲例，本田成之《中國經學史》云：

> 北魏底學問，自是欝然興起。通南北朝沒有比此時之學問還盛的。比兩漢規模雖小，其文教之郁郁乎殆是兩漢之亞。㊳

又以北周爲例，《周書・儒林傳》云：

㊱ 同註❶，頁 1105。
㊲ 同註❶，頁 1103。
㊳ 同註❽，頁 208。

> 太祖(宇文泰)受命，雅好經術，求缺文于三古，……復姬、丘之茂典。……世宗(宇文毓)纂歷，敦尚學藝，內有崇文之官，外重成均（太學）之職。……雖遺風盛業，不逮魏晉之隆，而風移俗變，抑亦近代之美也。㊴

所以北朝的文教風俗應是相當淳厚的。不過，和北魏、北周相比，儒術在北齊顯然較爲沒落，《北齊書·儒林傳》云：

> 齊氏司存，或失其守，師、保、疑、丞，皆賞勛舊，國學博士，徒有虛名，惟國子一學，生徒數十人耳。欲求官正國治，其可得乎？以通經仕者，唯博陵崔子發、廣平宋遊卿而已，自外莫見其人。……齊制，諸郡并立學，置博士助教授經，學生俱差逼充員，士流及豪富之家皆不從調。備員既非所好，墳籍固不關懷，又多被州郡官人驅使。縱有遊惰，亦不撿治，皆由上非所好之所致也。㊵

不過，也有學者認爲南北朝都是不重視學問的，例如安井小太郎認爲：

> 南北朝時代老、莊、佛學有相當的勢力，南朝的梁武帝、北朝的道武帝，都是喜好學問的君主，而置博士來教他們，但都是喜好佛學的人，想研究經學眞正面貌的人並沒有。所以，能立一家之言的人並未出現。㊶

其實君主再怎麼愛好儒術，都不可能也沒有精力專門從事於研究，所謂「上有所好，下必甚焉」，只要君主曾經喜好，就必然會產生一些影響，除了在政策上實際的推廣外，也可以帶動儒生的研究風氣，如此一來，至少不會令此學問斷絕而乏人

㊴ 令狐德棻等撰：《周書》（臺北：臺灣商務印書館，1968 年 8 月），頁 11093。

㊵ 同註❹，頁 311。

㊶ 安井小太郎等著，連清吉、林慶彰譯：《經學史》（臺北：萬卷樓圖書公司，1996 年 10 月），頁 81。

問津。

總而言之，南朝除了梁武帝外，其它君主多數較不重視學術，而北朝如北魏孝文帝、北周文帝、北周武帝等君主多曾積極推廣學術，故知北朝是比南朝更重視經術的。

以上所論，皆為南北學相異的地方。至於南北學的相似處，馬宗霍《中國經學史》云：

> 南北經學，雖趣尚互殊，而諸儒治經之法，則大抵相同。蓋漢人治經，以本經為主，所為傳注者，皆以注經。至魏晉以來，則多以經注為主，其所申駁，皆以明注，即有自為家者，或集前人之注，少所折衷，或隱前人之注，跡同攘善，其不依舊注者，則又立意與前人為異者也。至南北朝，則所執者更不能出漢魏晉諸家之外，但守一家之注而詮解之，或旁引諸說而證明之，明為經學，實即注學，於是傳注之體日微，義疏之體日起矣。……夫南北諸儒，既同重講經，故諸經義疏，亦于時為盛。[42]

綜上所述，則知南北經學相異處頗多，所以皮錫瑞以「經學分立時代」稱之，自有其道理。

六、結語

南北朝雖然是兩大不同的分立政權，但實際上，不管是文化、學術、經濟等各方面，都始終持續著相當大的交流，所以南北經學通常是合併一起加以討論，或者拿來相互比較。關於南北朝經學研究的成果，專著類的很少，主要都是在經學史類的論著中才稍微討論到。由於南北朝學者的著作今多半亡佚，存之者少，所以要利用史傳的記載，才能對南北朝經學的概況稍加掌握。然而史傳或經學史的論點是否完全契合當時經學發展的情形，則需要重新檢討。

探討南北朝經學，應該要注意「相對性」的問題，例如《北史．儒林傳》對

---

[42] 同註[21]，頁 85。

南北經學的論述，就是以相對性的態度來說的，所以只談主流的發展，對於其它則略而不論。又例如以為北朝行兩漢經學，南朝行魏晉經學，這也是就相對而論的，不如換成「北朝較重兩漢經學，南朝較重魏晉經學」的說法來的允當和全面。正如牟鍾鑒先生所言：「南北儒者的交往未曾斷絕，所以不宜將南北經學的差別絕對化。」[43]經學史論著中有一些爭論，就是因為說的太絕對而引發的。

馬宗霍《中國經學史》云：「必謂南為魏晉之學，北為漢學，見失之固。而如唐人所云：『南人約簡，得其英華，北學深蕪，窮其枝葉』，又失之偏矣。」[44]然而因為對南北朝經學認識的不足，的確容易陷於失之固和失之偏，不仔細加以考察，很容易就遵循著一般對南北朝經學的概念。南北朝經學相關的爭議和可以探討的問題相當多，本文先就幾點加以討論，其它部分，則尚待日後補充。

主要參考文獻

北史　李延壽撰　臺北　臺灣商務印書館　1988 年 1 月
北齊書　李百藥撰　臺北　臺灣商務印書館　1988 年 1 月
周書　令狐德棻撰　臺北　臺灣商務印書館　1968 年 8 月
隋書　魏徵等撰　臺北　臺灣商務印書館　1988 年 1 月
中國經學史　馬宗霍撰　臺北　臺灣商務印書館　1966 年 9 月
經學歷史　皮錫瑞撰　臺北　藝文印書館　1987 年 10 月
兩晉南朝的士族　蘇紹興撰　臺北　聯經出版事業公司　1987 年 3 月
經學史　安井小太郎等撰，林慶彰、連清吉譯　臺北　萬卷樓圖書公司　1996 年 10 月
中國經學史　本田成之撰　臺北　廣文書局　1990 年 7 月
尚書學史　劉起釪撰　北京　中華書局　1996 年 8 月

---

[43] 牟鍾鑒：〈魏晉南北朝時期的經學〉，收入《中國經學史論文選集》（臺北：文史哲出版社，1992 年），下冊，頁 463。

[44] 同註[24]，頁 78。

中國經學發展史論（上）　李威熊撰　臺北　文史哲出版社　1988 年 12 月

世說新語校箋　徐震堮撰　臺北　文史哲出版社　1989 年 9 月

魏晉南北朝時期的經學　牟鍾鑒撰　中國經學史論文選集　上冊　頁 450－481
　臺北　文史哲出版社　1992 年 10 月

經學研究論叢
第八輯　　頁25～68
臺灣學生書局　2000年3月

劉師培《經學教科書》中的經學觀
——與皮錫瑞《經學歷史》的比較

繆敦閔*

前言

在中國近代學術的革新風潮中，不但出現過像梁啓超、夏增佑這樣的今文經學家代表人物，而且也產生了章太炎、劉師培這樣的古文經學家。❶劉師培曾經和章太炎在一起提出了所謂「國粹主義」的思路，試圖依據中國傳統的歷史文化去尋求新中國的發展，而劉師培以二十多歲的年齡，就能和古文經學大師章太炎平輩論交，其深厚的學養是不可忽視的❷，故本文擬以劉師培爲主角，探討其年輕時期的經學成就，揭示其經學上之特色。

在辛亥革命爆發前七年，中國同盟會成立的同一年，西元一九〇五年一、二月間，鄧實、黃節等人在上海成立國學保存會，以「研求國學，保存國粹爲宗旨。」❸，

* 繆敦閔，暨南國際大學中國語文學系碩士生。

❶ 張豈之〈劉師培評傳序〉，見於方光華《劉師培評傳》（上海：百花洲文藝出版社，1997年），頁1－2。

❷ 據〈劉師培學行系年〉，劉師培在1905年22歲時就發表了《中國民族志》、《周末學術史序》、《國學發微》、《小學發微補》、《兩漢學術發微論》、《漢宋學異同論》、《南北學派不同論》和各種國學教科書。同註❶，頁263。

❸ 〈國學保存會簡章〉，附於〈國學保存會小集敘〉（《國粹學報》第1年第1號），見《景印國粹學報舊刊全集》（臺北：臺灣商務印書館，1974年）。

而同時在二月二十三日發行了機關刊物《國粹學報》❹，作爲發揚其理念的工具。〈發刊辭〉中云：「刊發報章，用存國學，月出一冊，顏曰國粹。」❺，當時正值二十二歲的劉師培就是主要的撰稿人。❻帶著深厚的家學背景❼和強烈的發揚國粹之志，在這個時期，他完成了許多重要著作，《經學教科書》就是一部以教本爲架構的經學通論書籍。因爲他對於經學方面的見解多散見於各單篇文章，所以《經學教科書》是劉師培早期對於經學理論的較完整著作，其價值在於此時的劉師培一方面繼承了所謂揚州學派的餘緒❽，以及吸收了當時大家如章太炎❾、康有爲、廖平等人的學術思想，另一方面也接觸了西方的現代思潮❿，由此激盪而出的智慧火

---

❹ 「國粹學報者，清末具有新思想之國粹學者，以發明國學，保存國粹爲宗旨，對我國學術源流派別，疏通證明，使學者得以知讀書門徑，而創辦之期刊也。」王雲五〈景印國粹學報舊刊全集緣起〉，同註❸。

❺ 〈國粹學報發刊辭〉（《國粹學報》第 1 年第 1 號），同註❸。

❻ 「刊物的經費與發行業務由鄧、黃兩人負責；內容則由劉氏全權決定，在學報發行的六年中，大半的文章出自劉氏手筆；所介紹的文物也泰半來自揚州，其中還有許多直接由劉家提供。」Martin Bernal 著、劉靜貞譯：〈劉師培與國粹運動〉，《近代中國思想人物論——保守主義》，傅樂詩等著，周陽山、楊肅獻編（臺北：時報文化出版事業公司，1985 年），頁 98。

❼ 「劉師培，字申叔。先世自溧水遷揚州，遂爲儀征人。師培性敏悟，自其曾祖以下，皆經業，至師培益恢瓚博通，尤邃于《禮》、《春秋》。」汪東〈劉師培傳〉，《辛亥人物碑傳集》（北京：團結出版社，1991 年），頁 766。

❽ 「揚州學派，于乾隆中葉任、顧、賈、汪開之；焦、阮、鍾、李、汪、黃繼之，凌曙、劉文淇後起，而劉出于凌。師培晚出，襲三世經傳之業，門風之盛，與吳中三惠九錢相望，而淵綜廣博，實隆有吳皖兩派之長，著述之盛，並世所罕見也。」尹炎武〈劉師培外傳〉，《劉申叔先生遺書》（南京：江蘇古籍出版社，1997 年），以下簡稱《遺書》。

❾ 「從前章太炎給劉師培信說『與君學術素同，蓋乃千載一遇』（《章氏叢書文錄》、〈再與劉光漢書〉）可見章太炎對劉師培相知之深，推崇之至，可說章太炎、劉師培是清末的兩位國學大師，同時也是當時中國思想的急先鋒。」郭湛波《近代中國思想史》（香港：龍門書店，1973 年），頁 289。

❿ 劉師培接受西方思想主要表現在其政治思想方面：「《攘書》意即『攘除夷狄』之書，在該書裡，劉師培以物競天擇的社會達爾文主義爲據，認爲：『文明可以統治野蠻，不可以使野蠻征服文明』……《中國民約精義》是劉師培與林獬合著之書，它主要是摘編了從周《易》直到清代學者戴望等人著作裡的言論，加上作者的按語，並用西方盧梭的《民約論》

花。本文擬以《經學教科書》中所呈現的經學觀，對照皮錫瑞《經學歷史》中的經學觀⓫，以對照出屬於古文家的劉師培在經學的觀點上，與今文家的皮錫瑞有何異同之處。計有下列幾個重點：一、「經」字的定義與經學總述，二、六經與周公、孔子的關係，三、經學的分派與分期，四、六經的次序與功用。最後則是要以劉氏家傳的左傳學背景，看看他在《春秋》經的種種問題上的看法（包括《左傳》、《公羊》、《穀梁》），與皮錫瑞的對照。首先先了解《經學教科書》的產生背景。

一、《經學教科書》的產生背景

當時國學保存會有五個目標：一是創刊《國粹學報》、二是開設藏書樓、三是刊刻古籍，彙為國粹叢書、四是編輯國學教科書、五是開國粹學堂，其中尤以編輯教科書為最重要。因當時正值朝廷下詔廢科舉、興學堂⓬，所需教科書尤急，但鑒於當時坊間所有的國學教科書籍，或「譯自東文。」或「草率陋易。」於是另行編輯。編者皆「出自國學諸子。」⓭，劉師培的《經學教科書》，就是當時國學保存會開辦之「國學講習會」—並擬設「國粹學堂」—而為此所編寫的『國學教科

裡的觀點加以發揮，形式別具一格。」周新國〈試析 1903－1908 年劉師培的政治思想〉，《揚州學派研究》（揚州，揚州師院，1987 年），頁 193－194。至於劉師培的國學思想與西方思潮的互動關係方面，可參看黃錦樹老師的博士論文《國學與現代性：經學的終結與近代國學之起源（1891－1927）》之第四章〈學術史場景與國學的起源〉（劉師培與「古學復興」），（新竹：國立清華大學中文系博士論文，1998 年），頁 115－161，其中有詳盡的論述。

⓫ 「公諱錫瑞，字鹿門，一字麓雲，姓皮氏，湖南善化人。顏其居曰師伏堂，學者因稱師伏先生。……晚年講學湘垣，復撰《經學歷史》、《經學通論》二書，為經學課本，今日猶為初學治經者所必讀。」皮名舉〈皮鹿門先生傳略〉，《經學歷史》附錄一（臺北：藝文印書館，1996 年），以下簡稱《經學歷史》。

⓬ 清政府於光緒三十一年八月初四日（西元 1905 年 9 月 2 日）頒佈「自明年起廢止科舉上諭」。

⓭ 「現查坊間所有之國學教科書，非譯自東文，則草率陋劣，竟無一可用之本……至本書之編者，皆出自邃於國學諸子之手，其淵雅通博，有典有則，迥非坊間譯本可比。」〈國學保存會編輯國學教科書廣告〉，《國粹學報》。

書』之其中一部。雖然後因經費無著而作罷，但留下了劉師培所編寫的《中國倫理教科書》、《經學教科書》、《歷史教科書》、《地理教科書》、《文學教科書》等著作，也可想見當時對於所謂「國粹」及「國學」的一些觀念，同時也是研究劉師培學術的重要資料。

但是劉師培編寫《經學教科書》的理由：因坊間的經學史書籍皆「譯自東文」或「草率陋劣」，其中的細節是值得我們加以深入探討的。在所謂「草率陋劣」方面，國學保存會在之後的廣告中曾提到：

> 以上倫理經學二科，爲吾國國粹之至重要者，五千年立國以來，先聖名賢所發明者，實以此爲至精。故學堂課程，首列二科，誠重之也。乃吾國於二科之教科書，未聞有編輯成書者。坊本間有一二，則不完不備，草率特甚……

的確，當時的經學名家所致力的多半是專經的研究，或者是某一議題的闡述，對於經學史方面就沒有著墨，而與《經學教科書》出版年代相近，且由經學名家所寫的經學史著作，也就只有皮錫瑞的《經學歷史》了。⑭但仍是晚於《經學教科書》。至於坊間有沒有通行的經學史書籍？這就需要再作深入研究了。但是一方面它既未能流傳於後世，一方面又是「草率陋劣」，其重要性也是不大。

至於「譯自東文」方面，細究當時的情形，是否已有日本人所寫的中國經學史面世呢？根據筆者手頭資料顯示，日本在這方面的研究不比中國學者超前多少。在一篇訪問日本學者本田濟的文章中，有些資料可供參考。例如在文中訪問者提到：

> 本田成之先生的《支那經學史論》於昭和二年（1927）由弘文堂書房出版，在日本學者所著的中國經學史著作當中，可算是開風氣之作。

⑭ 皮錫瑞《經學歷史》一書於光緒三十三年（西元 1907 年）刊行，而據錢玄同〈左盦著述繫年〉所言，《經學教科書》印行於光緒三十一年（西元 1905 年），早於皮氏之作。

而在本條注釋裡則提到：

如諸橋轍次編輯（安井小太郎、諸橋轍次、小柳司氣太、中山久四郎合著）之《經學史》於昭和八年（1933）由東京松雪堂書店出版。瀧雄之助《支那經學史概說》於昭和九年（1934）由東京大明堂書店出版，皆在本田成之先生《支那經學史論》出版之後。⑮

按照此條資料來看，若本田成之的《支那經學史論》是所謂的「開風氣之作」，那麼「譯自東文」的說法，是否真有其事？⑯

據周予同先生所言：

中國經學研究的時期，綿延二千多年；經部的書籍，據《四庫全書總目》所著錄，已達一千七百七十三部，二萬零四百二十七卷；但是很可奇怪的，以中國這樣重視史籍的民族，竟沒有一部嚴整的系統的經學通史。自然，經學史料是異常豐富的，廣義的經學史或部分的經學史也不是絕無僅有；但是如果說到經學通史，而且是嚴整點系統點的，那我們真不知如何回答了。皮錫瑞的《經學歷史》、劉師培的《經學教科書》第一冊，固然不能說不是通史，但是以兩位近代著名的經今古文學大師，而他們的作品竟這樣的簡略，如一篇論文或一部小史似的，這不能不使我們失望了。最近日人本田成之撰《支那經學史論》，已由東京弘文堂出版。⑰

案周先生此文最早是發表於 1928 年 1 月的《民鐸》雜誌第九卷第一號，正好是本

---

⑮ 金文京、張寶三〈訪本田濟教授談日本近代京都學派之經學研究〉，《中國文哲研究通訊》（第 7 卷第 4 期，1997 年 12 月），頁 143－144。

⑯ 《支那經學史論》有兩種譯本：江俠菴譯本名《經學史論》（上海商務印書館，1934 年）。孫俍工譯本名《中國經學史》（中華書局，1935 年），皆在《經學教科書》之後。

⑰ 周予同〈經學史與經學之派別〉（皮錫瑞《經學歷史》序），《周予同經學史論著選集增訂本》（上海：上海人民出版社，1996 年），頁 96。

田成之新書出版後不久。依照周先生的意見是認爲中國沒有一部「嚴整點、系統點」，又不簡略的經學通史著作，但是日本人卻搶先完成了，可見本田成之的《支那經學史論》是符合周先生的標準的，但劉、皮二位則達不到此標準。

類似的意見如楊向奎《清儒學案新編》中是這樣評論的：

> 申叔先生專著頗多，早期之各種教科書，如《倫理教科書》、《經學教科書》、《中國文學教科書》、《中國歷史教科書》、《中國地理教科書》，都是在民國前四年所作，當時爲富有新義的書，現在看當然陳舊不堪，原因是學術價值不高，如果有學術價值，如夏曾祐之《中國古代史》，觀點陳舊，亦可不朽。⑱

另據林慶彰先生〈經學史研究的基本認識〉一文說：

> 我國古代學術史的系統整理，大都起於清末民初。當時經學史、哲學史的著作紛紛出版。如經學史的最早著作，是劉師培的《經學教科書》第一冊，作於清光緒三十一、二年間。往後至抗戰期間，中日學者的相關著作，計有：皮錫瑞的《經學歷史》、陳燕方的《經學源流淺說》、本田成之的《支那經學史論》、周予同的《經學歷史注釋》、安井小太郎等的《經學史》、瀧熊之助的《支那經學史概說》、馬宗霍的《中國經學史》、甘鵬雲的《經學源流考》等。⑲

由此可見《經學教科書》居於經學史的開路先鋒，是無庸置疑的。至於所謂「草率陋易」、「譯自東文」的說法，當可再加斟酌。⑳而它的學術價值另有討論的空

⑱ 楊向奎〈劉師培《申叔學案》〉，《清儒學案新編》(第6卷)(山東：齊魯書社，1994年)，頁509。

⑲ 林慶彰〈經學史研究的基本認識〉，《中國經學史論文選集》（上冊）（臺北：文史哲出版社，1992年），頁1。

⑳ 若以中國哲學史、儒學史來說，以目前筆者所得資料，日本出版最早有關中國哲學史的書爲：「松本文三郎的《支那哲學史》（1898 年出版），可以說是第一本用近代學術觀念將儒

間，但絕不影響其歷史現實。

錢玄同曾云：

> 劉君著述之時間凡十七年，始民元前九年癸卯，迄民國八年己未（1903－1919），因前後見解之不同，可別爲二期：癸卯至戊申（1903－1908）凡六年爲前期，己酉至己未（1909－1919）凡十一年爲後期。……前期以實事求是爲鵠，近於戴學，後期以篤信古文爲鵠，近於惠學。又前期趨于革新，後期趨于循舊。㉑

由這樣的分期看來，《經學教科書》可說是劉師培在早期的學思結晶。雖不能以此就斷定他的經學成就，但對了解他的經學思想來說，卻是極具參考價值的一部著作。

《經學教科書》共有二冊，第一冊是總述經學歷史，第二冊專論《易》，本文擬以第一冊作爲探討主題。

《經學教科書》所想要傳達的觀念及其目標，在其〈序例〉中其實已可窺其一端，在〈序例〉中提到：

> 1. 每冊三十六課，每課字數約在四五百言之間。
> 2. 經學源流不明則不能得治經之途轍，故前冊首述源流，後冊當詮大義。
> 3. 經學派別不同，大抵兩漢爲一派，三國至隋唐爲一派，宋元明爲一派，近儒別爲一派。今所編各課，亦分經學爲四期，而每期之中，于經學之派別，必分析詳明，以備參考。
> 4. 經學派別既分爲四期，而每期之中，首《易經》；次《書經》；次《詩經》；次《春秋》；次《禮經》；次《論語》，《孟子》、《學》

學史作爲哲學史的專著，是眞正中國哲學史研究的開端。」見於劉岳兵〈京都「中國哲學研究的現狀及對二十一世紀的展望」研討會綜述〉，《哲學研究》（1996年第9期）。

㉑ 見錢玄同〈劉申叔先生遺書序五〉，《遺書》。

《庸》附焉；次《孝經》，《爾雅》附焉。蓋班志於六藝之末，復附列《論語》、《孝經》，今用其例。惟《樂經》失傳，後儒無專書，不能與《禮經》並列耳。

5.所引各書，必詳注所出。一二私見，附以自注，以供學者之采擇。[22]

在現在留下的《擬國粹學堂學科預算表》（即課程表）中，經學這一科的授課大綱分別是：

第一學期 經學源流及流派

第二學期 漢儒經學

第三學期 宋明經學

第四學期 近儒經學

第五學期 經學大義

第六學期 經學大義[23]

由這一份課程表來看，可以與〈序例〉中所言作一互相發明，也可看出國學保存會對保存國粹的理想及基本理念。

二、「經」字的定義與經學總述

有關於「經」字的定義，自古以來即是眾說紛紜、莫衷一是，尤其是今、古文家對「經」更是見解各異。在《經學教科書》第二課〈經字之定義〉中，說明了劉師培對「經」的看法：

六經之名，始于三代，而經字之義，解釋家各自不同：班固《白虎通》訓經為常，以五常配五經；劉熙《釋名》訓經為徑，以經為常典，猶徑路無所不通。案《白虎通》、《釋名》之說，皆經字引伸之義，惟許氏《說

[22] 〈序例〉，《經學教科書》，《遺書》。

[23] 引自鄭師渠《國粹、國學、國魂——晚清國粹派文化思想研究》（臺北：文津出版社，1992年），頁146。

文》經字下云：「織也，從糸巠聲。」蓋經字之義，取象治絲，從絲爲經，衡絲爲緯，引伸之則爲組織之義。上古之時，字訓爲飾，又學術授受多憑口耳之流傳，六經爲上古之書，故經書之文，奇偶相生，聲韻相協，以便記誦。而藻繪成章，有參伍錯綜之觀。古人見經文之多文言也，於是假治絲之義，而錫以六經之名，即群書之用文言者亦稱之爲經，以與鄙詞示異。後世以降，以六經爲先王之舊典也，乃訓經爲法；又以六經爲盡人所共習也，乃訓經爲常，此皆經字後起之義也。不明經字之本訓，安之六經爲古代文章之祖哉。[24]

他認爲班固和劉熙對經的解釋都是經的引伸之意，不是經的本意，而劉師培則引許慎之說，從語言文字學的角度來切入，認爲「經」字是源於對治絲的借喻，因古代學術多借口耳相傳，六經作爲上古之文，爲了便於記誦，故經書之文奇偶相生、聲韻相協，所以產生藻繪成章、參伍錯綜之觀的經文來。於是古人假借絲的縱橫，認爲六經是以「文言」所寫成的書，故凡群書用文言者亦稱爲經，最重要的一點是「以示與鄙詞互異」。從這個觀點出發，引發出「六經爲古代文章之祖」的結論。劉師培在課文中註釋云：

如《易》有〈文言〉，而六爻之中亦多韻語，故爻字取義於交互；《尚書》亦多偶語韻文；《詩》備入樂之用，故聲成文，謂之音；《孟子》亦曰：「不以文害辭」，又孟子引孔子之言曰：「春秋其言則史」；而《禮記》〈禮器篇〉亦曰：「禮有本有文」，是六經之中無一非成文之書。[25]

在這兒舉例說明了，六經中的文字的確是「文言」，也就是所謂的「偶語韻文」。但是劉師培不僅認爲具有文言特質的「六經」可稱爲「經」，連一般的書籍，只要是以文言寫成就可稱爲「經」。

---

[24] 〈經字之定義〉，《經學教科書》，《遺書》。

[25] 同前註。

> 如《孝經》、《道德經》、《離騷經》之類是也，皆取藻繪成文之義。又吳語云：「挾經秉枹」，注云：兵書也是，兵書之雜用文言者，亦可稱之爲經也。㉖

如此一來就將「經」字的定義擴大了，當然劉師培會提出此觀點，自與其學術背景有所關聯，因爲他的文學造詣也很高，而對於文字學演變的研究也是多有創獲，所以他將對文學和文字學的研究所得，發揚在經學的研究上，這樣的見解不僅是表現在劉師培的文學觀點上，同時對於經學的解釋，也秉持著相同的概念，像他就說六經是古代文章之祖。我們可以看他的文學史觀，這樣就可以了解他爲何會提出所謂「文言」即經的觀念。㉗而他的這個說法，被人稱爲駢文學派，如周予同先生：

> 此外還有立場于駢文學派的見地，而提出經的定義的。他們以爲經是經緯、組織的意思。六經中的文章，多是奇偶相生、聲韻相協、藻繪成章，好像治絲的經緯一樣，所以得稱爲經。換言之，六經的文章大抵是廣義的駢文體，也就是他們所謂「文言」。所以其他群書只要是「文言」的，也可以稱爲經。如《老子》稱爲《道德經》，《離騷》稱爲《離騷經》等。這派是始於清代反桐城派的駢文學家阮元，到近人劉師培著《經學教科書》，更提出比較有系統的主張。㉘

當然這樣的觀念，其實是不易讓人贊同的，因爲我們知道古代的書籍，其行文多半是有押韻，我們現在讀起來雖然可能不是都有押韻，但以古音讀起來，就可以協韻了，這樣推展開來，上古許多文學作品都是有押韻的，所以他們在劉師培對「經」

㉖ 同前註。

㉗ 「印度佛書區分三類，一曰經，二曰論，三曰律。而中國古代書籍亦大抵分此三類，一曰文言，藻繪成文，複雜以駢語韻文，以便記誦，如《易經》六十四卦及《書》、《詩》兩經是也，是即佛書之經類。……後世以降，排偶之文皆經類也。……」〈論文雜記〉（之一），《遺書》。

㉘ 周予同：《群經概論》（上海：上海書店，1991 年，民國叢書第 2 編第 3 冊），頁 2。

的這個定義下都可以被稱爲經，而這是不太合理的說法。

而當時其他的古文家則是認爲：經是一切書籍的通稱，在孔子之前固已有經，在孔子以後的群書，也不妨稱爲經。㉙而以章太炎提出所謂「經」就是「線」，就是古代裝訂書的「韋編」。「經」、「傳」、「論」的不同，只是竹簡長短的不同，爲有系統的學說。㉚

在皮錫瑞《經學歷史》中，對於「經」字的定義沒有像《經學教科書》這樣的解釋，而是承襲了今文家的觀念，對「六經」來作發揮：

> 經學開闢時代，斷自孔子刪定六經爲始。孔子之前不得有經；猶之李耳既出，始著五千之言；釋迦未生，不傳七佛之論也。《易》自伏羲畫卦，文王重卦，只有畫而無辭；亦如《連山》、《歸藏》只爲卜筮之用而已。《連山》、《歸藏》不得爲經，則伏羲、文王之《易》亦不得爲經矣。《春秋》，魯史舊名，只有其事其文而無其義；亦如晉《乘》、楚《檮杌》只爲記事之書而已。晉《乘》、楚《檮杌》不得爲經，則魯之《春秋》亦不得爲經矣……㉛

這是今文家的看法，經學是伴隨著孔子而產生的，那些上古的書都不能算是經，因爲在今文家眼裡，孔子等於經學的代名詞，但是後來的人不明事理，竟然質疑孔子的崇高地位，所以皮錫瑞才會在《經學歷史》第一章〈經學開闢時代〉開宗明義就說：

> 凡學不考其源流，莫能通古今之變；不別其得失，無以獲從入之途。古來國運有盛衰，經學亦有盛衰；國統有分合，經學亦有分合。歷史具在，可

㉙ 周予同〈經、經學、經學史〉，同註⑰，頁 652。

㉚ 「世人以經爲常，以傳爲轉，以論爲倫，此皆後儒訓說，非必睹其本眞。案經者，編絲綴屬之稱。……是故繩線聯貫謂之經，簿書記事謂之專，比竹成冊謂之侖。」見於章太炎《國故論衡》之〈文學總略〉、〈原經〉等文。

㉛ 〈經學開闢時代〉，《經學歷史》。

明徵也。

其目的就是在強調，要考察經學的源流，才能通達其變，知道何謂正統，也才能眞正進入經學的門牆來言經學。而皮氏心中的經學之祖自然是孔子，只有孔子親手修訂之書才能稱爲「經」，其他典籍都不能僭越。但是這樣的觀念推展開來，使得劉、皮兩人在看待後世所謂十三經問題時有相同的說法：

> 漢人以《樂經》亡，但立《詩》、《書》、《易》、《禮》、《春秋》五經博士，後增《論語》爲六，又增《孝經》爲七。唐分三《禮》，三《傳》，合《易》、《書》、《詩》爲九。宋又增《論語》、《孝經》、《孟子》、《爾雅》爲十三經，皆不知經傳當分別 ，不得以傳記概稱爲經也。[32]

而劉師培在《經學教科書》第一課〈經學總述〉也是開宗明義的先講了自己對經學的觀點，同樣也是有導正視聽的涵意：

> 三代之時，只有六經，六經者，一曰《易經》、二曰《書經》、三曰《詩經》、四曰《禮經》、五曰《樂經》、六曰《春秋經》。故《禮記·經解篇》引孔子之言以《詩》、《書》、《禮》、《樂》、《易》、《春秋》爲六經。若《左氏》、《公羊》、《穀梁》三傳咸爲記《春秋》之書；《周禮》原名《周官經》；《禮記》原名《小戴禮》；皆與《禮經》相輔之書。《論語》、《孝經》雖爲孔門緒言，亦與六經有別。至《爾雅》列小學之門，《孟子》爲儒家之一，《中庸》、《大學》咸附《小戴禮》之中，更不得目之爲經。

劉師培認爲十三經中有以傳爲經者如《左氏》、《公羊》、《穀梁》；有以記爲經

---

[32] 同前註。

者如《小戴禮》；還有以群書爲經的如《周官經》、《孝經》、《論語》；以及以釋經之書爲經的如《爾雅》等。主要是認爲這些都是後來圍繞著經書內容或形式所產生的後起之書，不應該說是「經」，因此批評是「不知正名」之故。而皮錫瑞反對的理由就更加充分了，因爲他認爲孔子是「素王」，只有孔子所手定之書——六經，方得稱之爲經。㉝所謂「孔子之前不得有經」，那麼比孔子晚出之書更不得稱之爲經。所以他們兩人批評十三經的結果是一致的，但他們的出發點和理由卻是大相逕庭，且帶著濃厚的學派色彩。

三、六經與周公、孔子的關係

六經的起源和六經與孔子、周公的關係是息息相關的，而這也是經學開始的重要時期，今古文家在這個論題上也是爭議不休，接下來就分別看看劉、皮二位的說法。

㈠ 六經的起源

在劉師培的觀念裡六經起源甚早：

> 六經起源甚古，自伏羲仰觀俯察作八卦，以類物情，後聖有作，遞有所增合爲六十四卦（虞翻以爲伏羲作，鄭玄以爲神農作，今並存其說）……夏易名《連山》，商易名《歸藏》，今皆失傳，是爲易經之始。上古之君，左史記言，右史記動。言爲尚書，動爲春秋。（禮記鄭注）故唐虞、夏殷，咸有尚書，而古代史書復有《三墳》、《五典》（見左傳昭十二年），是爲《書經》、《春秋經》之始。謠諺之興，始于太古（見湯愼所輯），在心爲志，發言爲詩（詩大序）。虞夏以降，咸有采詩之官（夏有遒人，見《尚書》及《左傳》；商有太師，見《禮記》〈王制〉），采之民間，陳于天子，以觀民風（〈王

㉝ 「孔子出而有經之名。《禮記・經解》『孔子曰：入其國，其教可知也：其爲人也，溫柔敦厚，《詩》教也；疏通知遠，《書》教也；廣博易良，《樂》教也；潔淨精微，《易》教也；恭儉莊敬，《禮》教也；屬辭比事，《春秋》教也。』始以《詩》、《書》、《禮》、《樂》、《易》、《春秋》爲六經。」，同註㉛。

> 制〉），是爲《詩經》之始。樂舞始于葛天（《呂氏春秋》〈古樂篇〉），而伏羲、神農咸有樂名，至黃帝時，發明六律五音之用（《呂氏春秋》〈古樂篇〉），而帝王易姓受命，咸作樂以示功成（用《樂緯》及《樂記》說），故音樂之技，代有興作，是爲《樂經》之始。上古之時，社會蒙昧，聖王既作，本習俗以定禮文，故唐虞之時，以天地人爲三禮（見虞書注），以吉凶軍嘉賓爲五禮（同上），降至夏殷，咸有損益，是爲《禮經》之始。[34]

在這裡說明上古的學術就是包含在《六經》的範圍之中，他認爲《易》是伏羲首作六十四卦，而後施政行事都以卜卦之卦象來作決定後來發展出夏、商之《易》，今失傳，只有周《易》尙存；而《書》、《春秋》都是古代史書，區別在於記言、記動之分；而《詩》是由採詩之官在民間所蒐集而成，獻給天子以了解民風之選輯；而《樂》的起源更早，葛天氏、伏羲、神農都有樂名，到黃帝發明了六律五音，後來每到改朝換代之時，都會創作新樂來慶祝；《禮》的開始是上古聖王，本習俗以定禮文來創立社會制度，而在三代之時，隨時代各有損益。

其實劉師培舉出這些例子，目的就是在說明上古的學術都包含在六經的範圍中，而六經的基礎早在上古就已建立，但是上古的六經由於淆亂無序，沒有薈萃成編，所以還是與所謂周代六經有所不同。故接下來談到西周的六經。

至於在皮錫瑞的看法方面，由上節所述可知，他對這些所謂上古的史料並不認爲它們是經，所以並未特別討論，不過倒是沒有否定它們的存在。[35]

㈡ 周公與六經

談到西周的六經就一定會提到周公，而劉師培是這樣說的：

> 西周之時，尊崇六經。自文王治《易》作彖文、爻詞；周公制禮作樂，復損益前制，製爲冠、婚、喪、祭、朝聘、射饗之禮；而輶軒陳詩觀風，史官記言記動，仍仿古代聖王之制。故《易經》掌於太卜《書經》《春秋》

---

[34] 〈古代之六經〉，《經學教科書》，《遺書》。

[35] 關於這些上古史料的論述，可參見〈經學開闢時代〉中的說明。

掌於太史外史《詩經》掌於太師《禮經》掌於宗伯《樂經》掌於大司樂。有官斯有法，故法具于官；有法斯有書，故官守其書。而禮樂詩書復備學校教民之用，諸侯六邦亦奉六經爲典臬。因職官不備，或以史官兼掌之。誠以成周一代之史，悉範圍于六經之中也，又周公之時作《周官》經，以明六官之職守，又作《爾雅·釋詁》一篇，明古今言語之異同，以備外史達書名之用。故周公者，集周代學術之大成者也，六經皆周公舊典，足證孔子之前久有六經矣。故周末諸子，若管子、墨子，咸見六經，蓋周室未修之六經，固與孔子已修之六經不同也。[36]

本課重點在說明文王治《易》作〈彖文〉、〈爻詞〉，而周公制《禮》作《樂》，又損益前制作了《儀禮》，並作了〈雅〉、〈頌〉、〈南豳〉，又作了《周官經》、《爾雅·釋詁》，所以在這一段中他明白的說六經皆周公舊典，所以可以證明孔子之前久有六經，周公不是親自參與創作就是從事編集工作，所以周公是集周代學術之大成者，而《禮》、《樂》、《詩》、《書》也都作爲學校教民之用，各諸侯也將六經奉爲圭臬，故成周一代之史都包含在六經之中。但周室未修的六經與後來孔子的六經有所不同，所以接下來談到孔子的六經。

在皮錫瑞方面，他對所謂「六經出於周公」之事乃是抱持反對立場，這是他一貫的看法：

文王重六十四卦，見《史記·周本紀》，而不云作〈卦辭〉；〈魯周公世家〉亦無作〈爻辭〉事，蓋無文辭，故不可以教士。若當時已有〈卦爻辭〉，則如後世御纂、欽定之書，必頒學官以教士矣。觀樂正之不以《易》教，知文王、周公無作〈卦爻辭〉之事。……觀樂正之不以《春秋》教，知周公無作《春秋》凡例之事。……是漢人以爲《詩》、《書》皆孔子所定，而《易》與《春秋》更無論矣。[37]

---

[36] 〈西周之六經〉，《經學教科書》，《遺書》。

[37] 同註[31]。

基本上就否定了所謂文王作〈卦辭〉、周公作〈爻辭〉的說法，同時認爲漢人的說法是正確的。蓋西漢乃今文經家極盛之時，且離孔子之時不遠，既然漢朝學者都說《詩》、《書》爲孔子所定，那周公自然就與《詩》，《書》無涉了。

㈢ 孔子與六經

劉師培談到孔子與六經的關係時講到：

> 東周之時，治六經者非僅孔子一家，若孔子六經之學，則大抵得之史官：《周易》、《春秋》得之魯史；詩篇得之遠祖正考父，復問禮老聃、問樂萇弘；觀百二國寶書於周史，故以六經奸七十二君。及所如輒阻，乃退居魯國，作〈十翼〉以贊《周易》，敘列《尚書》定爲百篇，刪殷、周之詩定爲三百一十篇，復反魯正樂播以絃歌，使〈雅〉、〈頌〉各得其所，又觀三代損益之禮，從周禮而黜夏、殷，及西狩獲麟，乃編列魯國十二公之行事，作爲《春秋》。而周室未修之六經，易爲孔門編訂之六經。蓋六經之中，或爲講義，或爲課本。《易經》者，哲理之講義也；《詩經》者，唱歌之課本也；《書經》者，國文之課本也；《春秋》者，本國近世史之課本也；《禮經》者，修身之課本也；《樂經》者，唱歌課本以及體操之模範也。又孔子教人以雅言爲主，故用《爾雅》以辨言，則《爾雅》者，又即孔門之文典也。此孔子所由言「述而不作」與？[38]

有幾個重點值得注意，一是他延續孔子之前早有六經的觀點，於是說東周時治六經者非僅孔子一家；又說孔子的六經之學大抵得自史官，一直到他周遊列國後，發覺其道不行，於是退而刪定六經，將原本流傳的周室六經加以重新編訂後，成爲孔門的六經。而由於孔子從事教育工作，於是六經就成爲他教學的講義或課本，[39]基本

---

[38] 〈孔子定六經〉，《經學教科書》，《遺書》。

[39] 在本段課文注釋中提到：「特孔門之授六經以《詩》、《書》、《禮》、《樂》爲尋常學科，以《易》、《春秋》爲特別學科。故性與天道，弟子多不得而聞。試觀《漢書》眭弘等傳贊，則性即《易經》、天道即《春秋》也。」可以看出孔子的因材施教，蓋性與天道是較艱深難解的，所以孔子弟子三千人，通六藝者只有七十二人，比例是相當低的。

上並未賦予孔子編訂六經神聖的定義。

皮錫瑞則是認爲：

> 讀孔子所作之經，當知孔子作六經之旨，孔子有帝王之德而無帝王之位，晚年知道不行，退而刪定六經，以教萬世。其微言大義實可爲萬世之準則。……孔子之教何在？即在所作《六經》之內。故孔子爲萬世師表，六經即萬世教科書……故必以經爲孔子作，始可以言經學；必知孔子作經以教萬世之旨，始可以言經學。[40]

簡單來說，一方面認爲經是孔子著作的專稱，孔子之前不得有經，要經孔子刪定之書才得稱經，一方面也把經學的時代斷定爲孔子之後才有經。如談到《詩經》和《尙書》、《周禮》：

> 古《詩》三千篇，《書》三千二百四十篇，雖卷佚繁多，而未經刪定，未必篇篇有義可爲法戒。《周禮》出山巖屋壁，漢人以爲瀆亂不驗，又以爲六國時人作，未必眞出周公。《儀禮》十七篇，雖周公之遺，然當時或不只此數而孔子刪定，或並不及此數而孔子增補，皆未可知。觀「孺悲學士喪禮於孔子，《士喪禮》於是乎書」，則十七篇亦自孔子始定；猶之刪《詩》爲三百篇，刪《書》爲百篇，皆經孔子手定而後列於經也。[41]

這些典籍如《詩》三千篇、《書》三千二百四十篇、《周禮》、《儀禮》、《易》、魯《春秋》皆早於孔子而存在，但他們都有著如上所述的問題[42]，這樣是

---

[40] 同註[31]。

[41] 同前註。

[42] 「《詩》、《書》篇目雖多，卻未必篇篇有義可爲法戒；《周禮》、《儀禮》或以爲瀆亂不驗；《周易》與《連山》、《歸藏》並爲卜筮之書，有畫而無辭；魯《春秋》與晉《乘》、楚《檮杌》皆是記事之書，只有其事其文而無其義。」張火慶〈皮錫瑞《經學歷史》析論〉，《經學研究論集》（臺北：黎明文化事業公司，1990年）。

無法賦予其永久流傳的意義的。所以它們雖然早於孔子，但是必須等到孔子刪定《詩》、《書》，增減《儀禮》，贊《易》作〈十翼〉，筆削魯《春秋》後㊸，方才精粹而隱含微言大意。以其道可常行，於是稱為「經」，經學於是由此而始。

㈣ 孔子的傳經

有關於孔子的傳經問題，自古也是經學家們討論的重點之一，在〈孔子弟子之傳經上〉中講到大概的情形：

> 孔子弟子三千人，通六藝者七十二人，故曾子作孝經以記孔子論孝之言，子夏諸人復薈集孔子緒言纂為論語，而六經之學亦各有專書。

接下來談到六經的傳授：

> 《易經》由孔子授商瞿，再傳而為子弓，復三傳為田何。
>
> 《書經》之學，雖由孔子授漆雕開，然師說無傳，惟孔氏世傳其書，九傳而至孔鮒。
>
> 《詩經》之學，由孔子授子夏，六傳而至荀卿，荀卿授詩浮邱伯，為魯詩之祖；復以詩經授毛亨，為毛詩之祖。
>
> 《春秋》之學，自左丘明作傳，六傳而至荀卿，復由荀卿授張蒼，是為左氏學之祖。公、穀二傳，咸為子夏所傳，一由子夏授公羊高，公羊氏世傳其學，五傳而至胡母生，是為公羊學之祖；一由子夏授穀梁赤，一傳而為荀卿，復由荀卿授申公，是為穀梁學之祖。㊹

由此得到一個結論，劉氏認為子夏和荀卿（荀子）是孔子傳經的代表人物：

㊸ 「《易》自孔子作〈卦爻辭〉、〈彖〉、〈象〉、〈文言〉，闡發義、文之旨，而後《易》不僅為占筮之用；《春秋》自孔子加筆削褒貶，為後王立法，而後《春秋》不僅為記事之書。」，同註㉛。

㊹ 〈孔子弟子之傳經上〉，《經學教科書》，《遺書》。

是子夏、荀卿者，集六經學術之大成者也，兩漢諸儒殆皆守子夏、荀卿之學派者與。

在〈孔子弟子之傳經下〉中劉師培補足了《禮》、《樂》兩經的傳經問題，並討論到有關孟子，六國及秦代的經學問題：

《禮》、《樂》二經，孔門傳其學者尤不乏其人，如子夏、子貢皆深于《樂》；曾子、子游、儒悲皆深于《禮》。六國之時，傳《禮經》者復有公孫尼子、王史氏諸人，而孔門弟子復爲《禮經》作記，又雜采古代記禮之書以及孔子論禮之言，依類排列，薈萃成書。而子思作《中庸》，七十子之徒作《大學》，咸列附其中。惟當世學者溺於墨子非樂之言，致戰國之時治《樂經》者遂鮮，此《禮》、《樂》二經興廢之大略也。㊺

在這一段提到《禮》、《樂》兩經的發展及興廢問題，另外還提到《中庸》和《大學》的成書過程。

又子夏之徒賡續《爾雅》以釋六藝之言，鄒人孟軻受業子思之門人，通五經之學，尤長于詩書，作《孟子》七篇，列于儒家之一，大抵皆孔門之緒言也。故鄒魯之民，咸身習六經之文，彬彬向學，迄于周末弗衰。

這兒講到孟子以及鄒魯之地的文風。

自魯置博士，始以六經爲官學，魏文侯受業子夏，復爲博士置弟子，已開秦制之先。惟秦代之時禁民間私習六經，故焚書坑儒，舍《易經》而外，咸出于灰燼屋壁之中，此則六經之大厄也可不嘆哉。

㊺ 〈孔子弟子的傳經下〉，《經學教科書》，《遺書》。

有關六國時期的六經發展及秦代禁民間私習六經之事，是大家耳熟能詳的一段記載，而身爲古文家的劉師培對此事當然是承襲《史記・儒林傳》和《漢書・藝文志》的說法，不過値得注意的是，劉師培在注釋中卻提到一些不同的看法：

> 秦皇雖焚六經，然特禁民間之私學耳，未嘗不以六經爲官學也。命民以吏爲師，吏即博士，所學者即六經之類也。如叔孫通爲博士，明于《禮》、《樂》，張蒼爲秦柱下史，明于《左氏春秋》。是秦代有職之官，固未曾禁其習六經也。

我們可將此概念與當時反對古文經學最力的康有爲其著作《新學僞經考》中的內容作一對照：

> 焚書之令，但燒民間之書。若博士所職，則《詩》、《書》、百家自存。夫政、斯焚書之意，但欲愚民而自智，非欲自愚。若并秘府所藏、博士所職而盡焚之，而僅存醫藥、卜筮、種樹之書，是秦并自愚也，何以爲國？……釋之曰：秦焚《詩》、《書》，博士之職不焚。是《詩》、《書》，博士之專職。秦博士如叔孫通，有儒生弟子百餘人。諸生不習《詩》、《書》，何爲復作博士弟子？既從博士受業，如秦無「以吏爲師」之令，則何等腐生，敢公犯詔書而以私學相號聚乎？[46]

參看劉師培和康有爲的說法可以發現其中隱隱有相合之處，雖然沒有證據顯示兩人對此問題有直接或間接接觸討論[47]，而類似這樣的看法，在學術史上也不是沒有出現過[48]，只是一直未受重視，而劉師培能運用此不同於傳統的古文家意見之說，也

---

[46] 康有爲〈秦焚六經未嘗亡缺考第一〉，《新學僞經考》，收錄於蔣貴麟主編《康南海先生遺著彙刊》（臺北：宏業書局，1976 年）。

[47] 案《新學僞經考》於清光緒十七年（1891）刊行，其時劉師培 8 歲。

[48] 《朱子語類》亦有「秦只教天下焚書，他朝廷依舊留得」之説，見卷 138。

可窺見其學通達博采之處。

至於皮氏對孔子傳經的意見則爲：

> 經名昉自孔子，經學傳於孔門。《韓非子·顯學篇》云：「孔子之後，儒分爲八，有子張氏、子思氏、顏氏、孟氏、漆雕氏、仲良氏、公孫氏、樂正氏之儒。」……諸儒學皆不傳，無從考其家法，可考者惟卜氏子夏。[49]

本段說明「經」之名始於孔子，所以經學也就是由孔子傳授、流傳下來，但是諸儒所傳，到今日都不可考其家法，只有子夏之學留下。

> 《史記·儒林傳》曰：「孟子、荀卿之列，咸遵夫子之業而潤色之，以學顯于當世。」趙岐謂孟子通五經，尤長於《詩》、《書》。今考其書，實於《春秋》之學尤深。如云「《春秋》，天子之事」、「其義則丘竊取」之類，皆微言大義。惜孟子《春秋》之學不傳。《群輔錄》[50]云樂正氏傳《春秋》，不知即孟子弟子樂正克否。其學亦無可考。惟荀卿傳經之功甚鉅，《釋文》〈序錄〉[51]《毛詩》一云：「孫卿子傳魯人大毛公」，則《毛詩》爲荀子所傳。《漢書》〈楚元王交傳〉「少時常與魯穆生、白生、申公同受詩於浮丘伯。伯者，孫卿之門人。」《魯詩》出於申公，則《魯詩》亦荀子所傳。《韓詩》今存《外傳》，引《荀子》以說詩者，四十有四，則《韓詩》亦與《荀子》合。

這段則是說孟子之學，學通五經，於《春秋》尤深，但亦不傳。而荀子在傳經的功勞上最大，下開後世綿延不絕的師法，而孟荀二人「咸尊夫子之業而潤色之，以學顯於當世。」這是皮錫瑞對於孟子和荀子傳孔子之經的讚美。

---

[49] 〈經學流傳時代〉，《經學歷史》。

[50] 《聖賢群輔錄》二卷，一名《四八目》，相傳爲陶潛撰，其實係晚出僞書，不足憑信。

[51] 謂唐陸德明《經典釋文》之〈序錄〉。

〈序錄〉「左丘明作傳以授曾申，申傳衛人吳起，起傳其子期，期傳楚人鐸椒，椒傳趙人虞卿，卿傳同郡荀卿。」則《左氏春秋》，荀子所傳。

〈儒林傳〉云：「瑕丘江公受《穀梁春秋》及《詩》於魯申公。」申公爲荀卿再傳弟子，則《穀梁春秋》亦荀子所傳。

《大戴》〈曾子立事篇〉載《荀子》〈修身〉、〈大略〉二篇㊿文，《小戴》〈樂記〉、〈三年問〉、〈鄉飲酒義篇〉載《荀子》〈禮論〉、〈樂論〉篇53文，則二戴之《禮》亦荀子所傳。

劉向稱荀卿善爲《易》，其義略見〈非相〉、〈大略〉二篇。54

是荀子能傳《易》、《詩》、《禮》、《樂》、《春秋》，漢初傳其學者極盛。秦政晚謬，乃至燔燒55；漢高宏規，未遑庠序。而叔孫生、伏生皆博士故官，杜田生56、申公亦先朝舊學；掇拾秦灰之後，寶藏漢壁之先……57

歷經了戰國的混亂，秦政的焚燒，但是經學的傳授仍然未湮滅，就是靠著這些門人弟子「獨抱遺經，遁世避俗」才得以延續經學的命脈。而在此處，皮氏未對秦始皇焚書坑儒一事有新的見解，他仍舊按照《史記》的說法來交代這段歷史，如果單從這點來看，劉師培確實有較新穎的看法，這應當與他們的學術背景有關。且皮錫瑞雖爲今文學家，但與譚嗣同、夏曾佑、廖平、康有爲等人的今文經學是不同的，皮氏可說是清末純今文經學的大師58，其學術也是走正統的路子，故專守舊說也是理

---

52 《大戴》即《大戴禮記》，爲漢時戴德所傳。〈曾子立事篇〉爲《大戴記》之第 49 篇。〈修身〉、〈大略〉爲《荀子》之第 2、27 篇。

53 《小戴》即《小戴禮記》，爲漢時戴聖所傳，今簡稱《禮記》。〈樂記〉爲《禮記》之第 19 篇，〈三年問〉爲第 38 篇，〈鄉飲酒〉爲第 45 篇。〈禮論〉、〈樂論〉爲《荀子》之第 19、20 篇。

54 〈非相〉、〈大略〉爲《荀子》第 5、27 篇。

55 指始皇 34 年焚書事，見《史記》〈始皇本紀〉。

56 即漢初傳《易》之田何。

57 相傳古文《尚書》及《逸禮》等均於漢武帝時發壁藏得之，見《漢書》〈藝文志〉、〈劉歆傳〉。

58 「從龔、魏到康、譚的今文經學，並不是純今文經學，清末的純今文經學的大師是皮錫瑞

所當然的。

四、經學的分派與分期

將《經學教科書》第一冊三十六課的內容加以歸納，由第一課到第八課分別是：〈經學總述〉、〈經學之定義〉、〈古代之六經〉、〈西周之六經〉、〈孔子定六經〉、〈孔子弟子之傳經〉上下、〈尊崇六經之原因〉。以下各課就按照兩漢，三國南北朝隋唐，宋元明，近儒等四期，再依《易》、《書》、《詩》、《春秋》、《禮》、《論語》、《孝經》的順序加以演繹爲課文。

在〈序例〉中說：

> 治經學者當參攷古訓，誠以古經非古訓不明也。大抵兩漢之時，經學有今文古文之分：今文多屬齊學，古文多屬魯學；今文家言，多以經術飾吏治，又詳於禮制，喜言災異五行；古文家言，詳於訓詁，窮聲音文字之原。各有偏長，不可誣也。六朝以降，說經之書，分北學南學二派：北儒學崇實際，喜以漢儒之訓說經，或直質寡文；南儒學尚浮夸，多以魏晉之注說經，故新義日出。及唐人作義疏，黜北學而崇南學，故漢訓多亡。宋明說經之書，喜言空理不遵古訓。或以史事說經，或以義理說經，雖武斷穿鑿，亦多自得之言。近儒說經，崇尚漢學。吳中學派，掇拾故籍，詁訓昭明。徽州學派，詳于名物典章，復好學深思，心知其意。常州學派，宣究微言大義，或推經致用。故說經之書，至今日而可稱大備矣。此皆研究經學者所當參考者也。（大約古今說經之書每書皆有可取處要在以己意爲折衷耳。）[59]

（1850－1908）。如果可以說龔自珍、康有爲等改良主義啓蒙思想家的著述是『舊瓶裝新酒』的話，那麼皮錫瑞的代表作《經學歷史》還是『舊瓶裝舊酒』……」夏傳才《十三經概論》（天津：天津人民出版社，1998年），頁57。

[59] 〈序例〉，《經學教科書》，《遺書》。

周予同在其所注釋皮錫瑞《經學歷史》序言中評道：

> 採取四派說的，推近人劉師培。劉在《經學教科書》〈序例〉中說：「大抵兩漢爲一派，三國至隋唐爲一派，宋元明爲一派，近儒別爲一派。」這話也很有商榷的餘地，宋元明固自爲一派，兩漢及近儒不都是含有互相水火的古今文學兩派嗎？三國隋唐不就是古文學的支流嗎？劉氏所以有這樣疏略的話，或者是強以時代分派之故。[60]

與其相反的意見有田漢雲：

> 這種分期或許比皮錫瑞《經學歷史》中的分法粗略，但是在實際理解上卻遠比皮錫瑞精到。皮錫瑞把經學歷史的全過程視爲一個大馬鞍形，即由西漢之昌明、東漢之極盛而至中衰、積衰，到清代始復盛。劉師培則指明經學之四度大變化，而不是籠統地對某一階段經學有所軒輊，這就比較冷靜客觀。[61]

但是這樣的分法當然不是絕對完美的，像是一開始說「大抵兩漢爲一派」，是不是意指經學的起源在兩漢呢？如果不是，那麼在兩漢之前應有更早的經學派別，因爲在《經學教科書》中的課程編排，由第一課〈經學總述〉、第二課〈經字之定義〉，一直到第九課〈兩漢易學之傳授〉開始談到兩漢之前，還有〈古代之六經〉、〈西周之六經〉、〈孔子定六經〉、〈孔子弟子之傳經〉等提到兩漢之前經學發展情形的篇章，但是這個時代的經學卻未列入經學派別中來討論，是疏忽或是另有解釋，這也是值得我們注意的。

其實要在源遠流長的經學史中分出有哪幾派，或是要訂定一個明確的分期時

---

[60] 皮錫瑞著，周予同注釋：《經學歷史》（上海：上海書店，1996 年，民國叢書第五編第一冊），〈序言〉，頁 6。

[61] 田漢雲《中國近代經學史》（西安：三秦出版社，1996 年），頁 461。

間，本身就十分困難。因爲個人的著眼點不同，所分出的結果也會大大不同。像是分派的類別，除了劉師培的四派說外，還有二派說和三派說。二派說可以《四庫全書總目提要》爲代表，他以爲：

> 自漢京以後，垂二千年……要其歸宿，則不過漢學、宋學兩家互爲勝負。

其後江藩《國朝漢學師承記》、《宋學淵源記》都取這說。

其實他們所謂漢學，是專指東漢古文學，並不包括西漢今文學，這樣就截去了經學史的首尾。康有爲的《新學僞經考》批評說：「凡後世所指目爲漢學者，皆賈、馬、許、鄭之學，乃新學，非漢學也。」也不是沒有道理的。

另外三派說，有周予同所提所謂「經學三大派」，分爲(1)西漢今文學(2)東漢古文學(3)宋學。[62]但是這樣的分派，連周予同本身都說這「自然是極其粗枝大葉的敘述」，由此可見其困難度。而後來編寫有關經學史書籍的人，大都自己有一套說法，於是不僅二派、三派、四派，就連分期都有六期以至於十四期的分別，其混亂可想而知。但是《經學教科書》仍然代表了一種獨特的看法，批評在所難免，但劉師培從本身學術淵源出發，而能取持平之論，又不失其國粹派的理念，以當時的環境來說，已誠屬不易。

五、六經的次序與功用

關於經書序列重組問題，是清末經學界的大事，劉師培對此問題當然也有涉及。像是他在〈序例〉中第四條所提到的授課順序：

> 首《易經》；次《書經》；次《詩經》；次《春秋》；次《禮經》；次《論語》，《孟子》、《學》《庸》附焉；次《孝經》，《爾雅》附焉。[63]

---

[62] 周予同〈經學史與經學的派別〉，同註[17]，頁 92。

[63] 〈序例〉，《經學教科書》，《遺書》。

在其中就看出他心目中的六經順序是：《易》、《書》、《詩》、《春秋》、《禮》。但是在《經學教科書》中，當面對一些問題時，還是得要有自己的主見，如六經的次序問題，就是今文學家和古文學家的爭議焦點之一，作爲一本經學史的書，自然得談到這個問題，而劉師培在此處就是承襲了古文家的論點：

> 三代之時，只有六經，六經者，一曰《易經》，二曰《書經》，三曰《詩經》，四曰《禮經》（即今儀禮），五曰《樂經》，六曰《春秋經》（次序依漢書藝文志）。[64]

這就是書上所說的六經順序，而這正是古文學家所認爲的順序，因爲古文家是按六經產生時代的早晚爲序，而今文家則是按經書內容的深淺爲序的。而有關於六經產生的過程，在第三課〈古代之六經〉中即解釋的很清楚：

> 六經起原甚古，自伏羲仰觀俯察作八卦，以類物情，後聖有作，遞有所增合爲六十四卦（虞翻以爲伏羲作，鄭玄以爲神農作，今並存其說）……夏易名《連山》，商易名《歸藏》，今皆失傳，是爲易經之始。上古之君，左史記言，右史記動。言爲尚書，動爲春秋。（禮記鄭注）故唐虞、夏殷，咸有尚書，而古代史書復有《三墳》、《五典》（見左傳昭十二年），是爲《書經》、《春秋經》之始。謠諺之興，始于太古（見湯愼所輯），在心爲志，發言爲詩（詩大序）。虞夏以降，咸有采詩之官（夏有遒人，見《尙書》及《左傳》；商有太師，見《禮記》〈王制〉），采之民間，陳于天子，以觀民風（〈王制〉），是爲《詩經》之始。樂舞始于葛天（《呂氏春秋》〈古樂篇〉），而伏羲、神農咸有樂名，至黃帝時，發明六律五音之用（《呂氏春秋》〈古樂篇〉），而帝王易姓受命，咸作樂以示功成（用《樂緯》及《樂記》說），故音樂之技，代有興作，是爲《樂經》之始。上古之時，社會蒙昧，聖王既作，本習俗以定禮文，故唐虞之時，以天地人爲三禮（見虞書注），以吉凶

---

[64] 〈經學總述〉，《經學教科書》，《遺書》。

軍嘉賓爲五禮（同上），降至夏殷，咸有損益，是爲《禮經》之始。(65)

古文家以伏羲畫八卦，故《易》列在第一；《書經》最早的篇章是〈堯典〉，列第二；《詩經》中最早的是〈商頌〉，列第三；《禮》、《樂》，他們認爲是周公制作的，列第四第五；《春秋》是魯史，後來經孔子修改，所以列最後。

至於六經的功用，在第五課〈孔子定六經〉中說道：

> 蓋六經之中，或爲講義，或爲課本。《易經》者，哲理之講義也；《詩經》者，唱歌之課本也；《書經》者，國文之課本也（兼政治學）；《春秋》者，本國近世史之課本也；《禮經》者，修身之課本也；《樂經》者，唱歌課本以及體操之模範也。又孔子教人以雅言爲主（《論語》），故用《爾雅》以辨言（《大戴禮》〈小辨篇〉），則《爾雅》者，又即孔門之文典也。此孔子所由言「述而不作」（《論語》）與？（特孔門之授六經，以《詩》、《書》、《禮》、《樂》爲尋常學科，以《易》、《春秋》爲特別學科。故性與天道，弟子多不得而聞。試觀《漢書》刲弘等傳贊，則性即《易經》，天道即《春秋》也。）(66)

這是劉師培提到所謂「孔子的六經」的功用，也就是把六經當成教科書來使用，認爲六經並不是像今文家所說。當然這是古文家的看法，蓋在當時古文家受到章學誠「六經皆史」的說法影響(67)，把六經視爲古代的史料，自然屬於古文家的劉師培也接受這個概念。先生言學，重在貫通，頗能兼取浙東史家之長，故其所得，乃能於文章流變，別具會心。謂爲融清代經學、史學、文學諸家論文之長，以自成一家之言。(68)

---

(65) 〈古代之六經〉，《經學教科書》，《遺書》。

(66) 〈孔子定六經〉，《經學教科書》，《遺書》。

(67) 「六經皆周公舊典（用章學誠《校讎通義》說），足證孔子以前久有六經矣。」〈西周之六經〉，《經學教科書》，《遺書》。

(68) 王森然〈劉師培先生評傳〉，《近代二十家評傳》（臺北：文海出版社，1973 年，《近代中國史料叢刊》第 90 輯），頁 32。

所以在書中說的很清楚，有所謂「古代之六經」、「西周之六經」和「孔子的六經」的說法。那麼功用呢？自然是有關於古代政治、社會、經濟的重要資料了。第八課〈尊崇六經之原因〉中提到：

> 六經本先王之舊典，特孔子另有編訂之本耳。周末諸子雖治六經，然咸無定本，致後世之儒，只見孔子編訂之六經，而周室六經之舊本，咸失其傳。班固作〈藝文志〉，以六經爲六藝，列於諸子之前，誠以六經爲古籍，非儒家所得私……夫三代以前，書缺有間，惟六經之書，確爲三代之古籍，典章風俗即此可窺。即《論》、《孟》各書，亦可窺儒家學術之大略，則尊崇經學，亦固其宜。惟後儒誤以六經爲孔子之私書，不知六經爲先王之舊籍，並不知孔門自著之書實與六經有別，此則疏於考古之弊也。[69]

在這一段文字中，劉師培一方面再次解釋六經實爲古代之典籍，記載了典章制度、風土民俗及古代學者研究的學術精華，還有當時的歷史記載。而孔子的貢獻在於他編定六經，並將六經當成教導學生的課本，造成了不小的影響，也由於孔子的努力，儒家的基礎才確立。而後儒「因尊孔子而並崇六經」，就把六經當成儒家一家之私，而劉師培就是要扭轉眾人的觀念，所以以考古來還原六經面貌。

六、春秋經的問題

儀徵劉氏素以治《春秋左氏學》聞名[70]，而劉師培繼承家學[71]，對此更有發揮，因此獨舉《春秋》一經，以其在《經學教科書》中的論述，參照皮錫瑞《經學

---

[69] 〈尊崇六經的原因〉，《經學教科書》，《遺書》。

[70] 劉師培曾祖父劉文淇，祖父毓崧，伯父壽曾，三代治經，攻《左傳》，三人都入儒林傳。劉師培父親貴曾，及劉師培本人亦攻《左傳》，人稱「四代傳經」，又稱「三世一經」。

[71] 「蓋自晉、唐以來治《春秋》者多習《左氏傳》，以其博采群書，敘事完備。因事以求意，經文可知。以視《公羊》、《穀梁》依經釋義，不免鉤深堅滯者，似爲功高。故清儀徵劉氏即以《左傳》爲數世相傳之家學，至劉申叔先生則更光大之。」陳慶煌《劉申叔先生之經學》（臺北：國立政治大學中國文學研究所博士論文，1982年），頁288。

歷史》之說，探查其中今古文家於《春秋》經說的異同點。

㈠ 兩漢春秋學之傳授與經學昌明、極盛時代[72]

> 西漢之初，傳春秋者有左氏、公羊、穀梁、鄒氏、夾氏五家，鄒氏無師，夾氏有錄無書，惟賈誼受左氏學于張蒼[73]，世傳其學至於賈嘉，嘉傳貫公，而貫公之子長卿能修其學以傳張敞、張禹，禹傳尹更始，更始傳胡常翟、方進及子尹咸，常傳賈護，方進傳劉歆，歆又從尹咸受業，以其學授賈徽，徽子逵修其學作《左氏解詁》。又陳欽受業尹咸，傳至子元，元作《左氏同異》以授延篤。又鄭興亦受業劉歆，傳至子衆，衆作《左氏條例章句》。而馬融、穎容皆爲左氏學，鄭玄初治公羊，後治左氏，以所注授服虔，虔作《左氏章句》，而左氏之説大行，是爲左氏之學。[74]

漢初傳《春秋》者本有五家，但後來僅餘《左氏》、《公羊》、《穀梁》，本課就是在敘述這段歷史的發展情形。他談到左氏學的發展是由張蒼傳下，一直到劉歆、馬融、穎容最後由兼治《公羊》、《左氏》的鄭玄集大成，又傳服虔，左氏之說大行之情形。

在《經學歷史》中所述就不像劉師培這樣以左氏爲主了：

> 傳言《春秋》爲《公羊》董、胡二家，略及《穀梁》，而不言《左氏》。史遷當時蓋未有《毛詩》、古文《尚書》、《周官》、《左氏》諸古文家也。經學至漢武始昌明，而漢武時之經學最爲純正。[75]

---

[72] 〈經學昌明時代〉、〈經學極盛時代〉分指西漢、東漢時期。

[73] 《左氏傳》之發現各説不同，王充《論衡》〈案書篇〉以爲出於孔壁；許愼〈説文解字序〉以爲張蒼所獻；《漢書》〈劉歆傳〉以爲本藏於秘府，爲劉歆所發現。劉師培此處當是取許愼説。

[74] 〈兩漢春秋學之傳授〉，《經學教科書》，《遺書》。

[75] 〈經學昌明時代〉，《經學歷史》。

皮氏一開始就引《史記》〈儒林傳〉的內容來說明漢初諸經的流傳情形，其時言《春秋》者就只有胡母生和董仲舒，也立於博士。而他說「漢武時之經學最爲純正。」(76)就純粹是皮氏自己的公羊家之言了，蓋因當時古文家都還沒出現也。(77)至於有關《左傳》的敘述就持批判的態度：

> 劉歆欲立古文諸經，故以增置博士爲例，然義已相反，安可並置；既知其過，又何必存；與其過存，毋寧過廢。強辭飾說，宜博士不肯置對也(78)……蓋以諸家同屬今文，雖有小異，尚不若古文乖異之甚……平帝時立《左氏春秋》、《毛詩》、《逸禮》、《古文尚書》，王莽、劉歆所爲，尤不足論……謂左氏爲不傳春秋，即范升云：「左氏不祖孔子而出於丘明，師徒相傳，又無其人」是也。《史記》稱《左氏春秋》，不稱《春秋左氏傳》，蓋如《晏子春秋》、《呂氏春秋》之類，別爲一書，不依傍聖經。(79)

在這裡很明顯的可以看出皮氏對《左傳》的態度爲何，而他對劉歆也沒什麼好評價，在整篇〈經學昌明時代〉中，《左傳》的流傳情形並未提及，而是針對劉歆將古文經提出立於學官的事情批評了一番，最後還說「淺人但見古文二字，即爲所震，不敢置議，不知前漢經師並不信古文也。」

至於《公羊》、《穀梁》兩傳的流傳情形，劉師培分述如下：

> 自胡母生治《公羊》，與董仲舒同師，仲舒傳褚大、嬴公、呂步舒，嬴公授孟卿及眭弘，弘授嚴彭祖、顏安樂，由是有《嚴氏春秋》，復有《顏氏春秋》，兩家並立于學官。後漢何休墨守《公羊》之誼，復依胡母生條

(76) 至武帝建元五年時，初置五經博士，皆爲今文學。

(77) 當時《詩》取齊、魯、韓；《易》取菑川田生；《春秋》取胡母生、董仲舒；《尚書》取濟南伏生；《禮》取魯高堂生。故稱爲經學最純正而昌明時期。

(78) 《漢書》〈劉歆傳〉：「欲建立《左氏春秋》及《毛詩》、《逸禮》、《古文尚書》，皆列於學官，哀帝令歆與五經博士講論其義，諸博士或不肯置對」。

(79) 同註(75)。

例，作《公羊解詁》，是爲《公羊》之學。

自江公受《穀梁》于申公，以授榮廣、浩星公，而蔡興公受業榮廣，復更事浩星公，以授尹更始，更始作《章句》十五卷，以授翟方進、房鳳，及宣帝時，江公之孫爲博士，以其學授胡常，而韋賢、夏侯勝、蕭望之、劉向並右《穀梁》，其學漸盛，是爲《穀梁》之學。蓋《公羊》屬今文學，《左氏》、《穀梁》屬古文學。《公羊》爲齊學，而《穀梁》則爲魯學，此漢代《春秋》經傳授之大略也。[80]

《公羊》學的流傳由胡母生、董仲舒傳下，有嚴、顏二家立於學官，一直傳到東漢何休。《穀梁》學的流傳由申公以至尹更始，一直到夏侯勝、劉向，都是陳述歷史資料。至於《公》、《穀》、《左》的性質方面，劉氏說《公羊》屬今文學，《左》、《穀》二家屬古文學。

關於此說，諸家亦有不同看法。[81]

㈡ 三國南北朝隋唐之春秋學與經學中衰、分立、統一時代[82]

三國之時，治春秋者有魏王肅《左氏解》，蜀李譔《左氏傳》，而尹默、來敏咸治《左氏》，《公》、《穀》之學漸衰。晉杜預作《左傳注》，乾沒賈、服之說；復作《春秋釋例》，亦多牾誤。[83]

三國時治《春秋》者以王肅爲最有名，而劉師培對其說無甚評論，也沒有提及其說與鄭玄之間的糾葛，倒是對晉杜預小小的批評了一下。有論者認爲杜預是發揮古文

[80] 同註[74]。

[81] 在《經學歷史》中周予同注云：「《春秋》有今古文學之分，《公羊》、《穀梁》爲今文，《左傳》爲古文。但近并有疑《穀梁》亦爲古文者。」是否即指劉師培不得而知。又據夏傳才云：「《春秋》三傳中的《春秋穀梁傳》，簡稱《穀梁傳》，又稱《穀梁春秋》，也是漢代的今文學……」，同註[58]，頁275。

[82] 〈經學中衰時代〉、〈經學分立時代〉、〈經學統一時代〉分指魏晉、南北朝、隋唐時期。

[83] 〈三國南北朝隋唐之春秋學〉，《經學教科書》，《遺書》。

家面目的人，杜預依《春秋》之紀年來分割《左傳》，將經傳合在一起[84]，算是建立《春秋》和《左傳》一家之說的人。

至於三國時期是皮錫瑞口中所謂「經學中衰時代」而他對此期《春秋》學的看法則是：

> 兩漢經學極盛，而前漢末出一劉歆，後漢末生一王肅，爲經學之大蠹……杜預《左傳集解》多據前人説解，而沒其名，後人疑其杜撰。諒闇短喪，倡爲邪説。[85]

在此處對於杜預的評論，劉、皮二位是一致的。劉師培說他「乾沒賈、服之說」皮錫瑞說他「多據前人說解，而沒其名」都是指杜預似有抄襲之嫌。[86]

南北朝時期，學問分爲南，北學。基本的區別是北學申賈、服，排杜注，南學偏崇杜注：

> 當南北朝時，服虔《左氏》注行于河北，徐遵明傳服注作《春秋章義》，傳其業者有張買奴諸人。杜注得預玄孫杜垣之傳，行于齊地，故服、杜二家互相排擊。李鉉、劉焯咸宗服注，衛翼隆亦申服難杜；姚文安則排斥服注，李獻之復申服義以難之，周樂遜作《左氏序義》亦申賈服排杜注，若夫劉鉉作《春秋述異》、《春秋攻昧》，並作《春秋規過》，而張仲亦作《春秋義例略》，咸與杜注立異。（以上北學）江左偏崇杜注，惟梁崔靈恩作《左氏經傳義》申服難杜，虞僧誕復申杜難服以答之。（以上南學）[87]

---

[84] 據安井小太郎等著，連清吉、林慶彰合譯《經學史》（臺北：萬卷樓圖書公司，1996 年），頁70。

[85] 〈經學中衰時代〉，《經學歷史》。

[86] 周予同在《經學歷史》注云：「杜預注《左氏傳》……其善者多出賈、服而深沒本來，其繆者每出師心而乖經意。……所説長轂一乘，……出何經典，誠所未聞。」蓋本條出自陳壽祺《左海文集》〈答高雨農舍人書〉。另外惠棟也有類似看法，劉皮二人當據此説。

[87] 同註[83]。

南北朝時期是皮錫瑞所說「經學分立時代」，他對於此期經學同樣是認爲屬於衰微的時期[88]，至於南北學之分，他是這麼說的：

> 北學《易》、《書》、《詩》、《禮》皆宗鄭氏，《左傳》則服子愼。鄭君注《左傳》未成，以與子愼，見於《世說新語》，是鄭、服本是一家，宗服即宗鄭，學出於一也。南學則尚王輔嗣之玄虛、孔安國之僞撰、杜元凱之臆解，此數家與鄭學枘鑿，亦與漢儒背馳。[89]

明顯可見皮氏的立場是推崇北學而貶低南學的。

接下來談到隋唐時期的《春秋》學發展及《公羊》《穀梁》的一些發展情形：

> 唐孔穎達作義疏，專用杜注，而漢學盡亡，三國以後《公羊》學盛行河北，徐遵明兼通之；江左則《公》、《穀》未立學官，爲賀循請立三傳，沈文阿作三傳義疏，並及《公羊》。說《穀梁》者有唐固、麋信、孔衍、江熙、程闡、徐先民、徐乾、劉瑤、胡訥十數家，范寧集眾家之說成《穀梁集解》，及唐徐彥作《公羊疏》，以何休《解詁》爲主，梁士勳作《穀梁疏》，以范寧《集解》爲主，而趙匡、啖助、陸淳掊擊三傳，以己義說經，別成一派，此三國六朝隋唐之《春秋》學也。[90]

劉師培在此處說「唐孔穎達作義疏，專用杜注，而漢學盡亡」。蓋唐時經學的發展並不是那麼繁榮，在經學史上較大的一項工程，當屬編訂《五經正義》，《五經正義》是由孔穎達主編，《左傳》採杜預《集解》作原注，之前說過劉氏對杜注並無好感，故在此處說漢學盡亡。

---

[88] 「當時出現主鄭派和主王派的互相攻駁，爭執門户之見，遂貽誤了經學大體。更經永嘉之亂、王敦之難，兩漢經學於是全然殘毀。雖晉元帝重立博士，但所置皆爲僞古文家，遂使明昌純正的漢今文學從此斷送。」張火慶〈皮錫瑞《經學歷史》析論〉，同註[42]。

[89] 〈經學分立時代〉，《經學歷史》。

[90] 同註[83]。

隋唐時期是皮錫瑞所說「經學統一時代」：

> 唐太宗以儒學多門，章句繁雜，召國子祭酒孔穎達與諸儒撰定五經義疏，凡一百七十卷，名曰《五經正義》。……以經學論，未有統一若此之大且久者。此經學之又一變也。其所定五經疏，《易》主王注、《書》主孔傳、《左氏》主杜解；鄭注《易》、《書》，服注《左氏》，皆置不取。論者責其朱紫無別、眞贋莫分，唐初編訂諸儒誠不得辭其咎。[91]

看皮氏的說法也對《五經正義》頗有微詞，他認爲未取服虔注的《左氏》，而取杜預注的《左氏》，有見識不清的責任。

㈢ 宋元明之春秋學與經學變古、積衰時代[92]

這一段課文劉師培是採《四庫全書提要》、《經義考》、《春秋大事表》作爲講述的基礎：

> 宋儒說春秋者始於孫復，復作《尊王發微》，廢棄傳注，專論書法，慘鷙刻深。王晳《皇綱論》論蕭楚變疑，亦發明尊王之旨。劉敞《春秋權衡》復評論三傳得失，以己義爲進退。而葉夢得、高閌之書，咸排斥三傳。陳傅良《春秋後傳》則又雜揉三傳，蕩棄家法。自胡安國作《春秋傳》，借今文以諷時事，亦與經旨不符。而張洽、黃仲炎、趙鵬飛、洪咨夔、家鉉翁之書，咸舍事言理、棄傳言經。以元人程端學爲最甚，自宋陳深尊胡傳，而元儒俞皋、汪克寬咸以胡傳爲主。《明代大全》本之，而胡傳遂頒爲功令矣。[93]

在這一節中提到本期的春秋學有幾個特色：如廢棄傳注、發明尊王之旨、以己義爲

---

[91] 〈經學統一時代〉，《經學歷史》。

[92] 「經學變古、積衰時代」分指宋元及明代。

[93] 〈宋元明之春秋學〉，《經學教科書》，《遺書》。

進退、雜揉三傳、蕩棄家法、借今文以諷時事等等。他們有一個共同的特色就是不墨守經、傳的說法，而是抱持懷疑的態度，並以己義來說經。[94]雖然劉師培並未深入探討這個問題，但是他已經把因「疑經」所影響的經學事實[95]陳述出來。

> 又宋代以來，以《左傳》爲主者有蘇轍、呂祖謙、程公説、呂大圭、趙汸、童品、傅遜，而蘇、趙之書亦間取資于《公》、《穀》。惟魏了翁、馮時可釋《左傳》以訓詁爲宗。其以《公》、《穀》爲主者有崔子方、鄭玉，亦間取資于《左傳》。若夫薈萃舊説者，宋有李明復，元有王元杰、李濂，明有王樵、朱朝瑛，雜采三傳，旁及宋儒之説，惟語鮮折衷耳，此宋元明三朝之《春秋》學也。[96]

在三傳方面，有專治《左氏》而兼及《公》、《穀》者；也有專治《公》、《穀》而兼及《左氏》者；也有兼治三傳薈萃舊說者。

至於在《經學歷史》中，宋、元屬於「經學變古時代」，明屬於「經學積衰時代」。在其中他提到宋人疑經、改經之事有論說：

> 宋人不信注疏，馴至疑經；疑經不已，遂至改經、刪經，移易經文以就己説，此不可爲訓者也。[97]

可見皮氏對此事相當不滿。另外皮氏又提到關於春秋經方面的問題：

---

[94] 自唐啖助治《春秋》不專主三傳，揀別三傳之美惡，以意彌縫其缺，而申以己意。其友生趙匡、陸淳承之，遂開宋人捨棄三傳，獨究遺經之風。

[95] 「最能說明宋代經學界強調分化傾向的是宋代經學家對於經傳採取極爲懷疑的態度。由於此一懷疑的態度，終於打破唐代經學一尊主義的成規，而造成宋代經學釐析眞僞而強調辨別的新現象。至於這一種懷疑的態度可由宋代疑經疑傳的事實來說明。」，同註[84]，頁 120。

[96] 同註[93]。

[97] 〈經學變古時代〉，《經學歷史》。

> 春秋《公羊》、《穀梁》漢後已成絕學，左氏傳事不傳義，後人專習左氏，于《春秋》一經多不得其解。王安石以《春秋》爲斷爛朝報而廢之，後世以此詬病安石，安石答韓求仁問春秋曰：「此經比他經尤難，蓋三傳不足信也。」[98]

首先說明了當時的學術風氣是以左氏爲主，並且有廢春秋的說法。原因是「蓋三傳不足信也」，這與劉師培所提及的一些經學家的著作精神是一致的。

那爲何皮氏會說「《公羊》、《穀梁》漢後已成絕學。」呢？

> 若以《春秋》爲斷爛朝報，則非特安石有是言，專執左氏爲《春秋》者皆不免有此意。信左氏家經承舊史、史承赴告之說，是《春秋》如朝報矣；不信公、穀家日月褒貶之例，而蓋以爲闕文，是春秋如朝報之斷爛者矣。[99]

在這兒皮氏今文學家的背景讓他站出來說話了，《左傳》是以記事爲主，而《公羊》、《穀梁》是闡發微言大義的。當時學術界既以《左傳》爲主，那麼千年前的舊事自不免爲「斷爛朝報」了。而最重要的孔子作春秋的「褒貶」之義卻不受重視，所以他才會認爲《公》、《穀》在漢後已成絕學。在當時人的著作方面皮氏舉胡安國之書：

> 平心而論，胡氏春秋大義本孟子，一字褒貶本《公》、《穀》，皆不得謂其非。而求之過深，務出《公》、《穀》兩家之外；鍛鍊太刻，多存託諷時事之心。其書奏御經筵，原可藉以納約。但尊王攘夷，雖春秋大義；而王非唯諾趨伏之可尊，夷非一身兩臂之可攘。[100]

---

[98] 同前註。

[99] 同前註。

[100] 同前註。

皮氏稱讚其書因爲「春秋大義本孟子，一字褒貶本《公》、《穀》」而有微辭的是「多存託諷時事之心」，對於胡書不能專守大義不太滿意，另外對尊王攘夷也有意見，在這一點上劉師培沒有作其他評論。分析兩人的背景，劉師培當時是以排滿爲主張的革命者[101]，而皮氏是傳統經學家[102]，且歷任學堂講席，當時朝廷是滿人在位，故他雖主張革新，但對「攘夷」之說自然不會讚許了。

㈣ 近儒之春秋學與經學復盛時代[103]

清代是經學鼎盛的時期，可說是跨越唐宋，上承兩漢。劉師培論此時之《春秋》學說：

> 順、康之交，說《春秋》者仍仿宋儒空言之例，如方苞、俞汝言之書是也。毛奇齡作《春秋傳》又作《春秋簡書刊誤》《春秋屬辭比事記》以經文爲綱，然穿鑿無家法。惠士奇作《春秋說》以典禮說春秋，其書亦雜揉三傳。顧棟高《春秋大事表》博大精深，惜體例未嚴。治《左氏》者，自顧炎武作《杜解集正》，朱鶴齡《讀左日鈔本》，之而惠棟、沈彤、洪亮吉、馬宗璉、梁履繩，咸糾正杜注。引申賈服之緒言，以李貽德《賈服古注輯述》爲最備。至先曾祖孟瞻公作《左傳舊注正義》始集眾說之大成，是爲《左氏》之學。[104]

大意是說清初學者之治《春秋》者仍沿襲宋儒空言之例，同時無甚家法可言，如毛奇齡和惠士奇都沒有專守的家法。至於顧棟高的《春秋大事表》，則是以考證典核

---

[101] 「二十，赴京會試，歸途滯上海，晤章君炳麟及其他愛國學社諸同志，遂贊成革命，時民國紀元前九年也……而君則改名光漢，著《攘書》，昌言排滿復漢矣。」蔡元培〈劉君申叔事略〉，《遺書》。

[102] 「康有爲借用今文論政，不但和啓示他的廖平不同，也和同主變法的皮錫瑞有別。廖平、皮錫瑞立足在學術上，而康有爲則著眼於政治；廖平雖主今文，但重家法，皮錫瑞雖主變法，又根植封建，康有爲是向西方學習的先進的中國人，而廖平、皮錫瑞主要還是今文經學的『經師』。」湯志鈞《近代經學與政治》（北京：中華書局，1989 年），頁 196。

[103] 「經學復盛時代」指清代。

[104] 〈近儒之春秋學〉，《經學教科書》，《遺書》。

爲主。而有關左氏之學，清代諸儒可說是講誦不衰，著述也十分豐富，當然最後的壓卷之作是其先曾祖劉孟瞻所作的《左傳舊注正義》，是一部集大成之作。[105]

有關《公羊》之學自東漢以後就不是顯學，一直到晚清才又興盛起來，當時人們以之爲治世之學，有關於《公羊》學的著作，皆以專明微言大意爲主：

> 治公羊者，以孔廣森《公羊通義》爲嚆矢，會通禮制不墨守何氏之言。凌曙作《公羊禮説》、《公羊禮疏》、《公羊問答》亦以禮爲綱。弟子陳立廣其義，作《公羊正義》，及莊存與作《春秋正辭》，宣究公羊大義，其甥劉逢祿復作《公羊何氏釋例》、《何氏解詁箋》，並排斥《左傳》、《穀梁》。而宋翔鳳、魏源、龔自珍、王闓運咸以公羊義説群經，是爲公羊之學。[106]

至於《穀梁》之學也不是十分興盛，一直要到清中葉的時候才稍微有研究成果。最後劉氏還附論了有關《春秋》的實用之學，蓋因乾嘉之時學者崇尚徵實，所以一些有關的研究也是具有實用價值的：

> 治《穀梁》者有侯康、柳興恩、許桂林、鍾文烝，咸非義疏。梅毓作《穀梁正義》亦未成書，是爲《穀梁》之學。若夫段玉裁校定古經，陳厚耀校正曆譜，江永考究地輿，咸爲有用之學，此近儒之《春秋》學也。[107]

在皮氏的看法中，本期是經學復盛時期，因爲本期和兩漢時期一樣都能「尊崇經學，稽古右文」。而皮氏在本章節中所談的，大部分是所謂漢宋學之爭的問題，對

---

[105] 梁啓超説：「綜校清代《春秋》學之成績，《左》、《穀》皆微不足道（劉氏《左傳正義》若成，則左氏重矣），惟《公羊》極優良……」可見梁啓超雖注重《公羊》，但以爲劉氏一書可爲清代《左傳》學之代表作也。〈清代學者整理舊學之總成績（一）〉，《中國近三百年學術史》（臺北：里仁書局，1995 年），頁 271。

[106] 〈近儒之春秋學〉，《經學教科書》，《遺書》。

[107] 同前註。

於經書的傳授著墨甚少，尤其是偏重《公》、《穀》二傳：

> 他如陽湖莊氏《公羊》之學，傳於劉逢祿、龔自珍、宋翔鳳。……凌曙、孔廣森、劉逢祿皆宗《公羊》，陳立《義疏》尤備；柳興宗《穀梁大義述》、許桂林《穀梁釋例》皆主《穀梁》，鍾文烝《補注》尤備。[108]

劉氏與皮氏之文相對照之下，就可以發現皮氏的門戶之見較重，尤其是在談到與自己時代較接近，較有利害關係的清代，皮氏就少談有關《左氏傳》的事情，對於一本講經學歷史的書來說，是有小小的缺點。而劉氏的文章雖然也不能包羅萬有，將有清一代關於《春秋》的所有著作通通包括，不過在取材的公平性上，並不因其家學背景而有很大的偏差。[109]

七、總結

綜合以上幾點論述，我們可以歸納出幾點有關劉師培《經學教科書》以及皮錫瑞《經學歷史》中所展現的經學觀。首先我們應了解他們二人所各自代表的古、今文家背景，並以此爲出發點，才能較持平的來看待。在劉師培《經學教科書》的經學觀方面大概可看出幾點：⑴「經書」是上古之書，孔子只是「述而不作」。⑵經書次序的排列爲《易》、《書》、《詩》、《禮》、「樂」、《春秋》，經名的釋義從《說文》立論。⑶尊奉周公，以周公爲周代學術的集大成者。[110]這三點特色在《經學教科書》中十分明顯，像第一點他說：

---

[108] 〈經學復盛時代〉，《經學歷史》。

[109] 「人們一提到劉師培的經學，必然會聯繫到他家裡幾代鑽研的《春秋左氏傳》，肯定他是尊信古文一派。的其實揚州諸儒治經，有宗主而無門户，這是他們最大的優點。劉師培繼承了這一傳統，所以他雖推崇古文之《左氏》，也並不排斥今文之《公羊》。在他的早年寫作中，如《中國民約精義》第一篇、《攘書夷裔篇》、《周末學術史序》中的《社會學史序》和《哲理學史序》，都援引了《公羊》之說。」張舜徽《清代揚州學記》（上海：上海人民出版社，1962年），頁197－198。

[110] 用湯志鈞説，〈劉師培和《經學教科書》〉《經學史論集》(臺北：大安出版社，1995年)。

孔子以前，久有六經。

六經者，先王之舊典耳。

基本上是把六經當成古代的史料看待，至於其中眞實性有多高，就是屬於更深一層的問題了。

第二點經書的排列順序及經名釋義，這也是纏訟不休的問題。[111]而關於劉氏這些論述，在上面章節已提及，茲不贅述。但他與其他古文家最大不同之處，就是他由「經」字釋義所衍生的「文言說」主張，這也是較爲後人爭論的地方。

最後說到劉師培尊奉周公，這其實也是因襲古文舊說。他既以爲「六經皆周公舊典」，則周公於六經之作，自有其功績。而古文家以爲周公乃「有德有位」（孔子爲「有德無位」），自然比「述而不作」的孔子來的重要。雖然《周官經》、《爾雅・釋詁》證實並非出於周公，但是在古文家的軌跡下，很自然的會尊崇「集周代學術之大成」的周公了。

在皮錫瑞《經學歷史》的經學觀方面，一般論者將其歸納爲數點：⑴尊孔與明經。⑵治經必宗漢學。⑶傳家法、守顓門。⑷重今文而疑古文。[112]而這些特色都是十分顯明易見的，如尊孔與明經，皮氏就強調：

乃知孔子爲萬世師表之尊，正以有萬世不易之經。

尊孔必先明經。

[111] 「五經的排列，也有一定的次序，最常見的大概有二種：今文家：《詩》、《書》、《禮》、《易》、《春秋》（見《史記・儒林傳》）。古文家：《易》、《書》、《詩》、《禮》、《春秋》（見《漢書・儒林傳》）。西漢重今文，東漢重古文，從上列《史記》、《漢書》儒林傳有關五經之排列，也可以得到佐證。今文家是以五經內容程度之深淺而次第之；古文家之次序，是以五經產生之時代先後而定。但所謂內容難易，實在很難得一客觀標準；至於五經產生時代先後問題，至今亦有很多爭論，所以所謂淺深，或時代早晚，完全是排列者主觀的見解，只供我們參考而已，並沒有太大的意義。」李威熊《中國經學發展史論》（上冊）（臺北：文史哲出版社，1988年），頁9。

[112] 用張火慶說，〈皮錫瑞《經學歷史》析論〉，同註[42]。

賦予孔子刪定六經有萬世行教的意義，而不只是整理、推廣而已。

而他說治經必宗漢學，乃因漢武帝罷黜百家、獨尊儒術，設立五經博士，而造成昌明純正的經學。所以他說：

> 惟漢人知孔子維世立教之義，故謂孔子爲漢定道，爲漢制作，當時儒者尊信六經之學可以治世，孔子之道可爲宏亮洪業，贊揚迪哲之用。

漢代由於時代接近孔子，又尊崇孔子，以經學爲治國教科書，又其時以今文學爲主，故皮氏以爲其最純正，所以說治經必宗漢學。

傳家法、守顓門一項在上面的論述中未提及，不過這也是從漢代興起的：

> 漢人治經，各守家法，博士教授，專主一家。
>
> 漢人最重師法，師之所傳，弟之所受，一字毋敢出入，背師說即不用，師法之嚴如此。

因爲漢代搜羅舊經之時，書簡散佚甚多，故皆由經師傳授，傳經時多以口述，故必從師才得寫錄經文，因此形成師法。所以「師法」是指六經各家的承傳，是各經的源頭。至於「家法」則是指每一家經書之下又分數家，是各經的流派。但是後來設立博士數量越多，則越偏離，到了設立古文經博士後，家法更嚴，造成互相駁正，一直到鄭玄集大成，就混淆了家法。後來的唐《五經正義》、明《五經大全》，都是割裂家法的作法，要等到清代才重新拾回。所以他說：

> 國朝經師能紹承漢學者有二事：一曰傳家法，二曰守顓門。家法則有本原，守顓門則無淆雜。

這也就是他爲何會以清代爲「經學復盛時代」的原因。

在重今文而疑古文方面，雖然支偉成說他「治經出入於古今文之間」[113]，但周予同曾說他的《經學通論》、《經學歷史》、《王制箋》是「完全立腳於今文學的見地」。而我們看《經學歷史》的內容，也可以發現這樣的傾向，像是他談到兩漢：

> 諸家同屬今文，雖有小異，尚不若古文乖異之甚。
>
> 前漢今文說，專明大義微言；後漢雜古文，多詳章句訓詁。章句訓詁不能饜學者之心。於是宋儒起而言義理。此漢、宋之經學所以分也。惟前漢今文學能兼義理訓詁之長。

由此數端就可以看出他對今、古文所抱持的基本態度，雖不廢古文，但還是以今文爲重而疑古文。

上面所提數點，都是分別身爲今古文家的劉、皮二位在其作品中所散發出的學派特色，但不可否認的，他們雖然有其基本立場，但也不會刻意排斥對方。像在《經學教科書》〈序例〉中劉師培就說：

> 今文家言，多以經術飾吏治，又詳於禮制，喜言災異五行；古文家言，詳於訓詁，窮聲音文字之原，各有偏長不可誣也。

而他不僅接納今文，對古文家不足之處也會提出批評[114]，這都是他的優點。劉師培是以古文家的立場出發的，而一般人也都抱持這種看法，但在《經學教科書》中的立論，劉師培是兼采今古的，錢玄同認爲：

---

[113] 支偉成《清代樸學大師列傳》（長沙：岳麓書社，1986 年），頁 267。

[114] 「即使是古文家的著作，他認爲有不夠的，也予闡明，如說：『惠士奇作《春秋說》，以典禮說《春秋》，其書亦雜揉三傳；顧棟高《春秋大事表》博大精深，惜體例未嚴。』（第三十三課〈近儒之春秋學〉）那麼，《經學教科書》雖出于治古文的劉師培之手，但他的立論還是比較持平的。」湯志鈞〈劉師培和《經學教科書》〉，同註[110]，頁 234。

> 劉君於經學，世皆謂其尊信古文，因其家傳《左氏》之學已四世也……此言固是。但劉君尊信古文之《左氏》，卻並不屏斥今文之《公羊》……其作《經學教科書》謂：「大約古今說經之書，每書皆有可取處，要在以己意為折衷耳。」（第一冊序例）由是觀之，劉君於經學，雖偏重古文，實亦左右采獲，不欲專己守殘也。[115]

劉師培自己在〈序例〉中也說道：

> 然漢儒去古未遠，說有本源，故漢學明則經詁亦明，欲明漢學，當治近儒說經之書，蓋漢學者，六經之譯也，近儒者，又漢儒之譯也。若夫六朝隋唐之注疏，兩宋元明之經說，其可供參攷之資者，亦頗不乏，是在擇而用之耳。[116]

可見他是站在實際的觀點來看待經學的，只要是其說可供參考，他就不會宥於門戶之見而不加採用，故在這一點上可見其公平不偏之處。後人總結其治經的特點認為劉師培：

> 第一，宗漢學而無門户；推崇《左氏》卻不排斥《公羊》；守漢學師法而不抹煞宋儒之所長。他標榜「群經大義相通」，認為非通群經不能通一經，要求人們做旁通諸經、兼取所長的通儒，不作僅通一經、嚴守家法的小儒……。[117]

這也許可以當作劉師培在寫作《經學教科書》的基本立場吧。

---

[115] 錢玄同〈劉申叔先生遺書序〉（五），《遺書》。

[116] 〈序例〉，《經學教科書》，《遺書》。

[117] 吳雁南〈經學與清末政治風雲〉，《貴州大學學報》（1988年，第4期），頁33。

餘 論

劉師培所處的時代，是一個風雨飄搖，新舊雜陳的複雜環境，學術和政治有一定的牽連，而經學的發展，在這一時期也逐漸面臨轉型的壓力，一般都稱這時期是「近代經學」。而大家公認近代經學時期的代表人物，首推章太炎和劉師培兩位。章太炎的研究，在目前來說已有所成果；但劉師培的研究，相對較缺乏，或許是因爲他的反覆及其政治選擇錯誤使然吧？但是他的學術成績卻是不容忽視的。

《經學教科書》雖然是劉師培年輕早期的作品，不過已有其學思成果存在。一般來說，劉師培是遵循古文家的路線來編寫本書的，在書中可看到對東漢古文學和清代的古文學派較包容，而對宋學和今文學則多批評。但是與其他標榜學派的著作相較之下，《經學教科書》算是較客觀公平的了。像是在〈序例〉中所說的：「各有偏長，不可誣也。」在這一方面是作到了，而在批評諸家優劣時，也是陳述事實未妄加論斷。而在《經學教科書》所呈現的一些概念，以現今學術界的眼光來看，也許會覺得不是很正確，還有一些論證，像是《易》的起源、《樂》的存佚等問題在現今仍未有定論[118]，但是他畢竟是以古文家的背景來作闡釋，自然也承襲了古文經說的傳統，如果以今日的考證成果來加以責難，就失之偏頗了。

但是我們在看《經學教科書》時，不僅看到了表面上的優缺點，而是他的時代意義更值得讓我們深入研究。不只是《經學教科書》本身，他所處的時代背景、國粹派的問題、近代經學的轉化，都是牽連甚廣。而有清一代的樸學，經世的傳統，在那個動盪的年代，又發揮了什麼作用，這些都是我們在研究那個時代歷史時，無法捨棄不顧的。

---

[118] 劉師培認爲《易》的起源：「六經起源甚古，自伏羲仰觀俯察，作八卦以類物情，後聖有作，遞有所增，合爲六十四卦……夏《易》名《連山》，商《易》名《歸藏》，今皆失傳，是爲《易經》之始。」班固《漢書．藝文志第十》：「易曰，伏羲氏仰觀象於天，俯觀法於地，觀鳥獸之文與地之宜，進取諸身，遠取諸物。於是始作八卦，以通神明之德，以類萬物之情。」都是以伏羲作八卦爲《易》之始。而近代隨著考古學興盛，出土文物的增多，尤其是殷墟甲骨的發掘，更提供了許多研究《易》的材料。由此推斷《易》的時代，自比空泛的說是伏羲作八卦云云的來的有力。

經　學　研　究　論　叢
第　八　輯　　頁69～110
臺灣學生書局　2000 年 3 月

呂祖謙與「復古《易》運動」
——兼談《古周易》版本衍生之相關問題

許維萍*

前　言

「復古《易》運動」是北宋時期《易》學界在「復古」觀念的趨使下興起的一股學術風潮。這股風潮遠在唐代時就已經啓其端了❶，而後一直延續到宋，歷經元、明而不衰。根據朱彝尊《經義考》❷的著錄，宋、元、明、清四個朝代，書名中特別標舉一個「古」字以強調「復古」的《易》學著作，至少在四、五十部以上。❸可見這是《易》學史上相當特殊的一個現象，值得重視。而在上述四、五十部的著作中，由宋人撰寫的有二十五部。這二十五部書在朱彝尊編纂《經義考》時就已經半存半亡了，如今還能見到的更是屈指可數。呂祖謙（1137－1181）的《古

---

* 許維萍，東吳大學中國文學系講師。

❶ 關於「復古《易》運動」的起源及其展開，可以參考筆者所撰：〈董眞卿《周易會通》在「復古《易》運動」中的意義〉（元代經學國際研討會論文。臺北：中央研究院中國文哲研究所籌備處，1998 年 12 月）第一章「什麼是「復古《易》運動」。

❷ 本文所引的《經義考》，根據中央研究院中國文哲研究所籌備處於 1997 年 6 月至 1999 年 8 月陸續出版的點校本，書名爲《點校補正經義考》。其餘各條目將不再另行註明出處。

❸ 見本文【附錄】。

周易》和《古易音訓》❹，則是其中的倖存者。由於這兩部書的流傳，讓「宋代復古《易》運動」的研究，有了最直接、最眞實的素材。

根據朱熹的說法，《周易本義》在撰作之初，原本叫作《易傳》，是在採用了呂祖謙的《古周易》爲底本之後才改爲今名的。❺從單純、通俗的「《易傳》」之名到以「恢復《周易》本來面目」爲標榜的「《周易本義》」，書名的改變象徵著朱熹對於《易經》態度的改變。也因爲這樣的改變，「復古《易》運動」由起步而至成形。而在這樣的轉變過程中，《古周易》所扮演的角色是相當値得重視的。

此外，在歷代注解《易經》的著作中，以「音讀」做爲主要訴求的並不多見，而呂祖謙的《古易音訓》，不但是針對這方面所做的《易》解，而且因爲朱熹《周易本義》的原故，流傳甚廣。書名既然標榜「古」《易》，當然與「恢復古《易》」的企圖有關；而書名中的「音」、「訓」二字，則說明了該書的註解方式，是以字音和訓詁爲主。從經學發展的歷史來說，北宋自仁宗慶曆（1041－1048）以後，學風丕變，學者好發議論，往往就經書中的某一字詞或觀念加以引申、闡釋，形成一股迥異於漢、唐時期的解經方式，一般學者將這樣一種解經形式稱之爲「宋學」，以別於以往以文字、訓詁爲主的「漢學」。呂祖謙處在宋學方興未艾的北宋時期，爲什麼會選擇以「字音」、「訓詁」等傳統方式來注解經書？這與他復古的主張有否關連？這都是値得探究的問題。

基於上述的原因，本文擬以「呂祖謙與復古《易》運動」爲題，希望透過相關問題的探討，將呂祖謙與「復古《易》運動」的關連做一個具體的陳述。

壹、時代環境之下的復古風潮

呂祖謙曾說，《古周易》這部書是在晁說之《復古易》一書的基礎上修訂完

---

❹ 朱熹曾說該書是呂祖謙的門人王莘叟（？－？）所筆受。見朱熹：〈古周易跋〉，《朱文公文集》（臺北：臺灣商務印書館，《四部叢刊》本），卷 82，頁 22。不過因爲是出於呂祖謙之意，因此《經義考》仍將該書作者視爲呂祖謙，今從之。

❺ 關於《周易本義》書名演變的經過，詳見下文。

成的。❻但是根據《經義考》的著錄，在呂祖謙撰作《古周易》之時，已有王洙❼（997－1057）、邵雍（1011－1077）、呂大防（1027－1097）、晁說之（1059－1129）、洪興祖（登政和元年〔1111〕上舍弟）、鄭克（宣和六年〔1124〕第進士）、鄭厚（？－？）、薛季宣（1134－1173）、程迥（隆興元年〔1163〕進士）、李燾（1115－1184）、吳仁傑（淳熙年間〔1174－1189〕登進士第）等人先後撰有以「古」爲名的《易》學著作。❽這些著作雖已亡佚大半，但透過其中幾部相關資料存留較多的著作，吾人仍能勾勒出呂祖謙撰作《古周易》及《古易音訓》的時代氛圍。而這對於我們探索呂祖謙與復古《易》運動的關連，是有些幫助的。

一、《古周易》、《古易音訓》之前的復古《易》著作

(一)呂大防的《周易古經》

呂大防，字微仲，藍田人，元祐（1086－1093）初封汲郡公。

《周易古經》完成在北宋神宗元豐五年（1082）❾，距離呂祖謙完成《古周易》，整整早了近一百年，可說是復古《易》早期的著作之一。該書雖然早已亡佚，但是因爲晁公武的《郡齋讀書志》說：「《周易古經》……凡十二篇，別無解釋。」（卷 1 上，頁 24。臺北：臺灣商務印書館，1978 年 1 月）而呂大防在《周易古經》的〈自序〉中，對該書卷帙的安排又有所陳述（見《經義考》卷 19，頁 440 所引），因此吾人今日仍能根據呂氏所言，了解該書的面貌。

根據呂大防的〈周易古經自序〉，《周易古經》的卷帙安排是這樣的：

> 《經》二篇，〈彖〉、〈象〉、〈繫辭〉各二篇，〈文言〉、〈說卦〉、〈序卦〉、〈雜卦〉一篇，總一十有二篇。（《經義考》，卷 19，頁 440 所引）

李燾則說的更詳細：

---

❻ 見呂祖謙：〈書所定《古周易》十二篇後〉，《東萊呂太史集》（臺北：新文豐出版公司《叢書集成續編》影印《續金華叢書》本），卷 7，頁 5－6。

❼ 王洙的《古易》乃其家藏，而非其所撰。見陳振孫《直齋書錄解題》（臺北：臺灣商務印書館，1978 年據清乾隆三十八年寫文淵閣《四庫全書》重新排印本），卷 1，頁 1－2。

❽ 參見本文【附錄】。

❾ 據稅與權：〈校正周易古經後序〉，見《經義考》，卷 36，頁 30 所引。

元豐五年，正愍呂公微仲始釐析王輔嗣篇第，別定爲十有二，如劉歆《六藝略》首所列施、孟、梁丘三家者，刻板置成都學官，於文字句讀，初無增損。……呂氏於〈卦〉、〈爻〉、〈彖〉、〈象〉、〈繫辭〉並分上下，自〈咸〉以後爲〈下經〉、〈下彖〉、〈下象〉，自「八卦成列」以後爲〈下繫〉，而〈文言〉乃次〈下繫〉。（李燾：〈周易古經自序〉，《經義考》，卷29，頁663所引）

將以上說法整理歸納後，就是董眞卿所說的這十二篇：

呂氏《周易古經》，〈上經〉第一、〈下經〉第二、〈上彖〉第三、〈下彖〉第四、〈上象〉第五、〈下象〉第六、〈繫辭上〉第七、〈繫辭下〉第八、〈文言〉第九、〈説卦〉第十、〈序卦〉第十一、〈雜卦〉第十二。（董眞卿：《周易會通》（收入嚴靈峰編：《無求備齋易經集成》，臺北：成文出版社1976年影印清康熙十九年《通志堂》本），卷首，〈周易經傳歷代因革〉，頁60）

據此可知，呂氏對「古經」的認定，表現在「《經》、《傳》分離」、「〈彖〉、〈象〉、〈繫辭〉各分上下」，以及「〈文言〉、〈說卦〉、〈序卦〉、〈雜卦〉各自成篇」這三點上。而這樣的觀點，與呂祖謙同時代的尤袤（1124－1193）說：

……呂東萊所定《古易》一編，……與……呂汲公《古經》無毫髮異，而東萊不及微仲，嘗編此書，豈偶然同耶？（尤袤：〈與吳仁傑書〉，見《經義考》，卷19，頁441所引）

尤袤認爲，呂祖謙《古周易》的觀點和《周易古經》所載是不謀而合的。[10]事實上

[10] 實際上還是有小差別的，董眞卿就說：「呂氏《周易古經》……其所次序本末，並與東萊定本同。但東萊只分〈上經〉、〈下經〉，而無『第一』、『第二』字，又東萊稱〈彖上傳第一〉至〈雜卦傳第十〉，小有不同爾。」（董眞卿：《周易會通》，卷首，〈周易經傳歷代因革〉，頁60）

這裏所謂的「觀點」，要言之，只是《周易》《經》《傳》卷帙分合的問題。此外，上文也觸及到「呂祖謙究竟有沒有見過《周易古經》」的問題。如果答案是肯定的，那麼《古周易》不免有「剽竊」之嫌（因爲呂祖謙始終不曾提及呂大防其人或其書）；如果答案是否定的，那麼一切的雷同恐怕只能歸之於巧合了。關於這一個問題，魏了翁（1178－1237）的門人稅與權（？－？）在〈校正周易古經後序〉中曾說：

> 呂汲公元豐壬戌（1082）昉刻《周易古經》十二篇於成都學宮，景迂晁生（筆者按：即晁說之）建中靖國辛巳（1101）已并爲八篇，號《古周易》，繕寫而藏於家。巽巖李文簡公（筆者按：即李燾）紹興辛未（1151）謂北學各有師授，《經》名從呂，篇第從晁，而重刻之。逮淳熙壬寅（1182），新安朱文公表出東萊呂成公《古文周易經傳》、《音訓》，迺謂編古《易》自晁生始。豈二公或不見汲公蜀本歟？（《經義考》卷 36，頁 30「稅與權《校正周易古經》」條所引）

根據這段敘述，不僅是呂祖謙，連朱熹都可能沒見過《周易古經》。而其原因乃在於《周易古經》刻於「成都學宮⓫」，是「蜀本」，因此朱、呂無由得見。《周易古經》刻於成都學宮的說法，亦見於李燾的〈周易古經自序〉（已引之如上），呂祖謙若果因此而未見其書，則《古周易》與《周易古經》的雷同，就眞的是純屬巧合了。然而眞相爲何，恐怕無從查考，僅能疑則闕疑，論述如上。

㈡晁說之的《古周易》⓬

晁說之的《古周易》是呂祖謙在《古周易》〈後記〉中唯一提到的著作，因此它在眾多的「復古《易》」著作中，格外顯得重要。

《古周易》，《宋史・藝文志》作八卷，《文獻通考》作十二卷，其書久佚，然而卻因呂祖謙《古易音訓》的大量徵引，存其一二。晁氏專主北學，凡訂故

⓫ 學宮、學官，古時通用。

⓬ 《古周易》，《經義考》作「《錄古周易》」，見卷 20，頁 464。

多取許愼《說文解字》、陸德明《音義》、陰弘道《周易新論傳疏》、唐僧一行《易傳》、李鼎祚《周易集解》、陸希聲《周易傳釋》及宋王昭素《易論》、胡瑗《周易口義》、王洙《周易言象外傳》等書，而這些書籍今多失傳，因此柯劭忞在〈古周易音訓二卷提要〉中說，「諸家之說賴晁氏以傳。」（《續修四庫全書總目提要》，頁31。北京：中華書局，1993年7月）

根據晁說之的〈古周易自序〉，可以知道他將《周易》的《經》《傳》，區分爲八部分，分別是：

> 《周易》〈卦〉、〈爻〉一，〈彖〉二，〈象〉三，〈文言〉四，〈繫辭〉五，〈說卦〉六，〈序卦〉七，〈雜卦〉八。（晁說之：〈古周易自序〉，據《經義考》，卷20，頁464所引）

這種分法最大的特徵在於「《經》、《傳》分離」，爲此，晁氏提出了他的說明：

> 案：晉太康初，發汲縣舊塚，得古簡編科斗文字，散亂不可訓知，獨《周易》最爲明了，上下篇與今正同。別有〈陰陽說〉而無〈彖〉、〈象〉、〈文言〉、〈繫辭〉。杜預疑：「於時仲尼造之於魯，尚未播之遠國。」而《漢・藝文志》：「《易經》十二篇，施、孟、梁邱三家。」顏師古曰：「〈上〉、〈下經〉及〈十翼〉，故十二篇。」是則〈彖〉、〈象〉、〈文言〉、〈繫辭〉始附卦爻而傳於漢歟？（晁說之：〈古周易自序〉）

晁說之根據《漢書・藝文志》、《晉書》、杜預及顏師古的說法，認爲《周易》《經》、《傳》在古時候是分離的；而這樣一種「《經》、《傳》分離」的主張，後來被呂祖謙的《古周易》所採用，成爲《古周易》「分《經》合《傳》」的主要根據。

此外，晁氏認爲《古周易》的《經》不分上下，理由是「古者竹簡重大，以《經》爲二篇，今又何必以二篇成帙哉？」而〈彖辭〉、〈象辭〉、〈繫辭〉也應合爲一卷，不再區分爲二，理由與「《經》不當分上、下」同。

卷帙的分合之外，《十翼》的前後次序也被調整了，理由是：「費直等專以〈彖〉、〈象〉、〈文言〉參解《易》爻，以〈彖〉、〈象〉、〈文言〉雜入卦中」，而「漢末陳元方、鄭康成之徒皆學費氏，古十二篇之《易》遂亡」。既然「古經始變於費氏，而卒大亂於王弼」，晁氏當然自覺得有義務去重整《經》、《傳》的次序，而這「〈彖〉二，〈象〉三，〈文言〉四，〈繫辭〉五，〈說卦〉六，〈序卦〉七，〈雜卦〉八」的次序，就是他所認爲的「古《易》」的原始次序。

《經》《傳》次序的復古之外，晁說之也注意到了文字本身的復古問題：

> ……若夫文字之傳，始有齊、楚之異音，卒有科斗、籀、篆、隸書之四變，因而訛謬者多矣。劉向曾以中古文《易經》校施、孟、梁邱《經》，至蜀李譔又嘗注《古文易》。則今之所傳者，皆非古文也。安得夫睹夫劉、李之書乎？其幸而諸儒之傳，今有所稽考者，具列其異同舛訛於字下，亦庶幾乎同復乎古也。（晁說之：〈古周易自序〉）

晁氏認爲，經過時代的遞嬗，經書文字的流傳，訛誤甚多。但看劉向曾以中古文《易經》進行校對、李譔嘗注《古文易》，就可以知道：今本《易經》所傳的都不是古文。但是，既然要談復古，當然要力求徹底，而古文字又是復古的重要環節，因此若能在這一點上有所突破，必能使經書更貼近原貌。然而，所謂的古文字，求之談何容易？因此，晁氏只能就有幸被流傳下來而又確實有憑有據的古文，「具列其異同舛訛於字下」，希望透過這樣的努力，讓該書更接近古貌。

有人問晁氏說：「既然對古文字有這樣深入的研究，爲什麼不乾脆用古文字來撰寫《古周易》？」晁氏的回答是：「表面上看起來很花俏，但實際上沒有任何助益的事，我是不願意做的。」[13]

---

[13] 晁說之：「或曰：『子能古文，何不以古文寫之？』曰：『有改於華而無變於實者，予不爲也。』」（〈古周易自序〉）

晁說之特意在《古周易》的〈自序〉裏提到這段對話，所強調的無非是他在處理古文字時態度的謹慎。然而對於「使用古文字」這件事，王柏（1197－1274）卻持有完全不同的看法：

> 所謂古文者，今亡矣。昔劉向嘗以宮中《古文易》扶施讎、孟喜、梁丘賀三家，多有脱落，獨費氏經與古文同。鄭康成、王輔嗣固皆出於費氏，今之《易》即古文《易》也，今《易》之字，則非古文之字也，況籀、篆既更，隸、王益異，轉相傳寫之訛，豈能盡合於古哉？晁氏既不見古文《易》，今所按古文，不知其何所據也。姑以古之異同者言之，今之「若」，古之「嵒」字也。以爲當從古也，凡《經》《傳》皆書此「嵒」，宜也。向〈乾〉以下既更此，若獨於〈離〉卦出此二「嵒」，豈不可疑乎？「趾」之爲「止」，誠古也。或加足，或去之，亦豈有二義哉？「拯」之爲「承」，亦古也。而又不一於「承」，何也？「聚」之爲「取」，「鮮」之爲「尠」，未嘗盡出於一，如「亨」「享」、「佑」「祐」之類，尚多有之，若「喪」之與「喪」，非有大異，特筆法互有得失。……缺疑存古之道，不當若是。（王柏：〈古易音訓〉，《魯齋集》，卷 9，頁 172－173。臺北：新文豐出版公司《叢書集成新編》影《金華叢書》本）

王柏認爲，所謂的「古文」，今天根本已經不可得見，即使有些殘存的古字被保留下來，幾經傳寫，也難免有誤，絕不可能「盡合於古」。晁氏既然不曾見過「古文《易》」，《古周易》一書所列的古文實在不知有何根據，而且書中採用古文的地方，並沒有一定的規則可尋，有些字與通行字之間，又只是筆法的差別，因此，所謂的復古之道，實在不當如此。

儘管《古周易》可能潛藏著上面的問題，晁說之的《古周易》仍然被呂祖謙大量採用，不只《古易》中《經》、《傳》次序的安排改良自它，《古易音訓》的材料也得自於它⓮，它對呂祖謙所產生的影響，不可謂不大。

⓮ 詳見下文。

二、與《古易》、《古易音訓》同時期的復古《易》著作

㈠薛季宣的《古文周易》

著有《古文周易》的薛季宣，字士龍，永嘉人，是呂祖謙的好朋友。薛比呂大三歲，又比呂早七年辭世。兩人的交往始於南宋孝宗乾道八年（1172），而早在十年前，呂祖謙對薛季宣其人其事已經早有耳聞，十年後，兩人相識於朝廷，果然一見如故，從此結爲莫逆。⑮薛季宣死後，呂祖謙撰有長達三千五百餘字的〈薛常州墓誌銘〉，篇幅之長，居呂氏《文集》中各文章之冠，其交情絕非泛泛。

有關呂祖謙與薛季宣往來的經過，《東萊呂太史別集》（卷 7，頁 15－16）中有零星的記載⑯，可惜其中並無與《易》學有關的記錄。值得一提的是，薛季宣與朱熹的相識，是透過呂祖謙的介紹，《朱文公文集》中有〈答薛士龍季宣〉文二篇（卷 38，頁 32－36。《四部叢刊》本），可見呂、薛、朱三人在學術上是有所交流的。

薛季宣《古文周易》的特色之一，在於以「正隸」書寫。關於這一點，薛季宣說：

> ……欲明聖人之意，舍故書何稽乎？是以差次其書，盡復於古，古文不可得見，故以正隸寫之，判〈文言〉爲二篇，〈象〉有小大之別。……（薛季宣：〈古文周易序〉，《經義考》，卷 26，頁 605 所引）

薛季宣認爲，「古文字」是了解聖人之意最重要的憑藉，然而在古文字不可得見的情況下，只好用「正隸」來取代。除此之外，《古文周易》對於《易傳》中的〈文言〉、〈象傳〉的內容，也做了重新的配置：〈文言〉分爲二篇，〈象傳〉分爲〈大象〉、〈小象〉。照這樣看來，「文字上的復古」與「《經》《傳》次序的重

---

⑮ 呂祖謙：〈薛常州墓誌銘〉有：「歲在壬午〔1162〕，先君子守黃，公夾江爲令，歸以公所爲語某，固已矍然自失。後十載，乃識公於朝，一見莫逆如故交。」（見《東萊呂太史文集》，卷 10，頁 11。《續金華叢書》本）

⑯ 郭麗娟：《呂祖謙詩經學研究》（臺北：東吳大學中文研究所碩士論文，1994 年 10 月），第二章〈呂祖謙成學之背景〉，頁 27－29 有簡單的論述，讀者可以參看。

組」，似乎是當時提倡《易經》復古的學者的共同主張，而呂祖謙的《古周易》在這樣的時空底下完成，也就有跡可尋了。

㈡李燾的《周易古經》

李燾撰有《周易古經》八篇，在該書的〈自序〉中他說，「八篇次第實從晁氏，總名《周易古經》則從呂氏。」（見《經義考》，卷 29，頁 663－664 所引），可知這部書是在結合了呂大防《周易古經》以及晁說之《復古易》的情況底下完成的。

李燾曾經合刊呂大防的《周易古經》和晁說之的《復古易》⓱，因此《周易古經》結合呂、晁二人的精華而成，自不足爲奇。不過該書因爲早已亡佚，因此今人無由窺其堂奧。

李燾生當北宋徽宗政和五年（1115），卒於南宋孝宗熙十一年（1184），比呂祖謙大二十二歲，卻晚他三年才辭世，享年六十九歲。他曾經傾四十年之力完成《續資治通鑑長編》，是一個以名節學術聞名海內的人物。

有關李燾、呂祖謙二人往來的情形，在李、呂二人的《年譜》⓲以及《宋史》二人的本傳中都有極簡短的描述。那是在淳熙三年（1176）十月⓳，因《徽宗實錄》在朝中擱置太久，成書遙遙無期，孝宗於是催促主其事的李燾儘速完成。當時擔任「禮部侍郎兼同修國史實錄院同修撰」的李燾爲了達成任務，於是推薦學識能力極佳的呂祖謙擔任祕書郎兼檢討官，負責修訂《徽宗實錄》的工作。呂祖謙上任後，果然審訂增削了數百條，而《徽宗實錄》也因此得以順利成書。⓴這段記載雖然不見得能夠判斷出二人交情的深淺，但從李燾推薦呂祖謙的舉止看來，起碼李燾對呂祖謙的學識人品是有一定的了解的，至於他們是不是曾經就《易》學的問題交

⓱ 吳仁傑：「……於是古《易》有呂氏書，又有晁氏書刊于成都、宜春兩郡。李仁甫侍郎嘗合二氏之說刊焉。」（《經義考》，卷 29，頁 664 所引）

⓲ 呂祖謙有《呂東萊太史年譜》，不詳編者何人，今附於《東萊呂太史文集》【附錄】。相關記載見卷 1，頁 5。李燾的年譜見今人王德毅編《李燾父子年譜》（臺北：中國學術著作獎助委員會，1963 年 12 月）相關記載見頁 68。

⓳ 據《呂祖謙年譜》，（收入《東萊呂太史文集》附錄），卷 1，頁 5。

⓴ 見《李燾父子年譜》，頁 68。

換意見，則不得而知。

㈢吳仁傑的《古周易》與《集古易》

《經義考》著錄吳仁傑有《古周易》十二卷和《集古易》一卷。㉑其中《古周易》在朱彝尊編纂《經義考》時就已經標明「未見」了㉒，而《集古易》一書，雖然《經義考》標明：「存」，但是筆者既未曾發現有任何單行本存留，又不曾查覺有任何叢書收錄，因此一度以為二書均已亡佚。

但是，在檢閱《四庫》本呂祖謙《古周易》的過程中，筆者卻有意外的發現。《四庫全書》題為呂祖謙撰的《古周易》，內容十分雜蕪：既有吳仁傑對古《易》的看法，又有吳仁傑為某書撰寫的〈序〉，還有呂大防、晁說之、王洙、周燔等人對古《易》的看法等等，令人無從判定這究竟是呂祖謙的《古周易》，或者是一部古《周易》的彙編。

根據王應麟的說法，《集古易》的內容包括：呂大防、晁說之、王洙、呂祖謙及周燔五家古《易》。㉓如果將王應麟的說法和《四庫》本呂祖謙《古周易》收錄的內容做比較，我們會發現：《四庫》本《古周易》的內容，與「《集古易》」似乎是完全吻合的。但是，實際情況若果如此（亦即，《集古易》並未亡佚，只是被張冠李戴的以《古周易》之名，被收錄在《四庫全書》中），四庫館臣為何不將撰者之名直接冠以「吳仁傑」以符合實際，而要以「呂祖謙」之名出之呢？這個問題，實在令人不解。由於這是由版本所衍生出來的問題，筆者擬在「《古周易》的版本及其衍生的問題」一節中再進行討論。

《四庫全書總目》曾經批評吳仁傑的古《易》學說「於諸家古《易》之中」，「特為新異，迥與先儒不合。」（《四庫全書總目》，卷 3，頁 24－25，〈易圖說三卷提要〉）其說之要旨，大抵如下：

1.今之〈大象〉當為〈象傳〉，〈小象〉當為〈繫辭傳〉

㉑ 卷 30，頁 669－670。

㉒ 四庫館臣則說：「《古周易》世罕傳本，僅《永樂大典》尚有全文。」（《四庫全書總目》，卷 3，頁 24－25，「吳仁傑《易圖說》三卷提要」）

㉓ 王應麟說：「古《易》五家，呂大防十二篇，晁說之并十二為八，睢陽王氏、東萊呂氏各定為十二篇，周燔又改更次序。」見《經義考》，卷 29，頁 667 所引。

吳仁傑指出，今《易》以孔子的〈象辭〉爲〈大象〉，而以解釋〈爻辭〉之文爲〈小象〉。他認爲所謂的〈大象〉，應該是指「八卦八物之象」，也就是〈說卦傳〉中「〈乾〉爲天、〈震〉爲雷」之類。〈說卦傳〉說：「帝出乎〈震〉，齊乎〈巽〉，相見乎〈離〉，致役乎〈坤〉，說言乎〈兌〉，戰乎〈乾〉，勞乎〈坎〉，成言乎〈艮〉。」蘇轍說：「古有是說，孔子從而釋之」而已。至於〈小象〉，則是指六十四卦八物相配之象，所謂「象其物宜，是故謂之象。八卦成列，象在其中，如雷在天上，〈大壯〉」之類，也就是孔子所著的〈象傳〉。因此，今之〈大傳〉當曰：〈象傳〉，而〈小象〉是孔子所謂「解釋爻辭者」，因此應該稱之爲〈繫辭傳〉。

2.今之〈爻辭〉當爲〈繫辭〉

吳仁傑認爲，既然孔子解釋〈爻辭〉的文字應當稱之爲「〈繫辭傳〉」，那麼周公所寫的〈爻辭〉就應該稱之爲「〈繫辭〉」了。他並舉歐陽修的話說：「繫者，有所繫之謂也，故曰：『繫辭焉以斷其吉凶，是故謂之爻。』言其爲辭各聯屬其一爻者也。」認爲所謂的〈繫辭〉指的就是〈爻辭〉。

3.今之〈繫辭傳〉當爲〈說卦傳〉

吳仁傑引述數家說法，證明今之〈繫辭傳〉當爲〈說卦傳〉：

> 或曰：「二〈繫〉皆謂之〈說卦〉，與今〈說卦〉通爲三篇，諸儒皆以〈繫辭傳〉爲〈小象〉，而〈上〉、〈下繫〉之名無所歸，故取〈說卦〉前二篇名之，其實本〈說卦〉也。」歐陽公謂：「今〈繫辭〉之文雜論《易》之諸卦，其辭非有所繫，不得謂之〈繫辭〉。」葉少蘊左丞亦曰：「太史公引『天下同歸而殊塗，一致而百慮』爲《易大傳》，則漢諸儒固未嘗以今兩篇爲〈繫辭〉，斯其爲〈說卦〉也審矣。」（吳仁傑：〈集古易自序〉，《經義考》，卷 30，頁 674－675）

這段話的意思是說，今本〈繫辭傳〉雜有論《易經》各卦的內容，因爲「其辭非有所繫」，所以不符合「〈繫辭〉」之名。而司馬遷在引述「天下同歸而殊塗，一致而百慮」時，也只是稱其爲「《易大傳》」，可見「〈繫辭〉」之名，值得商榷。

而今本〈繫辭傳〉上、下，再加上〈說卦傳〉共三篇，完全合乎《隋書・經籍志》所記載「〈說卦傳〉」的數目。因此吳仁傑認為今之〈繫辭傳〉當為〈說卦傳〉。

4.小結

顯而易見的是，《十翼》的篇次在吳仁傑的重新配置下，已經是「面目全非」了，而這樣大刀闊斧的改頭換面，在當時自然會引發一些爭議。朱熹的批評就是其中最好的例子：

> 《古易》既畫全卦繫以〈彖辭〉，又再畫本卦，分六爻而繫以爻辭，似涉重復。且覆卦之法，不知何所考據？近歲林栗侍郎乃有此說，然其法又與所論小異，不知曾見其書否？渠亦自以為先儒未發之秘，則是古未嘗有是說也。且如所論，以用九為少陽，用六為少陰，如此則當為用七、用八矣。何九六之有乎？此與《啓蒙》陋說正相南北，不審今當定從何說？因筆幸見喻也。
>
> 呂伯恭頃嘗因晁氏本更定《古易》十二篇，考訂頗詳。然據淳于俊之說，便以今王弼《易》為鄭康成《易》，嘗疑其未安。今得所示，分別鄭、王二本，乃有歸著，甚善，甚善。然不知別有何證據也。
>
> 「未有文字，已有此書」，謂「有此理」則可，謂「有此書」，則不可。
>
> 〈繫辭〉恐并〈彖辭〉，亦是蓋〈彖〉、〈繫〉於全卦之下，而爻辭分繫於逐爻之下，其經只是連書，并在卦下，不再畫卦，如今所定之本也。
>
> 〈彖傳〉釋〈彖辭〉，〈象傳〉釋〈爻辭〉，〈繫辭傳〉則通釋卦爻之辭，故統名之曰：〈繫辭傳〉，恐不可改〈繫辭傳〉為〈說卦〉。蓋〈說卦〉之體，乃分別八卦方位與其象類，故得以〈說卦〉名之；〈繫辭傳〉兩篇釋卦爻之義例辭意為多，恐不得謂之〈說卦〉也。
>
> 〈大傳〉言〈繫辭〉者四，今攷其二，上文皆兼卦爻而言，恐不得專以為〈爻辭〉，其一雖專指〈爻辭〉，則〈爻辭〉固〈繫辭〉之一也，其一為七、八、九、六而言，七、八、九、六雖是逐爻之數，然全卦七、八則當占本卦辭，三爻七、八則當占兩卦辭，全卦九六則當占之卦辭。〈卦辭〉固不害其為〈繫辭〉也。

蔡墨謂〈乾〉之〈坤〉曰：「見群龍無首，吉。」則覆卦之說，有不可行者矣。（俱見朱熹：《朱文公文集》，卷 59，〈別紙〉，頁 22－23。《四部叢刊》本）

這麼一大段文字，見於朱熹的〈答吳斗南㉔〉書。其中有褒、有貶，有附議、也有質疑，然而，批評吳說「不妥」、「不可行」的地方，似乎多過對於它的肯定，這不免讓人覺得，吳仁傑的觀點以「一家之言」的成份居多。

到目前爲止，雖然沒有直接證據可以證明吳仁傑與呂祖謙曾經就古《易》的問題進行過討論，不過從朱熹分別與二人有過這方面交流的情況看來，吳、呂二人即使沒有過面對面的交談，但是以朱熹爲媒介，至少二人對彼此的看法是有所知聞的。理論上來說，吳仁傑的《集古易》收錄了呂祖謙的《古周易》，成書較晚，因此呂祖謙對吳仁傑所產生的影響，可能是比較大的。不過由於相關的資料有限，這樣的判斷也僅只是推測之辭。

㈣朱熹的《周易本義》

朱熹的《周易本義》是宋代以後在《易》學界影響最鉅的一部書。一般人在提到這部書的時候，腦海中浮現的往往是它數百年來不曾褪色的官方色彩，或是它一直屹立不搖的權威地位。造成《周易本義》影響力如此深遠的原因固然有很多，其中一部分原因或許與朱熹個人的學術聲望有關，再就是其中的觀點的確有其過人之處。

在《周易本義》提出的眾多觀點中，「《易》爲卜筮之書」大概是最具革命性的。事實上這個說法也是《周易本義》的主要論點。《周易本義》從構思、起草一直到完成，前後歷經二十餘年。㉕在這二十餘年中，朱熹的觀點幾經改異，甚至連書名，都由最初的《易傳》，成爲後來的《周易本義》。而其中的關鍵，正在於朱熹體悟了「什麼是《周易》的本來面目」這件事情上。

㉔ 「斗南」是吳仁傑的字。

㉕ 參見白壽彝：〈《周易本義》考〉，收入黃壽祺、張善文編：《周易研究論文集》（北京：北京師範大學出版社，1990 年 5 月），第 3 輯，頁 397－427。

朱熹首度以「卜筮」的觀點來看待《易經》這部書，始於南宋孝宗淳熙二年（1175），當時《周易本義》還在起草的階段㉖，書名也還叫做《易傳》。六年後，呂祖謙的《古周易》完成，朱熹採之爲底本，而《易傳》也因此改爲今名——《周易本義》了：

> 初爲《易傳》，用王弼本。復以呂氏《古易經》爲《本義》，其大旨略同，而加詳焉。（陳振孫：《直齋書錄解題》，卷 1，「《易傳》十一卷《本義》十二卷《易學啓蒙》一卷」條，頁 20）

根據這則記載，《周易本義》本來採用的是王弼的本子，後來呂祖謙的《古周易》完成，才以呂本爲底本，並易今名。可見這二本書的關係至於密切。《古周易》完成後，朱熹撰寫了一篇〈《古周易》跋〉，文中可以充分看出他對該書的支持與認同：

> 熹嘗以謂《易經》本爲卜筮而作，皆用吉凶以示訓戒。故其言雖約而所包甚廣。夫子作《傳》，亦略舉其一端，以見凡例而已。然自諸儒分《經》合《傳》之後，學者便文取義，往往未及玩心全經，而遽執一端以爲定說。於是一卦一爻僅爲一事，而《易》之爲用，反有所局，而無以通乎天下之故。若是者，熹蓋病之。是以三復伯恭父之書而有發焉，非特爲其章句之近古而已也。（朱熹：〈古周易跋〉，《朱文公文集》，卷 82，頁 22。）

朱熹指出，《易經》是一本爲占卜而設的書籍，書中以「吉、凶」來表達對人的懲戒之意，因此內容雖然簡短但含蓋的範圍卻十分廣泛。既然《易經》含蓋的範圍十分廣泛，孔子的《易傳》也只是《易經》的某一種解釋；然而後來的儒者不明白此點，硬是將《經》文割裂以比附《傳》文，從此學者讀《易》就只在局限在《易傳》這一種說法中，這對《易經》的理解，不免是一種局限。朱熹在這段話裏先指

㉖ 參見白壽彝：〈《周易本義》考〉。

出了學者「依《傳》讀《經》」的缺失，進而肯定了呂祖謙的《古周易》將《經》、《傳》分離的安排。毫無疑問的，朱熹對於《古周易》中《經》、《傳》分離的安排，是十分認同的。

然而朱熹對於呂祖謙的說法，是否照單全收？關於這一點，董眞卿曾經指出：

> 朱子《本義》以淳熙四年丁酉歲（1177）成，凡分《經》異《傳》，盡從東萊呂氏所定。非旦取其章句之近古，至若正文，亦多從《古易》。〈繫辭〉諸篇分章，亦不盡從《本義》也。詳見《本義》。（董眞卿：《周易會通》，卷首，〈周易經傳歷代因革〉，頁10下－11，「朱子《易》」條下案語）

分經異傳以及經文的部分「多從《古周易》」，但〈繫辭〉各篇的分章則否。可見朱熹對於呂祖謙的《古周易》是有所取，有所不取的。一般人憑著「朱熹的《周易本義》是以呂祖謙的《古周易》爲底本」的印象，就誤以二書爲一書，這樣的認知與事實並不相符。

貳、《古周易》的撰作及其相關問題

一、古《易》的定義

淳熙八年（1181），《古周易》完成。四十五歲的呂祖謙撰寫了一篇〈跋〉，〈跋〉中對於「古《易》」的定義，提出了他的看法和說明：

> 漢興，言《易》者六家，獨費氏傳古文《易》，而不立於學官。劉向以中古文《易經》校施、孟、梁丘經，或脫去「無咎」、「悔亡」，惟費氏經與古文同。然則眞孔氏遺書也。東京馬融、鄭玄皆爲費氏學，其書始盛行。今學官所立王弼《易》，雖宗莊、老，其書固鄭氏書也。費氏《易》在漢諸家中最近古，最見排擯。千載之後，巋然獨存，豈非天哉？自康成、輔嗣合〈彖〉、〈象〉、〈文言〉於《經》，學者遂不見古本。近世嵩山晁氏編《古周易》，將以復於其舊。而其刊補離合之際，覽者或以爲

未安。某謹因晁氏書，參攷傳記，復定爲十二篇。篇目卷帙，一以古爲斷。其說具於《音訓》。（呂祖謙：〈書所定《古周易》十二篇後〉，《東萊呂太史集》（臺北：新文豐出版公司《叢書集成續編》影印《續金華叢書》本），卷7，頁5−6）

這段文字指出了呂祖謙心中「古《易》」的必要條件：其一，文字要合於古。其二，版本要合於古。

首先，呂祖謙根據《漢書·藝文志》的記載，認爲費氏《易》是漢《易》六家中，唯一眞正的「孔氏遺書」。理由是劉向用中古文《易經》㉗進行校對時，只有費氏《易》完全與古文相同。（班固：《漢書》（北京：中華書局，1962 年 6 月）卷 30，頁 1704）因此我們知道：「使用古文字」是呂祖謙對「古《易》」所下的第一個定義。

其次是，自從鄭玄、王弼合〈彖〉、〈象〉、〈文言〉等《傳》於《經》以後，學者從此不見「古本」。因此呂祖謙立志要恢復像費氏《易》那樣的古本。此處的所說的「古本」，指的是《經》《傳》次序未經更動前的原始面貌，而這也就是呂祖謙對「古《易》」所下的第二個定義。

二、《古周易》的內容

《古周易》的字數總共只有八百四十三字㉘，篇幅甚小。主要的內容架構是建立在重新調整的十二個《經》《傳》次序條目上，並藉著各條目底下的案語，傳達呂祖謙對《易經》一書的理解和觀察。

㈠《經》《傳》的作者問題

——〈卦辭〉爲文王所作，〈爻辭〉爲周公所作；《傳》爲孔子所作

呂祖謙認爲，《周易》的《經》是文王、周公所作，《傳》則是出自孔子之

㉗ 「中《古文易經》」，顏師古注：「中者，天子之書也。言中，以別於外耳。」（《漢書》，卷30，頁1705。）

㉘ 這是指呂祖謙《古易》的主體部分，至於後人刊刻時所附加的內容，並不在此限，詳見下節。

手，理由如下：

……唐孔氏曰：「卦辭，文王所作。」漢上朱震曰：「文王卦下之辭謂之〈彖〉。孔子序述其〈彖〉之意而已，故名其篇曰：〈彖〉。」使文王卦下之辭不謂之〈彖〉，孔子何爲言「知者觀其彖辭，則思過半矣。」夫子自謂如此，非遜以出之之義也。《經》，文王、周公所作也。《傳》，孔子所作也。司馬談〈論六經要指〉引「天下殊塗而同歸，一致而百慮」，謂之《易大傳》。班固謂孔子「晚而學《易》，讀之，韋編三絕，而爲之《傳》。」《傳》即《十翼》也。（《東萊呂氏古易》，頁 2，「彖上傳第一、彖下傳第二」條下案語）

爻下辭謂之〈象〉。唐孔氏曰：「〈爻辭〉多文王後事。」〈升〉卦六五：「王用亨於岐山」，〈明夷〉六五：「箕子之明夷」，皆文王後事也。故諸說皆以爲〈爻辭〉出於周公。馬融、陸績等並同此說。（《東萊呂氏古易》，頁3上，「象上傳第三、象下傳第四」條下案語）

《易》始有卦畫而已。文王繫之以〈卦辭〉，周公又繫之以〈爻辭〉。故曰：「聖人設卦觀象，繫辭焉而明吉凶。」至於孔子所作，則繫辭之《傳》也。（《東萊呂氏古易》，頁 3 下，「繫辭上傳第五、繫辭下傳第六」條下案語）

自從歐陽修在《易童子問》中提出「《易》自《繫辭》以下非孔子所作」的說法後，《易傳》的傳統地位開始產生動搖。越來越多學者相信《易傳》不是出自聖人之手，因此讀經可以捨傳。宋代以後的許多學者強烈主張經書的刊行應當《經》、《傳》分離，所根據的就是這樣的理由。基本上，呂祖謙是主張《經》、《傳》應當分離的，但是他所抱持的理由並不是出於對《易傳》作者的質疑（但看他仍然相信《易傳》是孔子所作就可知道），而是根據早期文獻的記載，認爲古書的刊行原本就是如此。這樣的態度和看法是相當特殊的，是否對朱熹產生影響，值得進一步研究。

㈡《周易》的體製問題

在《古周易》中，呂祖謙把《周易》的《經》、《傳》次序重新調整成以下的十二標目：

上經
下經
彖上傳第一
彖下傳第二
象上傳第三
象下傳第四
繫辭上傳第五
繫辭下傳第六
文言傳第七
說卦傳第八
序卦傳第九
雜卦傳第十

各標目底下，並有簡短的敘述。其要點可以歸納如下：

1.《經》分上、下，且《經》、《傳》分離是合理的

《易經》的《經》文究竟該不該分上、下？這似乎是宋代學者相當感興趣的問題。舊題宋鄭樵撰的《六經奧論》中有〈上下經辨〉一文，專門討論這個問題（見嚴靈峰編：《無求備齋易經集成》據清康熙十九年原刊本影印），可見這個問題所引起的爭議。在《古周易》的「上經」、「下經」標目底下，呂祖謙下案語說：

案：《前漢・藝文志》：「《易經》十二篇。」顏師古曰：「上下篇及《十翼》，故十二篇。」杜預〈春秋左氏傳集解・後序〉曰：「汲郡汲縣有發舊冢者，大得古書。《周易》上下篇與今正同，別有〈陰陽說〉，而無〈彖〉、〈象〉、〈文言〉、〈繫辭〉，疑于時仲尼造之於魯，而未播

之於遠國也。」然則戰國時《易》固分上、下《經》矣。〈繫辭上傳〉曰：「二篇之策，萬有一千五百二十。」所謂二篇，即上、下二篇也。然則孔子時，《易》固分上下《經》矣。以此考之，《易經》之分上下，必始於文王作《周易》之時。近世晁氏編《古周易》，乃合而爲一，且謂後人妄有上、下《經》之辨，何其考之不詳哉？（呂祖謙：《東萊呂氏古易》，頁1。臺北：藝文印書館《百部叢書集成》影印清同治胡鳳丹輯刊《金華叢書》本。）

呂祖謙根據《漢書・藝文志》及顏師古的〈注〉，認爲《周易》應該包括十二個部分，又根據杜預〈春秋左氏傳集解・後序〉及《十翼》的說法，認爲《經》歸《經》，《傳》歸《傳》，而且《經》文分上、下是合理的。他同時也批評晁說之的《復古易》將六十四卦的《經》文從頭到尾連成一氣，是犯了考證不詳的錯誤。據此我們得以知道呂氏說與晁氏說的不同。

2.鄭玄的改動以及王弼的因襲

呂祖謙認爲，西漢時期《經》、《傳》本是別分刊行的，自從東漢起，學者才合《傳》於《經》。而割裂《經》文以附《傳》文的始作俑者是東漢的大儒鄭玄：

前漢《六經》與《傳》皆別行，至後漢諸儒作註，始合《經》、《傳》爲一耳。今王弼注本首卷題曰：「周易上經乾傳」，餘卷亦有〈泰傳〉、〈噬嗑傳〉、〈咸傳〉、〈夬傳〉、〈豐傳〉之名，蓋弼所用者，鄭氏本。鄭氏既合〈彖傳〉、〈象傳〉於《經》，故合題之耳。漢上朱氏曰：「魏高貴鄉公問博士淳于俊曰：『今〈彖〉、〈象〉不連《經》文，而《注》連之，何也？』俊對曰：『鄭康成合〈彖〉〈象〉於《易》者，欲使學者尋省易了，孔子恐其與文王相亂，是以不合。』則鄭未注《六經》之前，〈彖〉〈象〉不連《經》文矣。自「大哉乾元」以下，〈彖〉之傳也。自鄭康成合〈彖〉、〈象〉於《經》，故加「彖曰」、「象曰」以別之，諸卦皆然。（《東萊呂氏古易》，頁2，「彖上傳第一、彖下傳第二」條下案語）

> 案：陸氏《音釋文》，王肅本作「繫辭上傳」，訖於〈雜卦〉，皆有「傳」字。此蓋鄭玄未合《經》《傳》前標題之舊也。（《東萊呂氏古易》，頁 3 下，「繫辭上傳第五、繫辭下傳第六」條下案語）
>
> 漢上朱氏曰：「王弼以〈文言〉附於〈乾〉〈坤〉二卦。」案：淳于俊謂鄭康成合〈彖〉、〈象〉於《經》，不言合〈彖〉、〈象〉、〈文言〉於《經》，則朱氏之說是也。（《東萊呂氏古易》，頁 3 下，「文言傳第七」條下案語）

呂祖謙根據朱震《漢上易傳》的說法，評斷鄭玄是第一個將〈彖〉、〈象〉合於經文的人。他並且指出，鄭玄為了區別《經》、《傳》的不同，在〈彖〉、〈象〉等《傳》的文字上添加了「彖曰」、「象曰」等標題。而稍後的王弼，則因襲了鄭玄的變動，所以在《易注》的卷首，才會出現「周易上經乾傳」等字樣；而其餘各卷也在各卦之下，增加了「某傳」的標題。

這顯然是呂祖謙在採信朱震的說法後所做的大膽推論。事實上朱震的說法淵源於《魏書》，而朱熹對於《魏書》這段記載雖然不曾質疑[29]，但相形之下，對於由該記載所衍生出來的相關問題，他的態度卻趨於保守：

> 據淳于俊之說便以今王弼《易》為鄭康成《易》，嘗疑其未安。（朱熹：〈別紙〉，《朱文公文集》，卷 59，頁 22－23）

朱熹認為呂祖謙光憑著《魏書》的記載，就斷定鄭、王《易注》的體例，證據未免有些薄弱。從這裏可以看出朱、呂二人在面對這段記載時所抱持的態度是不同的，正因為有這樣的不同，所以對於《周易》一書的體例，從鄭玄到王弼之間的演變，朱、呂也持不同的看法。而這也就成為朱、呂在《易》學上的歧見之一。

3.對〈說卦〉、〈序卦〉、〈雜卦〉的態度

---

[29] 朱熹曾說：「唐成始合〈彖〉、〈象〉於《經》，則《魏志》之言甚明。」（〈朱子書嵩山古易跋〉，《東萊呂氏古易》，頁 4－5。《金華叢書》本）

呂祖謙在「說卦傳第八」、「序卦傳第九」、「雜卦傳第十」三個條目底下未加任何案語，但在《古易音訓》的「說卦傳」底下卻有十八章的分段說明，這十八章的分法，完全依照孔穎達《周易正義》之說。

三、《古周易》的版本及其衍生的問題

現存的《古周易》版本，都是清人刊刻（抄寫）的。

目前筆者所能搜集到的本子有三種：一是清康熙十九年（1680）納蘭成德刊刻的《通志堂經解》本；二是乾隆四十一年（1776）紀昀等奉敕纂修的《四庫全書》本；三是同治八年（1869）胡鳳丹刊刻的《金華叢書》本。

檢閱其內容，《通志堂經解》本與《四庫全書》本完全一致，可知此二書同出一源；至於《金華叢書》本則與上述二者小異。事實上，三個版本中，凡是標舉爲「呂祖謙《古周易》」的內容都是一致的，所異者乃在於刊刻（抄寫）在「《古周易》」前後，也就是一般視之爲「附錄」的部分。根據胡鳳丹的說法，《金華叢書》本是「從《通志堂經解》中錄出重梓」（胡鳳丹：〈重刻《古周易》序〉，《東萊呂氏古易》，卷首，頁 2，《金華叢書》本）的，因此這三個版本在《古周易》「本體」的部分，並無二致。至於「附錄」的部分，很可能是刊刻者所添加，因爲與《古周易》的關係至於密切，所以一併在此討論。

㈠從《通志堂經解》本及《四庫全書》本附加的內容談起

《通志堂經解》本及《四庫全書》本的《古周易》，前後不分卷，在標目爲「《東萊呂氏古易》」的內容（此即呂祖謙《古周易》的全部內容）前，收錄了七段文字，其作者及文字的標題㉚是：

㉚ 此處「文字的標題」是筆者根據其內容所做的判斷。其中大部分的書名，是取自原書的記載。

編號	作　　者	內　　容
1	吳仁傑(南宋孝宗淳熙年間登進士第)	《集古易》㉛及《集古易・自序》。
2	呂大防(1027－1097)	《周易古經》及其〈自序〉。
3	晁說之(1059－1129)	《古周易》(《經義考》作《錄古周易》)及其〈自序〉。
4	李　燾(1115－1184)	〈周易古經自序〉
5	吳仁傑	〈集古周易後記〉
6	王　洙(997－1057)家藏㉜	王洙家藏的《古易》，後引葉石林(按：即葉夢得(1077－1148))的一小段評論。
7	周　燔(？－？)	〈周氏九江《易》自序〉

從篇目的安排來看，這七個部分似乎顯得零亂而沒有邏輯：南宋吳仁傑的《集古易》及〈序〉置放在前，北宋呂大防的《周易古經》和晁說之的《古周易》緊接在後，接著依序是與呂祖謙時代接近的李燾的《周易古經自序》（其間似乎漏掉了《周易古經》的內容？）、吳仁傑的〈集古易後記〉、北宋王洙家藏的《古易》、周燔的〈周氏九江《易》自序〉……。這顯然不是依照作者的時代先後所排的次序。然而這其中能不能歸納出一個道理呢？

根據李燾在〈周易古經自序〉所言，他的《周易古經》一書，書名是仿效自呂大防的《周易古經》，篇次則根據晁說之的《古周易》，因此該書其實是呂、晁二書的綜合體。而在編撰《周易古經》之前，李燾就已經刊刻過呂、晁二書了，因此呂大防、晁說之、李燾三說（書）排列在一起，是有些道理可尋的。至於吳仁傑的《集古易》及〈序〉、〈後記〉，一前一後「包夾」住呂、晁、李三說，這不禁

㉛ 書中所列的是不是就是《集古易》（或《古周易》）的全部內容，因爲其書已佚，所以不得而知。不過根據《宋史》的著錄，《集古易》的內容只有一卷（董眞卿《周易會通》亦作一卷），篇幅甚小，如果和書中的篇幅相對照，似乎頗爲吻合。而且朱彝尊編《經義考》時，《集古易》尚存（而《古周易》則「未見」），而《四庫全書》編纂的時代又與朱彝尊相近，因此筆者認爲，書中所錄屬於「《集古易》」的可能性是大於屬於「《古周易》」的。（當然，如果二者根本就是一書，也就不必多做討論了）。

㉜ 「家藏」二字，係筆者根據《直齋書錄解題》所加，同註❼。

讓人懷疑從上表「編號一」到「編號五」的內容，是否就是吳仁傑《集古易》的「全部」內容？吳仁傑在淳熙十六年（1889）七月九日撰寫的〈集古易後記〉，似乎印證了這個說法：

《漢・藝文志》：《易經》十二篇，古經也。纔一見於此。魏晉以後，便自失之；隋氏藏書最備，亡慮八萬九千卷有奇；唐開元麗正殿所藏，亦八萬五千餘卷，皆不著錄。今國朝文物之盛，一時儒宗嗜古者眾，古文班班閒出，如《孝經》、《尚書》，學者昔所未睹，因司馬文正、呂汲公，遂大傳于時。於是古《易》有呂氏書，又有晁氏書，刊于成都、宜春兩郡。李仁甫侍郎嘗合二氏之說刊焉，今復出此編，世遂有三書矣。後進坐眠前脩，無能爲役，何敢妄出意見，而《易》則古《易》也，亡一字加損，縣故有學事兼奉自仁傑之來，一切以資公家，迺取爲工木費，並二氏篇第顛末、三君子〈後記〉刻寘諸校宮。淳熙十六年七月九日儒林郎知蘄州羅田縣吳仁傑書。（吳仁傑：〈集古易後記〉，收入呂祖謙：《古周易》，頁 41。《四庫全書》本）

根據這篇〈後記〉，吳仁傑說他收錄了呂大防和晁說之二人古《易》的「篇第顛末」，以及呂大防、晁說之、李燾「三君子」的〈後記〉，至於「《易》則古《易》也，亡一字加損」。因此，吳仁傑所刊刻的這部著作，包括了：一、《古易》（即仁傑所認定的，不添加自己意見的《周易》經傳原文。）二、呂大防《周易古經》的篇第本末及〈後記〉。三、晁說之《古周易》的篇第本末及〈後記〉。四、李燾的〈後記〉。而這四個部分與上表所列：編號一至四的內容是相吻合的。因此，《四庫》本的內容似乎可以簡化爲：

編號	作　者	內　　容
1	吳仁傑	《集古易》及《集古易・自序》、〈集古易後記〉
2	王　洙(997－1057)家藏	王洙家藏的《古易》，後引葉石林(按：即葉夢得(1077－1148))的一小段評論。
3	周　燔(？－？)	〈周氏九江《易》自序〉

但撇開吳仁傑的〈集古易後記〉所載不談，王應麟說《集古易》的內容除了呂大防的《周易古經》以及晁說之的《古周易》外，還包括王洙及周燔二家古《易》，若果如此，《四庫》本的《古周易》似乎就是吳仁傑的《集古易》了。不過，《四庫》本《古周易》中諸家古《易》次序的排列是否與《集古易》同，吾人不得而知，因此，《集古易》與《四庫》本《復古易》之間的關連，吾人至多只能做如上的推測。

不論如何，《四庫》本的《古周易》反映出吳仁傑的說法在該書中十分受到重視，僅管其說「迥與先儒不合」（《四庫全書總目》），卻無損於它的影響力：不僅董眞卿在編纂〈周易經傳歷代因革〉（收於董眞卿：《周易會通》卷首）時，大量採用他的說法，而且明代的雷樂（？－？）在編纂《周易古經》時，也一以他的說法爲依歸。[33]這或許就是《經解》本及《四庫》本的「附錄」之所以做此編排的原因。

㈡《金華叢書》本附錄的〈《周易本義》考〉[34]

同治年間刊刻的《金華叢書》本，前後不分卷，收錄的內容依序是：胡鳳丹的〈重刻《古周易》序〉、宋濂（1310－1381）的〈序〉、劉剛（？－？）的〈後序〉、呂祖謙的《古周易》、〈《周易本義》考〉、朱熹的〈《古周易》跋〉以及《四庫全書總目・古周易提要》。在這些篇目中，最值得注意的是由十四個文字段落所組成的〈《周易本義》考〉。

〈《周易本義》考〉，不詳編者何人。篇首的二段文字，一見於李光地（1642－1718）撰寫的〈周易折中・凡例〉，一見於傅恆（？－？）撰的〈周易述義・序〉。因爲《周易折中》和《周易述義》都是清廷負責編纂的，因此這兩段文字，很能反映出清初官方對「古《易》」的態度：

> 《易經》二篇，《傳》十篇，在古元不相混，費直、王弼乃以《傳》附《經》，而程子從之。至呂大防、晁說之、呂祖謙諸儒，以爲應復其舊，

---

[33] 《四庫全書總目・經部・易類存目一》說該書「所據乃宋吳仁傑本。」（卷7，頁25。）

[34] 書的版心在〈周易本義考〉的部分刻作〈古周易考〉。

> 朱子《本義》所據者，祖謙本也。明初，程《傳》、朱《義》並用；而以世次，先程後朱，故修《大全書》，破析《本義》以從程《傳》之序。今案：《易》學當以朱子爲主，故列《本義》於先，而《經》《傳》次第，則亦悉依《本義》原本，庶學者由是以復見古經，不至習近而忘本也。（李光地：《御纂周易折中・凡例》，《四庫全書》本）
>
> 詩義既竣，爰從事於《周易》，舉向所闡釋者，命詞臣條次其說，日一二卦，一如《詩義》之例。仍從朱子《本義》用晁氏本，以應《十翼》之舊。編成，復爲之〈序〉。（傅恆：〈御纂周易述義序〉，《四庫全書》本）

清初，朝廷提倡朱子學，在《易經》方面，自是以《周易本義》爲標準本。在上面的兩段敘述中，一說《周易本義》以呂祖謙本爲底本，一說《周易本義》以晁說之本爲底本。事實上，呂祖謙的《古周易》是在參酌了晁說之的《古周易》後完成的，而朱熹的《周易本義》，又從呂祖謙的《古周易》中得到啓發。因此不論說《周易本義》是以呂祖謙的《古周易》爲底本，或者說是以晁說之的《古周易》爲底本，都與事實相距不遠。

爲了更清楚的比較晁、呂、朱三家的異同，筆者將這三家對《周易》《經》《傳》的分類製成以下的表格，並試著說明如後：

<table>
<tr><th colspan="2">晁說之的《古周易》</th><th colspan="2">呂祖謙的《古周易》</th><th colspan="2">朱熹的《周易本義》</th></tr>
<tr><td rowspan="2">1</td><td rowspan="2">卦爻一</td><td>1</td><td>上經</td><td>1</td><td>周易上經</td></tr>
<tr><td>2</td><td>下經</td><td>2</td><td>周易下經</td></tr>
<tr><td rowspan="2">2</td><td rowspan="2">彖二</td><td>3</td><td>彖上傳第一</td><td>3</td><td>周易彖上傳</td></tr>
<tr><td>4</td><td>彖下傳第二</td><td>4</td><td>周易彖下傳</td></tr>
<tr><td rowspan="2">3</td><td rowspan="2">象三</td><td>5</td><td>象上傳第三</td><td>5</td><td>周易象上傳</td></tr>
<tr><td>6</td><td>象下傳第四</td><td>6</td><td>周易象下傳</td></tr>
<tr><td rowspan="2">5</td><td rowspan="2">繫辭五</td><td>7</td><td>繫辭上傳
第五</td><td>7</td><td>周易繫辭
上傳</td></tr>
<tr><td>8</td><td>繫辭下傳
第六</td><td>8</td><td>周易繫辭
下傳</td></tr>
<tr><td>4</td><td>文言四</td><td>9</td><td>文言傳第七</td><td>9</td><td>周易文言傳</td></tr>
<tr><td>6</td><td>說卦六</td><td>10</td><td>說卦傳第八</td><td>10</td><td>周易說卦傳</td></tr>
<tr><td>7</td><td>序卦七</td><td>11</td><td>序卦傳第九</td><td>11</td><td>周易序卦傳</td></tr>
<tr><td>8</td><td>雜卦八</td><td>12</td><td>雜卦傳第十</td><td>12</td><td>周易雜卦傳</td></tr>
</table>

從上表中可以清楚的看出：晁、呂說的不同，主要在於呂祖謙將《經》、〈彖傳〉、〈象傳〉及〈繫辭傳〉區分爲二，而晁說之則否。除此之外，晁、呂本是否還有不同之處？對於這一點，朱熹在〈書嵩山《古易》跋〉一文中，有比較深入的分析：

> 晁氏此說（筆者按，即晁說之的《古周易》）與呂氏《音訓》大同小異，蓋互有得失也。先儒雖言費氏以〈彖〉、〈象〉、〈文言〉參解《易》爻，然初不言其分《傳》以附《經》也。至謂康成始合〈彖〉、〈象〉於《經》，則《魏志》之言甚明。而《詩疏》亦云：漢初，爲《傳》、《訓》者皆與《經》別行。《三傳》之文不與《經》連，故石經書《公羊傳》皆無《經》文，而〈藝文志〉所載《毛詩故訓傳》亦與《經》別。及馬融爲《周禮註》，乃欲學者兩讀，故具載本文而就《經》爲註。馬、鄭相去不遠，蓋倣其意而爲之爾。故呂氏於此義得之，而晁氏不能無失。至晁氏謂初亂古制時，猶若今〈乾〉卦，〈彖〉、〈象〉並繫卦末，而卒大亂於王弼，則其說原於孔《疏》，而呂氏不取也。蓋孔《疏》之言曰：夫子所作〈象辭〉，本在六爻《經》《傳》之後，以自卑退，不敢干亂先聖正經之辭。及至輔嗣之意，以爲〈象〉者，本釋《經》文，宜相附近，其義易了，故分爻之〈象辭〉，各附其當爻下言之。此其以爲夫子所作，元在《經》辭之後，爲夫子所自定，雖未免於有失，而謂輔嗣分爻之象，以附當爻，則爲得之。故晁氏捨其半而取其半也。其實今所定，復爲十二篇者，古經之舊也。王弼註本之〈乾〉卦，蓋存鄭氏所附之例也。〈坤〉以下六十三卦，又弼之所自分也。呂氏於跋語雖言康成合《傳》於《經》，然於《音訓》乃獨歸之鄭氏而不及王弼，則未知其何以爲二家之別，而於王本《經》《傳》次第兩體之不同，亦不知所以爲說矣。豈非闕哉？（〈朱子書嵩山古易跋〉，收錄於《金華叢書》本，《東萊呂氏古易》，頁4－5）

此文被收錄在《金華叢書》本《東萊呂氏古易》附錄的〈《周易本義》考〉的第八則，文末，編者並註明是轉載自董眞卿的《周易會通》。事實上該文也見於《朱文公文集》卷六十六，篇名爲〈記嵩山晁氏卦爻彖象說〉，文字上雖然小有出入，但主要的內容則差別不大。〈《周易本義》考〉的編者將此文收入，想必有其深意。

在上文中，朱熹分析晁、呂二說的得失，指出呂祖謙的長處在於能分辨出第一個合《傳》於《經》的人是鄭玄；可惜對於鄭玄、王弼二家《易注》在體例上究竟有何不同，以及王弼《易注》中《經》、《傳》次序的安排，爲何呈現兩種不同的體例[35]，呂祖謙並沒有多做說明。朱熹認爲這是呂本的缺失。至於晁說之的長處在於能選擇性的接受孔《疏》的說法，並且進而分辨出王弼《易注》的特色在於「分爻之象以附當爻」；而他的缺失在於沒能看出鄭玄是變亂《周易》古經的第一個人。

從這段分析中我們可以看出：在朱熹心目中晁、呂二說是互有得失的，因此《周易本義》在撰作的時候，各取所長，而成爲今貌。這也就是爲什麼清人在提到《周易本義》時，一說以呂祖謙本爲底本，一說以晁說之本爲底本的緣故。

呂祖謙《古周易》的實際內容篇幅甚小，然而今日所能見到的《古周易》，篇幅卻至少都在數十頁以上。從薄薄的四、五頁擴充到數十頁，從簡短的一份文件變成一部小書，站在讀者的立場，不免覺得這彷彿是隻「被灌了水的鴨子」。從商業的角度來說，書賈爲了牟利，有時候在方法上是無所不用其極的。而《古周易》的「擴充現象」，透過上面的分析，讓我們理解到並不全然是書商爲了牟利所採取的行徑。細讀這些額外添加的文字，我們不得不說，不論是《金華》本或《四庫》本的《古周易》，都可以說是因《周易本義》的緣故，「膨脹」了內容，而其具體的意義，則在於：反映了朝野對《周易本義》的重視。

參、《古易音訓》的撰作及其相關問題

《古易音訓》，顧名思義，就是指用音讀和訓詁的方式對《古易》這部書所做的註解。據說這是呂祖謙的門人王莘叟所筆受，不過因爲是出自呂祖謙之意，幾乎與呂祖謙自作無別，因此本文仍將其視爲呂祖謙的著作，列入討論。

---

[35] 〈乾〉卦是一種體例，其他六十三卦又是一種體例。

一、名稱及版本問題

理論上來說，《古易音訓》是針對《易經》所做的音讀和訓詁，在書名上應不致於有太大的疑義。不過根據筆者所搜集到的兩種版本，卻發現書名小有不同。因爲這其中牽涉到本文的主要論點，因此不得不做一個簡要的論述。

今筆者所見到的二個版本，一是清同治年間（1862－1874）刊刻的《金華叢書》本[36]，書名爲《周易音訓》；另一是光緒十三年（1748）刊刻的《槐廬叢書》本[37]，書名爲《古易音訓》。據《中國叢書綜錄》所錄，與《金華叢書》本同系統，並名之爲《周易音訓》者，尙有《孫氏山淵閣叢刊》中《周易古本》所附的版本；至於與《槐廬叢書》本同系統，並名之爲《古易音訓》者，則有《校經山房叢書》本、《式訓堂叢書初集》本、《仰視千七百二十九鶴齋叢書》本、《孫谿朱氏經學叢書初編》本、《清芬堂叢書》本。（上海圖書館編：《中國叢書綜錄》（上海：上海古籍出版社，1993 年 10 月），頁 33。）這兩個版本的不同，主要在書名一作「《周易》」，一作「《古易》」。

呂祖謙在《古周易》的〈後記〉中曾說：「某謹因晁氏書參攷傳記，復定爲十二篇，篇目卷帙，一以古爲斷，其說具於《音訓》。」（《東萊呂太史文集・書所定古周易十二篇後》）可見，呂祖謙在撰作《古周易》時，就認定《古周易》一書是要與《音訓》合觀的。而王柏也說，「《音訓》甫畢，而成公夢奠，精神全在卷第之下，分行註中，讀者尤當留意焉。」（王柏：〈古易音訓〉，《魯齋集》，頁 714）這裏所指，潛藏在「卷第之下，分行註中」所反映的《音訓》「精神」，實際上就是《古易》一書的全部內容。據此我們知道，《音訓》的撰作與《古周易》應該是相爲表裏的。既然相爲表裏，書名定爲「《古易音訓》」自是比「《周易音訓》」要合理；而一字之差，所反映的卻是呂祖謙授意作《古易音訓》的本旨問題，因此不得不辨之如上。

---

[36] 筆者所據的版本爲《百部叢書集成》據清同治胡鳳丹輯刊《金華叢書》影印本。臺北：藝文印書館。

[37] 筆者所據的版本爲嚴靈峰編：《無求備齋易經集成》據清光緒十三年刊《槐廬叢書》影印本。臺北：成文出版社，1976 年。

《古易音訓》疑似從宋代起就已非全本。[38]今存者係由清人宋咸熙（？－？）所輯佚。宋咸熙自董眞卿《周易會通》中採摭《音訓》舊文，依呂祖謙「〈上經〉、〈下經〉、〈彖傳〉、〈象傳〉、〈繫辭〉、〈文言〉、〈說卦〉、〈序卦〉、〈雜卦〉」十二篇之次，用陸德明《經典釋文》之例，輯爲一書。[39]乾嘉時期，該書受到重視，因此諸多叢書均予以收錄，詳細情形已如上述。

《古易音訓》的二個版本除了在書名上小有不同外，在內容上也有極微小的差異：《槐廬叢書》本在各卦之上附有卦畫，爲《金華叢書》本所無，此外，文字上也偶有出入。其中較値得一提者爲〈坤〉卦的卦名。〈坤〉卦卦名，《槐廬叢書》本作：

> ☷坤下坤上。坤：陸氏曰：「本又作巛。」巛，今字也。同困魂反。（《古易音訓》，卷上，頁1上）

《金華叢書》本作：

> 巛。陸氏曰：「本又作坤。」坤，今字也。同困魂反。（《周易音訓》，卷一，頁1下）

一「坤」一「巛」，以常識判斷，「坤」明顯是今字，「巛」是古字。但經查陸德明《經典釋文・周易音義》，〈坤〉卦卦名底下確實作「☷坤，本又巛。巛，今字也。同困魂反。」（臺北：成文出版社，1976 年嚴靈峰：《無求備齋易經集成》據清乾隆二十一年刊《雅雨堂叢書》影印本）這其中的問題出在那裏？關於這一點，清人盧文弨在《周易音義考證》裏有考證：

---

[38] 朱熹說：「《音訓》則妄意其猶或有所遺脫。苹叟蓋言書甫畢而伯恭父沒，是則固宜，然亦不敢輒補也。」（朱熹：〈古周易跋〉，《朱文公文集》，卷 82，頁 22）

[39] 吳承仕撰：「〈古周易音訓〉二卷」提要。收錄於中國科學院圖書館整理：《續修四庫全書總目提要》（北京：中華書局，1993 年 7 月），頁 88。

舊大書「坤」下云：「本又作巛，巛，今字也。」宋本已如此。案：以巛爲今字，其謬顯然。今從《雅雨》本。蓋《注疏本》作「坤」，後人誤，并此改之。浦氏鏜從舊本，但於本又作「巛」，下云：「巛坤，古今字也。」增二字義差可通。（盧文弨：《周易音義考證》，頁 2。《無求備齋易經集成》據清乾隆五十六年《抱經堂叢書》影印本）

盧氏將問題的癥結指向陸德明《周易音義》的版本。有關《周易音義》的版本問題，因與本文的論點無涉，因此筆者不擬細究。不過從這裏可以看出這二個版本表面上看似同源，實際上還是各有所本的。

二、內容

今本《古易音訓》既是清人所輯，其原始面貌自不復見，僅能就所輯佚的內容一窺究竟。根據輯佚者宋咸熙的說法，「呂氏本陸德明《釋文》，晁以道《古周易》著此編」，而「晁氏生當北宋，猶見鄭《易》四篇及唐沙門一行、陰閎道、陸希聲等說」（宋咸熙：〈刻呂氏古易音訓序〉，《古易音訓》卷首，頁 1。《槐廬叢書》本），據此可知，《古易音訓》收錄了鄭玄《易注》、唐僧釋一行《易傳》、陰閎道《周易新論傳疏》、陸希聲《周易傳釋》、陸德明《經典釋文》、晁說之《古周易》等各家的說法，是在眾人的基礎上完成的一部注解《周易》字音及字義的書籍。

不論是《槐廬叢書》本或《金華叢書》本的《古易音訓》都只有二卷，其中卷上（《金華》本作卷一）收錄的是「上經」、「下經」等《經》文的部分；卷下（《金華》本作卷二）收錄的是「彖上傳第一」、「彖下傳第二」、「象上傳第三」、「象下傳第四」、「繫辭上傳第五」、「繫辭下傳第六」、「文言傳第七」、「說卦傳第八」、「序卦傳第九」、「雜卦傳第十」等《傳》文的部分。

雖說音讀和訓詁是《古易音訓》主要的註解方式，但是根據王柏的說法，此書的「精神」，盡在「卷第之下，分行註中」，而這部分的內容，其實就是呂祖謙《古周易》的內容。不過經過筆者仔細的核對之後，發現：這部分《古易音訓》的內容比《古周易》多出了一小部分，而這多出來的部分，是有關〈繫辭傳〉及〈說卦傳〉的分段說明。由於重出的部分已經在「《古周易》的內容」一節中論述過，因此以下僅就〈繫辭傳〉及〈說卦傳〉的部分予以討論。

㈠復古「精神」在〈繫辭傳〉的體現——呂祖謙對〈繫辭傳〉的分段

呂祖謙將〈繫辭傳〉分爲「繫辭上傳第五」及「繫辭上傳第六」二部分，其中，〈繫辭上傳〉分爲十四段，〈繫辭下段〉分爲十一段，其內容經整理成表格如下：

▼〈繫辭上傳〉的分段起訖及分段之所本：

章	起	訖	分段之所本
1	天尊地卑	成位乎其中矣。	諸家並同
2	聖人設卦觀象	吉促不利。	諸家並同
3	彖者，言乎象者也	各止其所之	從程氏、晁氏
4	《易》與天地準	君子之道鮮矣	從程氏、晁氏
5	顯諸仁	陰陽不測之謂神	從程氏
6	夫《易》，廣矣，大矣	易簡之善配至德	從程氏
7	子曰：易至矣乎！	道義之門	從程氏
8	聖人有以見天下之賾	盜之招也	從程氏、晁氏
9	大衍之數五十	其知神之所爲乎	從程氏、晁氏
10	《易》有聖人之道四焉	此之謂也	從程氏、晁氏
11	子曰：夫《易》何爲者也？	所以斷也	從晁氏。(章首「天一」以下二十字移別章)
12	《易》曰：「自天祐之」	吉促不利也	從晁氏
13	子曰：書不盡言	鼓之舞之以盡神	從晁氏
14	「乾坤，其《易》之蘊邪」	存乎德行	從晁氏

【資料來源：（呂祖謙：《古易音訓》，卷下，頁6−7。）】

▼〈繫辭下傳〉的分段起訖及分段之所本：

章	起	訖	分段之所本
1	八卦成列	禁民爲非曰義	從孔氏
2	古者包犧氏之王天下也	吉凶生而悔吝著也	從晁氏
3	陽卦多陰	立心勿恆，凶	從晁氏、朱氏
4	子曰：乾坤，其《易》之門邪	其衰世之意邪	從晁氏
5	夫易，彰往而察來	以明失得之報	從晁氏
6	《易》之興也，其於中古乎？	巽以行權	從孔氏、晁氏、朱氏

7	《易》之爲書也，不可遠	道不虛行	從晁氏、朱氏
8	《易》之爲書也，原始要終	其剛勝邪	從晁氏
9	《易》之爲書也，廣大悉備	故吉凶生焉	從晁氏
10	《易》之興也，其當殷之末世	此之謂《易》之道也	從晁氏
11	夫〈乾〉，天下之至健也	失其守者，其辭屈	從孔氏、朱氏

【資料來源：（呂祖謙：《古易音訓》，卷下，頁10）】

透過以上二個表格可以清楚的看到呂祖謙對〈繫辭傳〉段落的配置，而這些配置，呂祖謙也一一表明了出處及來源。事實上在「繫辭上傳第五」的案語底下，呂祖謙自己說：

> 〈上、下繫〉古今分章不同，今以唐孔氏、伊川程氏、嵩山晁氏、漢上朱氏諸家參定〈上繫〉，凡十四章。（《古易音訓》，卷下，頁6下）

可見在〈繫辭傳〉的分章上，呂祖謙是融合了孔穎達、程頤、晁說之及朱震的說法，並非獨創。

在以上二十五個段落的畫分裏，最值得注意的是〈繫辭上傳〉第十一章中「天一」以下二十個字的歸屬問題。呂祖謙在〈繫辭上傳第五〉標目以下的案語中說：

> 第十一章……章首「天一」以下二十字移別章。（呂祖謙：《古易音訓》，卷下，頁7上）

換句話說，呂祖謙主張「天一、地二，天三、地四，天五、地六，天七、地八，天九，地十」等二十個字應該從第十一章的章首移到別章，據王柏說，這是承襲自二程、張載的說法，而且「有不容不移者」。[40]從經學發展的角度來說，這樣一種調動《傳》文次序的行爲，可以說是《傳》文經典地位瓦解的象徵。但矛盾的是，包

---

[40] 王柏：「『天一地十』」章，移在『天數五』之上，此則存程子、張子之言。」（〈古易音訓〉，《魯齋集》。）

括呂祖謙在內的這批人，卻是在篤信《傳》文是孔子所作[41]的基礎上進行的。這就不免令人感到費解了——對於聖人所撰寫的文字，可以任憑己意予以調動——那麼「經典」的地位又何在？

㈡復古「精神」在〈說卦傳〉的體現——呂祖謙對〈說卦傳〉的分段

▼〈說卦傳〉的分段起訖及分段之所本：

<table>
<tr><th>章</th><th>起</th><th>訖</th><th>分段之所本</th></tr>
<tr><td>1</td><td>自昔者聖人之作《易》也</td><td>以至於命</td><td rowspan="18">並從唐孔氏</td></tr>
<tr><td>2</td><td>昔者聖人之作《易》也，將以順性命之理</td><td>故《易》六位而成章</td></tr>
<tr><td>3</td><td>天地定位</td><td>是故《易》，逆數也。</td></tr>
<tr><td>4</td><td>雷以動之</td><td>〈坤〉以藏之</td></tr>
<tr><td>5</td><td>帝出乎〈震〉</td><td>成言乎〈艮〉</td></tr>
<tr><td>6</td><td>神也者，妙萬物而為言者也</td><td>既成萬物也</td></tr>
<tr><td>7</td><td>〈乾〉，健也</td><td>〈兌〉，說也</td></tr>
<tr><td>8</td><td>〈乾〉為馬</td><td>〈兌〉為羊</td></tr>
<tr><td>9</td><td>〈乾〉為首</td><td>〈兌〉為口</td></tr>
<tr><td>10</td><td>〈乾〉，天也</td><td>故謂之少女</td></tr>
<tr><td>11</td><td>〈乾〉為天</td><td>為木果</td></tr>
<tr><td>12</td><td>〈坤〉為地</td><td>為黑</td></tr>
<tr><td>13</td><td>〈震〉為雷</td><td>為蕃鮮</td></tr>
<tr><td>14</td><td>〈巽〉為木</td><td>為躁卦</td></tr>
<tr><td>15</td><td>〈坎〉為水</td><td>為堅多心</td></tr>
<tr><td>16</td><td>〈離〉為火</td><td>為科上槁</td></tr>
<tr><td>17</td><td>〈艮〉為山</td><td>為堅多節</td></tr>
<tr><td>18</td><td>〈兌〉為澤</td><td>為羊</td></tr>
</table>

【資料來源：（呂祖謙：《古易音訓》，卷下，頁13下）】

此十八章的分法，呂祖謙說是承襲自孔穎達。今將此分法與《周易本義》的〈說卦傳〉核對，發現：《周易本義》自上表第十一章以下全部合為一章，此外，其餘各章分法均同。因此《周易本義》的〈說卦傳〉共有十一章。

[41] 其說詳見本文第一章第三節。

肆、從《古周易》、《古易音訓》和《周易本義》的關連看呂祖謙在復古《易》運動中的地位

一、《古周易》、《古易音訓》與《周易本義》的關連

從呂大防的《周易古經》、晁說之的《古周易》、吳仁傑的《集古易》，一直到朱熹的《周易本義》，我們大致可以觀察到復古《易》運動在宋代由草創到成形的過程。

毫無疑問的，朱熹的《周易本義》是這些復古《易》著作中知名度最大、影響層面最廣的一部。從南宋後期一直到元、明時期，許多學者因爲受到朱熹的影響，開始認眞思考起《易經》原始面貌的問題，並且進而投入經書復古的工作。因此我們可以說，朱熹的《周易本義》是復古《易》運動之所以能夠持續數百年的最重要關鍵。

檢閱《周易本義》的成書及流傳過程，我們會發現：呂祖謙的《古周易》及《古易音訓》與該書的關係是至爲密切的。以時代來說，朱熹和呂祖謙的生年相距不遠；就交情來說，朱、呂的友誼最爲深厚；從學識的涵養來說，二人在經學上均獲得一定的成就。因此，朱熹撰作《周易本義》，與呂祖謙在《易》學上提倡復古是有一定關連的。

《周易本義》因採呂祖謙的《古周易》爲底本而改爲今名，其過程已簡述如上。不過，究竟《古周易》及《古易音訓》對《周易本義》的影響爲何，上文中卻沒有進一步的說明。爲了替呂祖謙在「復古《易》運動」的發展過程中尋找一個合理的定位，筆者擬從《古周易》及《古易音訓》這兩部書對《周易本義》的影響開始討論起，同時也連帶的探討這兩部書的流傳與《周易本義》之間的關連：

㈠《周易本義》與《古周易》在體製上的相仿

《周易本義》既是以《古周易》爲底本，其體製與《古周易》相仿，自不待言。《古周易》的體製可以分成兩部分：一、《經》、《傳》的標目：即「上經」、「下經」、「彖上傳」、「彖下傳」、「象上傳」、「象下傳」、「繫辭上傳」、「繫辭下傳」、「文言傳」、「說卦傳」、「序卦傳」、「雜卦傳」等十二個標目。二、對《經》、《傳》分類的說明。就這一點而言，《周易本義》可以說

完全比照了《古周易》的形式：除了十二標目與《古周易》完全相同外，在「周易上經」、「周易彖上傳」、「周易象上傳」、「周易繫辭上傳」、「周易文言傳」等標目底下也附有說明文字（「周易說卦傳」、「序卦傳」、「雜卦傳」標題下無說明文字，亦與《古周易》同），該說明文字在內容上雖然與《古周易》不盡相同，但顯然是從《古周易》得到的啓發。

㈡《周易本義》與《古周易》在觀念上的相容

《周易本義》與《古周易》在若干觀念上是相容的，例如：

1.《經》當分上、下

《周易本義》在「周易上經」條下說：

> 「周」，代名也。「易」，書名也。其卦本伏義所畫，有交易、變易之義，故謂之《易》。其辭則文王、周公所繫，故繫之周。以其簡帙重大，故分爲上、下兩篇。（《周易本義》，卷1，頁1）

而《古周易》則說：

> 杜預《春秋左氏傳集解後序》曰：「汲郡汲縣有發舊冢者，大得古書《周易》上下篇，與今正同。別有〈陰陽説〉而無〈彖〉、〈象〉、〈文言〉、〈繫辭〉，疑于時仲尼造之於魯而未播之於遠國也。」然則戰國時《易》固分上、下經矣。（《東萊呂氏古易》，《金華叢書》本，頁1）

顯然《周易本義》及《古周易》都認爲《經》分上、下是合理的。

2.《經》乃文王、周公所作，《傳》爲孔子所作

《周易本義》說：

> 《經》則伏義之畫，文王、周公之辭也。並孔子所作之《傳》十篇，凡十二篇。（《周易本義》，卷1，頁1）

《古周易》則說：

> 《經》，文王、周公所作也。《傳》，孔子所作也。（《東萊呂氏古易》，《金華叢書》本，頁2上）

在《周易》《經》、《傳》作者的問題上，《周易本義》與《古周易》也是相當一致的。

㈢《古易音訓》的流傳與《周易本義》之間的關連

朱熹之孫朱鑑（？－？）在〈呂氏音訓跋〉中說：

> 先公著述《經》、《傳》，悉加音訓，而於《易》獨否者，以有東萊先生此書也。鑑既刊《啓蒙》、《本義》，念「音訓」不可闕，因取寶婺臨漳鄂渚本親正訛誤六十餘字，而併刊之。（朱鑑：〈呂氏音訓跋〉，引自《金華叢書》本《東萊呂氏古易》，頁6－7，〈周易本義考〉，第10則）

朱鑑指出，他在刊刻朱熹的《易學啓蒙》和《周易本義》時，有感於「音訓」不可或缺，因此將呂祖謙的《古易音訓》與上述二書合刊。據此可知，《古易音訓》在刊行不久後，就與《周易本義》同時傳世。

二、呂祖謙在復古《易》運動中的地位

眾所周知，朱熹的《周易本義》是復古《易》運動之所以能全面展開的最重要關鍵。尤其在一切以「古」爲高的學術風氣底下，《周易本義》所標榜的「恢復《周易》《經》《傳》」的宗旨，正好迎合了學者嗜古的心理，於是，《周易本義》就成了多數學者所認定的「經書古本」。

細究《周易本義》之所以能成爲當時不少學者共同採信的《周易》「古貌」，並成爲後繼研究者持續改良的「標準藍圖」，除了朱熹個人的因素之外，呂祖謙的「間接參與」是功不可沒的。

透過上文的分析，我們知道了《古周易》和《古易音訓》與《周易本義》之間的密切關連。因此，說呂祖謙「間接參與」了《周易本義》的撰作，並不爲過。

《古周易》的篇幅不大，但是其中對於《周易》《經》《傳》的分類及說明，確實給予朱熹很好的啓發；而《古易音訓》的撰作重點（音讀），也讓亟思復古的朱熹，省卻了替古書重新「注音」的麻煩。憑著這一點，呂祖謙不僅在「復古《易》運動」中應該被記上一筆，在《易》學發展史上也應享有一定的地位。

伍、結論

復古的風氣，由來已久。所謂「今國朝文物之盛，一時儒宗嗜古者眾，古文班班閒出，如《孝經》、《尚書》，學者昔所未睹，因司馬文正、呂汲公遂大傳於時。」（吳仁傑：〈集古易後記〉）指的就是北宋初期復古之風興起時的情況。時隔百餘年，呂祖謙生，學者嗜古的風氣仍未衰退，在周圍友人，像是薛季宣、朱熹等人紛紛投入「復古」行列的情況下，呂祖謙《古周易》及《古易音訓》的出現，是相當合理的事。

理論上，「古」的定義因人而異。但是檢閱當時的復古《易》著作，我們卻發現，所有學者復古的方式，不脫二個大的方向：其一，文字上的復古。其二，《周易》《經》《傳》次序的調動。這就將所謂「古《易》」的定義，界定在古「文」《易》和古「本」《易》上。不過整體來看，每個學者都各有所偏：或者是將重心擺在經、傳位置的重新調整上，或把焦點置放在古文字的考證上；眞正做到分撰二書讓這兩條路線齊頭發展的，呂祖謙是唯一的一個。當然，《古周易》的篇幅不大，其精髓事實上也完全寄寓在《古易音訓》中，因此或許有人會質疑該書存在的必要，但是，從「復古《易》運動」發展的角度來說，此書單行的意義在於：它凸顯了《經》《傳》次序的重整在復古過程中的必要，而這樣的觀念對朱熹撰作《周易本義》以及後來的學者繼續從事復古運動，都產生了一些啓發的作用。因此，《古周易》一書的存在是有其特殊意義的。

再從現存《古周易》的版本來看，不同的版本呈現出不同的問題：《四庫》本《古周易》收錄了王洙、呂大防、晁說之、李燾、吳仁傑、周燔等諸家的古《易》，這與王應麟所言吳仁傑《集古易》所收錄的內容有相當程度的吻合，但諸家說法的排列可能與《集古易》有異，因此這是否就是吳仁傑《集古易》的錯置仍然有待進一步查考；至於《金華》本《古周易》收錄的〈周易本義考〉（又作〈古周易考〉），則反映了歷代學者對《周易本義》的關注，而篇首引錄的兩段話（一見於清李光地《周易折中》的〈凡例〉、一見於清傅恆《周易述義》的〈序〉），尤其能反映清初拜朱子學興盛之賜，呂祖謙的《古周易》也隨之受到一定重視的情形。

我們雖然不見得能斬釘截鐵的說，「復古《易》運動」因呂祖謙的參與而全面改寫，但是至少可以這麼說，如果呂祖謙不曾撰寫《古易》和《古易音訓》，影響後世科舉甚鉅的《周易本義》，是否會以現在的面貌示人，恐怕都值得商榷。因此，呂祖謙與復古《易》運動的關連，是不容忽視的，而這也是本文所要闡明的最重要的一點。

嚴格說來，呂祖謙《古易》及《古易音訓》的篇幅都不大，但是環繞著這兩部書所衍生出來的相關問題卻是極其廣泛而且複雜的。限於時間學力，本文只能簡單論述如上，至於更深入的探究，則有待俟諸來日。

【附錄】：

▼《經義考》所著錄書名中標舉一「古」字以凸顯「復古」觀念的《易》學著作

	書　　名	作　者	《經義考》著錄的卷數	《經義考》著錄的存佚	見於《經義考》的卷數	見於《經義考》的冊／頁數
1	《古易》	王　洙	十二卷	存	卷 17	1/390
2	《古周易》	邵　雍	八卷	未見	卷 19	1/424
3	《周易古經》	呂大防	二卷	存	卷 19	1/439
4	《錄古周易》	晁說之	八卷	存	卷 20	1/464
5	《周易古今考異釋疑》	洪興祖	一卷	佚	卷 24	1/546
6	《古易攷義》	洪興祖	十卷	佚	卷 24	1/547
7	《古今易總志》	洪興祖	三卷	佚	卷 24	1/547
8	《揲蓍古法》	鄭　克	一卷	未見	卷 24	1/556
9	《存古易》	鄭　厚	不詳	佚	卷 25	1/577
10	《古文周易》	薛季宣	十二卷	佚	卷 26	1/603
11	《古易考》	程　迥	一卷	未見	卷 28	1/633
12	《古易占法》	程　迥	一卷	存	卷 28	1/633
13	《周易古經》	李　燾	八篇	存	卷 29	1/663
14	《古周易》	吳仁傑	十二卷	未見	卷 30	1/669
15	《集古易》	吳仁傑	一卷	存	卷 30	1/670
16	《古易》	呂祖謙	一卷	存	卷 30	1/680
17	《古易音訓》	呂祖謙	二卷	存	卷 31	1/683
18	《古易音訓》	朱　熹	二卷	未見	卷 31	1/688
19	《古易》	林叔清	不詳	佚	卷 34	1/770
20	《古易補音》	趙共父	不詳	不詳	卷 34	1/772
21	《古易考》	王應麟	不詳	未見	卷 35	2/6
22	《校正周易古經》	稅與權	十二卷	闕	卷 36	2/29
23	《復古蓍法》	孫義伯	不詳	佚	卷 37	2/60
24	《易述古言》	林起鰲	二卷	佚	卷 37	2/64
25	《古易口義》	方公權	不詳	佚	卷 38	2/75
26	《易古占法》	俞　琰	一卷	未見	卷 40	2/120
27	《訂正復古易》	王雲鳳	十二篇	未見	卷 50	2/363
28	《集定古易》	陳鳳梧	十二卷	存	卷 51	2/379
29	《修復古易經傳訓測》	湛若水	十卷	存	卷 51	2/386
30	《古易攷原》	梅鷟	三卷	存	卷 52	2/412

31	《古易辯》	季本	一卷	存	卷 53	2/425
32	《古易》	杜慜	一卷	未見	卷 53	2/439
33	《復古易》	沈爚	十二篇	存	卷 53	2/447
34	《古易世學》	豐坊	十五卷	?	卷 54	2/461
35	《古易中說》	盧翰	四十四卷	存	卷 54	2/475
36	《古易便覽》	昝如思	一卷	未見	卷 54	2/476
37	《周易古今文全書》	楊時喬	二十一卷	存	卷 55	2/501
38	《易詮古本》	吳中立	三卷	存	卷 57	2/553
39	《古易論》	鄧伯羔	二十九卷	存	卷 58	2/565
40	《周易古本》	羅大紘	一卷	未見	卷 59	2/600
41	《古易彙編意辭集》	李本固	十七卷	存	卷 60	2/618
42	《周易古文鈔》	劉宗周	三卷	?	卷 61	2/629
43	《周易古象通》	魏濬	八卷	存	卷 61	2/632
44	《古周易訂詁》	何楷	十六卷	存	卷 63	2/697
45	《考正古易》	嚴福孫	十三篇	存	卷 65	2/741
46	《古文易》	錢士謅	二卷	未見	卷 65	2/765
47	《古易解》	何默仙	不詳	未見	卷 66	2/780
48	《述古易》	耿氏	不詳	未見	卷 68	3/10

＊根據版本：清・朱彝尊撰，許維萍等點校：《點校補正經義考》（臺北：中央研究院中國文哲研究所籌備處，1997 年 6 月）

經　學　研　究　論　叢
第　八　輯　　頁111～136
臺灣學生書局　2000 年 3 月

論《尚書・大禹謨》的思想價值

吳伯曜*

一、前言

〈大禹謨〉是今日所見的僞古文《尚書・虞夏書》當中的一篇。所謂「僞古文《尚書》」是指古文《尚書》的僞本，即東晉元帝時豫章內史梅賾所獻給朝廷的「孔安國傳《尚書》五十八篇」。眞古文《尚書》早在西晉永嘉之亂時即已亡佚，而梅賾所獻的「孔安國傳《尚書》五十八篇」因其內容尚包括西漢的今文《尚書》，故是書內容乃眞僞並存，當中的古文二十五篇以及託名孔安國之《傳》則屬僞造之作。❶唐人不察，爲這本《尚書》孔傳作《正義》❷，自此風行於世，直傳至今。有關古文《尚書》的疑僞，是開始於宋代的吳棫，而明代梅鷟的《尚書考異》則是爲古文《尚書》的辨僞奠定了穩固的基礎。到了清代，閻若璩根據前人研究的基礎，編撰了《尚書古文疏證》一書，列舉了一百二十八條證據來辨明古文《尚書》的僞作，指明僞作採集襲用的原委出處，鐵證如山，於是古文《尚書》之爲「僞書」，遂成定讞。自宋人疑經開始，已有若干研究尚書的學者，對孔傳古文《尚書》抱持「存而不論」的態度，在清人閻若璩證明孔傳古文《尚書》爲僞作之

*　吳伯曜，彰化師範大學國文研究所碩士生。

❶　今日學者稱之爲《僞孔傳》。

❷　即孔穎達等奉敕編撰的《尚書正義》。

後，學者更有「廢古文《尚書》」的主張。❸有些學者雖未明言廢除僞古文《尚書》之意，而於其《尚書》學著作當中則不錄僞古文《尚書》之文❹，這無形當中也表明了其鄙棄僞古文《尚書》之意。僞古文《尚書》果眞一無可取，而必須將它廢棄？難道我們只因爲它是僞書，就完全抹殺它的價值？

事實上，所謂的「僞書」，也並非全然是假造的，有些是作者鑑於古書散失、亡佚，於是將他書所引或口頭相傳的內容加以連綴、補充而重新編定成書，書中其實保留了部分或許多原書的內容，單就此而言，僞古文《尚書》即具有保存研究之價值。

關於僞古文《尚書》的價值，宋代以來雖有不少學者抱持否定的態度，然歷來學者也不乏從正面肯定僞古文《尚書》之價值者，例如清人王心敬以及今人戴君仁、錢宗武等人。梅鷟《尚書考異》原序說：「……東晉時，善爲模倣竊竊之士，見其以訛見疑于世，遂蒐括群書，掇拾嘉言，裝綴編排，日鍛月鍊，會粹成書。必求無一字之不本于古語，無一字言之不當于人心，無一篇之不可垂訓誡。」雖然梅鷟序中所說的是對於作僞者刻意模倣之用心的貶詞，但是它正好說明了僞古文《尚書》的價值：「無一字之不本于古語」、「無一字言之不當于人心」以及「無一篇之不可垂訓誡」。至於正面肯定僞古文《尚書》價值的學者當中，戴君仁《閻毛古文尚書公案》一書認爲：「我們把這二十五篇僞古文尚書，不看做上古的經典、三代的信史，而只當作魏晉間子書來讀，似乎仍不失爲一部很有價值的書。」❺；今人錢宗武認爲：「『晚書』二十五篇雖然不是眞正的孔壁古文，不妨看作是古文《尚書》的西晉輯佚本。」❻；而清人王心敬的《豐川尚書質疑》一書則說：「詩

---

❸ 例如《清史列傳》卷 24〈莊方耕傳〉，頁 69 記載：「閻氏所闢僞古文信於海內，言官學臣議上言於朝，重寫二十八篇於學官，考官命題，學者諷讀，禁用僞書。」又〔清〕吳光耀《古文尚書正辭》也提到：「今皇上（光緒帝）即位之十五年，王編修懿榮請行刪本。」

❹ 例如清人孫星衍的《尚書今古文注疏》、魏源的《書古微》、吳汝綸的《尚書故》等著作皆未收錄僞古文《尚書》之文。

❺ 參見戴君仁：《閻毛古文尚書公案》，第十章繼毛衛古及僞古文尚書的價值，頁 180。

❻ 參見《尚書》（臺北：臺灣古籍出版社，1996 年 11 月），前言，頁 8。「晚書」指梅賾所獻的古文《尚書》。筆者認爲僞《古文尚書》爲東晉時梅賾所獻，而成書時間不能確定，或許東晉才完成。因此，不如說是「晉代輯佚本」。

曰：『先民有言，詢於芻蕘。』古之君子，取善尚不遺於芻蕘，矧依經造理之論。廟堂取之，可爲資治鑑亂之藉；儒生取之，可爲勸德鑑過之資。則又先民周爰咨詢之義爾。」❼此外，戴君仁在《閻毛古文尚書公案》一書當中也談到：「中國歷史上不乏良相循吏，他們是用什麼教養成的？不消說，《尚書》是重要教材之一種。這種好訓誡在統治階層心中起了作用，那麼就會在被統治階層「老百姓」身上發生影響。這是文字不及的歷史，我們不能忽視。在今日固然沒有帝王了，但這些格言，仍舊可以培養政治道德，公民常識，依然有它的價值。」又其《閻毛古文尚書公案·序》中說：「古文尚書二十五篇，裏面本有不僞的語句，從各種傳記古書抄輯下來，其價値自不待言。即使無所本而爲作者所自造的，也有很多好言語：如『滿招損，謙受益』，『民爲邦本，本固邦寧』，『好問則裕，自用則小』……」。

從上述學者的見解當中，也引發筆者的若干思考。筆者認爲雖然僞古文《尚書》經由梅鷟、嚴若璩等人的考證，使後人得以瞭解當中的思想、文字許多是採集襲用自先秦經傳子書的文句，但是這些所謂「襲用」的思想、文字確是句句都具有意義，可以作爲人人修身、處世的參考。可見即使僞古文《尚書》的作者果眞是「襲用」先秦經傳子書的思想、文句，但是他並不是漫無選擇的加以拼湊字句成書，在選擇、捨取的過程中已加入作者的價値觀和思想理念，甚至含有作者的政治理想。因此，我們不妨將僞古文《尚書》中被認爲是襲用自各經傳子書的文字、思想，視爲是對於這些經傳子書思想的闡揚與應用，並且探究這些思想內容對現代的人們的啓示。

就僞古文《尚書》的思想內容而言，最値得一提的莫過於〈大禹謨〉篇，此一篇章曾在中國思想史上產生重大的影響。〈大禹謨〉篇中有「人心惟危，道心惟微，惟精惟一，允執厥中」一語，乃所謂舜帝對大禹之告誡，此語對宋明理學的影響十分深遠，宋明儒者莫不奉此十六字爲「帝王心傳」、「萬世心學之祖」。宋明儒者以此十六字爲思想根據，強調「人心」、「道心」、「二帝三王心法」、「道

❼ 〔清〕王心敬：《豐川尚書質疑》，《尚書類聚初集（二）》（臺北：新文豐出版公司，1984年10月），頁425。

統」，進而建立並發展出哲學思想精密而豐富的理學（道學）。❽就〈大禹謨〉篇對宋明理學產生重要影響的這方面來說，可知僞古文《尚書》在中國思想史上具有重要的地位。對於此一僞古文《尚書》當中的重要篇章，實在値得吾人一窺究竟，或許它的思想價値將不只是「危微精一」十六字而已。底下筆者將就〈大禹謨〉篇的思想價値逐一探討，並參考前述學者對針僞古文《尚書》價値所提出的見解，用以檢視該篇。

二、「十六字心傳」的思想價值

〈大禹謨〉篇當中的「人心惟危，道心惟微，惟精惟一，允執厥中」一語，向來被宋明理學家認爲是二帝三王的傳心寶典，即所謂「虞廷十六字心傳」。而此一語也成爲理學家講道統、講義理的重要根據，朱熹在《中庸章句・序》中即說：

> ……蓋自上古神聖，繼天立極，而道統之傳，有自來矣。其見於經，則允執厥中者，堯之所以授舜也。人心惟危，道心惟微，惟精惟一，允執厥中者，舜之所以授禹也。堯之一言，至矣，盡矣。而舜復益之以三言者，則所以明夫堯之一言，必如是，而後可庶幾也。……夫堯舜禹大聖也，以天下相傳，大事也，而其授受之際，叮嚀告誡，不過如此，則天下之理，豈有加於此哉？

蔡沈的《書集傳》秉承其師朱熹之說，認爲：「二帝三王之治本於道，二帝三王之道本於心，得其心則道與治固可得而言矣！何者？精一執中，堯舜禹相授之心法也。」❾宋儒眞德秀也說：「『人心惟危』以下十六字，乃堯舜禹傳授心法，萬世

---

❽ 參見劉起釪：《尚書學史》（北京：中華書局，1989年6月），頁274－278。又見梁世惠：《宋明人論危微精一執中十六字及其證僞》（臺北：臺灣大學中國文學研究所碩士論文，1989年5月）。

❾ 見〔宋〕蔡沈：《書經集傳・序》。

聖學之淵源。」❿可見「十六字心傳」在宋代理學家心中的地位。

對於〈大禹謨篇〉中的此十六字，蔡沈則有頗爲詳明而通達的解釋，他說：

> 心者，人之知覺，主於中而應於外者也。指其發於形氣而言，則謂之人心；指其發於義理而言，則謂之道心。人心易私而難公，故危；道心難明而易昧，故微。惟能精以察之，而不雜形氣之私；一以守之，而純乎義理之正。道心常爲之主，而人心聽命焉，則危者安，微者著，動靜云爲，自無過不及之差，而信能執其中矣。堯之告舜，但曰允執厥中。今舜命禹，又推其所以而詳言之。蓋古之聖人，將以天下與人，未嘗不以其治之之法，并而傳之，其見於經者如此。後之人君，其可不深思而敬守之哉？⓫

參考了上述蔡沈的說法，筆者將這「十六字」原文語譯如下：人心常夾雜私欲，所以常是危險不安的；道心常因爲人欲的迷亂而難以呈現，所以顯得十分幽微。因此，我們必須專精辨明道心、人心，並固守道心，才能眞正地實行中道。

透過此「十六字」意義的瞭解，我們可以藉此警惕自己要時常保有靈明清朗、無私、無雜的本心（道心），避免因私心、私欲而使行爲脫軌。而這也就是〈大禹謨〉「十六字」本身的思想價值所在。

這「十六字」用語十分精密，實在很難令人相信如此的「聖賢之語」，竟然是僞作的。清人閻若璩就認爲，若要推翻《古文尚書》，證明其僞，尤須自此「十六字」下手，根除此十六字的偶像地位。他在《尚書古文疏證》第三十一條說：「二十五篇之書，……其精密絕倫者在虞廷十六字，……而不能滅虞廷十六字爲烏有，猶未足服信古文者之心也。」於是閻氏參考梅鷟《尚書考異》之說，舉出了此「十六字」的出處說：「此蓋純襲用《荀子》，而世舉未之察也。《荀子・解蔽篇》：『昔者舜之治天下也』云云，『故《道經》曰：人心之危，道心之微，危微之幾，唯明君子，而後能知之。』此篇前又有『精於道』、『一於道』之語，遂檃

❿ 見梁世惠：《宋明人論危微精一執中十六字及其證僞》，第二章頁 16 引眞德秀《心經附註》卷 1 語。

⓫ 見〔宋〕蔡沈：《書經集傳》，卷 1。

括爲四字；復續以《論語》『允執厥中』以成十六字，僞古文蓋如此。」⓬

就實事求是的經典辨僞考據而言，「十六字心傳」被梅鷟、閻若璩等人徹底推翻了。但是就思想義理價值而言，「十六字心傳」仍具有不可磨滅的價值。清人宋鑒《尚書考辨》就提到：「夫言苟合道，芻蕘可詢，何必出于荀子者？必無與于聖道？書雖僞，無害于其言之醇也；言雖精，無救于其書之僞也。」⓭在前文中，筆者曾提到不妨正視僞《古文尚書》確切的思想價值和影響，將其中被認爲是襲用自各經傳子書的文字、思想，視爲是對於這些經傳子書思想的闡揚與應用。因此在瞭解了梅、閻等人所考證出來的出處之後，我們不妨從另一個觀點來看待「十六字心傳」。對於這一極富思想意義的一段話，我們可以說：它闡揚了《荀子．解蔽篇》「道經」之思想，並融《論語》「允執厥中」的思想於一爐，就其思想意涵而言是深得孔子「一貫」之旨的。而熊十力《讀經示要》也認爲：

> 僞孔傳《古文尚書》人心惟危四句（熊按：見僞〈大禹謨〉）爲宋儒所宗。宋儒雖已疑其僞，而卒不肯直斥之。清人始明斷其僞。遂謂宋學所宗者已失其據。不知，僞書依執中一詞，而採道書之言，以相發揮。（熊按：《荀子．解蔽篇》引道書曰：『人心之危，道心之微』。此僞書所本也。然義實相通。中，即道心。執中，即道心常存。不能執中，即私意私欲起，而謂之人心矣。）辭有增入，而義無誣妄也。僞書其可輕排乎？佛家大乘經，本非佛說。而以不背釋迦教義故，皆得視爲佛說。凡僞書名言法語，以爲出自古聖賢，無不可也。⓮

另外，張舜徽〈道論通說〉認爲〈大禹謨〉中危、微之意與《荀子．解蔽》篇所引〈道經〉之語，寓意相同，「悉爲君人南面之術而發」。⓯就此而言，「十六字」

⓬ 見閻若璩：《尚書古文疏證》，第31條。

⓭ 〔清〕宋鑒：《尚書考辨》，《尚書類聚初集（六）》（臺北：新文豐出版公司，1984年10月），頁56。

⓮ 熊十力：《讀經示要》（臺北：明文書局，1984年7月），頁921－922。

⓯ 見張舜徽：《周秦道論發微》（臺北：木鐸出版社，1983年9月），頁30。

也可以說提供了爲政者「爲君之道」。孔穎達《尚書正義》注解「十六字」說：

> ……因成以爲君之法：民心惟甚危險，道心惟甚幽微，危則難安，微則難明，汝當精心，惟當一意，信執其中正之道，乃得人安而道明耳。……
> 居位則治民，治民必須明道，故戒之以「人心惟危，道心惟微」。道者，經也，物所從之路也。因言人心，遂云道心，人心惟萬慮之主，道心爲眾道之本，立君所以安人，人心危則難安，安民必須明道，道心微則難明，將欲明道，必須精心，將欲安民，必須一意，故以戒精心一意，又當信執其中，然後可得明道以安民耳。⑯

孔氏之說，正說明了這一點。

明人朱康流對黃宗羲說：「從來講學者未有不淵源危、微、精、一之旨，若無〈大禹謨〉，則理學絕矣！」⑰朱氏的話正說明了〈大禹謨〉篇乃是宋明理學家理學學說的思想淵源。劉起釪在《尚書學史》以及《尚書源流及傳本考》當中則是更進一步地論述了宋儒如何依據僞古文《尚書》爲思想淵源進而建立理學。劉氏認爲宋代的道學家（理學家）爲了爭取在儒家當中的正統地位，於是將〈大禹謨〉篇當中的「人心惟危，道心惟微，惟精惟一，允執厥中」四句話說成是堯、舜、禹三聖傳授的心法，稱爲「虞廷十六字眞言」，成爲堯、舜、禹、湯、文、武、周公、孔子、孟子一脈相承的道統的精神核心。而宋儒則是自認爲繼孟子之後承續此一道統和心法。例如在《二程遺書》和《朱子語類》當中就經常如此強調。並因此鼓吹「人心者，人欲也故危殆；道心者，天理也，故精微。」以及「存天理，滅人欲」。由於宋儒的學說來自此一道統的中心精義「道心」，所以稱之爲「道學」，因此《宋史》在爲他們立傳時，稱之爲《道學傳》。又宋儒的道學強調「存天理」，所以道學也稱之爲「理學」。⑱

---

⑯ 見孔穎達：《尚書正義》（臺北：藝文印書館，十三經注疏(1)），卷4，頁56。

⑰ 見劉起釪：《尚書源流及傳本考》（瀋陽：遼寧大學出版社，1997年3月），頁63引。

⑱ 參見劉起釪：《尚書源流及傳本考》，頁 62－63。又劉起釪：《尚書學史》（北京：中華書局，1989年6月），頁274－278。

上述劉氏所論似乎僅限於「道心」、「天理」與「理學」、「道學」名稱的關係，筆者認爲〈大禹謨〉篇之所以成爲宋明理學家理學學說的思想淵源，主要是因爲「危微精一」十六字被多數的宋明理學家當作心中的最重要的精神信仰金言，於是有關「人心」、「道心」、「精一」、「允執厥中」以及「心法」、「道統」等主題在朱熹等人提出探討之後，因而持續地引起宋明理學家的興趣和關注，進而成爲宋明理學家主要的討論主題，由此衍生出豐富、深入的理學和心學思想論述，例如朱熹在《中庸章句・序》即探討到「人心」、「道心」的問題，他說：

> 人自有人心、道心，一個生於血氣，一個生於義理。飢、寒、痛、癢，此人心也；惻隱、羞惡、是非、辭讓，此道心也。雖上智亦同。一則危殆而難安，一則微妙而難見，必使道心常爲一身之主而人心每聽命焉，乃善也。

而陸九淵對「人心」、「道心」的看法則是：

> 人心爲人欲，道心爲天理，此說非是。
>
> 心一也，人安有二心？自人而言，則曰惟危；自道而言，則曰惟微。[19]

王陽明則談到：

> 只要去人欲、存天理，方是工夫。靜時念念去人欲、存天理。動時念念去人欲、存天理。
>
> 減得一分人欲，便是復得一分天理。[20]

又如王陽明的弟子王龍溪則曾一再頌揚其師「良知」之說深得「精一之宗傳」：

---

[19] 參見《陸九淵集》（臺北：里仁書局，1981年1月），卷34。

[20] 參見《傳習錄》，卷1。

> 先師提出良知兩字，本諸一念之微。[21]
>
> 若論事功，唐虞之際，蕩蕩巍巍，精一執中，開萬世心學之源。……良知二字，入聖機微。[22]
>
> 先師信手拈出良知兩字，不學不慮，以直而動，乃性命之樞，精一之宗傳。[23]
>
> 致知無巧法，無假外求，只一念入微處討眞假，一念神感神應，便是入聖之機。……唐虞之時所讀何書？惟微精一之外無聞焉。[24]

晚明劉蕺山也談論到：

> 堯授舜，言祈天永命之道，而推本於「執中」，其旨嚴矣。中之爲義，從方所得名而實不落方所，其在道體亦然。渾然至善，中而已矣。聖人爲天地立心，爲生民立命，爲萬世開道統，亦準諸此而已矣。聖人立天命人心之極而修道以立教者，更無偏倚之私、過不及之弊，所爲「允執厥中」也。……聖人憑空拈出「中」字，不說心，不說事，不說工夫，其要歸於從容中道，所謂「誠者天之道」也。至舜以命禹，闡「執中」之旨曰：「人心惟危，道心惟微，惟精惟一，允執厥中」求中於心而中非外物，求心於危微而心不墮有無，求執中之功於精一而執非淪於把捉，所謂「誠之者人之道」也，盡人所以合天也。虞廷十六字，有功於萬世心學大矣！[25]

此外，明代理學家如聶雙江、羅近溪、焦竑、顧憲成等人也都曾特別針對「危微精一」十六字等相關主題加以探討、論述，並藉以發揮己見[26]，這都說明了「危微精

---

[21] 見〔明〕王畿：《龍谿王先生全集》（臺北：廣文書局，1975 年），卷 1。

[22] 同前註，卷 3。

[23] 同前註，卷 9。

[24] 同前註，卷 9。

[25] 見《劉宗周全集》（臺北：中央研究院中國文哲研究所，1997 年 6 月），第 1 冊，頁 643。

[26] 參見梁世惠：《宋明人論危微精一執中十六字及其證僞》。

一」十六字等相關主題在宋明理學發展史上的重要地位和影響。就這樣的歷史現象和意義來說，或許更能瞭解「若無〈大禹謨〉，則理學絕矣！」這句話的意思。

三、闡揚正確的治國理念和態度

〈大禹謨〉篇當中，藉著人物的對話和論述，闡揚了許多正確的治國理念和態度：

1.為政者對於政事應當謹慎認真、盡忠職守：

〈大禹謨〉篇談到：「后克艱厥后，臣克艱厥臣，政乃乂，黎民敏德。」

這一段話的意思是說：「如果當君王的，能夠把當君王這件事看做是一件艱難的任務，而做臣子的，也能夠體認到做個好臣是一件不容易的事，因此更加勤奮努力地把政事做好，安分守己、負責盡職。如此，政事就可以治理得很好，人民也會勉力地修養自己的德行。」所謂上行下效，如果在上位的人能夠以身作則，對自己的職務能夠負責盡職，那麼就能夠成爲在底下的人的標竿模範。而社會國家當中的每一個人，如果都能各司其職、善盡本分，則政治必能安定、進步。儒家認爲「五常」（五倫）是維繫社會安定的重要因素，〈大禹謨〉的這一段話正闡明了其中的「君君臣臣」、「君臣有義」的思想。

2.為政者應有「無耽於逸樂」的生活態度：

〈大禹謨〉當中有一段舜的大臣益勸勉舜帝的話，強調「無耽於逸樂」：「吁！戒哉！儆戒無虞。罔失法度，罔遊于逸，罔淫于樂。」這一段話是說：「啊！要警惕戒慎啊！警惕戒慎就不會有差錯。不要違背法則節度，不要放縱遊玩，不要過分享樂。」

這一句話相當於孟子所說的「生於憂患，死於安樂」的諄諄告誡，同時它也提醒著後世的人們，不要過於沈溺於遊樂當中，以免亂性以及怠惰。清人王心敬《豐川尚書質疑》也說：「儆戒四語，可爲學者立身之法。」[27]

3.為政者應有的良好修養：

例如：「克勤于邦，克儉于家，不自滿假。」

---

[27] 同註[7]，頁427。

意思是說：對於國家大事能夠不辭辛勞，對於居家生活也能夠力求節儉，不自滿、不誇大。

又如：「臨下以簡，御眾以寬。」

意思是說：對待屬下能夠簡易而不煩瑣，統治百姓能夠寬厚而不苛刻。

4.為政者應以德治國，愛民、保民和養民：

〈大禹謨〉篇強調：有德之君始能擁有天下，內修己始能外化民，即提倡儒家所謂「內聖外王」。

例如：「惟德動天，無遠弗屆。」

意思是說：惟有德政才能感動上天，也惟有德政才能感召天下，使得再遠的人都願意來歸附。

又如：益曰：「都，帝德廣運，乃聖乃神，乃武乃文。皇天眷命，奄有四海，爲天下君。」

意思是說：益說：「啊！堯帝的德行廣佈，並且聖明、靈慧，有文治也有武功。上天顧念他的功德，因此授以天命，使他擁有四海，成爲天下的君王。」

有關愛民、保民方面的思想有：「不虐無告，不廢困窮。」

意思是說：不虐待鰥寡孤獨沒有依靠的人，不拋棄困苦貧窮的人。

此外〈大禹謨〉篇也談到：「罔違道以干百姓之譽，罔咈百姓以從己之欲；無怠無荒，四夷來王。」

意思是說：不要違背正道去謀求百姓的稱譽，不要違反百姓的意願去順從自己的欲望。如果能堅持實行，不懈怠、不荒廢，那麼，遠在四方的諸侯國也會嚮往而來歸附。㉘

對於這一點，清人王心敬在其《豐川尚書質疑》當中曾說：「『罔咈百姓以從己之欲』，則千古爲民父母者，好惡同民之正旨。」又說「罔違道二語，自可爲學者存心待人之法。」㉙可見這些道理是人人都應自我勉勵的，並非僅適用於爲政者。

㉘ 參考江灝、錢宗武譯注：《尚書・大禹謨篇》之譯文。

㉙ 同註❼，頁 427。

又關於養民方面，〈大禹謨〉篇談到：「德惟善政，政在養民。水火金木土穀惟修，正德利用厚生惟和。」

意思是說：德政才是好的政治，好的政治在於教養人民。對於水、火、金、木、土、穀這六件事能夠好好治理；對於端正人民的德行、便利人民日用所需以及富裕人民的生活，這三件事也能夠施行得宜。

這一段話同時也是在講所謂的「德治」的政治思想。也就是說，執政者不只是要施行德政，照顧好人民的生活（養民），同時還須教導人民端正自己的品德。這樣才是眞正做到「德治」。而這也就是儒家所一再強調和提倡的「人倫教化」的思想。例如《孟子‧滕文公》就曾提到：「飽食煖衣，逸居而無教，則近於禽獸。聖人有憂之，使契爲司徒，教以人倫。」

5.**任用賢人，善納嘉言：**

關於這一方面，〈大禹謨〉篇談到的有：

(1)「嘉言罔攸伏，野無遺賢，萬邦咸寧。」

意思是說：好的意見能受到重視而沒有被埋沒，賢德的人也沒有被遺棄在民間，天下就都能得到安寧了。

(2)「稽于眾，舍己從人。」

意思是說：考察眾人的意見，捨棄自己不正確的部分，採用別人正確的部分。

(3)「任賢勿貳，去邪勿疑。」

意思是說：任用賢德的人不要有二心，摒除奸邪的人不要猶豫不決。

關於這一句話，清人王心敬《豐川尙書質疑》說：「任賢二語，自可爲學者交友之法。」[30]

(4)「疑謀勿成，百志惟熙。」

意思是說：有疑慮的計謀不要去做，對於各種思想、意見則應當鼓勵廣泛提出。

關於這一句話，清人王心敬《豐川尙書質疑》也說：「疑謀勿成二語，自可

---

[30] 同註[7]，頁 427。

爲學者制事之法。」[31]

6.**當懷有「好生之德」**：

中國自古以來，先賢就不斷地提倡「仁德好生」的思想，尤其是儒家更是強調對百姓生命的愛護和尊重。《易經・繫辭下》就提到「天地之大德曰生」；《孟子・梁惠王》也記載孟子告訴梁惠王：「不嗜殺人者能一之」、「如有不嗜殺人者，則天下之民皆引領而望之矣。誠如是也，民歸之，由水之就下，沛然誰能禦之？」而《荀子・哀公問》也提到孔子對魯哀公說：「古之王者，有務而拘領者矣，其政好生而惡殺焉，是以鳳在列樹，麟在郊野，烏鵲之巢可俯而窺也。」

因此，〈大禹謨〉篇：「好生之德，洽于民心，茲用不犯于有司。」（與其誤殺無罪的人，寧可放過不守正法的人。像這樣愛護人民生命的美德，將沾潤人民的心靈，讓民心感到和諧。而人民因受到仁德的感化，自然不會違犯上司與法令。）可以說再度提倡了古人這種「仁德好生」的思想。

按：梅鷟《尚書考異》舉出上述《易經》、《孟子》以及《荀子》的文字，說明這些內容就是〈大禹謨〉：「好生之德，洽于民心」一語的來源根據。[32]

7.**仁厚的刑賞態度**：

關於這一方面，〈大禹謨〉篇談到的有：

(1)「罰弗及嗣，賞延於世；宥過無大，刑過無小；罪疑惟輕，功疑惟重。」

意思是說：懲罰不連及子孫，賞賜則延續到後代。對於誤犯的過失，不論多大都能夠給予寬恕；但是故意犯的過失，則無論多小都必須受到懲罰。判罪的時候，如果尚存有可輕可重的疑慮，就從輕量刑；賞功的時候，如果面臨可輕可重的疑慮，就從重賞賜。

這一獎勵與懲罰的方式，或許可以提供現代人在管理哲學方面的一些啓示。

(2)「與其殺不辜，寧失不經。」

意思是說：與其誤殺無罪的人，寧可放過不守正法的人。

---

[31] 同註[7]，頁 427。

[32] 參見〔明〕梅鷟：《尚書考異》（北京：中華書局，1985 年，叢書集成初編，據《平津館叢書》本排印），卷 2，頁 32。

(3)刑期於無刑，民協於中。

意思是說：使用刑罰的初衷，是期望以後不必再用刑罰，而人民所作所爲都能合乎中道。

關於這一點，清人王心敬《豐川尚書質疑》說：「『刑期無刑』得聖人刑乃不得已而用之之心。」又說：「聖人之用刑，所以弼教，而期於無刑。仁矣！其天地之心乎！過於嚴者，失其意；過於寬者，亦失其旨也。」㉝

此外，〈大禹謨〉篇的作者在文中藉著大禹和舜帝，一再地提到爲政者當善盡職責、愛國、愛民，並且要崇道修德，否則將遭受上天的責罰，並且永遠喪失其祿位。例如：

(1)禹曰：「惠迪吉，從逆凶，惟影響。」

（大禹說：「遵循道就吉利，順從惡就不吉利，吉凶與善惡的關係，就如同影子與形體、回聲與聲音的關係一樣。」㉞）

(2)帝曰：「可愛非君？可畏非民？眾非元后，何戴？后非眾，罔與守邦？欽哉！愼乃有位，敬修其可願，四海困窮，天祿永終。」

（舜帝說：「百姓所愛戴的不是君王嗎？君王所畏懼的不是百姓嗎？百姓沒有君王，還擁戴什麼人？君王沒有百姓，還有誰來保衛國家？君王和百姓的關係如此密切，因此，你（大禹）要謹愼啊！謹愼地盡你的職守，恭敬地施行你的理想抱負。如果天下的百姓困苦貧窮，你的祿位將永遠終結。」㉟）

(3)……禹乃會群后，誓于師，曰：「……蠢茲有苗，昏迷不恭，侮慢自賢，反道敗德，君子在野，小人在位，民棄不保，天降之咎，肆予以爾眾士，奉辭罰罪。」

（於是大禹就會聚群臣諸侯，誓師說：「……騷動的三苗，昏庸糊塗，不恭不敬，輕慢眾人，妄自尊大，違反正道，敗壞德義，君子被排斥，小人受重用，百姓被拋棄而不安。因此，上天降下災禍，同時我們也尊奉舜帝的命令，將要討伐三

㉝ 同註❼，頁 427。

㉞ 同註㉘

㉟ 同前註。

苗的罪行。」㊱)

這些思想觀念的提出，或許是作者有鑑於古代專制君權所可能產生的弊病，因而藉著古代聖君舜帝、大禹之口來警惕後世的君主，以便能達到制衡專制君權的目的。由於僞古文《尚書》自東晉以來，一直有著經典的權威地位，受到歷代君王的重視，因此當中有關對君王的告誡、勸勉之語，或多或少對歷代的君王產生了影響。

四、闡揚先秦經傳子書中的思想

(一) 闡揚先秦經傳中的思想

梅鷟、閻若璩等人所謂的〈大禹謨〉「襲用」先秦經傳文句，換個角度來看，或許是另一種「闡揚」的作法：

1.闡揚《尚書》中的思想

(1)「后克艱厥后，臣克艱厥臣」闡揚〈皋陶謨〉：「允迪厥德，謨明弼諧」（實在地施行德政，就會使謨略廉明，而輔佐君主的大臣們也會同心協力。）的思想意涵。

按：梅鷟《尚書考異》謂：「『后克艱厥后』之言，於〈皋陶謨〉『允迪厥德』用其意。……『臣克艱厥臣』於〈皋陶謨〉『謨明弼諧』用其意。」㊲

(2)「嘉言罔攸伏」闡揚〈盤庚〉：「無或敢伏小人之攸箴」（不敢隱瞞人民的建言）的思想意涵。

按：〔清〕簡朝亮《尚書集注述疏》謂〈盤庚〉所說的「無或敢伏小人之攸箴」爲〈大禹謨〉所襲取。㊳

(3)「不虐無告」闡揚了〈鴻範〉：「無虐煢獨」（不虐待孤獨無依的人）的思想意涵。而類似的思想也見於《尚書》其他篇章當中，例如〈無逸〉讚美文王之

㊱ 同前註。

㊲ 同註❼，卷2，頁26。

㊳ 見〔清〕簡朝亮：《尚書集注述疏》，《尚書類聚初集（四）》（臺北：新文豐出版公司，1984年10月），頁487。

德：「徽柔懿恭，懷保小民，惠鮮鰥寡。」〈盤庚〉也說：「汝勿侮老成人，無弱孤有幼。」因此，也可以說〈大禹謨〉闡揚了《尚書》「愛護無依靠者」的仁愛思想。

按：〔清〕簡朝亮《尚書集注述疏》謂〈鴻範〉所說的「無虐煢獨」爲〈大禹謨〉所襲取。㊴

⑷「罔遊于逸，罔淫于樂」闡揚〈無逸〉：「罔淫于觀、于逸、于遊、于田」（不過度沈溺在觀玩、安逸、遊樂和田獵當中。）的思想意涵。

按：梅鷟《尚書考異》謂「罔遊于逸，罔淫于樂」依〈無逸〉，應當也可以作「罔淫于逸」。㊵

⑸「任賢勿貳，去邪勿疑」闡揚逸《書》：「去邪勿疑，任賢勿貳」的思想意涵。

按：梅鷟《尚書考異》謂「任賢」二句見《戰國策》趙武靈王曰：「《書》云：去邪勿疑，任賢勿貳」。㊶

⑹「戒之用休，董之用威，勸之以九歌，俾勿壞。」（用美好的德政勸誡人們，用刑罰督導懲戒人們，用九歌勉勵人們，如此施行，希望能輔助德政，並且使它不致被破壞。）闡揚了逸《書》：「戒之用休，董之用威，勸之以九歌，勿使壞。」的思想意涵。

按：梅鷟《尚書考異》謂「戒之用休，董之用威，勸之以九歌，俾勿壞。」襲取《左傳・文七年》所引的《夏書》「戒之用休，董之用威，勸之以九歌，勿使壞。」的文字。㊷

⑺「宥過無大，刑故無小」闡揚了〈康誥〉「敬明乃罰」（對於刑罰要謹慎嚴明）以及〈堯典〉「惟刑之恤」（使用刑罰要十分謹愼）的思想意涵。〈康誥〉說：「敬明乃罰。人有小罪，非眚，乃惟終，自作不典；式爾，有厥罪小，乃不可

㊴ 同前註。

㊵ 同註㉜，卷 2，頁 28。

㊶ 同前註。

㊷ 同前註。

不殺。乃有大罪非終，乃惟眚災適爾，既道極厥辜，時乃不可殺。」〈堯典〉說：「眚災肆赦，怙終賊刑。欽哉！欽哉！惟刑之恤哉！」

按：梅鷟《尚書考異》認爲「宥過無大，刑故無小」襲用〈康誥〉「人有小罪，非眚」等語以及〈堯典〉「眚災肆赦，怙終賊刑」的語意。[43]

(8)「與其殺不辜，寧失不經」闡揚了逸《書》：「與其殺不辜，寧失不經」的思想意涵。

按：梅鷟《尚書考異》謂《左傳》襄二十六年，聲子曰：「《夏書》曰：與其殺不辜，寧失不經。」[44]

2.闡揚《詩經》中的思想

〈大禹謨〉篇：「儆戒無虞」闡揚了《詩經・大雅・抑》：「用戒不虞」（要警戒意外的襲擊）的思想意涵。

按：梅鷟《尚書考異》謂「儆戒無虞」襲取《詩經》「用戒不虞」。[45]

3.闡揚《論語》中的思想

(1)「后克艱厥后，臣克艱厥臣」闡揚《論語・子路》：「爲君難，爲臣不易。」的謹愼治國理念。

關於〈大禹謨〉篇的這一句話，清人王心敬《豐川尚書質疑》說：「此數語，心法、治法俱在其中。可作朝廷之上，一大寶鑑看矣。然克艱二字，又不獨君臣殿陛之間所宜服膺，人心惟危，道心惟微，須臾不敬，人禽反掌，吾輩正宜書紳也。」[46]

按：梅鷟《尚書考異》認爲「后克艱厥后」、「臣克艱厥臣」採用《論語》當中的辭句。[47]

吳闓生《尚書大義》指出：「梅（梅鷟）云，『后克』二語，本《論語》

[43] 同前註。

[44] 同前註。

[45] 同前註。

[46] 同註[7]，頁 425。

[47] 同註[32]，頁 26。

『爲君難，爲臣不易。』」㊽

⑵「臨下以簡，御眾以寬」闡揚了《論語・雍也》：「居敬而行簡，以臨其民」以及《論語・陽貨》：「寬則得眾」的思想意涵。

按：梅鷟《尚書考異》認爲「臨下以簡，御眾以寬。」襲自《論語》「居敬而行簡，以臨其民」及「寬則得眾」。㊾

4.闡揚《易經》中的思想

〈大禹謨〉篇：「滿招損，謙受益，時乃天道。」（自滿會招來損失，謙虛才能得到益處，這是上天的常道。）闡揚了《周易・彖傳》：「天道虧盈而益謙，地道變盈而流謙，鬼神害盈而福謙，人道惡盈而好謙。謙尊而光，卑而不可踰，君子之終也。」的思想意涵。

按：梅鷟《尚書考異》認爲「滿招損，謙受益，時乃天道。」襲改自上述《周易・彖傳》當中的文字。㊿

5.闡揚《左傳》中的思想

⑴「正德、利用、厚生惟和」闡揚《左傳》「正德、利用、厚生」的思想意涵。

按：梅鷟《尚書考異》謂「正德、利用、厚生惟和」文字襲取自《左傳・文公七年》「……正德、利用、厚生，謂之三事。」及《左傳・襄二十八年》「晏子曰：夫民生厚而用利，於是乎正德以副之。」51

⑵「罪疑惟輕，功疑惟重」闡揚了《左傳》：「寧僭無濫」（寧可賞賜過分，絕不濫用刑罰）的賞罰觀念。

《左傳》襄公二十六年十月，聲子曰：「善爲國者，賞不僭而刑不濫。賞僭，則懼及淫人；刑濫，則懼及善人。若不幸而過，寧僭，無濫。與其失善，寧其利淫。」

㊽ 見吳闓生：《尚書大義》（臺北：臺灣中華書局，1970年3月），頁107。

㊾ 同註㉜，卷2，頁32。

㊿ 同前註，卷2，頁41。

51 同前註，卷2，頁28－29。

按：梅鷟《尚書考異》認為「罪疑惟輕，功疑惟重」襲用上述《左傳》襄公二十六年聲子的這一段話。[52]

㈡ 闡揚先秦子書中的思想

前文中已論及「十六字心傳」闡揚了《荀子・解蔽篇》「道經」之思想，以及《論語》「允執厥中」的思想。除此之外，〈大禹謨〉篇也闡發了其他先秦子書當中的思想：

1.闡揚《莊子》中的思想

〈大禹謨〉篇：「不虐無告，不廢困窮」闡揚了《莊子・天道》：「不敖無告，不廢窮民」的思想意涵。

按：〔清〕簡朝亮《尚書集注述疏》謂「不虐無告，不廢困窮」襲自《莊子》：「不敖無告，不廢窮民」。[53]

2.闡揚《墨子》中的思想

〈大禹謨〉篇：「惟口出好、興戎」（嘴巴可以說出好話，也可以引起爭端。），這句話主要是提醒說話要謹慎。《墨子・尚同》曾說：「是以先王之書術令之道曰：『唯口出好興戎。』則此言善用口者出好，不善用口者以為讒賊寇戎。則此豈口不善哉？用口則不善也，故遂以為讒賊寇戎。」可以說〈大禹謨〉將《墨子・尚同》當中「惟口出好、興戎」這句警語，再度予以提出和闡揚。

按：惠棟《古文尚書考》謂「惟口出好、興戎」因襲上述《墨子・尚同》中的文字。[54]

3.闡揚《孟子》中的思想

⑴「舍己從人」闡揚《孟子・公孫丑上》「舍己從人」的思想意涵。

按：梅鷟《尚書考異》謂「舍己從人」見《孟子》。[55]

《孟子・公孫丑上》說：「孟子曰：『子路人告之以有過則喜，禹聞善言

---

[52] 同前註，卷 2，頁 32。

[53] 同註[38]，頁 487。

[54] 參見〔清〕惠棟：《古文尚書考》，《尚書類聚初集（六）》（臺北：新文豐出版公司，1984 年 10 月），頁 100。

[55] 同註[32]，卷 2，頁 27。

則拜。大舜有大焉，善與人同，舍己從人，樂取於人以為善。』」焦循《孟子正義》針對此文當中的「舍己從人」解釋說：「舍己，即子路之改過；從人，即禹之拜昌言。聖賢之學，不過舍己從人而已。」[56]則〈大禹謨〉篇當中的「稽于眾，舍己從人。」可視為《孟子》此一思想的闡揚。

(2)「罰弗及嗣，賞延於世」闡揚了《孟子・梁惠王》：「仕者世祿」及「罪人不孥」的仁厚思想意涵。

《孟子・梁惠王》：「王（齊宣王）曰：『王政可得聞與？』對曰：『昔者文王之治岐也，耕者九一，仕者世祿，關市譏而不征，澤梁無禁，罪人不孥。』」則〈大禹謨〉篇「罰弗及嗣，賞延於世」正闡揚了孟子「仕者世祿」及「罪人不孥」的仁厚思想。

按：梅鷟《尚書考異》謂「罰弗及嗣」用《孟子》「罪人不孥」；「賞延於世」用《孟子》「仕者世祿」。[57]

4.闡揚《荀子》中的思想

(1)「野無遺賢」闡揚了《荀子・正論》：「天下無隱士，無遺善。」的尚賢思想。

《荀子・正論》第十八：「天子者，埶位至尊，無敵於天下，夫有誰與讓矣？道德純備，智惠甚明，南面而聽天下，生民之屬莫不振動從服以化順之。天下無隱士，無遺善。」

按：〔清〕簡朝亮《尚書集注述疏》謂荀子所說的堯舜「南面而聽天下，天下無隱士，無遺善。」為〈大禹謨〉所採襲。[58]

(2)「無稽之言勿聽，弗詢之謀勿庸」（沒有根據的話不要輕易聽信，沒有徵詢過公眾意見的謀略不要輕易採用。）闡揚了《荀子・正名》：「無稽之言，不見之行；不用之謀，君子慎之。」的思想意涵。

按：惠棟《古文尚書考》謂「無稽之言勿聽，弗詢之謀勿庸」因襲上述《荀

---

[56] 見〔清〕焦循：《孟子正義》（臺北：文津出版社，1988年7月），頁240。

[57] 同註[32]，卷2，頁32。

[58] 同註[38]，頁487。

子・正名》文字。[59]

五、其他古代思想的闡揚

㈠ 闡揚古人「善惡必報」的思想

〈大禹謨〉篇談到：「惠迪吉，從逆凶，惟影響。」這句話的意思是說：「遵從正道而行，就會有吉利的結果；違反正道而行，則會遭受到凶噩的後果。吉凶與善惡的關係，就好像影子與形體、回音和聲音一樣，確實不差。」

中國人很早就有這種「善有善報，惡有惡報」的觀念，戰國時代的《尸子》及東漢趙岐《孟子章指》兩書當中都曾提到類似的思想。而〈大禹謨〉篇則再度闡揚此一思想。

關於這一句話，清人王心敬《豐川尚書質疑》說：「惠吉逆凶，不獨在天道報施禍福不爽之後，即一念自反，愧慊攸分，便已吉凶立判。……採之可爲作善降祥，不善降殃之註腳，禹稷躬稼而有天下之佐證。」[60]

按：〔清〕惠棟《古文尚書考》謂《太平御覽》卷八十一，引《尸子》曰：「舜云：從道必吉，反道必凶，如影如響。」又應璩《與岑文瑜書》：「善惡之應，甚于影響。」古本趙岐《孟子章指》曰：「惡出于己，害及其身，如影響自然也。」[61]

㈡ 闡揚古人「不自矜、不自伐」的思想

〈大禹謨〉篇談到：「汝惟不矜，天下莫與汝爭能；汝惟不伐，天下莫與汝爭功。」這句話的意思是說：「因爲你不誇耀自己的才能，所以天下沒有人會與你爭能；因爲你不誇耀自己的功績，所以天下沒有人會與你爭功。」

這種強調「不自伐、不自矜之德」的思想，在先秦古籍當中也經常被提出。例如：《荀子・君子篇》說：「不矜矣，夫故天下不與爭能而致善用其功。」《老子》第二十二章說：「不自伐，故有功；不自矜，故長。夫唯不爭，故天下莫能與

---

[59] 同註[54]，頁 100。

[60] 同註[7]，頁 426。

[61] 同註[54]，頁 99。

之爭。」《易經・繫辭上》引孔子的話說：「勞而不伐，有功而不德。」《論語・公冶長》顏淵也說：「願無伐善，無施勞。」所以〈大禹謨〉的這一段文字正闡揚了古人「不自伐、不自矜之德」的思想。

按：惠棟《古文尚書考》謂：閻若璩曰：「『汝惟不矜，天下莫與汝爭能』《荀子・君子篇》語也。老子曰：『不自伐，故有功。不自矜，故長。夫惟不爭，故天下莫能與之爭。』章後又云：『自伐者無功，自矜者不長。』」[62]

六、〈大禹謨〉「史話」、「演義」的思想啓示

南宋薛季宣《書古文訓・自序》說：

> 《帝典》可以觀美；《大禹謨》、《禹貢》可以觀事；《皋陶》、《益稷》可以觀政；《洪範》可以觀度；六《誓》可以觀義；五《誥》可以觀仁；《甫刑》可以觀戒。通斯七者，《書》之大義舉矣！。[63]

就〈大禹謨〉篇來說，薛季宣認爲它「可以觀事」，也就是說薛季宣認爲讀〈大禹謨〉篇可以得到歷史事件的啓示。筆者認爲，歷史事件確實可以提供後人一些啓示和借鑑，即使它是「僞造的歷史故事」，一樣可以從當中得到啓示。中國的許多古典小說如《三國演義》、《西遊記》以及《紅樓夢》，雖然書中的人物、故事、對話多爲作者所杜撰，但是它們對廣大的讀者的思想產生影響、提供人生的啓示，卻也是事實。在清人閻若璩正式揭穿僞古文《尚書》的歷史眞相之前，東晉、南朝、唐、宋、元、明各代的許多讀書人多把僞古文《尚書》當作史實的記載，對於〈大禹謨〉篇也很認眞地將它視爲是舜帝傳位給大禹的史實和對話的紀錄，從中學習到不少政治理念和修身處世的道理。在閻氏完成《古文尚書疏證》之後，人們認爲〈大禹謨〉篇，甚至僞古文《尚書》既是僞作，則當中的故事以及對話等內容都不

---

[62] 同註[54]，頁 100。

[63] 見〔宋〕薛季宣撰：《書古文訓》，《四庫全書存目叢書》（臺南縣：莊嚴文化事業公司，1997 年）。

再具有價值。果眞是如此？就因爲它不是史實，書中的故事以及對話等內容竟不如古典小說有價值？如果故事以及對話等內容確實具有教育意義和啓示，是否我們也能換一個角度、換一個態度來看待它？筆者認爲既然知道僞古文《尚書》是僞作，不妨把它當作是一本「史話」或是「歷史演義」來研讀。如此，則〈大禹謨〉篇不妨把它視爲〈大禹謨史話〉或〈大禹謨演義〉。

如此，再來審視〈大禹謨史話〉或〈大禹謨演義〉，我們依舊可以從中發現許多極佳的政治理念和修身處世的道理，並且提供了我們豐富的人生啓示。在研讀了該篇之後，我們瞭解該篇主要是敘述舜帝與大臣禹、益、以及皋陶一起探討著有關治理國家的方法。而由他們的對話和各自表述的意見當中，我們看到了理想的政治思想例如大禹所說的：

后克艱厥后，臣克艱厥臣，政乃乂，黎民敏德。

意思是說：如果當君王的，能夠把當君王這件事看做是一件艱難的任務，而做臣子的，也能夠體認到做個好臣是一件不容易的事，因此更加勤奮努力地把政事做好，安分守己、負責盡職。如此，政事就可以治理得很好，人民也會勉力地修養自己的德行。

又如益所說的：

罔違道以干百姓之譽，罔咈百姓以從己之欲；無怠無荒，四夷來王。

意思是說：不要違背正道去謀求百姓的稱譽，不要違反百姓的意願去順從自己的欲望。如果能堅持實行，不懈怠、不荒廢，那麼，遠在四方的諸侯國也會嚮往而來歸附。[64]

以及皋陶所提出有關刑賞方面的建議：

---

[64] 同註[28]。

臨下以簡，御眾以寬；罰弗及嗣，賞延於世；宥過無大，刑過無小；罪疑惟輕，功疑惟重；與其殺不辜，寧失不經；好生之德，洽于民心。

意思是說：對待屬下能夠簡易而不煩瑣，統治百姓能夠寬厚而不苛刻。懲罰不連及子孫，賞賜則延續到後代。誤犯的過失，不論多大都能寬恕；但是既然犯了罪，則無論多小都必須處罰。判罪的時候，如果尚存有可輕可重的疑慮，就從輕量刑；賞功的時候，如果面臨可輕可重的疑慮，就從重賞賜。與其誤殺無罪的人，寧可放過不守正法的人。像這樣愛護人民生命的美德，將沾潤人民的心靈，讓民心感到和諧。

而我們也在〈大禹謨篇〉的描述中看到了大禹謙讓推功的美德，也聽聞到益為了勸勉大禹以德感化叛亂的三苗，而舉的舜帝因為至誠、至孝的德行，於是感動神明的故事。從這些人物、故事當中，我們得到不少為人處世的啓示。茲節錄此二事例的原文並附譯文[65]如下：

㈠ 描述大禹謙讓推功的美德

原文：

帝曰：「格，汝禹！朕宅帝位三十有三載，耄期倦於勤。汝惟不怠，總朕師。」

語譯：

舜帝說：「禹啊！你來吧！我居帝位已經三十三年了，現在年事已高，辛勞的政事，常令我感到疲憊不堪。你不要懈怠，好好統率我的百官吧！」

原文：

禹曰：「朕德罔克，民不依。皋陶邁種德，德乃降，黎民懷之。帝念哉！念茲在茲，釋茲在茲，名言茲在茲，允出茲在茲，惟帝念功。」

語譯：

禹回答說：「我的德行還不能當此重任，百姓也不會服從我。皋陶勇往直

[65] 同前註；王寧主編：《評析本白話十三經》（北京廣播學院出版社，1993 年 2 月版）；以及楊永英：〈尚書大禹謨試注及分析〉，《中國語文》月刊，48 卷 1－3 期，1981 年 1－3 月。

前，推行你的德政，你的德政才能普及各處，百姓對他心悅誠服，願意歸附他。因此，舜帝您應該要考慮到他啊！考慮到他，在於他有這種功德；不考慮到他，便是沒有考慮到他的這種功德。我用言語推薦他，在於他有這種功德；我心悅誠服地欽佩他，在於他有這種功德。希望舜帝您要考慮到皋陶的功勞。」

(二) 舜帝至誠、至孝的德行感動神明

原文：

> 帝初于歷山，往于田，日號泣于旻天，于父母，負罪引慝。祗載見瞽瞍，夔夔齋慄，瞽亦允若。至諴感神。

語譯：

舜帝起初在歷山耕作，到田裏做事的時候，每天都因爲想到自己被父母所厭惡，自責地對著上天嚎啕哭泣。對於父親和繼母，舜帝寧可讓自己被誤會而背負不孝的罪名並引咎自責，無論如何舜帝依舊恭敬地侍奉父親瞽瞍，有事見父親時也總是懷著敬畏的態度。瞽瞍雖然頑愚，但最後仍是受了舜帝至誠至孝所感動，因而信服並依順舜帝。至誠的心確實能夠感動神明啊！

七、結語

在梅賾所獻託名孔安國傳的古文《尚書》尚未正式被考定爲僞書的一千多年間，「古文《尚書》孔安國傳」擁有著神聖、崇高的經典地位，尤其是〈大禹謨〉篇在宋儒的推崇和重視下，更成爲經典中的經典。無論是〈大禹謨〉篇或是整部僞古文《尚書》，在東晉到明清的這千年間，都具有著不可磨滅的影響和貢獻，可以說有功於這千年間的學術、政治和教化。時值今日，當我們再重新檢視這些僞古文《尚書》的篇章時，除了要有它是「僞作」的基本認知外，是否也應實事求是地肯定當中所具有的思想價值？當然在肯定之前，必須先探究與瞭解，正如本文對〈大禹謨〉篇詳加探究後，才瞭解到它豐富的思想價值一樣。因此，僞古文《尚書》仍是相當值得我們研究的一本古籍，而它在學術上的價值與意義也有待我們進一步地去探索與發掘。

經 學 研 究 論 叢
第 八 輯　　頁137～148
臺灣學生書局　2000 年 3 月

簡論伏生與《大傳》

黃開國*

在西漢前期儒學中，伏生的《尚書大傳》是一部在當時並在其後有著較大影響的著作。有關西漢的學術論著，甚至關於西漢經學、儒學的專著，卻多對其書沒有論及。這固然與其書散逸有關，但通過前人尤其是清代經學家陳壽祺的輯校本，還是可以窺見其大略，以從中認識到伏生的某些思想，爲西漢前期儒學的研討提供補益。

伏生其人與《尚書大傳》

西漢儒學最早的傳授者，是一批經秦焚書坑儒後幸存下來的儒學遺老。其中最著名的當推叔孫通、浮丘伯、伏生三人。據《史記》、《漢書》的有關記載，叔孫通與伏生都做過秦的博士官，浮丘伯則是荀卿的學生。❶漢初，叔孫通帶領弟子與所徵魯諸生三十餘人，爲西漢王朝制作禮儀，極得漢高祖賞識，官至太子太傅。浮丘伯在長安教授《詩經》，楚元王劉交、申公等人都在門下學習，後來，申公開創了西漢《詩》學的魯學一派。但叔孫通、浮丘伯都無著述流傳下來，唯有伏生有《尚書大傳》，由此可見其人其書在西漢初期儒學研究中所具的獨特意義。

伏生名勝，字子賤。❷他的事跡主要見於《史記・儒林傳》：

---

* 黃開國，四川成都市社會科學研究所研究員。

❶ 參見《漢書・叔孫通傳》、《楚元王傳》、《儒林傳》。

❷ 《後漢書・伏湛傳》。

> 伏生者，濟南人也，故爲秦博士。孝文帝時，欲求能治《尚書》者，天下無有，乃聞伏生能治，欲召之。是時，伏生年九十餘，老不能行，於是乃詔太常使掌故晁錯往受之。秦時焚書，伏生壁藏之。其後，兵大起，流亡。漢定，伏生求其書，獨得二十九篇，即以教於齊魯之間。學者由是頗能言《尚書》，諸山東大師無不涉《尚書》以教矣。伏生教濟南張生及歐陽生。

《漢書・儒林傳》、《晁錯傳》等所言基本一致。根據這些材料可以作出如下有關伏生的看法。

在秦王朝，伏生曾爲博士官，從他壁藏《尚書》，漢初又以《尚書》爲教來推測，他應是以精通《尚書》而擔任博士官的。後來，因焚書坑儒的原因，他逃回了老家山東濟南，並在家中牆壁裡埋藏了《尚書》。❸從文帝徵伏生時他已是年已九十餘推測，若文帝是在即位四年內徵伏生的，則伏生在高祖元年時，已是六十餘歲的高齡了。

司馬遷講，漢高祖「未暇遑庠序之事也」。❹至孝惠帝四年三月，才詔下「除挾書律」❺，廢除秦朝「敢有挾書者族」的法令。❻這時的伏生已是近八十高齡的人，因爲此時距漢高祖元年已有十五年之久了。只有在廢除挾書律之後，伏生才敢於從牆壁中翻出所藏的《尚書》，用以教授弟子。所以伏生求其書是在惠帝四年三月之後。而此時距秦始皇焚書坑儒有二十二年的時間，若伏生壁藏《尚書》是在焚書坑儒後二年內所爲，壁藏《尚書》的時間至少有二十年的時期，伏生藏《書》時年齡至少在五十五歲以上，接近六十歲。

伏生所藏《尚書》的準確篇數已不可考，從「亡數十篇，獨得二十九篇」來看，應有相當數量，至少多出孔氏《古文尚書》的數量。因孔安國所得《古文尚

---

❸ 一說是藏於山中，見《論衡・正說篇》。

❹ 《史記・儒林傳》。

❺ 《漢書・惠帝紀》。

❻ 張晏《漢書・惠帝紀注》。

書》，僅比伏生所得二十九篇多十六篇，共爲四十五篇。而秦漢儒家多言，孔子刪定《尚書》爲百篇，若此說有所根據，伏生在秦時壁藏的《尚書》就應該是這個本子❼，遠較四十五篇爲多，所以，司馬遷才說二十九篇外「亡數十篇」。

雖然伏生所傳的《尚書》二十九篇，並非完本，卻成爲漢代《尚書》的通行本。漢代今文《尚書》的歐陽、大夏侯、小夏侯三派，都一一本於伏生所傳《尚書》，而至整個漢代《古文尚書》都沒有得到通行。在這個意義上講，沒有伏生及其所傳《尚書》，就沒有漢代經學中的《尚書》學。伏生是漢代《尚書》學的開創者，這是不可否認的。

《尚書大傳》不見於《漢書・藝文志》。但班固在六藝略《尚書》略中，有《傳》四十一篇，緊接《經》二十九卷之後，在《傳》四十一篇後列歐陽章句、大小夏侯章句，從這一排列順序來看，《傳》四十一篇應是先師解經之作，較西漢歐陽、大小夏侯三家章句爲先；又從歐陽、大小夏侯之作稱爲章句，劉向、許商所著稱之爲記來看，四十一篇的《傳》應是解《尚書》的較早著作。先有經，後有傳，其後才有章句、記之類，然後才有箋注疏，這是儒學、經學的通例。因此，前賢都認定這《傳》四十一篇，就是伏生的《尚書大傳》。

東漢大儒鄭玄首爲《尚書大傳》作注，並在序中說：

> (伏) 生終後，數子 (指張生、歐陽生) 各論所聞，以己意彌縫其闕，別作章句，又特撰大義，因經屬指，名之曰《大傳》。劉子政校書，得而上之，凡四十一篇。

這正與《漢書・藝文志》所言四十一篇相吻合。但劉向校書時已名《大傳》，不知本劉氏《七略》而成的《藝文志》爲何去掉大字，僅徑稱傳四十一篇。然而，至少到鄭玄時，又恢復了《大傳》之名，並一直沿襲到今天。

根據鄭玄的說法，《尚書大傳》是張生、歐陽生等人所著。而《隋書・經籍志》、《經典釋文》等後來的著述，都說是伏生所作。這二種說法其實是可以統一

---

❼ 參見《論衡・正說篇》：「濟南伏生抱百篇藏於山中。」

的，書中的思想是伏生的，但據以成書的又是伏生的弟子們。這正如《論語》是孔子的弟子們所編纂，但卻是孔子言行的反映一樣，所以，很多人又稱《論語》是孔子的著作，這在中國文化史上屢見不鮮。因而，《尚書大傳》即使爲張生等所撰師說，說它是伏生之書，作爲研討伏生的材料，至少是大致不差的。

從其書的內容與文句來看，該書也與伏生的時代相吻合。陳壽祺在《尚書大傳定本》中說：「其文辭爾雅深厚，最近大、小《戴記》七十子之徒所說，非漢諸儒傳訓之所能及也。」《四庫全書提要》稱：「其文或說《尚書》，或不說《尚書》，大抵如《（韓）詩外傳》、《春秋繁露》，與經義在離合之間，而古訓舊典往往而在，所謂六藝之支流也。」兩說雖稍有參差，但都認爲其書保留著先秦的古訓舊典，文辭接近《禮記》諸篇，體例與韓嬰、董仲舒的著述相類，據此可以認爲其書絕不會晚於董、韓的著作，將它作爲與董、韓年代接近而稍早的伏生的著述，或是反映伏生思想的史料，從此角度來看也是可以成立的。

《大傳》思想窺探

由於今存《大傳》，已非原本，又不完具，因此，很難完整地表現伏生的思想，而只能從中窺探其大略。又因《大傳》是解說《尚書》之作，其說應有諸多伏生以前儒生訓解《尚書》之義，而非僅僅是伏生一人所創，所以，《大傳》的思想應視爲由伏生所傳述，代表晚周以來儒家訓解《尚書》的歷史匯集。因而，更爲確切地講，《大傳》應是先秦儒家借訓解《尚書》而闡發其觀念的著述，它只是經伏生傳述而盛行於西漢初期的。當然，伏生的傳述有他的標準，亦有自己的解說，這是不言而喻的。這與漢初「未暇遑庠序之事」❽，儒學主要是對過去的傳述是相一致的。

《尚書》是記敘古代歷史政治的經典，《大傳》借訓解其書而表現出來的思想，亦以政治爲核心。因此，《大傳》的基本思想可視爲由漢初伏生所傳述，主要是晚周以來儒家政治觀的體現，故其書的精神風貌多近孟、荀，而與漢儒的氣象有著較大的區別。

---

❽ 《史記・儒林傳》。

㈠以仁為本的德治觀

仁是孔子思想中最重要的觀念。孔子講仁總是與禮相連，他有：「克己復禮爲仁」的名言。仁與禮在一定意義上是相通的，仁是禮的內在要求，禮是仁的外在規範表現。孟子重心性，並由以發展出了他的仁政學說；荀子重王教，故特別強調禮的作用，在政治學的不同方向發展了孔子的學說。《大傳》以仁爲本的德治觀則帶有明顯吸收孟、荀之說的特點，既講仁，又講禮，二者都包容其中。

《大傳》認爲，古代統治是以義作爲上下隸屬的紐帶的：

> 古者圭必有冒，言下必有冒不敢專達也。天子執冒以朝諸侯，見則覆之，故冒、圭者天子所與諸侯爲瑞也。瑞也者，屬也，無過行者得復其圭，以歸其國；有過行者留其圭，能改過者，復其圭。三年不復，少黜以爵；六年圭不復，少黜以地；九年圭不復，而地畢。此所謂諸侯朝於天子也，義則見屬，不義則不見屬。❾

古代諸侯三年一朝天子，天子五年一巡天下，天子諸侯相見各以冒、圭爲禮，用以表示諸侯與天子間的臣屬關係，而能否有正常的相互關係，則以諸侯是否有義來決定。諸侯有義，就會得到天子的讚許，復其圭，歸其國。若諸侯無義，就會被奪收其圭，以示懲罰；知錯能改，天子就會復其圭，以示肯定；倘執迷不悟，錯而不改，就會受到處罰，直至剝奪所有的封地，貶爲庶民。

在這裡，顯然是以天子有義爲前提的。如天子無義，就不會有「義則見屬」的行事準則。義與仁相連，一切合於仁的言行皆可稱之爲義，因此，「義則見屬」的天子諸侯的連結紐帶，實是指天子、諸侯的政治統治貫穿著仁義這一共通的準則。違反這一通則，就要受到懲罰，直至被打入另冊，根本取消你從事政治統治的資格。

天子判定諸侯是否有義，要通過親自詢察，從多方面來認定：

---

❾ 本文凡引《大傳輯校》，均不注明出處。

> 見諸侯問百年，命大師陳詩以觀民風俗，命市納賈以觀民好惡。山川神祇有不舉者爲不敬，不敬者削以地；宗廟有順者爲不孝，不孝者黜以爵；變禮易樂爲不從，不從者君流；改衣服制度爲叛，叛者君討。

百年喻通曉事理的老年人，大師是職掌禮樂的官員，賈是從事貨物買賣的商人，天子通過他們考察諸侯治國的情況。從不孝者僅滅其爵位，不敬神祇則削其地來看，這是以神祇的地位高於祖宗；至以變易禮樂、改衣服制度就要受到流放、討伐的下場，則表明儒家所言德治，以禮樂制度爲大要，仁義的道德在禮樂制度面前，只能是輔助的。德治的以仁爲本並不是眞正地以道德的仁義推及於政治，而是以禮樂制度的政治原則爲根本的。道德的仁義與否不在其自身，而是以合於禮樂制度爲其準則的。因而，不孝這一極不仁義的行爲只會受到降職的處分，而改禮樂制度就要受到極其嚴厲的懲治。這應該說是儒家德治政治觀的一個根本特徵，亦是儒學德治講仁義爲本，又以政治壓倒道德二者之間的一個矛盾。這個矛盾在宋學中發展到極致，一方面以仁義禮智信爲最高的天理，另一方面又強調臣下的絕對服從君上，而無絲毫天理可言。

儒家德治學說中這一道德與政治的矛盾，是自《大傳》開始突出起來的。在這之先，二者主要是統一的協調，孔子的孝弟爲人之本，孝弟者就不會犯上作亂，移倫理的孝於政治的忠；及至《大學》修齊治平之說，以內聖推及外王，都強調的是以道德爲本，而推及政治，方有仁政、王化，絕無政治高於道德的含義。但《大傳》開始講：「古者帝王必立大學小學，使王太子、王子、群后之子，以及公卿大夫元士之適子，十有三年始入小學，見小節焉，踐小義焉；年二十入大學，見大節焉，踐大義焉。故入小學知父子之道，長幼之序；入大學，知君臣之義，上下之位。」以君臣之義爲大義，父子之道爲小義，前者是政治，後者是道德，道德低於政治，而非道德推及政治，這是儒家德治學說値得注意的歷史變化。

《大傳》提出，古代爲表彰有仁德的諸侯、庶民，天子特別在政治上設立「命諸侯」、「命民」的榜樣人物，給予特別的政治特權，以示嘉獎。「命諸侯得專征者，鄰國有臣弑其君，孽伐其宗者，雖弗請於天子，而征之可也。」征伐本是天子的權利，但命諸侯在特別重大的情勢下，可不經請示，而代行天子征伐之權。

命民則享有一般庶民所不能享有的榮譽：

> 古之帝王，必有命民，能敬長矜孤，取舍好讓者命於君，然後得乘飾車、駢馬，衣文錦，未有命者不得衣，不得乘，乘衣者有罰。

古代乘車馬、衣服飾，有著嚴格的等級區分。庶民是不能乘飾車駢馬，衣有文彩的錦織品的，只有受到帝王所嘉獎的命民，才可享有這一特權，這在古代是莫大的榮耀。《大傳》的命諸侯、命民的形象，是古代推行以仁爲本的德治政治的現實人格榜樣。

是否能行德治，這裡面有個唐與苗之分、中國與吳越之分。《大傳》說：「唐虞象刑而民不敢犯，苗民用刑而民興相漸。唐虞之象刑……而反於禮。」唐堯虞舜用禮化民，故象刑而刑措；苗用刑治國，人民紛紛觸犯刑法。書中又借孔子之口說，吳越男女無別，因其無禮，故雖刑重而不勝；中國內外有別，在於有禮。這就肯定了以禮治國的德治，帶有政治上的先進性、文明性。

在《大傳》看來，周在奪取天下前及其以後一段時期，眞是以仁爲本的德治典範。文王時期，周國的禮治文明，引來了一批賢才志士；虞人、芮人往質於文王，見到周人禮讓的風氣，而自感慚愧，各自推讓爭奪的田地。武王承其父志，在奪取天下時，採納周公的意見，確立了以仁治天下的大政方針：

> 武王與紂戰於牧之野，紂之卒輻分紂之車，瓦裂紂之甲，魚鱗下賀乎武王。紂死，武王皇皇，若天下未定。召太公而問曰：「入殷奈何？」太公曰：「臣聞之也，愛人者兼其屋上之烏，不愛人者及其旨余，何如？」武王曰：「不可。」
>
> 召公趨而進曰：「臣聞之也，有罪者殺，無罪者活，咸劉厥敵，毋使有余烈，何如？」武王曰：「不可。」
>
> 周公趨而進曰：「臣聞之也，各安其宅，各田其田，毋故毋私，惟仁之親，何如？」武王曠乎若天下已定，遂入殷。

武王採取仁治天下的政策，得到萬民的擁戴，天下很快從戰亂中得到了安定。故《大傳》稱頌說：「周人以仁接民，而天下莫不仁，故曰大矣。」

以仁爲本的德治，並不完全排除刑的作用。故《大傳》講唐堯虞舜之時也有象刑，而不是無刑。並借孔子之口，一再說明刑的必不可少：

> 子張曰：「堯舜之王，一人不刑，而天下治，何則？教誠而愛深。今一夫而被五刑，子龍子曰：『未可謂能爲書也。』」孔子曰：「不然，五刑有此教。」

龍子說《尚書》記載「一夫而被五刑」，是一個敗筆，不應該這樣寫，孔子則認爲這是如實記載，沒有錯，這就肯定了刑的必要性。

但是，刑相對禮來說只能是第二位的。在《大傳》看來，古代的政治就是先禮後刑，而今的政治是無禮而刑，這是古今政治的根本區別，也是古代政治刑省、而今政治刑繁的根本原由所在：

> 孔子曰：「古之刑者省之，今之刑者繁之。其教古者有禮然後有刑，是以刑省也；今也反是，是無禮而齊之以刑，是以刑繁也。」

《大傳》借孔子之口，說以仁爲本的德治僅存在於古代社會，而今社會是無禮而刑的世道，實是對春秋以來迄漢初社會禮崩樂壞，諸侯力爭的曲折反映，帶有對現實政治的批判精神。

㈡賢人共治的人才保障

以仁爲本的德治是《大傳》所肯定的政治原則，賢人共治則是實施這一原則的人才保障。

《大傳》以爲，在通行德治的古代，就是一個賢人共治的時代。古代的天子堯、舜等人本身是英明無比的聖人，與他共治國家的主要大臣也都是聖賢一類的人物。《大傳》說：

古者天子必有四鄰，前曰疑，後曰丞，左曰輔，右曰弼。天子中立而聽朝，則四聖維之，是以慮無失計，舉無過事。故《書》曰：「欽四鄰。」此之謂也。

四鄰就是四位主要大臣。他們與天子一道共同治理國家，並各有職責：「天子有問無以對，責之疑；可志而不志，責之丞；可正而不正，責之輔；可揚而不揚，責之弼。」在四鄰的輔佐下，天子才可「慮無失計，舉無過事」，保證德治的順利實施。

在這裡四鄰被稱爲四聖，其作用是輔助天子，共同維護德治。因此，天子與四鄰的關係是賢人共治的關係，這與秦漢以來天子與臣僚的關係有很大的不同。

爲了保障賢人參政，古代天子要求諸侯三年一次向中央選拔人才，稱之爲「貢士」：

古者諸侯之於天子也，三年一貢士。天子命與諸侯輔助爲政，所以通賢共治，示不獨專，重民之至。大國舉三人，次國舉二人，小國舉一人。一適謂之攸好，再適謂之賢賢，三適謂之有功。

諸侯向天子推舉賢才有功者，就可被天子封爲命諸侯，取得賞賜和專征的特權。如果連續三次推舉不出賢才，就會被取消諸侯的封號，降爲庶民。

與獎懲相連的這一套貢士制度，保證了將各地的優秀賢才選拔到中央，與天子一起治理國家。這也表明，賢才的選拔是不拘地域的，從而，使賢才的選拔具有較大的廣泛性。

由於有賢才共治，古代君主治理國家就輕而易舉。《大傳》說：「子曰：『參，女以爲明主爲勞乎？昔者舜左禹而右皋陶，不下席而天下治。』」舜是如此，其他古代明主無不是垂拱而治。雖然這一說法不免理想化，但同時說明了古代社會治理相對簡單這一事實。

而賢才是否能與人君共治，又取決於人君是否能尊敬賢才。周公深明此理，不僅以身作則，還在他兒子伯禽封於魯時，將此理諄諄告誡伯禽：

> 伯禽封於魯。周公曰：「于乎！吾與女族論。吾，文王之爲子也，武王之爲弟也，今王之爲叔父也。吾於天下，豈卑賤也。豈乏士也！所執質而見者十二，委質而相見者三十，其未執質之士百。我欲盡智得情者千人，而吾僅得三人焉，以正吾身，以定天下。是以敬其見者，則隱者出矣。謹諸，乃以魯而驕人，可哉！尸祿之士，猶不可驕也；正身之士，去貴而爲賤，去富而爲貧，面目黧黑，而不失其所是，以文不滅、章不敗也。慎諸女，乃以魯國而驕，豈可哉！

周公反覆訓誡伯禽，一定要謹慎地尊敬賢士，千萬不能以魯國國君的身份去驕視賢才，否則，就得不到賢才的輔助。

然而，並不能保證人君都是賢聖。如果人君發生了問題，爲保證賢人共治的繼續，《大傳》提出了二種解決辦法。

一是禪讓，這是在人君繼承人發生問題時，所採取的一種和平解決方式。最著名的事例當推堯禪位於舜的例子：

> 堯爲天子，丹朱爲太子，舜爲左右。堯知丹朱之不肖，必將壞其宗廟，滅其社稷，而天下同賊之。故堯推尊舜，而尚之諸侯焉，致天下於大麓之野。

堯本以兒子丹朱爲繼承人，但發現丹朱不是賢人，就將天子之位禪讓給了舜。

對禪讓以保證賢人共治的方式，古代有一共識爲基礎，這就是借舜、湯之口所說的「非一人之天下也」，天下是人民大眾的，而不是某一個人的私產。因此，人君不能將天下像個人私產一樣隨意讓兒子繼承，而應該在大眾之中選拔賢才來繼任。所以，《大傳》盛讚堯舜禪讓，給予極高稱頌，並作了美好的描繪。

一是人君昏庸無道，就得採用征伐的戰爭手段，推翻人君的暴政，讓賢人來擔當大任，恢復賢才共治的政局。如夏末的桀，商末的紂，被湯、文武所討伐，而由湯、武出來做天子，重新實行賢人共治的德治。

昏君的出現代不乏人，而昏君的統治使人民遭受到巨大的苦難，所以，用戰爭推翻昏君，誅殺或放逐昏君，也受到《大傳》的充分肯定。書中說：

> 湯放桀居中野，士民皆奔湯；桀與其屬五百人南徙千里，止於不齊，不齊士民往奔湯；桀與其屬五百人徙於魯，魯士民復奔湯。桀曰：「國，君之有也。吾聞海外有人。」與五百人俱去。

桀被放逐，所到之處，士民像見了瘟疫一樣紛紛逃離，這從民心的向背上肯定了湯放桀的歷史合理性。

《大傳》既充分讚美堯舜禪讓，又高度肯定湯武革命，這是早期儒家有價值的政治觀念。這一觀念及至漢景帝時，仍爲儒家所堅持，齊《詩》學者轅固生與黃生辨論湯武革命，就有記載。但到董仲舒時，開始了變化，他在《春秋繁露》中講堯舜禪讓，湯武征伐，都拉到天的上面，說什麼堯舜不「專稷」，湯武「不擅伐」，再也不敢如《大傳》那樣理直氣壯地肯定堯舜禪讓與湯武革命了。究其深層原由，禪讓與革命都具有反對家天下的意義，而家天下的君主們是將天下視爲一己的私產，他們既容不得異姓的禪讓，更害怕異姓的革命。

㈢其他

《大傳》所敘政治觀，還包含著其他豐富內容。如重民的觀念，主張寬緩待民，尤其是要首先施恩於鰥寡孤獨；強調敬授民時，知民緩急，不以徭役影響農時；以食爲重，故王者親耕，以爲天下表率，西漢初年，皇帝親耕之舉，或亦受此影響。

此外，《大傳》中對社會歷史的發展，已有較爲明確的三統三正說，以及文質遞變說，並雜入五行，講「三五之運」，這些觀念都在後來董仲舒的思想中有所發展。

在經學上，《大傳》講諸侯三等封，天子五年一巡守；官制三公、九卿、二十七大夫、八十一元士等合於西漢今文經學說，故清末廖平以《大傳》爲今文經學之作。

書中關於堯、舜、禹、文、武、周、成的歷史記載，又是古史的可貴材料。關於伏羲作八卦，唐堯年十六以唐侯升天子，伯夷率黨歸周，湯被桀所囚，湯放逐桀，湯時大旱自以爲牲，文王被囚及其被救，桀與五百人走海外，箕子走朝鮮，以燧人、伏羲、神農爲三皇，黃帝爲五帝之始等，都是研究古代史值得參考的史料，尤其是一些爲他書所不見的說法，更彌足珍貴。

又《大傳》所載：「周文王至磻溪見呂望，文王拜之。尙父曰：「望釣得玉璜，刻曰：『周受命，呂佐檢，德合今，昌來提。』」這條材料所載讖語，與東漢初年尹敏所造讖語有驚人一致。而此條讖語似受尹敏讖語啓發而作，故我以爲此條材料至少是其中的讖語，爲東漢初期以後人所僞造。

又，「古人八家而爲鄰，三鄰而爲朋，三朋而爲里，五里而爲邑」一條，以一邑爲三百六十家。與晁錯說，⑩五家爲伍，十伍一里，四里一連，十連一邑，一邑有二千家，二者說法相距甚遠。二人有師生關係，如《漢書》所記不誤，晁錯又確敘其師說，則陳壽祺所輯此條材料，疑非《大傳》之文。

《大傳》有許多類似西漢末年緯說的材料，又有《洪範五行傳》一篇，此可證今文經學與緯說的聯繫，是上承《呂氏春秋》，下啓《春秋繁露》的一個環節，應有專文的討論。

⑩ 見《漢書・晁錯傳》。

經 學 研 究 論 叢
第 八 輯　　頁149～172
臺灣學生書局　2000 年 3 月

晚明學者朱朝瑛及其《讀詩略記》

蕭開元*

一、前言

自漢迄唐，經書在字義與章句的訓詁上，大都遵照著「疏不破注」的原則進行，不敢有所違背。唐代後期，這種注疏方式所闡述的內容，逐漸地使學者產生懷疑，但也未造成太大的變化。進入宋代之後，學者們延續著這股懷疑的精神，對經書的原文、作者等重新進行考訂，並且拋棄漢、唐以來的注疏舊說，發展出一套以己意說經的方式，致使學者們不但變動了經書的篇章，將經書的原貌喪失殆盡，而且也刪改了某些字句，造成後代學者在閱讀上的不便。到了南宋，朱熹（1130－1200）對經書內容的闡釋成為多數學者所遵奉的圭臬，其中最特別的莫過於「離《序》詮《詩》」的方式❶，將漢、唐以來釋《詩》尊《序》的傳統觀念完全拋棄，也因此朱熹的《詩集傳》更造成了學者們的重視。朱熹而後，自然也形成擁《序》派與反《序》派的辯論，而其激烈的論爭，絕不亞於漢代當時今文經與古文經的情況。雖然朱熹這種「離《序》詮《詩》」的方式仍待商榷，但他的《詩集傳》卻成為元、明二朝科舉考試必讀之書，則是他對後世《詩經》研究影響最深遠

---

* 蕭開元，中央研究院中國文哲研究所「清乾嘉揚州學派研究」計畫助理。

❶ 關於朱熹「離《序》詮《詩》」的現象與方式，可參見楊晉龍：《明代詩經學研究》（臺北：臺灣大學中國文學研究所博士論文，1997 年 6 月），頁 177－179；以及〈朱熹《詩序辨說》述義〉（同作者），《中國文哲研究集刊》第 12 期（1998 年 3 月），頁 295－354。

的地方。❷檢視元代關於《詩經》的著作，幾乎都以朱子《詩集傳》中的義理爲主❸；到了明代初期，學者們依舊遵照朱《傳》而鮮少發明。❹從元至明初，《詩經》研究者幾乎無法脫離「朱學」的勢力，也說明了科舉考試對讀書人切身思考的影響。然自明中葉開始，釋《詩》的方式發生變化，許多學者重新思考《詩序》與《詩經》的關係，並且也極力地對朱《傳》產生不滿，因此明中葉的學者不但勇於

---

❷ 《元史・選舉志一》（臺北：鼎文書局，1995 年）：「（仁宗皇慶二年，1313）十一月，乃下詔曰：『……考試程式：……漢人、南人，第一場明經經疑二問，《大學》、《論語》、《孟子》、《中庸》內出題，並用朱氏《章句集註》，復以己意結之，限三百字以上；經義一道，各治一經，《詩》以朱氏爲主，《尚書》以蔡氏爲主，《周易》以程氏、朱氏爲主，已上三經，兼用古註疏，《春秋》許用三《傳》及胡氏《傳》，《禮記》用古註疏，限五百字以上，不拘格律。』」卷 81，總頁 2018－2019。《明史・太祖本紀三》（臺北：鼎文書局，1994 年）：「（洪武十七年，1384）三月戊戌朔，頒科舉取士式。」卷 1，總頁 41；又〈選舉志二〉云：「初設科舉時，初場試經義二道，《四書》義一道；二場論一道，三場策一道。……後頒科舉定式，初場試《四書》義三道，經義四道。《四書》主朱子《集註》，《易》主程《傳》、朱子《本義》，《書》主蔡氏《傳》及古註疏，《詩》主朱子《集傳》，《春秋》主左氏、公羊、穀梁三《傳》及胡安國、張洽《傳》，《禮記》主古註疏。永樂間，頒《四書五經大全》，廢註疏不用。其後，《春秋》亦不用張洽《傳》，《禮記》止用陳澔《集說》。二場試論一道，判五道，詔、誥、表、內科一道。三場試經史時務策五道。」又云：「（洪武）十七年始定科舉之式，命禮部頒行各省，後遂以爲永制……。」卷 70，總頁 1694、1696。筆者按：由以上可見，自元代頒定科舉考試程式，各經雖兼用古注疏，然學者講授，仍偏重於朱子的學說；至明代的科舉定式，朱子學說則成爲讀書人的主流，故在《詩經》上獨尊朱《注》，取消了古注疏。

❸ 《四庫全書總目》（臺北：臺灣商務印書館，1968 年）云：「自北宋以前，說《詩》者無異學，歐陽修、蘇轍以後，別解漸生；鄭樵、周孚以後，爭端大起；紹興、紹熙之間，左右佩劍，相笑不休；迄宋末年，乃古義黜而新學立。故有元一代之說《詩》者，無非朱《傳》之箋疏。至延祐行科舉法，遂定爲功令。」卷 16，總頁 314。

❹ 如朱善的《詩解頤》，《四庫全書總目》認爲「大抵推衍朱子《集傳》爲說」；又胡廣等奉敕編修的《詩傳大全》，《四庫全書總目》認爲「亦主於羽翼朱《傳》。」卷 16，總頁 313－314。其他關於明初經學受朱《傳》影響的研究，可參見林慶彰師：〈明代的漢宋學問題〉、〈晚明經學的復興運動〉，《明代經學研究論集》（臺北：文史哲出版社，1994 年 5 月），頁 1－31、82－89；蔣秋華：〈陳子龍《詩問略》研探〉，《中國文哲研究集刊》第 5 期（1994 年 3 月），頁 99－100；〈郝敬的詩經學〉（同作者），《中國文哲研究集刊》第 12 期（1998 年 3 月），頁 253－254；楊晉龍：《明代詩經學研究》，頁 175－179、221－230、243－255。

發表自己的意見，也提出了不少與朱子《傳》不同的見解。晚明學者在這種背景因素的影響下，亦針對毛《傳》、鄭《箋》、朱《傳》三者之間的內容，重新作理性的思考。❺本文則以晚明學者朱朝瑛的《讀詩略記》爲研究對象，藉以探討此一時期《詩經》研究的時代意義。❻

二、朱朝瑛生平傳記與著述

朱朝瑛（1605－1670），字美之，號康流，晚號罍菴（一作罍庵），浙江海寧園花里人。明崇禎庚午三年（1630）舉於鄉，出黃道周（1585－1646）❼之門；崇禎庚辰十三年（1640）中進士，出同邑吳太沖❽之門。朱朝瑛的曾祖父朱瑞登（字禾仲，號龍皋，自署眞逸老人，嘉靖辛丑進士）以理學著稱，曾爲御史，後遷山西兵備副使，但爲忌者所詆，故歸而灌園。祖父紹皋，父完初，母查孺人，兄朝琦，弟朝琮、朝珩。朝瑛有三女，無子，乃以朝琮之子翰思爲後。朝瑛爲人端謹少

---

❺ 關於明中葉與晚明《詩經》研究的發展情況，可參見林慶彰師：〈晚明經學的復興運動〉，頁 99、110－111、113－124、132－134；蔣秋華：〈陳子龍《詩問略》研探〉，頁 99－100。

❻ 就筆者所見有關研究朱朝瑛的資料，有白之藩：〈詩經學史目錄說明書〉，收入林慶彰師編：《詩經研究論集（二）》（臺北：臺灣學生書局，1987 年），頁 405。白氏認爲在「明代詩經學」此章中，「季本、朱朝瑛、李先芳等，則雜採漢宋人之說，以治《詩經》，亦宜順次述之。」林慶彰師：《豐坊與姚士粦》（臺北：東吳大學中國文學研究所碩士論文，1978 年），頁 56，及〈晚明經學的復興運動〉、〈朱謀㙔《詩故》研究〉，此二篇收入《明代經學研究論集》，頁 110、143、249。楊晉龍：《明代詩經學研究》，頁 107。上述四篇作者，雖或提及姓名，或注意《讀詩略記》，然僅止數語，似有不足，故筆者以此爲題作進一步之探討。

❼ 《四庫全書總目》：「黃道周，字幼元，一字螭若，（福建）漳浦人。明天啓壬戌二年（1622）進士，崇禎中官至少詹事。明亡後，爲唐王聿鍵禮部尚書，督師出婺源，師潰被執，不屈死。乾隆乙未四十年（1775）賜諡忠端。」卷 5，總頁 78。

❽ 吳太沖，字默賓，號若谷，崇禎辛未四年（1631）進士，累官至南京國子監司。業歸，南都立，以禮部侍郎徵，力辭。清初，三徵不起。後遷錢塘。著有《易義發蒙圖書粹》六十卷、《罷庵奏議》二十卷、《息心窩全集》三十卷。見許傅霈等原纂、朱錫恩等續纂：《海寧州志稿》（臺北：成文出版社，1983 年，《中國方志叢書·華中地方》第 562 號），卷 12，總頁 1387。

過，立心制行，一歸於長者，雖暴横凶狡之徒，見者皆屈然媿服。初除授江南旌德縣令，不取民一錢，務與民休息爲事，性強直，不避豪貴。期年而以外艱歸，笑未嘗見齒。服闋補選廣東三水推儀制主事，當路欲令之出其門下，朝瑛笑曰：「吾自爲諸生時，即深以妄結師生爲恥，豈今日易吾守耶！」遂拂袖而歸。平居清謹簡約，解綬凡二十餘年，日與兩弟朝琮、朝珩坐斗室中疏注十三經，並曰：「吾生平所樂唯此，其於榮辱毀譽、得喪順逆諸境，並坦然聽之而已。」年六十六而卒。事蹟具載黃宗羲所修撰之〈朱康流先生墓誌銘〉。❾

朝瑛初受業於黃道周之門，因此盡傳其師之學。道周之學以《易》學最爲突出，但因爲詞旨深奧，當時許多門下學生無法得其《易》學之要領，惟有朝瑛體其精蘊而通之，因此黃宗羲說「至於《易》、曆，諸子無復著坐之處，相與探天根月

❾ 黃宗羲所修撰的〈朱康流先生墓誌銘〉作於康熙丁巳十六年（1677），就筆者所見有以下書籍著錄：〔清〕黃宗羲著、吳光整理釋文：《南雷雜著眞蹟》（臺北：臺灣學生書局，1990年），頁 103－108、245－247（筆者今以此爲準）；〔清〕李桓輯錄：《國朝耆獻類徵初編》（臺北：文海出版社，1966 年），卷 413，總頁 12474－12475；〔清〕錢儀吉輯：《清朝碑傳全集》（臺北：大化書局，1984 年），卷 130，總頁 1616；沈善洪主編：《黃宗羲全集》第 10 冊（杭州：浙江古籍出版社，1993 年），總頁 346－348。其他有關朱朝瑛的生平傳記可參見：黃宗羲：《思舊錄》，《黃宗羲全集》第 1 冊（杭州：浙江古籍出版社，1985年），頁 392；黃嗣艾撰：《南雷學案》，收入周駿富輯：《清代傳記叢刊》（臺北：明文書局，1985 年）第 26 冊，總頁 486－487；（闕名朝鮮人）：《皇明遺民傳》（1936 年北京大學影鈔本）卷 3，黃容：《明遺民錄》（日本東京東洋文庫藏清初鈔本）卷 2，此二書皆收入謝正光、范金民編：《明遺民錄彙輯》（南京：南京大學出版社，1995 年），上冊，頁 148；〔清〕朱彝尊編：《明詩綜》（臺北：世界書局，1962 年），卷 69，葉 11－12；張其淦撰、祈正注：《明代千遺民詩詠（二編）》，收入周駿富輯：《清代傳記叢刊》第 66 冊，頁 650－651；〔清〕李周望編撰：《明清歷科進士題名碑錄》（臺北：華文書局，1969年），第 2 冊，總頁 1320；〔清〕談遷撰：《海昌外志》（臺北：成文出版社，1983 年），總頁 448；〔清〕許三禮修：《海寧縣志》（臺北：成文出版社，1983 年），總頁 710、1002－1004；〔清〕金鰲等纂修：《海寧縣志》（臺北：成文出版社，1983 年），總頁 1034、1272－1273；〔清〕周廣業著：《寧志餘聞》（臺北：成文出版社，1983 年），總頁 486－487；〔清〕周春著、管庭芬批訂：《海昌勝覽》（臺北：成文出版社，1983 年），總頁 571－579；許傅霈等原纂、朱錫恩等續纂：《海寧州志稿》，總頁 1400－1404、2852、2857、3326；〔清〕龔嘉儁、李榕纂修：《杭州府志》（臺北：成文出版社，1974 年），卷 138，總頁 2635；〔清〕陳夢雷編：《古今圖書集成》（臺北：鼎文書局，1985 年）第 57 冊，總頁 3507。

窟者，則康流先生一人而已」❿，又說「古人授受之嚴，大抵不能泛及也」⓫，認爲道周之學雖廣雖深，但能得其精要者，可能也只有朝瑛一人而已。朝瑛如此傑出的表現，道周也對他稱讚有加的說：

> 康流沈靜淵鬱，所目經史，洞見一方，苟覃精三數年，雖義、文閫奧，舍皆取其宮中，何必窶人之室乎？⓬

道周不但稱讚著這位學生的資質聰穎，對於學問的見解有獨到之處，同時也認爲朝瑛假以數年之後，前途必定不可限量。繼道周之後，朝瑛又受業於同邑吳太沖，在這兩位望重一時的名儒教導之下，康流的學問不但日益進步，對於經、史以及濂洛關閩諸書，無不攬其要、通其蔽，並且亦以理學經術爲己任，希望能於聖賢之道貢獻自己的心力。

朝瑛學問既如此深厚廣博，但平時交游甚少，同邑之中可以和他一起談論學問的人，僅有張次仲（1589－1676）⓭一人而已。次仲雖是朝瑛談論學問的對象，但是次仲對朝瑛可說是可敬可畏。當時次仲爲經生的老師，每當朝瑛要和他討論學問的時候，次仲有時會避席不談，不然就是對朝瑛的學問有所折服。雖然如此，次仲對於朝瑛的學問還是有所稱讚。次仲云：

---

❿ 黃宗羲：〈朱康流先生墓誌銘〉，頁 245。

⓫ 同前註。

⓬ 同前註，頁 246。

⓭ 張次仲，字元岵，海寧人，天啓辛酉（1621）舉人，著有《待軒詩記》8 卷，，孫治序其書曰：「其箋注四詩，大抵以《序》爲據，謂其書近古，異於後之耳食者，囊括注疏以來，及於有明一代，不敢尋一先生之語。即紫陽義有未合，亦必確有證據，不敢苟爲雷同。」〔清〕朱彝尊：《經義考》（京都：中文出版社，1978 年），卷 116，頁 5。《四庫全書總目》曰：「大抵用蘇轍之例，以《小序》首句爲據，而兼採諸家以會通之。其於《集傳》不似毛奇齡之字字譏彈，以朱子爲敵國；亦不似孫承澤字字阿附，併以毛氏爲罪人，故持論和平，能消融門户之見。雖憑心揣度，或不免臆斷之私，而大致援引詳明，詞多有據，在近代經解之中，猶爲典實。」卷 16，總頁 318。另又著有《周易玩辭困學記》15 卷。

吾友朱子罍菴，……，箋疏七經，淹博醇細，既粹然儒者之言矣。……三十年郊居，晨夕誦讀，舌敝掌爛，以吾所見，殆未有逾之者也！⑭

次仲對於朝瑛「舌敝掌爛」如此用功的態度，以及「淹博醇細」的著述精神，的確是非常地敬佩。除了張次仲之外，黃宗羲也曾是他討論學問的對象。康熙丙午五年十一月（1666），黃宗羲在語溪講學的時候，曾經到海寧去訪問他的老同學陳確（字乾初），同時也順道拜訪了朝瑛。⑮朝瑛見宗羲來訪，便「劇談徹夜，綿聯不休，盡發所記五經讀之，出入諸家，如觀王會之圖」⑯，而宗羲對此次拜訪也難以忘懷的說：「計平生大觀，在金陵嘗入何玄子（何楷）署中討論五經，至此而二耳！」⑰也就是說，除了曾經在何楷家中如此論辨五經之外，這是第二次也是最後一次能在友人家中討論學問。除此之外，宗羲曾撰寫〈答朱康流論歷代甲子書〉，與朝瑛反覆辨論魯隱公以上甲子的問題。⑱另外在黃宗羲爲閻若璩所撰寫的〈尙書古文疏證序〉中，宗羲也回憶著朝瑛與他論辨「危微精一」的問題，然當時朝瑛不以爲然，而宗羲卻認爲自己「未必無當也」。⑲黃宗羲在這樣不斷地和朱朝瑛論辨之中，也逐漸地對他的學問深表敬佩並推崇有加。宗羲曰：

海昌之學者，康流、乾初二人，恐從前皆不及也！⑳

⑭ 見張次仲：《罍菴雜述・序》，《四庫全書存目叢書》（臺南縣：莊嚴文化事業公司，1995年）子部第19冊，總頁801－802。

⑮ 見〔清〕黃炳垕編撰、吳光點校：《黃梨州先生年譜》，《黃宗羲全集》（杭州：浙江古籍出版社，1994年）第12冊，頁41。

⑯ 黃宗羲：〈朱康流先生墓誌銘〉，頁246－247。

⑰ 同前註，頁247。

⑱ 見黃宗羲：〈答朱康流先生論歷代甲子書〉，《黃宗羲全集》第10冊，頁179－181。此篇又曾題爲《歷代甲子考》一卷，《四庫總目提要》辨之曰：「……此篇即答朝瑛之書，已載於《南雷文定》中，曹溶收入《學海類編》，改此題名，實非其舊也。」

⑲ 見黃宗羲：〈尚書古文疏證序〉，《黃宗羲全集》第10冊，頁60－62。

⑳ 見黃宗羲：《思舊錄》，《黃宗羲全集》第1冊，頁392。

而朝瑛死後，黃宗羲更是感歎地說：

> 荏苒數年，欲以一得之愚取證，而先生不可作矣！千年之役，固所願也！……漳海（黃道周）之學，不得其傳；葑溼（朱朝瑛墓地所在）之原，留此一線。㉑

黃宗羲對於無法再和這位學問如此廣博深厚的友人談論學問，感到非常的惋惜與難過，畢竟能傳道周之學的弟子就這樣地死去，無論對道周、對宗羲、對學問本身而言，都是一件相當可惜的事。由此也可以看出宗羲的確是一位重情重義的學者。

朱朝瑛自辭官歸鄉隱居後，即開始從事著述的工作，因此往後的時間可謂朝瑛一生的精華時期。《四庫全書》著錄朝瑛的著作有《七經略記》㉒及《罍菴雜述》（「菴」或作「庵」）二卷㉓，而其他的著作尚有《金陵游草》（「游」或作「遊」）一卷㉔、《正誼堂詩集》二卷。㉕《七經略記》可以說是朝瑛一生的心血

㉑ 黃宗羲：〈朱康流先生墓誌銘〉，頁247。

㉒ 《七經略記》亦有著錄爲《五經略記》、《六經略記》者。著錄爲《五經略記》的有黃宗羲的〈朱康流先生墓誌銘〉，頁246、黃嗣艾的《南雷學案》，總頁487；著錄爲《六經略記》的有：〔清〕許三禮修的《海寧縣志》，總頁577、〔清〕金鰲等纂修的《海寧縣志》，總頁1625、〔清〕周春著，管庭芬批訂的《海昌勝覽》，總頁576、〔清〕龔嘉儁及李榕纂修的《杭州府志》，總頁1680。然以《五經略記》著錄者，是以《儀禮》、《周禮》、《禮記》三《略記》合而爲一；而以《六經略記》著錄者，實爲失察，已多爲後人批校改訂作《七經略記》。筆者以所見得之諸《略記》爲準，故以《七經略記》著錄。

㉓ 《罍菴雜述》今有北京圖書館藏清康熙十一年周煒（朱朝瑛女婿）等刻本，收入《四庫全書存目叢書》（臺南縣：莊嚴文化事業公司，1995年）子部儒家類第19冊，頁801－869，前有張次仲及朱嘉徵〈序〉；另有1966年《百部叢書集成》（臺北：藝文印書館）據清道光錢熙祚校刊《指海叢書》影印本。《四庫全書總目》曰：「茲編則隨其所偶得，雜書成帙，每喜以數言理，蓋其學本出黃道周也。」

㉔ 《金陵游草》今有國家圖書館藏明崇禎九年（1636）刊本之微縮資料，前有明張華〈序〉及朱朝瑛〈自序〉，後有其弟朱朝琮〈跋〉及民國程演生〈跋〉。此書爲朝瑛遍覽名山之後所成之詩集，而據其〈自序〉末有「丙子孟冬朱朝瑛識」之文字，可以知道此書即成於明崇禎九年。

結晶，其各《略記》的內容如下：

《讀易略記》四卷㉖

《讀尚書略記》（不分卷）㉗

《讀詩略記》六卷

《讀周禮略記》六卷㉘

《讀儀禮略記》十七卷㉙

㉕ 此書諸家著錄題名不一，就筆者所見，以《正誼堂詩集》著錄者有；〔清〕金鰲等纂修的《海寧縣志》，總頁 1625、〔清〕朱彝尊的《明詩綜》，葉 11、張其淦的《明代千遺民詩詠》，總頁 651；以《正誼堂稿》著錄者有：〔清〕周廣業的《寧志餘聞》，總頁 586、許傅霈等原纂，朱錫恩等續纂的《海寧州志稿》，總頁 1404；以《正誼堂集》著錄者有〔清〕周春著，管庭芬批訂的《海昌勝覽》，總頁 576；今以多者爲準，而此書今亦未見。

㉖ 有關《讀易略記》的卷數問題，《四庫全書總目》著錄爲無卷數，並曰：「鈔本不分卷數，朱彝尊《經義考》作一卷，然細字至二百五十一頁，必非一卷，疑彝尊所見或不完之本耶？」卷 8，總頁 162。又北京圖書館所編的《北京圖書館古籍善本書目》（北京：書目文獻出版社，1987 年，頁 138）所收藏的清抄本《七經略記》，《讀易略記》則著錄爲四卷，而《四庫全書存目叢書》亦以此抄本影印出版（經部，《易》類，第 24 冊，頁 717－851），故筆者以所見之本爲準。此書《四庫全書總目》評曰：「……其《易》學出於黃道周，此書亦間引道周之語，然持論與道周又異。其言象數不主邵子之説，又別爲先天、後天之圖，取一索、再索之序爲先天，取對卦、化氣爲後天，殊爲刱見。」卷 8，總頁 162。

㉗ 《讀尚書略記》的卷數問題，《四庫全書總目》著錄爲無卷數，《北京圖書館古籍善本書目》所收藏之清抄本《七經略記》，《讀尚書略記》著錄爲三卷；又《杭州府志》著錄爲二卷（卷 86，總頁 1671），今《四庫全書存目叢書》以浙江圖書館所藏不分卷之《讀尚書略記》影印出版（經部，《書》類，第 55 冊，頁 207－288），故筆者以所見之本爲主。此書《四庫全書總目》評曰：「此書力辨攻古文者之非，殊失深考。其所注釋，亦不過隨文敷衍，在所作諸經《略記》之中，獨爲最下。」卷 14，總頁 275。

㉘ 此書今有《四庫全書存目叢書》影印北京圖書館藏清抄本（經部，《禮》類，第 84 冊，頁 334－408）。《四庫全書總目》評此書曰：「是書不全錄經文，但每段標其起止，云自某句至某句。其註於漢唐舊説，頗不留意。……大概朝瑛涉獵九經，而三《禮》則用功較淺云。」卷 23，總頁 451。

㉙ 此書今有《四庫全書存目叢書》影印北京圖書館藏清抄本（經部，《禮》類，第 87 冊，頁 597－645）。《四庫全書總目》評此書曰：「是書於經文不全錄，第曰自某至某。所錄多敖繼公、郝敬之説，取材頗儉。其自爲説者，亦精義無幾。」卷 23，總頁 465。

《讀禮記略記》四十九卷附《讀三禮略記》一卷㉚

《讀春秋略記》十卷㉛

其中《讀三禮略記》是談論研究禮學的概念與方法，其餘各《略記》卷首亦有朝瑛對各經的考證與說釋。根據《讀易略記．序》末有「戊戌七月下辛日記」的文字㉜，可推測其書大致成於永曆十二年（1658）；又康熙五年黃宗羲拜訪朱朝瑛，朱朝瑛「盡發所記五經讀之」，並在次年（1667）將各經《略記》的首卷寄給黃宗羲㉝，是可知至少在康熙五年以前，《七經略記》已經完成。今存的《七經略記》，全爲清初的抄本，而《四庫總目提要》對《七經略記》的評價過於貶抑，在客觀上有失公允。朝瑛辭官歸鄉，每日與弟朝琮、朝珩疏注經書近三十年，這種全心全力研究學術的精神，不但使他有著豐碩的研究成果，而且也相當自得其樂。這種精神對古代知識分子而言，的確是非常難能可貴的。

三、《讀詩略記》版本考述

《讀詩略記》爲《七經略記》之一，且由於現存的《七經略記》皆爲清初的

㉚ 此書《四庫全書總目》著錄爲四十九卷，並云「是書以一篇爲一卷」，而《北京圖書館古籍善本書目》所收藏之清抄本《七經略記》，《讀禮記略記》著錄爲四十五卷，乃不全之本，故筆者以《四庫全書總目》爲準。《四庫總目提要》評此書曰：「其研究典物有裨於實義者，僅十之一，餘皆詮釋文句而已。……考證尤疏，惟前有〈三禮總論〉，言異同之故，乃頗有可採。」卷 24，總頁 478－479。

㉛ 此書《四庫全書總目》著錄爲十卷，而《北京圖書館古籍善本書目》所收藏之清抄本《七經略記》，《讀春秋略記》著錄爲十三卷，筆者則以所見之本爲準。《四庫全書總目》評此書曰：「是書輯錄舊文，補以己意，所採上自啖助、趙匡，下及季本、郝敬，大抵多自出新義，不肯傍三《傳》以說經者。朝瑛之所論斷，亦皆冥搜別解，不主故常。……亦未嘗不考證分明，大致似葉夢得之《三傳讞》，而學不能似其博；又似程端學之《三傳辨疑》，而論亦不至似其迂，其於二書蓋伯季之間，置其偏僻，擇其警策，要不失爲讀書者之說經也。」卷 28，總頁 573。其他有關《七經略記》的述要，可參見宋慈抱原著、項士元審定：《兩浙著述考》（杭州：浙江人民出版社，1985 年），頁 132、202、256、298、312、338、412。

㉜ 見《讀易略記．序》，頁 718。

㉝ 黃宗義：〈朱康流先生墓誌銘〉，頁 247。

抄本，因此在各家書目所著錄的卷數上，或有出入。《明史・藝文志》、《千頃堂書目》、朱彝尊《經義考》作二卷，而據《四庫總目提要》所載之《讀詩略記》版本爲六卷，並云：

> 是書朱彝尊《經義考》作二卷，此本六冊，不分卷數，核其篇頁，不止二卷，疑原書本十二卷，刊本誤脫一十字，傳寫者病其繁瑣，併爲六冊也。[34]

《四庫總目提要》認爲朱彝尊《經義考》中所載之《讀詩略記》卷數雖爲二卷，但再根據自己眼前所見的六冊本，以及核算原書頁數的多寡來作推測原書卷數的依據，原書的卷數應爲十二卷，只是因爲在刊刻原書卷數時，誤脫了一個「十」字，所以後世的人在著錄《讀詩略記》的卷數時，皆以二卷爲準；同時眼前的這部《讀詩略記》，由於抄寫的人認爲此書內容過於冗長繁雜，如果不分卷數的話，勢必造成讀者的不便，故而將此書分作六冊，以便讀者翻檢尋閱，而《四庫總目提要》也因本書分作六冊，故以一冊爲一卷的方式，以六卷爲《讀詩略記》的卷數。如此看來，《四庫總目提要》所推測及著錄《讀詩略記》的卷數，似乎並無多大問題，但如果再仔細考證《四庫全書》所收之《讀詩略記》版本，則可能還有繼續探討的必要。據《四庫總目提要》所載之《讀詩略記》，是以「浙江巡撫採進本」[35]爲底本抄寫，考《進呈書目》(或見《四庫各省採進書目》，原名《各省進呈書目》[36])，《讀詩略記》採進的狀況如下：

> 兩淮鹽政李呈送書目：《讀詩略記》四卷、六本[37]
>
> 浙江省第八次呈送書目：《讀詩略記》三冊、五本[38]

---

[34] 《四庫全書總目》卷16，總頁318。

[35] 同前註。

[36] 見吳慰祖校訂：《四庫各省採進書目》（臺北：成文出版社，1978年《書目類編》影印民國49年排印本），總頁5409、5472、5583、5666。

[37] 見無名氏：《進呈書目》（臺北：成文出版社，1978年《書目類編》影印民國10年涵芬樓秘笈排印本），總頁4955。

若將上述《讀詩略記》採進的狀況，與《四庫總目提要》中所說「此本六冊，不分卷數」的文字作比較，可以發現《讀詩略記》不但有四卷六本的寫本，也有三冊五本的寫本，此與《四庫總目提要》所載的內容不盡相同。另外《北京圖書館古籍善本書目》中所收的清抄本《七經略記》，其中《讀詩略記》所著錄的卷數爲五卷㊴，又與各家書目所載的卷數不同。此外，喬衍琯先生在校證《千頃堂書目》時，亦主《讀詩略記》爲六卷，並引羅振玉的校記爲說㊵，故筆者據今日所得見文淵閣本《四庫全書》中所載的《讀詩略記》，定作六卷爲正。

四、《讀詩略記》撰作體例與內容

《讀詩略記》不但是朱朝瑛《七經略記》系列中的一書，藉以呈現朝瑛對經學研究的成果之外，同時也是朝瑛本身表達對《詩經》學觀點的著作。關於《讀詩略記》的撰作體例，朝瑛在〈關雎〉篇中「不詳釋者，俱從《集註》」㊶的文字，不但開宗明義的說明自己撰作本書的原則，同時也表達出對朱子《詩集傳》有著一定程度的肯定態度。此書先錄《詩經》各篇經文首章，接著再錄《詩序》，但以《詩序》的首句爲主（亦有完整著錄《詩序》者），之後再根據《詩序》首句的內容作爲釋《詩》的依據，接著逐章說釋內容，並有時援引他人的說法或史實爲例證，或有時申述自己的見解，另外也有訓釋詞句、名物、制度等內容。茲舉《邶風・谷風》一詩爲例說明：

> 習習谷風，以陰以雨。黽勉同心，不宜有怒。采葑采菲，無以下體。德音莫違，及爾同死。
>
> 《序》曰：刺夫婦失道也。衛人化其上，淫于新昏而棄其舊室。夫婦

㊳ 同前註，總頁 5162。

㊴ 見《北京圖書館古籍善本書目》，頁 138。

㊵ 見喬衍琯：〈千頃堂書目校證〉，《中國圖書館學會會報》第 29 期（1977 年 11 月），頁 149。

㊶ 見朱朝瑛：《讀詩略記》，《文淵閣四庫全書》（臺北：臺灣商務印書館，1983 年）第 82 冊，卷 1，總頁 344。

離絕，國俗傷敗焉。

嚴華谷曰：「習習，不斷也；谷風，大谷之風也；又陰又雨，無清明開霽之意，喻夫之怒不休息也。」合之《小雅・谷風》，此解爲正。

葑、菲，根葉皆可食。《禮・坊記》云：「君子仕則不稼，田則不漁，食時不力珍，大夫不坐羊，士不坐犬。《詩》云：『采葑采菲，無以下體。』」注曰：「無以其根美則併取之，併取之則盡利也。」詩蓋以不盡物之利喻君子不竭人之忠，以全夫婦之交也。《左傳》引此以爲取節，此鄭氏之所本也，要非正解。德音謂夫之德音也，與〈日月〉章之德音同。

行道遲遲，中心有違。不遠伊邇，薄送我畿。誰謂荼苦，其甘如薺。宴爾新昏，如兄如弟。

呂東萊曰：畿，門閫也。韓《詩》「白石爲門畿」。按〈郊特牲〉「丹漆雕幾之美」注云：幾謂沂鄂。沂鄂，垠鄂也。幾與畿通。荼，一名苦苣，即白苣而味苦，亦可生食，若荼蓼之荼。《爾雅》作蒤，虎杖也，不可食。虎杖狀如馬蓼，故荼蓼並稱。又有茅秀曰英荼，則「有女如荼」之荼，即《爾雅》所云蒮蒡荼者也。

涇以渭濁，湜湜其沚。宴爾新昏，不我屑以。毋逝我梁，毋發我笱。我躬不閱，遑恤我後。

涇、渭皆出今陝西平涼府。去婦反顧其家，猶低徊戀戀，不忍遽絕。故〈表記〉引此詩而曰終身之仁也。

就其深矣，方之舟之。就其淺矣，泳之游之。何有何亡，黽勉求之。凡民有喪，匍匐求之。

不我能慉，反以我爲讎。既阻我德，賈用不售。昔育恐育鞫，及爾顛覆。既生既育，比予于毒。

錢長玉曰：毒藥攻病，不得已而用之，愈即棄去，故曰「比予于毒」。

我有旨蓄，亦以御冬。宴爾新昏，以我御窮。有洸有潰，既詒我肄。不念昔者，伊余來塈。

《說文》云：洸，水湧貌。《蒼頡篇》：旁決曰潰，言怒之盛者如水之涌而決也。肄與勩通。《左傳》伍員曰：若爲三師以肄焉是也。既詒我肄，是竭人之忠也，程子解作習者，非是。「塈」云息者安頓之意，謂安頓其家計不至于顚覆也，與「傾筐塈之」之「塈」義亦相同。[42]

朝瑛在說釋此詩時，重點是放在「采葑采菲，無以下體」的詩句上，他認爲此婦之夫對其妻子的照顧並非無微不至，總是對他的妻子有所怨怒，因此對於《詩序》「刺夫婦失道」表示贊同之意，並認爲此詩是「以不盡物之利喻君子不竭人之忠」，來解釋此婦之夫對其妻子的不忠實，也就是說，無論是采葑或采菲，也應該將整株連根拔起，無論其根是美是苦，而此正是用來比喻夫婦應當有始有終，不應該僅愛其美色而棄其衰老，對妻子始亂終棄。另外通過此例證，也可以看出朝瑛在解釋詩篇時所用的方式是多樣性的，不但有文字、詞句的訓詁，同時也有地理方面的考證，可以說是爲學深厚而廣博了。

朱朝瑛對《詩經》學的主要立論，是表現在《讀詩略記》的卷首之中。《讀詩略記》卷首分別以「論《小序》」、「論詩樂」、「論詩用」、「論僞《詩傳》」四個主題作爲論述的重點。以下則據此四個主題作內容說明。

㈠ 論《小序》

《詩序》自漢代而後，即成爲說釋詩篇的依據，同時也因爲《詩序》所產生的詩教觀，使《詩序》的地位日漸鞏固，而自宋以後，逐漸打破以《詩序》作爲釋《詩》的唯一標準，進而取代的是舍《序》釋《詩》的觀念。這種觀念形成之後，使後代的學者重新思考著《詩序》的存廢問題，也就是說，任何研究《詩經》的人，首先要面臨的問題就是是否認同《詩序》。也正因爲如此，朝瑛在《讀詩略記》卷首便開宗明義的討論著《詩序》的問題。朝瑛云：

詩義至於今日，幾如聚訟，作者愈繁，附會愈甚，而本旨愈不可詰矣。《小序》最爲近古，雖不出於作者之自爲，大抵採詩者據所聞而記其略

[42] 見《讀詩略記》，卷1，頁359－360。

> 也，後人增益，或失其初旨耳。觀亡詩六篇僅存首語，則首語作於未亡之前，其下作於既亡之後明矣。子由獨取初辭，頗爲得之，然思之不精，仍多狃於舊聞，其獨創之説，又鶻䫉而不安，宜其見斥於晦翁也。至晦翁之釋詩，又因後人之失其傳，并初辭而廢之，是猶飯與砂同棄，蕭與蘭並焚矣。……晦翁胸中坦然夷易，無所曲折，言理則得之，言情則固有未盡者，故三百篇之中，《集傳》所得者，《國風》十之五，《小雅》十之七，《大雅》、《頌》十之九，而後人好異，乃欲盡舉而易之，則又過矣。[43]

朝瑛認爲《小序》的時代最爲近古，雖然《小序》並非成於作詩之人，但也是成於採詩之人，可是由於後人在《小序》的文字上有所增益，使得《小序》的原貌難以呈現，因此若是要以《小序》作爲釋《詩》的依據，就必須以《小序》的首句爲主，畢竟在《小序》的寫作過程上，首句是最先寫成的，而且再觀察《詩經》內六篇笙詩僅存《小序》首句的現象，更可以說明《小序》首句的可信度是極高的。然而，由於後人舍《序》言《詩》的影響之下，詩義附會的情形日趨嚴重，而詩篇的本旨也就愈不可得知。另外，朝瑛對朱熹後學深表不滿，他認爲朱熹雖然對以《序》說《詩》的方式不滿，但是對《小序》也有某種程度的肯定，因爲朱子並非全盤否定《小序》，只是朱子對於《小序》中「傅會書史、依託名謚、鑿空妄語」[44]的說法，可能會貽誤後學，所以必須要加以深究，同時，若再仔細觀察朝瑛所言「至晦翁之釋詩，又因後人之失其傳，并初辭而廢之，是猶飯與砂同棄，蕭與蘭並焚矣」的說法，可以發現朝瑛在理解朱熹說詩時，並非對《小序》首句有不好的印象，只是朱熹後學不能了解朱熹離《序》言《詩》的精神，所以在說釋詩篇時，就將《小序》完全拋棄，於是朝瑛會有「而後人好異，乃欲盡舉而易之，則又過矣」的感歎了！

---

[43] 見《讀詩略記》，卷首，總頁338－339。

[44] 見朱熹：《詩序辨說》，《叢書集成新編》（臺北：新文豐出版公司，1985 年）第 55 冊，總頁346。

朱朝瑛除了在《讀詩略記》卷首表達他對《小序》的看法之外，同時在其他地方也可以看出他對《小序》的觀點。如《小雅・無將大車》云：

> 《序》曰：「大夫悔將小人也。」《荀子・大略篇》曰：「君人者不可以不慎取臣，匹夫者不可以不慎取友。詩曰：『無將大車，維塵冥冥』，言無與小人處也。」荀子去古未遠，其言卻與《序》合，則《序》說誠非謬矣。[45]

又《小雅・楚茨》云：

> 《序》曰：「刺幽王也。」《荀子》亦云：「《小雅》疾今之政，以思往昔。」其言與《序》合，則《序》非後人妄作明甚。[46]

朝瑛在此二詩中，除了藉由《荀子》的說法來說釋詩篇之外，也證明著《小序》是自古就已存在，並非憑空捏造而來。荀子去古未遠，若非《小序》已先存在於荀子之前，則荀子的說法又如何會與《小序》相合？所以朝瑛亦以此論證《小序》的說法是可以被接受的。

朝瑛除了主張以《小序》首句爲主之外，對於《小序》中的美刺之說，也有他獨到的見解。朝瑛云：

> 《詩》之有美刺，猶《春秋》之有褒貶也。觸於聞見，發於性情，豈如後人之夸諛爲佞、詆訐爲戾者乎？……蓋《詩》有刺其人者，有刺其俗者。刺其人者，如衛宣公、公子頑之類是也。刺其俗者，如〈桑中〉、〈溱洧〉之類是也。[47]

---

[45] 見《讀詩略記》，卷 4，頁 473。
[46] 見《讀詩略記》，卷 4，總頁 475。
[47] 見《讀詩略記》，卷首，總頁 339。

另外，朝瑛在《邶風・凱風》詩中也有類似的說法：

> 《序》曰：「美孝子也。」按《詩》之美刺，猶《春秋》之有褒貶也。《春秋》之法，有明加褒貶者，有直書其事而褒貶自見者，惟《詩》亦然有明示美刺者，有直述其語而美刺自見者，如此詩是也。[48]

由上述二則引文，可以知道朝瑛對《詩》有美刺的基本觀念，是建立在《春秋》書法中的褒貶之上，也因此朝瑛才會有「刺其人者」、「刺其俗者」、「有明示美刺者」、「有直述其語而美刺自見者」的區別。同時，朝瑛在《小雅・谷風》中，對「刺」的形式也有所規範，朝瑛云：

> 刺有直者、有婉者，有顯者、有微者，有切者、有迂者，不可一概論也。[49]

也就是說，「刺」的形式是可以單獨被劃分出來的，而且必須依據所「刺」的強烈程度，歸納出上述三組六種的型態，很顯然地，他這些觀念也是受了《春秋》書法的影響所啓發的。朝瑛這種對美刺的觀念，無非是希望學者可以清楚認識作詩者的用意所在。

㈡ 論詩樂

朝瑛對「論詩樂」的觀點，主要是在論辨鄭衛淫奔之詩的問題，而他的立論基礎，則是建立在詩的內容與音樂的關係。朝瑛云：

> 晦翁以《鄭》聲淫，即此《鄭》風而是。辨之者曰：「音律爲聲，篇章爲詩。辭旨醇正而節奏放濫，即爲淫聲；辭旨佚蕩而節奏緊嚴，即爲正聲。不得以聲而累辭也」。如〈樂記〉云：「商爲五帝之聲，商人傳之；齊爲三代之聲，齊人識之」，此與《商頌》、《齊風》何涉？其言亦至辨矣。

---

[48] 見《讀詩略記》，卷 1，總頁 358。

[49] 見《讀詩略記》，卷 4，總頁 468。

然在歌者，或可變易其聲而非所語於作者也。作詩之人以哀心感者，其辭淒涼，其聲亦淒涼；以樂心感者，其辭發越，其聲亦發越；以喜心感者，其辭和柔，其聲亦和柔；以怒心感者，其辭凌厲，其聲亦凌厲；以敬心感者，其辭莊直，其聲亦莊直；以淫心感者，其辭慆蕩，其聲亦慆蕩。此志氣之相因，發於自然而不自知者也，苟舉其聲而變易之，即不足以達志；不足以達志，亦不足以感人；不足以感人，即聲之正者，亦不足以為樂矣。故「《詩》三百一言以蔽之，曰思無邪」，辭亦無邪也，聲亦無邪也。〈樂記〉所謂「鄭衛之音，亂世之音也」者，此惟在其本國則有之，或流傳於他國則有之。魯秉周禮採之列國以為樂者，其淫辭、淫聲，不待夫子刪正，久已斥去而不用，故季札歷觀列國之樂而不及一聞也。其所存之辭，皆正辭；所存之聲，皆正聲，雖未嘗用之宗廟，至於燕饗賓客，歌之以相贈答者，班班可考也。即如鄭子展之賦〈將仲子〉，子太叔、子蟜（亻）之賦〈野有蔓草〉，子太叔之賦〈褰裳〉，子游之賦〈風雨〉，子旗之賦〈有女同車〉，子柳之賦〈籜兮〉，凡此諸篇，皆晦翁所謂淫風也，而當時歌之，皆見美於叔向、趙孟、韓宣子。夫叔向、趙孟、韓宣子，春秋之賢大夫也，豈其勸獎淫佚、以為風尚者乎？夫子之所取，即向者賢士大夫之所美者也。夫子之所云去，即向者賢士大夫之所斥者也，夫子豈有以異於人乎？特加之詳審，集其大成已耳！[50]

根據上述引文，朝瑛認為詩人透過自己內心各種不同的感受所作的詩篇，必定與所發之聲有絕對的關係，因為這是「志氣之相因，發於自然而不自知」的緣故，如果要違背這個自然的道理，則詩無法言志，也不足以感人，並導致聲與樂無法配合，產生出「以聲累辭」的結果。所以，孔子既然曾經說過「《詩》三百，一言以蔽之，曰思無邪」的話，那麼《詩經》中所有的篇章必定是「辭亦無邪也，聲亦無邪也」，若是有淫聲、淫詩，早已被當時採詩之官所淘汰，不必等到孔子刪正《詩經》時才棄去。朝瑛又列舉春秋時期賢大夫所賦之詩，都是朱熹眼中所認定的淫

[50] 見《讀詩略記》，卷首，總頁340。

詩，難道他們會助紂爲虐，提倡淫風嗎？所以朝瑛對於朱熹「鄭衛淫奔之詩」的說法不表贊同，特地爲朱熹的說法作一番辯解。事實上，在朝瑛之前已有學者談論過詩與樂的問題，如焦竑（1541－1620）在其所著的《國史經籍志》中云：

> 竊嘗謂他經可以詁解，而《詩》當以聲論，後世不得其聲而獨辭之知。韓、毛諸家，於鳥獸蟲魚之細，竭力以爭，而問其音節，不能解也。古者審聲以知治，作樂以成教者，其亦幾於絕矣！夫以聲感者于性近，而以義求者離性遠，學《詩》而不知此也，與耳食何異？今錄其見在諸篇，令學者與樂部類而觀焉！[51]

焦竑的這番話，同樣的也是在強調詩與樂的關係，另外也提出了「審聲」的觀念。因此朝瑛在論詩樂的內容中，也對「審聲」有著自己見解。朝瑛云：

> 《風》之所以異於《雅》，《雅》之所以異於《頌》者，非特家國天下、朝廷宗廟之分，亦其音律之變，不得比而同之也。音律之傳，已無所考。鄭氏十二《詩譜》，亦未盡可信。凡調以此始者，必以此終，首尾何聲，即屬何調。誠如是，則宮調之中，商多於宮，可得仍爲宮；商調之中，宮多於商，可得仍爲商乎？余以爲調也者，韻也，古人雅淡，不爲繁聲慢辭，大抵一句之終，則曳其音以永之而已。平聲最長，其濁者爲宮，清者爲商，上聲次之爲角，去聲次之爲徵，入聲最短爲羽。後世易之以唇、舌、喉、齒、牙，而五方之音不可強齊，故今之歌者，平仄不協，清濁不調，不可以歌，而喉舌之間不甚致辨，則亦可以因俗而識雅，因今而知古矣。以此推而究之，絕學或可復明，古調或可再作乎？或曰：「『關關雎鳩』四字，皆屬平聲之清，殆難播之絲竹。」曰：「古人諧聲，存乎其變，如《易》之象，不可典要也。〈泮水〉次章，四聲通袞，當時自有轉

[51] 見焦竑：《國史經籍志》（臺北：臺灣商務印書館，1965 年《叢書集成簡編》本），卷 2，總頁 20。

> 借之法，今不可以盡知，亦可以意會也。至以人聲而播之絲竹，其無定音，愈可知矣。無定音則無定律，亦愈可知矣」。[52]

也就是說，「審聲」不但要辨其調，而且也要明其音、識其韻，如此才可以眞正地認識詩與樂的微妙之處。同時，朝瑛對詩的最終目標，就是希望詩「非徒辭而已，將以被之管絃，奏之郊廟朝廷，以達乎邦國而布之四海」[53]的理想，由此也可看出朝瑛相當重視詩與樂相互的關係。

㈢ 論詩用

朝瑛論詩用，主要是建立在禮的觀念上。朝瑛云：

> 古者作詩，有賦，有比、興；而用詩亦有賦，有比、興。〈射義〉：「天子以〈騶虞〉爲節，樂官備也」，豈非以騶御虞人罔不在列乎？「諸侯以〈貍首〉爲節，樂會時也」，豈非以〈貍首〉至薄，可以薦嘉賓乎？是其指事也切，其取義也直，如作者之賦體是也。至云「大夫以〈采蘋〉爲節，樂循法也；士以〈采蘩〉爲節，樂不失職也」，以婦女之循法，喻大夫之循法；以婦女之不失職，喻士之不失職，非比乎？以蘋蘩薀藻之菜、筐筥錡釜之器，感士大夫明信之將，非興乎？……至於肆夏之三，宗廟之詩也，而叔孫豹以爲天子享元侯用之；文王之三，周家受命之詩也，而叔孫豹以爲兩君相見用之。以燕享而干宗廟之樂，何以不嫌於瀆？以諸侯而干天子之樂，何不嫌於僭？……揔之三百五篇，寄意深遠，苟以比興之義，觸類而廣通之，則國風之被於樂，何所不可？雖亂世之音怨怒，既經夫子刪定，而後是皆近於和平者矣，豈復煩後人，別擇去取於其間哉？《儀禮》殘缺，十存一二；《周官》一書，已爲後人汩亂，至小戴所記，精義不乏而踳駁亦時有之，雖出聖人之言，恐或猶有未定，如執殘缺、汩亂、踳駁之書，以其所及言者，謂爲禮之用而不察詩義之所格；以其未及

---

[52] 見《讀詩略記》，卷首，總頁 341。

[53] 見《金陵游草・自序》。

言者，謂爲禮所不用而不察詩義之所通，亦何異於管窺之見也！[54]

朝瑛認爲用詩與作詩一樣，同樣有著賦、比、興的形式，並引〈射義〉中的內容爲例，來說明用詩時各種賦、比、興的情況。但是，無論是賦、是比、是興，都要根據禮的標準來用詩，否則會產生不合禮制的現象；另外，爲了用詩時不至於違禮，認識詩義也是一件非常重要的事情，所以在另一方面來說，用詩與禮制是有著密不可分的關係。因此，朝瑛對用詩的論點，可以說是相當的中肯。

㈣ 論偽《詩傳》

明朝嘉靖年間，有《子貢詩傳》與《申培詩說》出現於世間，正因爲此二書託名在《詩》學上具有重要地位的子貢、申培身上，立即引發當時許多學者的注意與關切，並有人信以爲眞，不但爲之傳刻，同時也在自己的著述中加以引用。朝瑛身處晚明，自然也對此二書有所辨證。朝瑛云：

> 嘉靖初，有僞爲子貢《傳》及申培《詩說》，乃盡更其舊而變亂之。最異者，以《魯頌》爲《魯風》，而取〈鴟鴞〉諸詩以冠其首，更以〈定之方中〉爲僖公之詩附益焉，而題之曰「楚宮」。當時好事者，翕然稱之，如黃泰泉（黃佐）、季彭山（季本），雖未之深信，已不能無惑其說。豐一齋（豐熙）則著《魯詩正說》，信之最深。子南禺（豐坊）任誕而多才，又加緣飾焉，然其書猶未見稱於世。萬歷中，鄒肇敏復爲《詩傳闡》，廣據博引，以証其不謬，於是讀之者目眩而不能察，舌撟而不能下，幾無以別其眞僞矣。[55]

關於朝瑛此段對《子貢詩傳》的考述，林慶彰師已辨證其詳。[56]但由此段引文，亦

[54] 見《讀詩略記》，卷首，總頁 341－342。

[55] 見《讀詩略記》，卷首，總頁 342－343。

[56] 見林慶彰師：《豐坊與姚士粦》（臺北：東吳大學中國文學研究所碩士論文，1978 年），頁 56。

可看出當時許多學者受此二書的影響，的確是相當的大。朝瑛並舉〈定之方中〉一詩，說明僞《傳》作假之處[57]，另外又在《周南・樛木》中，再辨僞《傳》之僞。朝瑛云：

> 《序》曰：「后妃逮下也。」僞《子貢傳》云：「南國諸侯，慕文王之德而歸心於周，賦〈樛木〉。」誠如是，則此詩當爲雅，不當爲風矣。《序》曰：「以一國之事，繫一人之本，謂之風；言天下之事，形四方之風，謂之雅」，故凡詠文王之德者，皆屬於雅；詠后妃之德，皆屬之風。風者言化，起于幽微，無形之可即也。或曰：「其屬于風者，以音律相近也，是固然矣」，然風、雅音律之異，必在鉅細之間，豈以諸侯頌美方伯而作詹詹細響乎？僞《傳》揣摹最巧，最易亂眞，不可以不辨。[58]

朝瑛根據《序》說，認爲僞《傳》的〈樛木〉詩應屬於雅而不當列於風，又以風、雅音律必有不同，作爲論辨僞《傳》的根據。朝瑛對於僞《傳》作僞之巧細，致使學者以假亂眞，不但不受其迷惑，同時亦辨別其爲假造，在這一點上，的確可以看出他對《詩》學謹愼的態度。

五、結語

朱朝瑛身處晚明，並用後半生的時間著成《七經略記》，不但令後世學者敬佩他對學問的熱誠，同時也留下遺著，提供了後世學者研究當時學問的憑藉。事實上，就書目文獻的記載，晚明時期的學者多有類似朝瑛所撰作的經學書籍，如朱睦㮮（1517－1586）《五經稽疑》、姚舜牧（1542－162？）《五經疑問》、郝敬（1558－1639）《九經解》等，都已在在凸顯出此一時期的研究風貌，而這些都是因爲晚明學者對宋學的不滿，進而以回歸原典的方式，對原典進行重新思考之後所產生的研究成果。但是這些研究成果，不但被埋沒不彰，同時在評價上也備受貶

---

[57] 見《讀詩略記》，卷首，總頁 343。

[58] 見《讀詩略記》，卷 1，總頁 346。

抑，因此朝瑛的著作也受到時代因素，評價往往不高。以《讀詩略記》而言，《四庫總目提要》評曰：

> 然其訓釋，不甚與朱子立異，自《鄭》、《衛》淫奔，不從《集傳》以外，其他說有乖互者，多斟酌以折其中。……大抵皆參稽融貫，務取持平。……然綜其大旨，不合者十之二三，合者十之五六也。[59]

《四庫全書總目》以「不合者十之二三，合者十之五六」來評價《讀詩略記》，是建立在漢、宋折衷的立場所作出的說明。但根據筆者的統計，《讀詩略記》引用鄭玄達 86 次，孔穎達 48 次，朱熹 55 次，呂祖謙 18 次，嚴粲 36 次，郝敬 28 次，張次仲 40 次，何楷 75 次，如此看來，全書似乎是以漢學派爲主，不似漢、宋折衷，雖然朝瑛曾云「不詳釋者，俱從《集傳》」，但此多屬名物訓詁，無關義理，因此《四庫總目提要》所言「其他說有乖互者，多斟酌以折其中」及「大抵皆參稽融貫，務取持平」的說法，僅能說是對朝瑛某些的訓釋而言，並非是全書所呈現的原貌。

由於朝瑛的勤奮著述，使他在學術上獲得了極高的成就，而朝瑛爲學之勤，亦獲得黃宗羲的賞識。宗羲曰：

> 海昌有窮經之士二人，曰朱康流、張元岵。短簷破屋，皆拌數十年之力，曉風夜雨，沈冥其中。……兩人皆遭喪亂，而皆能以經術顯，則人力信乎可與天爭矣！[60]

而與朝瑛同爲海寧人的周春（1729－1815）也著詩曰：

> 海邑窮經得兩人，康流、元岵總超倫。儒林來（來知德，1525－1604）、鄧

[59] 見《四庫全書總目》，卷 16，總頁 318。

[60] 見黃宗羲：〈張元岵先生墓誌銘〉，《黃宗羲全集》第 10 冊，頁 389。

(鄧元錫，1527－1592) 稱前輩，肯與京山 (郝敬) 繼後塵。[61]

黃氏與周氏對朝瑛的學問之廣、用功之深，感到相當的佩服。另外，在朝瑛死後，周氏曾爲《讀詩略記》作〈序〉，〈序〉曰：

> 今觀罍庵先生此編，多有與鄙見吻合者，恨不獲請業一堂，共上下其議論也。[62]

朝瑛如此爲學的態度與學術上的成就，在晚明眾多的學者來說，的確是具有相當的地位。明代經學，雖受前人長期的貶抑，但今日如能就各家遺著仔細研究，則明代經學亦有其可觀之處！

[61] 見〔清〕周春著、管庭芬批訂：《海昌勝覽》，卷 13，總頁 571－572。

[62] 見許傅霈等原纂、朱錫恩等續纂：《海寧州志稿》，卷 12，總頁 1401－1402。

經　學　研　究　論　叢
第　八　輯　　頁173～192
臺灣學生書局　2000 年 3 月

胡承珙與陳奐《詩》訓異同

郭全芝*

胡承珙（1776－1832）和陳奐（1786－1863）同是清嘉、道時期重要的經學家。他們的經學成果主要體現於《詩經》新疏方面。胡承珙著《毛詩後箋》（以下簡稱《後箋》），陳奐著《詩毛氏傳疏》（以下簡稱《傳疏》）。兩書各三十卷，都是作者傾畢生心力之著。

一、治經歷程

胡承珙，字景孟，號默莊，安徽涇縣人。早年居家讀書，而後入庠、食饒。嘉慶乙丑，胡氏三十歲時進士及第，即選翰林院庶吉士。散館，授編修。尋遷御史，轉給事中。自謂身居言路，當周知天下利弊以陳奏之。於是任該職數年之中，陳奏甚多，有不少能切中利害而見施行。其後，出任地方官，授福建分巡延、建、邵道。上廉其能，調署臺灣兵備道。在臺三年，力行清莊弭盜之法，大盜多被緝捕歸案，民番安肅。然而胡氏因事無巨細俱悉心綜理，終於積勞成疾，四十九歲即因體力不支，乞假養病。從此還歸故里，八年後病逝。

胡氏出身於書香門第，五歲即就傅學經。及其成人，對經學越加愛好。並於讀經之餘，廣交治經學者，以助研討。入仕後，治經不輟。即使在臺公務繁忙期間，每日公務之餘，或一條或二條仍堅持撰述讀經心得。

胡氏治經從精研《小學》始，熟於《爾雅》、《說文》。曾因爲惠棟《九經

---

*　郭全芝，淮北煤炭師範學院中文系副教授。

古義》未及《爾雅》，於是爲之補撰數十條，成《爾雅古義》二卷。又曾撰《小爾雅義證》十三卷，考其眞僞，釋其字義。此書是研治《小爾雅》的重要書籍。《儀禮古今文疏義》十七卷，是胡氏鑒於鄭注《儀禮》中引古今異字，賈疏多略而不及，故從語言文字角度撰著的。胡氏還曾著《春秋三傳文字異同考證》、《公羊古義》、《禮記別義》等書。

《毛詩後箋》是胡氏用力最勤之作。支偉林《清代樸學大師列傳》云：「（陳奐）初在京師識胡承珙，知亦攻《毛詩》，與己同恉。意其研討有年，於《毛詩》經傳必爲完書，故己所治《詩》，特編爲義類。」可見胡氏之撰《後箋》，在游京師時即已進行。這項工作延續到作者逝世尚未完成，《魯頌・泮水》以下由陳奐補就。《後箋》付梓於道光十七年（1838）。

陳奐，字碩甫，號師竹，晚年又自號南園老人。江蘇長洲人。咸豐初舉孝廉方正。陳氏一生，究心學術，而無旁騖。曾主持錢塘汪氏振綺堂先後二十年。道光末，應兩江總督陸公聘請，至江寧校勘群籍。書成辭歸，不復出。同治二年，陳奐七十八歲，以疾卒。

陳奐少時從師於塾中，見《五禮通考》而好之，纂要抄錄。繼而師從江沅，精研小學，通六書音韻。段玉裁欲刊己集，命江沅復審，而陳奐爲改朱墨正其訛誤。段氏因召之，及見，大稱賞，錄爲弟子。陳氏從段學治《毛詩》、《說文》三年，學業大進。段氏卒，陳氏又游京師謁王念孫。王念孫與之訂忘年交，王引之亦加敬禮。此時，還獲交胡承珙、郝懿行、胡培翬、金鶚等大師。

陳奐經學著作有《詩語助義》三十卷。又有《毛詩說》一卷，《毛詩音》四卷、《鄭氏箋考徵》一卷，《毛詩傳義類》一卷，均附錄於《傳疏》。還有《穀梁逸禮》一卷。其《師友淵源記》、《郊禘或問》、《宋本集韻校勘記》等書則未刊行。

《詩毛氏傳疏》是陳奐殫精竭慮之作。《傳疏・敘》自云撰寫始於嘉慶中期（1812），完成於道光年間（1840）。先是仿《爾雅》體例編爲義類，於胡承珙卒後方揉義類成疏。

綜上所述，胡、陳二氏治經俱從小學始，精研語言文字，而陳氏尤擅音韻。他們的經學著述多從訓詁角度撰成。《後箋》與《傳疏》撰著年代大體一致，同是作者最重要的經學著作。

二、《後箋》與《傳疏》的相互影響

《後箋》與《傳疏》呈現出多方面的一致性。如對《詩經》的看法，都以爲反映了儒家的教化觀念，所以兩書解《詩》都以符合儒家詩教爲準則。在對《序》《傳》的看法上則都認爲《序》說可靠、解《詩》旨無誤；《毛傳》師承古訓，釋經可信。又如在內容上都重視考校名物制度，釋訓尊崇西漢前人的說法，尤其重視《爾雅》。在具體的字義解釋上，亦有很多相合之處。又如在理論和方法上，都能師法戴震、王氏父子、段玉裁等人，並利用其經學成果，使《後箋》《傳疏》成爲當時解《詩》的權威性著作。

胡、陳二氏的密切交往，是使他們經學見解保持一致的重要原因之一。早在游京師時，兩人就已從相識而交往，並相互切磋經藝。在他們周圍還有王念孫、王引之、胡培翬、馬瑞辰等經學大師。其結果是使胡、陳兩人治經互受影響，他們的觀點、立場等十分接近。湊巧的是，兩人都選中《詩經》爲主要研究對象。所以來往之間，《詩經》之探討當是一重要事項。當胡氏將撰《後箋》作爲主要事項而全力以赴時，與陳奐更是「往復討論，不絕於月」。❶陳奐在《後箋・序》中也曾說過：「先生之閩，由閩歸故里，通音問、商疑難。奐亦時時出己說以請益於先生。《後箋》中所載之說皆所請益者也。」

所謂「《後箋》中所載之說」即《後箋》引陳奐說。《後箋》撰述時，陳書未成，所以《後箋》引陳奐語次數不多，對其稱謂也衹是「陳碩甫」，未提《傳疏》之名。但引述內容與《傳疏》相應章節的文字，差異不大。另一方面，《傳疏》也引胡承珙說。首引稱「毛詩後箋」，後來則簡稱爲「後箋」，衹在個別地方僅稱作者名字。《傳疏》對《後箋》的徵引總數在六十次以上。胡氏喜引述駁正異說，而於陳奐則引以代己說，或證己說。陳奐引《後箋》也出於同一原因。由此亦可見出兩人《詩》訓見解的一致和相互影響。

就相互影響而言，胡、陳二氏之書在風格上的表現尤其可說明問題。胡書徵

---

❶ 《清史列傳・儒林傳》第 5602 頁，中華書局版。

引博贍，尤愛引異說以導出話題，對異說又喜追根溯源，因此具有宏博的特點。陳書風格則顯得省淨，徵引文獻方面，一般衹引述能證明《序》《傳》之說者，對異說不好引述，更不喜歡評判是非；又其引文也盡量從簡，有時甚至衹引書目不引內容。但是，陳奐於《周南・葛覃》之「黃鳥」一物的解釋，卻分別引述了《方言》、《爾雅》及《爾雅》郭注等，引文富贍，頗似胡氏文風。尤其是引述的目的是爲了追溯異說之源，更像胡氏作派：「黃鳥之爲倉庚，誤始於揚雄之《方言》，而實成其說於高誘之《呂覽注》。」並以《傳》是而《方言》誤斷其是非，也像胡氏慣常作法。釋義以講字義爲本，是陳氏《傳疏》的特色。胡氏解釋字詞喜歡聯繫經義，但《後箋》中也有類似於《傳疏》純粹釋字義的。如《關雎》之「逑」，胡氏云：「《傳》：『逑，匹也。』訓本《爾雅》。今《爾雅》作『仇，匹也』，郭注引《詩》『君子好逑』。孫炎注云：『相求之匹。』是李所見本作『逑』。《眾經音義》引李巡注云：『仇，讎怨之匹。』是李所見又作『仇』。可見《爾雅》古有兩本。『逑』『仇』異字，以『逑』爲『仇』之假借。如《左傳》『怨耦曰仇』，而《說文》『逑』下云『怨匹曰逑』，亦以『逑』爲『仇』之假借也。」下文引書證《傳》作「逑」而別有作「仇」之本。這段文字釋「逑」借義，兼引書證義與校勘內容，又一如陳氏《傳疏》慣常作法。蓋陳書當時雖然未成，但因兩人往復討論不絕，而且陳奐作義類工作早已開始，所以胡氏受其影響也是自然的。

《傳疏》與《後箋》由於時代和作者的原因，有不少共同之處。但是兩書各具之鮮明特色，也是有目共睹的。它們在內容體例、方式方法上都有異采，是不可相互替代的著作。本文即主要從《詩》訓角度探兩書之異同。

三、作者立場與作書宗旨

眾所周知，胡、陳二氏都站在古文經學家立場，維護《毛詩》說。並且與眞正的乾嘉時期的古文學家相比，二氏年代既稍晚，立場也都有些微妙變化。梁啓超敘宋至乾嘉學術變化時說：「自宋以後，程、朱等亦遍注諸經，而漢唐注疏廢。入清則節節復古，顧炎武、惠士奇輩專提倡注疏學，則復於六朝、唐。自閻若璩攻《僞古文尚書》，後證明作僞者出王肅，學者乃重提南北朝鄭、王公案，絀王申鄭，則復於東漢。乾嘉以來，家家許、鄭，人人賈、馬，東漢學爛然如日中天矣。

懸崖轉石，非達於地不止。則兩漢今古舊案，終必翻騰一度，勢則然矣。」❷今古文舊案翻起之前，胡、陳二氏之治經已有從尊東漢進至尊西漢的趨勢。胡氏云其《後箋》「從毛者十之八九，從鄭者十之一二。」因為「毛公秦人，去周甚近。其語言文字、名物古訓已有後漢人所不能盡通者」。❸而其傳《詩》又師承荀子，得古訓之眞，故《傳》《箋》之說相異時，常是《傳》是而《箋》非。陳氏亦云其《傳疏》「大抵用西漢前人之說，而與東漢人說《詩》者不能苟同也」。❹而《毛傳》在陳氏眼中至少是西漢初期之作。如陳氏在《爾雅・小旻》「或哲或謀」之《毛傳》「有明哲者，有聰謀者」下云：「『或』釋為『有』，古『或』『有』聲通也。《天保》『無不或爾承』《箋》：『或之言有也。』東漢人訓詁如此，若兩漢之初則直謂『或』為『有』矣。『或』為『有』，……此《傳》為全《詩》『或』字通訓也。」可見胡、陳二氏都因《毛傳》為西漢前說而尊崇之，視《鄭箋》為東漢之說而不苟同。因此《後箋》於《詩》墨守《毛傳》❺，已開棄鄭先河，《傳疏》則唯尊毛氏，置鄭不論了。

三家詩說亦來源甚古，如陳氏以為出七十子之後徒。所以胡、陳二氏對三家詩都不一概否認。胡氏時常引三家詩而以為正見；陳氏雖唯毛是從，但《傳疏》亦大量引用三家詩說。或作為兩可材料，或用以證發《毛詩》。而嘉、道時期出現的今文學家在《詩》說方面擁戴三家、貶斥《毛詩》，與胡、陳二氏的立場已然不同。

胡、陳於治《詩》諸家之中立場最為接近，但也有差異。他們都服膺《毛詩序》，對《序》祇有維護而絕無難辭，且亦尊崇《毛傳》而對《鄭箋》則多微辭。但胡氏對於《毛傳》尚有保留，對《鄭箋》及三家詩乃至宋人說異於《毛傳》者都間有吸納，陳氏則唯尊《毛傳》，對異於《毛傳》者幾乎一概排斥。

立場不完全吻合，作書宗旨也不盡相同。《後箋》撰著的目的有兩個。一是

---

❷ 梁啓超《清代學術概論》頁60、304，復旦大學出版社《論清學史二種》85年版。

❸ 胡承珙與胡培翬書、轉引自道光丁酉求是堂《毛詩後箋》前附胡培翬《胡君別傳》。

❹ 陳奐《詩毛氏傳疏・條例十凡》，湫芳齋1851年版。

❺ 胡承珙與魏源書，轉引自道光丁酉求是堂《毛詩後箋》前附胡培翬《胡君別傳》。

「發明《毛傳》」。發明者，表明也。包括準確闡釋《毛傳》原義，補充《毛傳》所未備。胡氏信崇陸機《毛詩草木鳥獸蟲魚疏》說法，以作《傳》者師承荀子，說《詩》可靠者多。但《傳》文有時隱略簡質，故需要再作解釋。而其語言文字、名物訓詁，東漢人已不能全解，更何況唐人、宋人。所以歷代釋《傳》者皆有誤解焉。如《箋》之於《傳》，有「申毛而不得毛義者，有崇於毛而不如毛義者」，「唐人作《疏》，每欠分曉」，誤會《傳》《箋》，同者或疏異，異者或云同。❻故而需要辨明《毛傳》本義。《毛傳》對《詩經》詞語未能全釋，其中有的需要補釋。二是探求正確的《詩》訓。胡氏重視《毛傳》，但並不認爲《毛傳》的解釋一定正確。他說「信《傳》不如信經」❼，因此以《詩經》而非《傳》爲文本，釋義則「揆之經文」❽，有不少糾《傳》之處。《後箋》常常將《毛傳》與異《傳》之說同時列出，交相比較以得出更恰當的釋義，也是由於同一原因。總之，胡氏作書宗旨一如《鄭箋》：「注《詩》宗毛爲主。其義若隱略，則更表明；如有不同，即下己意，便可識別也。」❾

陳氏《傳疏》大旨在於闡釋《毛傳》，爲《詩經》提供合乎《毛傳》的詳細注解。《傳疏》之〈敘〉云：「近代說《詩》兼習毛鄭，不分時代，不尚專修，不審鄭氏作《箋》之旨而又苦毛義之簡深，猝不得其涯際，漏辭偏解，迄無巨觀。」因此，「奐殫精竭慮，爲《傳》作疏」。❿胡培翬亦說云：「奐著書，唯毛之從。」⓫除此之外。陳奐著書似乎還有一個目的，即爲讀者提供一個完善的《毛詩》讀本。因此《傳疏》不僅對《毛詩》經文、序、傳都完整保留，而且對它們作了全面校勘，盡力恢復《毛詩》古貌。與之成對照，胡氏《後箋》採用條目式體例，「有新解方標專條，無者闕焉」。⓬同樣原因，《傳疏》還在掃清文字障礙方

❻ 參胡培翬《胡君別傳》，道光丁酉求是堂《毛詩後箋》前附。

❼ 《毛詩後箋·召南·小星》，道光丁酉求是堂本。

❽ 同註❺。

❾ 鄭玄《六藝論》，轉引自中華書局《十三經注疏》79年版，頁269。

❿ 陳奐《詩毛氏傳疏·毛詩說》，漱芳齋1851年版。

⓫ 同註❻。

⓬ 同註❷。

面下了很大功夫，《後箋》則更多地從事經義方面的探討。

四、對前人《詩》說的態度

清以前的《詩》說大致可分爲毛詩說、三家詩說和宋人說三種。胡、陳二氏對毛詩說固然尊崇，對三家詩說也不完全排斥，對宋人說則陳氏不取而胡氏有所取用。這是一般而言，實際上情況並非如此簡單。

毛詩說主要由《詩序》、《毛傳》構成。胡、陳二氏對《序》之詩解都是堅信不疑的。陳奐在〈敘〉中說：「孔子以《詩》授群弟子……子夏親受業於孔子之門，遂隱括詩人本志爲三百十一篇作序。」胡承珙也多次談及《毛詩序》的可靠：「(序) 曉然於作詩之意，非同後世憑臆測也。」（《大雅・鳧鷖》）「《序》所指者必皆有所依據。」（《陳風・衡門》）他們都認爲《序》作者知道或大體知道每首詩爲何而作，解詩能夠符合詩意又不違聖人之說，所以不可廢。但從字面上看，《詩經》有不少篇章與《序》說存在明顯差異。對此，胡、陳二氏有相同的解釋。胡氏在《小雅・桑扈》序下引范處義《詩補傳》云：「大抵序《詩》者主於發明詩人之意，有《序》所言而《詩》無之者。詩意未盡及也；有《詩》所言而《序》無之者，詩意自顯故也。」胡氏加案語道：「二條可作讀《詩序》者之總論。」又於《秦風・渭陽》篇云：「《序》每求作詩之意於言外。」反以此爲《毛序》之長。陳氏於《小雅・杕杜》篇亦云：「不泥於文辭，此毛氏獨勝於三家也。」在解釋《詩序》時，他們有時引述先秦兩漢的文獻材料爲《序》佐證，有時又採取彌合《詩》與《序》的方法爲《序》辯護。二氏書中都引有大量證《序》的文獻材料，諸如《尚書》、《管子》、《論語》、《國語》、《左傳》、《禮記》、《呂覽》、《史記》、《漢書》等等，甚至有時還引三家詩說。在這方面胡氏《後箋》有例，如《周南・卷耳》之《序》：「后妃之志也。」謂后妃有進賢之志。胡氏云：「晁說之謂《魯詩》以《卷耳》謂康王時詩，亦必當時有慕古而賦其詩者，如《關雎》作諷之類是也。」陳氏亦有例，如《周南・芣苢》之《序》：「后妃之美也。」陳奐引述了《列女傳》、《文選注》引《韓詩》說，云：「三家與毛異，然亦被文王后妃之化。」以明《序》說之不誣。彌合《詩》、《序》之法，陳氏很少使用，胡氏卻喜歡此道。陳氏即使彌合，也往在缺乏有說服力的論證。比如《鄭風・蘀兮》之《序》：「刺忽也。君弱臣強，不倡而和也。」「不倡而和」是不相倡和的意思，但詩文卻明云：「倡予和女」，對此，陳氏云：「詩二章皆言君臣倡和而刺在言外，故《昭十六年左傳》：鄭六卿餞宣子，子柳賦《蘀兮》也。」為什麼「刺在言外」，雖引《左傳》，但仍缺乏論說文字。對照胡氏就更清楚了。胡氏在此引《李黃集解》以為論證：「君倡臣和，理之常也。今也君弱臣強，專命自恣，不稟於君，不待君命而動，詩人所以刺之也。」胡、陳二氏對待《詩序》的差異也在這裡。陳氏對《詩序》盡管遵從，但若無根據，一般不強行論證《序》與《詩》一致，寧付闕如。這與他好為《毛傳》尋找釋義根據不同。因為，《序》衹釋經義，《毛傳》既釋經義也釋字義，而陳氏《傳疏》的特點是重視解釋字義，胡氏則重視經義，因此總是千方百計地彌縫《詩》《序》。有時《詩》《序》差異之大使人很難為之彌合，胡氏仍不放棄努力。如《召南・草蟲》之《序》：「大夫妻能以禮自防也。」而詩中所陳女子顯非已嫁身份。胡氏的彌合甚為可笑：「夫作《詩》在前，序《詩》在後。作《詩》者是言方嫁時在塗之情，而序《詩》者乃據其已嫁之後追而敘之，故云大夫妻爾。」眞是欲加之意，何患無辭。陳氏於此詩《序》下則未置一辭。又如《邶風・靜女》之《序》：「刺時也。衛君無道，夫人無能。」而此詩內容為青年男女約會之辭，意甚美好，看不出刺意。女主人公被稱為「靜女」，也是褒詞（《傳》：「靜，貞靜也。」）胡氏云：「《三百篇序》凡有美刺而指其人其事以實之者，當時必有依據，斷非鑿空臆造。獨於《靜女》《氓》……十三篇但言『刺時』者，蓋在采詩時，第得諸裏巷歌謠，已不能確指其為何人何事之作。故序《詩》者但以『刺時』一語括之，亦不敢憑虛撰造，蓋其愼也。然詩中大義，則經師授受相承，必有所自，故序者得以推演其說耳。此詩思靜女而《序》以為刺時者，猶《東門之池》亦曰『刺時』而詩有『彼美淑姬』也。」強為彌合，難服人心。陳氏於此詩《序》下亦不置一辭。陳氏對《序》的態度反映出漢學家求實的精神，胡氏的態度則似乎隱含了宋學的作風。

對於《毛傳》，胡、陳二氏都遵從，然亦有微異：「奐著書，惟毛之從，（胡）君尚有別擇。」陳奐的宗毛。除信仰原因外，大概與其書用「疏」體也有關係。檢其《傳疏》，似乎沒有違《傳》之處，相反，曲為《傳》說的例子很多。如《邶風・終風》「終風且暴」《傳》：「終日風為終風。」王引之《經義述聞》釋

「終」爲「既」，後文「且」爲「又」義。陳氏則準於《傳》訓，並引三家詩說爲《毛傳》佐證。云：「韓、毛義同。」而《韓詩》釋「終風」爲「西風」。陳氏爲此又引《爾雅》云：「《爾雅》：『西風謂之泰風』。『泰』當作『大』。」然大風與終日風義亦有別，如胡氏於此即云韓「與毛師承各異」。王引之之說，可以肯定，陳氏是知道的。因爲陳氏在京時與王念孫、王引之父子交往甚密，《經義述聞》、《經典釋詞》在《傳疏》中亦被引用達數十次。而此處以外，《詩經》其它地方的「終」字，陳氏都用王說，如《邶風・北門》之「終窶且貧」、《王風・葛藟》之「終遠兄弟」，《鄭風・揚之水》之「終鮮兄弟」，《小雅・正月》之「終其永懷」，……祇因這些「終」字，《毛傳》或云「既」，或無訓。陳氏云：「《傳》釋『既』字爲『盡』，又訓爲『終』，則全詩『終』字多有與『既』同義矣。」⓭可見其釋訓一準於《毛傳》。其實，陳奐也有不同意《毛傳》的時候，但他恪守「疏不駁注」的原則，不明說《傳》訓有誤，而用較曲折的方式表示。如有時借用校勘糾正《傳》說。《召南・江有汜》「江有渚」《傳》云：「渚，小洲也。」陳不以爲然，云：「《釋文》云：『本或無此注。』……『渚小洲也』四字當據之以刪。」有時借釋《傳》而糾之。如《邶風・谷風》「中心有違」《傳》：「違，離也。」陳奐云：「離，憂也。」其實對於「憂」義，《傳》往往直接以「憂」字表示。並且，此處陳氏也未提出「離」爲「憂」義的根據。而他是喜歡爲《傳》尋找根據的。有時看起來證同《傳》說，實則暗含不同意向。如《周南・葛覃》之「言」，《傳》：「我也。」陳奐云：「全《詩》『言』字有在句首者……有在句中者……皆不作『我』解。」此詩「訓『言』爲『我』者，當是相傳詁訓如此。」無疑是說訓「我」之理由不充分了。再看胡氏，因其對《傳》已明白申明不全從，又無體例之拘。所以《後箋》駁《傳》時，其語甚爲明確：「此則《箋》勝於《傳》也」（《鄘風・定之方中》）韓訓『控』爲『赴』，似較（《毛傳》）『引』義爲勝。（《鄘風・載馳》）後一例，陳氏釋《傳》義爲「陳告」，因爲《爾雅》云：「引，陳也。」但依陳奐《傳疏》體例，《爾雅》應有「控，陳也」之訓，才能作爲《毛傳》此處釋義的根據。因此以「控」爲「陳」，是陳奐的看

⓭ 陳奐《詩毛氏傳疏・大雅・既醉》，漱芳齋 1851 年版。

法，而非《毛傳》的意思。綜此，陳奐《傳疏》僅在形式上做到了「唯毛之從」，他與胡氏對於《毛傳》的崇信程度大概不相上下（胡氏是「惟揆之經文，（《傳》）實有難通者，乃捨之而求他證」）。⓮

胡、陳二人對毛詩說固然維護，對三家詩說也同樣不完全排斥。陳氏在《傳疏》的序文中曾說三家詩出於七十子之後學，其說與毛詩說的差異屬於大道之歧。又於《毛詩說・毛詩淵源通論》云《毛詩》、《魯詩》均出荀子，而「《韓詩》引荀卿子以說《詩》者四十有四，《齊詩》雖用讖緯而翼奉、匡衡其大指與《韓詩》同。」所以《傳疏》有時明確表示贊同三家詩說。如《邶風・柏舟》「茹」字，《傳》訓爲「度」（揣度），《韓詩》不同，陳奐云：「韓訓『茹』爲容納，與毛訓各通。」有時用三家證毛。如《周南・葛覃》之「濩」，《傳》云：「煮之也。」陳奐云：「《釋文》引《韓詩》：『濩，瀹也。』服虔《通俗文》云：『以湯煮物曰瀹。』」有時則調合三家詩與和《毛詩》。如《邶風・采蘩》「被之僮僮」、「被之祁祁」，《傳》：「僮僮，竦敬也。」「祁祁，舒遲也。」陳氏云：「古『僮』『童』通。《射義注》引《詩》『被之童童』。《廣雅》：『童童，盛也。』此三家詩義。『童童』爲首飾盛，『祁祁』亦當爲首飾盛。毛於『祁祁』探下文『薄言還歸』爲『舒遲』，『僮僮』探下文『夙夜在公』爲竦敬，則首飾之盛不待言矣。」有時用三家詩代替《毛詩》說作釋。如《周南・兔罝》一章下云：「《鄭箋》亦云……。此或出於三家詩義。毛詩簡略，義當然也。」胡氏因爲已有必要時可以放棄《傳》說而改求他證的前提，所以《後箋》不僅保留三家詩說，而且有直接以三家糾正《毛詩》者。如上段所舉《載馳》例。他與陳氏對待三家詩的態度，衹有表面的不同，而無實質性的區別。他們引用三家詩：差異在於，胡氏擇取他以爲符合《詩》意的的解釋，陳氏一般衹擇取能「申明毛氏」者。

宋人，如歐陽修、朱熹等，解《詩》不依傍《詩序》，故有與毛氏不合之處；而如呂祖謙等人則又信崇《詩序》。陳氏對宋人，則不分崇《序》非《序》者，概取棄置不問的態度。然而宋學精微，宋人說《詩》頗有既合文意又不違《序》《傳》之說，而兼具解決疑難問題者。陳氏有時竟很難做到不取其說。如

⓮ 同註❺。

《周南・漢廣》「不可休思」，「思」字原作「息」，陸德明《釋文》云：「息，如字，古本皆爾。或作『休思』，此以意改爾。」孔穎達亦衹云「疑經『休息』字作『休思』也。」朱熹《詩集傳》始據《韓詩外傳》徑改「息」爲「思」。陳氏亦改爲「思」。又如《召南・羔羊》「素絲五總」，李迂仲《毛詩集解》曰：「《爾雅》：『緎，羔裘之縫也。』五紽既爲縫，則五紽、五總亦爲縫。」陳奐則云：「《爾雅・釋訓》云：『緎，羔裘之縫也。』《傳》詁『緎』爲『縫』，正本《爾雅》作訓。五緎既爲縫，則五紽、五總亦爲縫也。」與李氏《集解》不僅內容相同，用詞相同，句法也一樣。又如《鄭風・大叔于田》：「襢裼暴虎，獻于公所。」詩中獻者與受者，《毛傳》未明言，致使眾說紛紜。而朱熹《詩集傳》以「公」指莊公，嚴粲《詩緝》則釋曰「言勇力之士暴虎以獻于公」。陳氏云：「公，謂莊公也。暴虎獻公，言叔之勇也。」很像是綜合了朱、嚴之說。又如《齊風・猗嗟》「美目揚兮」《傳》：「好目揚眉」陳氏引《後箋》云：「然則《毛傳》正以揚眉形目美，謂好目於揚眉見之，故美目謂之揚。『揚』屬目不屬眉。」實際上，「美目謂之揚」是宋人說。《後箋》此段話實是證宋人說，因其前還有「（朱熹）《集傳》以『揚』爲目之動，似不足以言美。惟嚴《緝》引錢氏曰：『揚，起也。言目俊。』范氏（處義）《補傳》引《禮記》曰：『揚其目而視之，謂其瞻視之明。』是也。」等語。又如《小雅・蓼蕭》「是以有譽處兮」。陳奐云：「《詩述聞》云：『（朱熹）《集傳》引蘇（轍）氏曰：「譽、豫通。凡《詩》之『譽』皆樂也。」蘇氏之說是也。』」此處借王引之語轉用宋人說。再如《唐風・鴇羽・序》之「五世」，《鄭箋》、《正義》均釋以昭公、孝侯、鄂侯、哀侯、小子侯。陳啓源《毛詩稽古編》謂朱熹提出應去掉昭公而在小子侯後加上晉侯緡。胡承珙則云：「以孝侯至緡爲五世，李氏《集解》、范氏《補傳》已云然。」不管怎樣，宋人始有「五世」指孝侯至緡之說是可以肯定的。陳奐也採用了宋人說，其於本詩《序》下云：「五世，謂孝侯、鄂侯、哀侯、小子侯、晉侯緡也。」

值得指出的是，儘管《傳疏》實際上並未廢宋人之說，但整部《傳疏》卻顯示出有意迴避宋人說的現象。這表現在，對宋人說《詩》著述不明引、對宋人說《詩》之非者不引述不辯論、對宋人說《詩》之是者也不明用。檢《傳疏》一書，明引宋人說《詩》著述的衹有幾處，涉及到的書目衹有歐陽修《詩本義》（如《傳疏》之《邶風・擊鼓》）、王應麟《詩考》（如《邶風・凱風》）。而且引述的目的僅是爲了轉引如王肅、三家詩等佚文。即便如此，陳氏也在盡量避免明引宋人說《詩》書目。如《小雅・采芑》之《傳》：「言其強美斯劣矣。」陳奐：「『美』字，今《正義》誤作『矣』，《後箋》依李迂仲《集解》訂。」又如《小雅・白駒》之《傳》「爾公爾侯」，陳氏云：「《小箋》云依《正義》當『爾公』，下增一『邪』字。胡承珙《後箋》云：『李氏《集解》引《毛傳》正作『爾公邪、爾侯邪』，與段說合。』」這兩處實無必要轉引。陳氏對宋人說盡量迴避的態度，表現出他嚴謹門戶的意願。

胡氏對宋人說則比較寬容。其書大量徵引宋人說，明云采宋人說者也爲數不少，都是顯而易見的事實，此不贅述。

胡、陳二氏對待異說的不同態度，表明陳氏囿於疏體，衹能嚴守家法，胡氏則沒有嚴格的疆域之分。

五、簡釋範圍

胡氏書取名《毛詩後箋》，「後箋」者，欲以區別於鄭氏《箋》也。陳氏書取名《詩毛氏傳疏》。「傳疏」者，欲越過《鄭箋》直接注釋《毛傳》也。因爲胡、陳二氏均不滿意於《鄭箋》，而欲以己書取代之。

與《鄭箋》相比，《後箋》《傳疏》的篇幅大大增加，內容也大爲擴充，差異明顯。僅就箋釋對象方面看，二者的差異也是十分明顯的：《鄭箋》多釋句意、文意，胡、陳多釋字義詞義及名物制度。也可以說，胡、陳二氏的箋釋較《鄭箋》更爲深入細緻。

就《後箋》與《傳疏》之間看，它們《詩》訓的內容範圍也有偏差。胡氏《後箋》採用條目式體例，有新解才設目，偏重於論是非、釋疑難，因而對於《毛詩》經傳的解釋多有闕漏。陳氏作《傳疏》正是看到《後箋》不爲經傳作統釋的特點，而有意使己著成爲一部釋解完書。《傳疏》總是按照《詩經》傳文文字順序，爲之統釋，故無遺漏。對《毛傳》未曾注解的《詩經》詞語，遇必要處，陳氏也予以解釋。而且陳氏還特別喜歡爲《毛傳》釋義尋找根據。如《關雎》之「流」，

《毛傳》：「求也。」陳奐以「流、求同部」作爲《毛傳》根據。總之，陳奐對《毛詩》的解釋既完備又深入，故而學界公認《傳疏》爲集《毛詩》研究之大成的著作。但胡氏《後箋》在箋釋範圍方面也有超出於《傳疏》的地方。因爲《後箋》的箋釋對象，除《毛詩》經傳外，還有《鄭箋》、三家詩乃至宋人說。如《鄘風·定之方中》之「定」，《傳》云：「定，營室也。」《鄭箋》云：「定昏中而正……」與《傳》不同。胡氏爲《箋》釋解曰：「『定昏中而正』謂小雪時。」「鄭以定星昏中，小雪之時。……《考工記·匠人》有『夜考之極星』之語，《晏子春秋·雜篇》亦有『古之立國者南望南門，北戴極星』之語，是古人本有視星以正方位者……」云云。又如《鄘風·載馳》之「控」，《韓詩》訓爲「赴」胡氏則以《左傳》、《莊子》及《莊子》司馬彪注等爲之證說。再如《小雅·杕杜》「言采其芑」，朱熹《詩集傳》云：「春暮，杞可食。」胡氏以「杞之可食者惟枸杞」釋之。此外，胡氏有時對後人因釋《詩》而帶出的枝節問題也大加闡釋。如〈關雎〉之「君子」，朱熹以爲文王，後人因此引出許多話題，諸如文王的年齡、文王生子的年歲，其妻大姒是否後娶等等。胡氏一一加以辨析。陳氏《傳疏》則不以類似枝蔓問題爲釋解對象。總之，陳氏《傳疏》的箋釋範圍一般衹限於《毛詩》經傳本身，而胡氏《後箋》則以經傳爲基點而放眼於《詩經》學史上各家具代表性的說法。

即使同一箋釋對象，胡氏與陳氏所著眼的地方也有不同。相對而言，胡氏更多地從經義方面考慮對象的含義，而陳奐則重視從語言文字角度對其進行箋釋。如《周南·關雎》之「淑女」，胡氏花費了很多箋釋筆墨，內容卻是探討「淑女」是否指大姒。陳氏則是從語言層面解釋的：「淑，善，《釋詁》文。〈君子偕老〉、〈韓奕〉同。《說文》：『俶，善也。』《聘禮》：『俶獻。』古文『俶』作『淑』。古『淑』『俶』聲通。」「《公羊傳》云：『女在其國稱女。』」

六、訓詁特色

胡、陳二氏著書之時，傳統訓詁理論及方法已臻完善。訓詁學家「都能以『就古音以求古義，不限形體』（古韻、文字）作訓詁的機樞；以『比例而知，觸類長之』（歸納、比較、演繹）作訓詁的方法；以『搜考異文、廣覽箋注』、『古人行文之法、立言之則』（輯佚、校勘、古訓、文法、修辭）作古訓的輔佐；每立一訓，必『以精義古音，貫串證發』，『一字之義，當貫群經、本六書，然後爲定』⓯」胡、陳兩人也不例外。因此他們在訓詁方面有很多共同之處，比如都重視古注，都長於利用西漢舊籍，也都善於結合《詩經》義例進行解說，並且都廣納同代學者訓詁成就。但二氏訓詁又各呈鮮明的個性色彩。總起來說，有如下幾點：

第一，胡氏喜聯繫經義說字，陳氏喜先說字義再論經義。二氏《詩》解本來同屬說經之訓詁，對於字義詞義的解釋最終要符合經意。兩人也正是向這方面努力的。但是步驟不同：胡氏《後箋》往往在解字的同時已經聯繫經意，給人的印象是用經意來確定字義。陳氏則明顯貫徹了戴氏提倡的訓詁原則：從字義溯及經義。而且陳氏對此有非常自覺的意識。這表現在他釋訓的體例比較固定：若經用字的本義，則先釋該字的本義，並援《爾雅》《說文》等辭書字典爲證；若經用字的引申義，則解釋該引申義如何由本義發展而出；若經用字的假借義，則解釋該借義的由來，並常常指出本字。還表現在他常常提示讀者《傳》「釋經義」或「釋字義」。如〈關雎〉一章即指出：「《傳》既釋字之訓，又釋經之義，全《詩》傳例如此。」又如《鄭風·女曰雞鳴》「宜言飲酒」《傳》：「宜，肴也。」陳氏云《傳》「釋經義，非釋字義也。」常常是字的本義弄清楚之後，《傳疏》才解釋經義。

胡氏的釋訓方式，其長處是有時可致釋義精確妥貼。比如《召南·行露》「豈不夙夜，謂行多露」《傳》：「豈不，言有時也。」《箋》云：「我豈不知當早夜成昏禮與？謂道中之露太多，故不行耳。」胡氏認爲《箋》說不合經意，批駁道：「然女方被訟不從，而乃先云豈不欲之，作此婉詞不合語意。」因此，「豈不……謂」的意思當是：難道本來就不（早晚而行），還會認爲（被露水沾濡嗎）。這是據《序》「強暴之男不能侵陵貞女」而釋詩中詞語，既扣住了詞語意義，又能恰切反映作品意義。但這種方式有時又導致胡氏忽視語言文字層面的解釋。比如前文所舉〈關雎〉之「淑女」。胡氏因《序》有「后妃之德」一語，而把注意力放在「淑女」是特指還是泛指的問題上，未能從語言文字角度進行箋釋。陳

⓯ 齊佩瑢《訓詁學概論》頁259，中華書局84年版。

氏採取的步驟，其長處是以字義推進到經義，令人信服。如《小雅・甫田》「禾易長畝」《傳》：「易，治也。」陳奐云：「『易』，有蕩平之義，故《傳》詁『易』爲治。治者，謂除草雝本也。」將字義與經義統一起來。但陳氏的方式也有侷限。因爲有時字義與經義相距甚遠，從字義很難推進到經義，兩者之間於是出現斷痕。比如〈關雎〉「窈窕淑女，君子好仇」，陳奐解釋字義後，又云：「《大明・傳》『文字厥祥，言大姒之有文德也』，即此云『窈窕淑女』也；『親迎于渭，言賢聖之相配也』，即此云『君子好仇』也。」但「淑女」，按前面陳奐的解釋祇是好姑娘的意思，何以即指大姒；「君子」，陳奐未釋字義，祇釋「好逑」爲「好匹」，這裡又何以會生出「賢聖之相配」的意思，均欠說明。這大概是《詩經》文字有時難以表現儒家的教化觀念而給治學嚴謹的釋義者造成的尷尬。

不管胡、陳二氏採取的訓詁步驟如何，他們都將《詩》看作儒家經典，因而用儒家教化觀點看待和解釋《詩經》。這本來無可厚非。正如胡承珙所說：「《詩》如史之文與事，而《序》則聖人之所取義。」（《鄘風・鶉之奔奔》）一般讀者也可各得其義：「讀《詩》者原有引申觸類之法。故揚雄《法言》引之以說修身，李和伯於此悟進學，未爲不可。」（《齊風・甫田》）就是說，解《詩》者之意與作《詩》者之意可以不同。從這個角度看，胡氏的以經意帶動字義的解釋也就無可厚非。杜維明先生曾說過：「純熟地運用語言文字固然是研究儒家的必要條件，過分地信賴語言文字的原始意義卻變成了多餘的限制。」[16]問題是，胡氏是以解《詩》本意爲自己責任的，又堅信《序》作者知道作《詩》之本意，因而解釋一本《序》說，難免偏執。一旦《序》說有誤，胡氏的釋義就可能出現偏差。這樣看來，陳氏的從字詞入手，暫不聯繫經意，至少在字詞解釋方面比較可靠。

第二，胡氏長於辨析，陳氏長於音訓。胡氏喜歡辨析的特點反映在兩個方面。一是他常常採用排比諸說，進而辨析其異同得失的方法來探尋正確的釋義。如《秦風・權與》「于我乎夏屋」《傳》：「夏，大也」不釋「屋」。《鄭箋》以「夏屋」爲「大具」。胡氏對此又引述了王肅語、楊愼《丹鉛錄》、惠棟《詩說》、戴震《毛鄭詩考證》、何楷《詩經世本古義》等。復加辨析云：「毛於

[16] 杜維明《一陽來復》頁418，上海文藝出版社1997年版。

『屋』字無傳，自以『屋』字爲常語。不煩故訓。王肅所述當得毛旨。惟《鄭箋》『大具』之訓似於經文更合。蓋『大具』對下章『每食四簋』言之。彼謂常日授粲，此謂有時盛設。故上章繼之以『無餘』，下章繼之以『不飽』，謂待賢之意寖薄，雖禮食不足爲大烹，至常食則可以飽矣。夏，大；屋，具，既有《爾雅》正訓，不必援房俎、大房（楊愼引），以爲證也。」陳氏在此處祇圍繞《傳》文「夏，大」作文章，爲《傳》尋找釋義根據，對「夏屋」則以「大屋」二字了之。不引異說，自然可以不用辨析。二是胡氏對經文詞義也常常辨析，以使釋義更加準確。如《周南・葛覃》「葛之覃兮」《傳》：「覃，延也。」胡氏引《生民》「實覃實吁」《傳》：「覃，長也。」之後作了如下辨析：「此葛覃之覃，毛又訓爲『延』者，當從延長之義謂葛引蔓延長，非延易之延。下『施於中谷』，《傳》云：『施，移也。』乃延易之義。《大雅》『施於孫子』，《箋》云：『施猶易也，延也。』《爾雅》：『馳，易也。』郭注：『相延易。』《廣雅》：『施，敡也。』施與馳同。敡與易同。雖引蔓之長至於延易，義本相成，然《詩》以『覃』與『施』相承言之，文義自當有別。」對比一下陳氏的文字：「延、長義相近。」更能說明問題，胡氏長於辨析的特點，使《後箋》釋義精微，並能於尋常處發現問題。比如《詩經》有些詞語看似簡單平常，前人亦未曾留意，胡氏卻能於此發現問題。如《小雅・南有嘉魚》「嘉賓式燕又思」之「又」，《毛傳》不釋，《鄭箋》云：「又，復也。以其壹意，欲復與燕，加厚之。」「又」之爲「復」，字之常義，而胡氏卻認爲不這麼簡單。因爲「宥」「有」「又」「侑」四字在先秦古籍中經常通用。以《詩經》而言，《賓之初筵》之「室人入又」、「三爵不識，矧敢多又」，「又」皆爲「侑」之假借，即勸勵之意。此處「又」亦如是。此解於經文頗順，且有周禮之根據，使詩更富於蘊意。但《後箋》的訓釋仍未停止：「上章『嘉賓式燕綏之』，《箋》云：『綏，安也。』引《燕禮》曰：『以我安。』考《燕禮》又云：『公以賓及卿大夫皆坐乃安，羞庶羞。』『司正升受命，皆命，君曰：無不醉。』然則此云『又』，其即所謂『無不醉』歟？」

陳氏一般不引異說，即使偶有引述也祇是簡單指出其不同於《毛傳》，而不辨是非，少了很多辨析文字。對於經文詞義，因爲一準於《毛傳》，所以也少用辨析方法。

陳氏的主要目的在於釋《傳》。但因《傳》文簡質，缺乏論證，所以陳氏把許多功夫用在了爲《傳》文提供釋義根據方面。這一方面，又常常借用音訓方式完成。如〈關雎〉一首，陳奐就參照《毛傳》釋義而有「流、求同部」；「關，古讀如管」而「與『和』雙聲得義」；「淑、俶聲通」；「寤猶晤」；「寐，猶昧」；「服、思疊韻」；「芼者，覒之假借字」等音訓文字，胡氏於此詩文祇有「『逑』爲『仇』之假借」一語相關音訓。音訓，對於《詩經》這樣一部假借字、古字都比較多的古籍而言，是非常有用的手段。如「流」之於「求」、「芼」之於「覒」，字義相差很遠，不用音訓很難解釋清楚。

與音訓相關，陳氏釋《詩》還喜歡尋找正字或異體字。如〈關雎〉第二章，陳氏就爲「參」找到異字「槮」，「荇」找到異字「莕」和「洐」，「流」找到本字「求」，「寤」找到「晤」，「寐」找到「昧」，「輾」找到「展」。反映出陳氏在小學方面的根基。

但在《傳疏》中，音訓用得過多，也是不爭的事實。例如有的地方可以不用音訓，陳氏亦用之。如《鄭風・遵大路》「遵」字，《傳》：「遵，循也。」陳奐云：「遵、循聲近故同訓。」其實按照《說文》的解釋，這兩個字的本義原來就一致：「遵，循也。」「循，行順也。」《傳疏》素以《說文》爲權威而常常引用，此處卻不徵引。有的地方使用音訓十分牽強，而陳氏亦勉強運用。如《周南・麟之趾》「麟之定」《傳》：「定，題也。」「麟之角」《傳》：「麟角所以表其德也。」陳氏以定、角均表德而釋云：「角、德雙聲，定、德亦雙聲。」又如《唐風・有杕》「生于道周」《傳》：「周，曲也。」陳氏云：「『周』讀如漢盩厔縣之『厔』，與『曲』同聲，義通。」頗爲迂曲。胡氏釋訓善作長篇論證，而此處較陳氏簡明：「毛則取周旋之義，故云『周，曲也。』」

第三，胡氏善於查考西漢前舊籍以爲釋義的根據，陳氏則善於運用內、外證相結合的方法論證《傳》說。引用文獻材料以爲箋釋求取充足可靠的依據，是胡氏《後箋》的又一特點。胡培翬在《胡君別傳》中指出「能於西漢以前古書中反覆尋考，貫通詩義」，以得出恰當的結論，是「（胡）君所獨得者」。姑舉一例證之。《秦風・駟驖》「公曰左之」，《鄭箋》云：「左之者，從禽之左射之也。」爲何一定要「左射之」，以及如何才能從左射，鄭氏皆未明言。沈清崖《毛詩明辨錄》

解釋道：「夫周人尙右，何以射獸必左乃爲中殺？蓋射必有傷，以實鼎俎，近於不虔；殺其左而右體俱整，仍是尙右之意。古之逐獸，射於車上，與今騎射不同。騎射奔馬，可以逐獸，故有順驅而殺者。車上射獸，亦必有步騎合圍，驅獸逆來，然後左向射之，能以中左。若車順驅，雖在獸左，人不能射其左也。公之有命、使御左車者，非爲中殺，以獸逆車而來，必在車左，而去車遠者，矢不能貫獸，故命媚子微左以迎獸耳。」此番說解細緻，也很有道理，但缺乏論據。胡氏爲之引用《公羊傳》、《儀禮》、《禮記》等書，補充了證據，故其論說很具說服力。

陳氏也好徵引。如他釋《毛傳》，若有可能，總是爲《毛傳》提供《爾雅》、《說文》的解釋以資佐證。而且爲了提高釋訓的準確性和可靠性，他還盡量提供《詩經》有關內容以爲內證。如《關雎》「淑」，陳云：「淑，善，《釋詁》文。」這是說《毛傳》訓釋之由來。又云：「〈君子偕老〉、〈韓奕〉同。」這是說〈君子偕老〉、〈韓奕〉之「淑」也訓「善」，提供內證。下面又云：「《說文》：『淑，善也。』《聘禮》：『俶獻』。古文『俶』作『淑』。古『淑』、『俶』聲通。」這是以《說文》證《毛傳》。又如「逑」（仇）字字義，陳氏亦引《爾雅》以爲《傳》訓之據，且云「《秦・無衣》、〈賓之初筵〉、〈皇矣〉，《傳》並訓『仇』爲『匹』」，以爲內證。胡氏《後箋》也運用了這種方法，但不像陳氏書中那樣廣泛。如胡氏此處於「淑」字無釋，於「逑」字，則引《爾雅》、《爾雅》郭璞注、孫炎注、李巡注、《左傳》、《說文》、《釋文》、《經義雜記》、《禮記》、《禮記》鄭玄注、《陸堂詩學》等爲證，而獨獨不引《詩經》內證。

與內外證相結合的方法有關，陳氏《傳疏》還顯示出善於揭示《毛詩》義例的特點。如《周南・麟之趾》，陳氏於二章末云：「全詩嘆詞有此二義。」又如《召南・采蘩》「夙夜在公」，陳依《傳》釋「夙夜」爲「早夜」，云：「全《詩》中若〈行露〉、〈小星〉、〈雞鳴〉、〈陟岵〉、〈雨無正〉、〈烝民〉、〈韓奕〉、〈昊天有成命〉、〈我將〉、〈振鷺〉、〈閔予小子〉、〈有駜〉概如此。」又如《邶風・終風》，陳氏云：「『莫』訓『無』，又訓『不』，……凡全《詩》『莫』字有此二義。」由於陳氏初「治《詩》，特編爲義類」，此項工作爲陳奐《傳疏》揭示《毛詩》義例打下了基礎，因之《詩》例揭示成爲《傳疏》的一大特色。

第四，徵引文獻各具特色。二氏都喜歡徵引古人、時賢，但陳氏在這方面選擇較嚴：一般衹引述唐以前舊籍及「近人」說。筆者曾作粗略統計，陳氏於先秦文獻除「十三經」外，還有子書、史書、以及集部的《楚辭》，共三十部左右，引漢籍四十部左右，魏晉六朝與唐代各二十多部，宋代十幾部，明代大概不到十部，清代又陡然多了起來，達六七十部。陳氏於舊籍多引與經學、小學或史學有關的內容；於近人則偏重於其研經新成果，尤以引段玉裁、王氏父子及胡承珙說為多。陳氏引文比較簡潔，一般引結論性文字，闡述性文字引述較少，有時甚至衹引書目。

胡氏徵引比之陳氏要豐富得多，數量倍於陳氏，而且從先秦至胡同時之人，無論哪一時代的著述都廣泛徵引，其中容有各種異說。引述文字也比較多，不僅引觀點，還時常含有闡述文字。另外陳氏引文的目的在於證明己說，所以一般衹取和自己觀點一致的材料。胡氏引文在於探尋恰當的意見，所以往往排比多種說法，羅列許多文獻材料以便比較辨析。

總起來看，胡書風格宏博，釋義精微，陳書風格省淨，釋《詩》完備。兩書內容各有側重，胡氏重在「說詩」，頗多新解，陳氏重在求毛詩文本眞實、完備和易讀，掃除不少文字障礙；而兩書觀點互有異同，恰可互為補充。又，胡書釋詞多聯繫經義，力圖使經意在字義解釋中就得到體現，為訓詁實踐作了一個方面的可貴嘗試。陳書力圖為《毛傳》所有釋義尋求根據，尤其是尋求文字音韻方面的根據，不僅有功於毛氏，亦特別有益於後學。

大特色。

[illegible]

[illegible]

[illegible]

經　學　研　究　論　叢
第　八　輯　　頁193～202
臺灣學生書局　2000年3月

《詩三家義集疏》點校獻疑

滕志賢*

齊魯韓三家《詩》曾立爲官學，大行於漢代。後因《毛詩》崛起，三家《詩》逐漸衰微，終致亡佚。三家與毛，雖師承不同，溯其源，蓋同出孔門。四家異說，各有短長，研《詩》者必須互相參酌。三家《詩》的輯佚整理工作始於宋代王應麟，清末王先謙撰《詩三家義集疏》二十八卷，堪稱集大成之作。此書「體例博洽嚴謹，用心精密，使三家《詩》說之輯集達到完備程度。今人欲通三家《詩》說，即可以《集疏》爲主要讀本，一編在手，庶免翻檢尋覓之勞。」（《點校說明》）然書成之後，唯有 1915 年虛受堂家刻本行世，極不易得。北京中華書局於 1987 年出版吳格先生點校本，實爲嘉惠士林之善舉。筆者近年習《詩》，時時翻檢此書，獲益良多。但也發現有些點校或可商榷，茲先將上冊誤例整理出來，依造成錯誤之原因分類列舉（例句後括號內注明該書頁碼），向吳先生及方家求教。

一、因不明名物制度致誤

1.《傳》：「兔，罝兔罟也。」(44)

按：罝即兔網，《爾雅・釋器》云「兔罟謂之罝」是也。「罝兔罟」不詞，故此句當改作「兔罝，兔罟也。」

2.故《左・定・九年傳》王猛曰：「吾從子，如驂之靳其環。」又謂之「游環」者……(442)

*　滕志賢，南京大學中文系教授。

按：《說文・革部》曰：「靳，當膺也。」靳是驂馬當胸的套索，用以曳車。故「靳其環」語不可通。《左傳》原文爲「吾從子，如驂之有靳。」此處「其環」二字非《左傳》所有，尙屬下。「其環又謂之『游環』者」云云，自係胡承珙《毛詩後箋》語，以釋上文「其上有環」也。

3.《傳》：「俴淺，收軫也。」(440)

按：《傳》非以「收軫」釋「俴淺」也。「俴，淺」之訓本於《爾雅・釋言》。孔疏曰：「『收，珍』者，相傳爲然，無正訓也。」陳奐《詩毛氏傳疏》曰：「車廣六尺六寸，輿深四尺四寸，其四面束輿之木謂之軫，《詩》謂之『收』。」故此《毛傳》標點應爲：「俴，淺；收，軫也。」

4.古者冠繫皆以二組，繫於冠，卷結頷下，謂之纓。纓用二組，則緌亦雙垂也。此即婚姻禮物取義，兩雙不容雜廁者，顯以示人，自含深意。(385)

按：冠卷，又稱武，即冠之邊緣。《禮記・玉藻》「縞冠玄武，子姓之冠也」鄭玄注：「武，冠卷也。」原標點讀破。又，「此即婚姻禮物取義」、「兩雙不容雜廁者」二句不知所云。此處標點兩誤，宜改爲：「古者冠繫皆以二組，繫放冠卷，結頷下，謂之纓。纓用二組，則緌亦雙垂也。此即婚姻禮物，取義兩雙、不容雜廁者。顯以示人，自含深意。」

5.蓋靷從輿下而出於軓前，以繫於衡，其革不能如此之長，必須爲環以接續之，故曰鋈續其後，則繫於車軸，故《說文》以「靷」爲「引軸」。(442)

按：本詩首章「陰靷鋈續」，《鄭箋》曰：「鋈續，白金飾續靷之環。」「鋈續」是金屬扣環，用以連接靷繩，故「鋈續其後」不詞。此處當改作：「……故曰鋈續，其後則繫於車軸……」。

6.箋：「鋈以觼軜軜之，觼以白金爲飾也，軜繫於軾前。」(444)

按：《說文》：「觼，環之有舌者。」通作鈌。此爲固定在軾前、用於繫轡的部件。軜是驂馬的內轡。「鋈以觼軜軜之」，不詞。此處當作：「鋈以觼軜，軜之觼以白金爲飾也……」。

7.《既夕記》注：「柲，弓檠弛則縛於弓里備損傷，以竹爲之。」(447)

按：《士喪禮》鄭注曰：「弓檠曰柲。」「弓檠」既是「柲」的別稱，此處標點當作：「柲，弓檠，弛則縛於弓里，備損傷，以竹爲之。」

8.《傳》：「子車氏，奄息名。」（454）

按：當作：「子車，氏；奄息，名。」

9.《箋》：「澤，褻衣近污垢。」（457）

按：孔疏引《論語》注云：「褻衣，袍襗也。」襗即「澤」之本字。褻衣貼身，故云「近污垢」。此處當作：「澤，褻衣，近污垢。」

10.《士冠禮》注：「絇之言拘，以爲行戒狀，如刀衣鼻在屨頭。」（546）

按：「絇」是古代鞋頭上的飾物。《儀禮·士喪禮》鄭玄注：「絇，屨飾，如刀衣鼻，在屨頭上，以餘組連之，止足坼也。」與《士冠禮》注相似。絇既爲物名，「以爲行戒狀」則語不可通。此處標點宜改爲：「絇之言拘，以爲行戒，狀如刀衣鼻，在屨頭。」所謂「行戒」者，即「止足坼」也。

二、因專名與普通語詞混淆致誤

1.《毛序》：「……皆信厚如麟趾之時也。」（61）

按：「如麟趾之時」語不可通，應作「如《麟趾》之時」。《麟趾》，《麟之趾》之簡稱，「《麟趾》之時」，蓋指文王之時也。

2.「敻曹大家注，遠貌也。」（154）

按：「敻曹大家注」語不可通。《廣雅·釋詁》：「敻，遠也。」曹大家爲注家姓名。故此句宜改作「敻，曹大家注，遠貌也。」

3.詩以《雄雉》奮迅往飛，興君子勇於赴義……（160）

按：《雄雉》詩何以「奮迅往飛」？此係顯誤。當去書名號。

三、因不明古書訓釋體例致誤

1.《說文》：「孔，通也。從乙，從子。乙，請子之候鳥也。乙至而得子。嘉，美之也。古人名嘉字子孔。」（61）

按：在此「嘉」字之前《說文》解釋語並未出現「嘉」字，故許氏無由對「嘉」字訓詁。「嘉美」當連讀，言「孔」字從乙從子，故有嘉美之意，並以「古人名嘉字子孔」爲其證也。

2.《傳》：「何，此君子也。斯，此。」（99）

按：陳奐《詩毛氏傳疏》曰：「《傳》云『何此君子』，以釋經『何斯』之『斯』。『斯，比』，《釋詁》文，釋經『違斯』之『斯』。」因經文「何斯違斯」句中有二「斯」字，毛氏遂以「何此君子」釋「何斯」，兼釋上「斯」字。陳說甚是，故「何此君子也」應作一句讀。

3.故許但於「㲽」字下句云「讀若《摽有梅》，以寓正字之意。（101）

按：《說文》「讀若」絕無以篇名注音之例。許氏之意乃「㲽」字讀若詩句「摽有梅」之「摽」，故原標點宜刪書名號。

4.魯說曰：謔，戲謔也。浪，意萌也。笑，心樂也。敖，意舒也。謔，笑之貌也。（147）

按：魯說釋詩正文「謔浪笑敖」四字，不當於「敖」後復出「謔」字重複解釋。王先謙曰「『謔笑之貌也』，總釋『謔浪笑敖』四字」（見下文）極是。惜148頁「謔笑之貌也」仍誤逗。

5.《廣雅・釋詁》：「怨，愇恨也。」（172）

按：「愇恨」不當連讀。韓說曰：「違，很也。」（見《集疏》本章【注】）。違通愇，很即恨也。《廣雅・釋詁》以句末單字「恨」作解釋詞，用以解釋「怨，愇」，非以「愇恨」釋「怨」也，此亦《廣雅》之通例。

6.《說文》：「逮，唐逮及也。」（130）

按：《說文》「逮」字段玉裁注曰：「唐逮雙聲，蓋古語也。」故於「唐逮」下施一「逗」字以斷句。若以「唐逮及」連讀，則不詞。

7.嚴粲云「……詩上言虎韔，下言交韔，二弓不應中及馬帶，《傳》說非也。……」（446）

按：此處當作：「詩上言虎韔，下言交韔二弓，不應中及馬帶，……」。「上言虎韔，下言交韔二弓」蓋指經文「虎韔鏤膺，交韔二弓」二句。《毛傳》釋「膺」爲「馬帶」，且在「虎韔」與「交韔二弓」中間，故嚴云「不應中及馬帶」。

8.《傳》：「稂，童梁。非溉草得水而病也。」（504）

按：孔疏曰：「此稂是禾之秀而不實者，故非灌溉之草，得水而病。」據此，《傳》以「非溉草」三字訓釋「稂」字，當上屬。此處應改爲：「稂，童梁。非溉草，得水而病也。」

9.《箋》：「……穹窒，鼠穴也。」（535）

按：「穹窒」爲偏正結構動詞性詞組。穹通窮；窒，塞也。故王先謙疏云：「酒掃室中，又窮塞室中之孔穴，以待我征夫之至。」《箋》以「穹窒鼠穴」四字釋經「穹窒」二字，標點者不明《箋》例，竟以爲「鼠穴」是「穹窒」的解釋語，大誤。

四、因未參透前後文義致誤

1.《毛序》：「后妃在父母家，則志在於女功之事，躬儉節用，服浣濯之衣。尊敬師傅，則可以歸安父母，化天下以婦道也。」（16）

按：后妃「可以歸安父母」云云，承上志於女功、節用、尊師三事而言，非獨承尊敬師傅。故此《序》宜改爲：「后妃在父母家，則志在於女功之事；躬儉節用，服浣濯之衣；尊敬師傅；則可以歸安父母，化天下以婦道也。」

2.《毛序》：「后妃子孫眾多也。言若螽斯不妒忌，則子孫眾多也。」（35）

按：「螽斯不妒忌」，文理不通。「螽斯」多子，詩喻「后妃子孫眾多」。故此處標點宜改作：「后妃子孫眾多也。言若螽斯。不妒忌，則子孫眾多也。」

3.韓說曰：言魴魚勞則尾赤，君子勞苦則顏色變。以王室政教如烈火矣，猶觸冒而仕者……（60）

按：「以王室政教如烈火矣」，解釋「君子勞苦則顏色變」的原因，故此句當屬上，不當屬下。此韓說標點宜改爲：「言魴魚勞則尾赤，君子勞苦則顏色變，以王室政教如烈火矣。猶觸冒而仕者……」

4.《螽斯》之美，乃后妃不妒善教所成……（61）

按：此處當作：「……乃后妃不妒善，教所成……」否則文義不明。

5.《左傳》所謂「蘊草」，陸所稱「聚藻」也。二種人並不食，古今之異。（79）

按：「二種人並不食」之「二種人」上無所承，疑此標點有誤。此王先謙先引《齊民要術》，謂藻生水底，有二種，古皆可食；後又自加按語，謂此二種藻，今亦有之，然並不食。「二種」應指藻，不指人，故此處標點宜作：「二種，人並不食，古今之異。」

6.《箋》：「何乎此君子適居此，復去此轉行，遠從事於王所命之方，無敢或閑暇時？」(99)

按：「復去此轉行」，語不可通。孔疏云：「……今乃復去，離此轉向餘國。」故此處標點宜作：「……復去此，轉行遠從事於王所命之方……」。

7.《箋》：「……襄公素與淫通。及嫁公，謫之。……」(383)

按：此《箋》蓋本於《左傳・桓公十八年》曰：「公會齊侯於濼；遂及文姜如齊。齊侯通焉。公謫之。以告。」故此處標「公」字宜屬下，作「及嫁，公謫之」。

8.《說苑・修文篇》：「親迎之禮，諸侯以屨二兩加琮，曰某國寡小君使寡人奉不珍之琮、不珍之屨，禮夫人貞女。」(384)

按：「某國寡小」下當施逗號，否則文義不明。

9.愚案：毛訓「值」爲「持」，係手執之依。《說文》「措置」義，係供張之，皆就舞者言……(463)

按：「係手執之依」不詞。「依」字當屬下。此處宜改爲：「愚案：毛訓『值』爲『持』，係手執之。依《說文》『措置』義，係供張之，皆就舞者言……」。

10.秦自襄公以來受平王之命，以伐戎所興之師，皆爲王往也，故曰「王於興師」。(457)

按：《集疏》此釋經「王於興師」句，「所興之師」屬於「秦」而不當屬於「戎」。故此處標點當作：「秦自襄公以來受平王之命以伐戎，所興之師，皆爲王往也，故曰『王於興師』。」

11.《論語・子罕篇》：「子曰：麻冕禮也。」(496)

按：「麻冕禮」三字連讀不詞。孔子以爲用麻做冕，合乎傳統之禮。故「麻冕」下當施逗號。

12.魯說曰：……周公乃奉成王之命興師東伐，遂誅管叔，殺武庚，放蔡叔，寧淮夷，東土二年而畢定。(526)

按：《史記·周本記》記此事曰：「初，管、蔡畔周，周公討之，三年而畢定。」故「畢定」的主語不是「東土」而是「周公」。故此處標點宜改爲：「……寧淮夷東土，二年而畢定。」

五、因不明古詞古義致誤

1.《箋》：「……和聲之遠聞，興女有才美之稱達於遠方。」(18)

按：「稱達於遠方」語不可通。此「稱」爲「名聲」「聲譽」也。孔疏曰：「其才美之稱，亦達於遠方。」故此句「稱」字下當施逗號。

2.是古「屯」、「束」字多假作「純」。(113)

按：「屯」爲「純」之聲符，古音相同，自可通假。至「束」「純」二字，古聲、韻相距甚遠，無緣通假。故原文標點有誤，當作「是古『屯束』字多假作『純』」。所謂「純束」字，即指束縛義的「屯」字。

3.孫炎曰：「將行之送也。」(140)

按：《毛傳》曰：「將，行也。」魯說曰：「將，送也。」孫炎注合二而一，故此處標點宜改爲：「將，行之，送也。」

4.《箋》：「……行於道路之人將至於別尚舒行，其心徘徊然，喻君子於己不能如也。」(172)

按：「將至於別尚舒行」語不可通。孔疏曰「……言相與行於道路之人，至將離別，尚遲遲舒行，心中猶有乖離之志，不忍即別……」故此句當改作「……行於道路之人，將至於別，尚舒行，其心徘徊然，喻君子於己不能如也。」

5.高注：「……夫組織之匠成文於手，猶良御執轡而調馬，足以致萬里也。」(187)

按：「馬足」當連讀，謂馬之足力也。《史記·孫子吳起列傳》：「孫子見其馬足不甚相遠，馬有上、中、下輩」，即其證。故此句宜改作「……夫組織之匠成文於手，猶良御執轡而調馬足，以致萬里也。」

6.韓說曰：戚施，蟾蜍蹴蜻，喻醜惡。(212)

按：「蹴蜻」亦「戚施」之別名，故「蟾蜍蹴蜻」不當連讀，「蟾蜍」後應加逗號。

7.《箋》：「施施，舒行伺間，獨來見己之貌。」(332)

按：「舒行伺間」語不可通。孔疏曰：「國人之意，願得彼留氏之子嗟，其將欲來，舒行施施然，伺候閑暇獨來見己……」故此處宜作：「施施，舒行，伺間獨來見己之貌。」

8.《箋》：「鞠，盈也。魯侯女既告父母而取，何復盈從令至於齊乎？又非魯桓。」(386)

按：「何復盈從令至於齊乎」語義含混。孔疏：「《箋》以此責魯桓之辭，不宜唯言文姜之窮極邪意，故易《傳》以爲『盈』，責魯桓之盈縱文姜，不禁制之。」「盈縱」即「盈從」，故此處應在「盈從」下施逗號。

9.婚必由媒交，接設介紹，皆所以養廉恥。(386)

按：「接設介紹」，不詞。此處當「交接」連讀，意爲互相接觸也。宜改爲：「婚必由媒交接，設介紹，皆所以養廉恥。」

10.褸也，領也在上，好人尚可使整治之，謂屬著之。(399)

按：褸與領並列，故「領也」下當施逗號。

11.在路門外治朝之寧。(484)

按：此句語不可通，「寧」當「宁」字之誤。《禮記・曲禮下》：「天子當宁而立，諸公東面，諸侯西面，曰朝。」鄭玄注：「宁，門屏之間。」今人或不識「宁」字，以爲「寧」之簡化字，遂改作「寧」，大誤。

12.《廣雅》：「瓴、甗、甓、甋，磚也。」(474)

按：《爾雅》：「瓴甋謂之甓。」郭璞注：「甗磚也。」一物而三名。「瓴甋」「甗磚」當連讀，改作：「瓴甋、甓，甗磚也。」

13.《箋》：「曷，何之往也。」(117)

按：「曷」字絕無「之往」之訓。此「之」字，即經文「王姬之車」之「之」，《箋》訓爲「往」。故此處宜改爲：「曷，何。之，往也。」

14.《毛序》：「衛州吁用兵暴亂，使公孫文仲將而平陳與宋國，人怨其勇而無禮也。」(150)

按：「國人」當連讀。《史記・衛康叔世家》曰：「州吁新立，好兵，弒桓公，衛人不愛。」「國人」即「衛人」也。故此處宜改爲：「衛州吁用兵暴亂，使公孫文仲將而平陳與宋，國人怨其勇而無禮也。」

15.《箋》：「充耳，塞耳也，言衛之諸臣顏色褎然如見，塞耳無聞知也。人之耳聾，恒多笑而已。」（184）

按：《釋文》云：「褎，鄭：笑貌。」故「衛之諸臣顏色褎然如見」語不可通。此「見」字非「看見」之「見」，而是表示被動的助動詞，「見塞」即被塞，耳被塞則聾，人恒笑。此《箋》宜改爲：「充耳，塞耳也，言衛之諸臣顏色褎然，如見塞耳，無聞知也。人之耳聾，恒多笑而已。」

六、因疏漏而失校

1.《箋》：「……歸人謂嫁曰歸。」（108）

按：「歸」當「婦」字之誤。

2.《說文》：「選，一曰釋也。」（131）

按：「釋」當「擇」字之誤。

3.《說文》：「玖……從玉，欠聲。」（333）

按：「欠」當「久」字之誤。

4.《說文》：「甑，鬵屬。鬵，六釜也。」（492）

按：「六」當「大」字之誤。

5.荀蓋本以國爲民（507）

按：「民」當「氏」字之誤。

6.「剝」者，「朴」之雙聲借字。（520）

按：「朴」當「捕」字之誤。

7.《傳》：「四國，管蔡商奄也。」（538）

按：下漏「皇，匡也」三字。

8.《鳴鳩篇》（539）

按：「鳴」當「鳲」字之誤。

經學研究論叢
第八輯　頁203～208
臺灣學生書局　2000年3月

書《魏書·李業興傳》後

陳秀琳*

《魏書·儒林傳》記載天平四年（梁大同三年），李業興出使南朝時，朱异及梁武帝跟李業興進行的問答內容。因爲是我們後出窺視南北學術異趣的難得的生動史料，常爲論者所稱引。（《蛾術編》、《廿二史箚記》等皆如此）就其內容而言，朱异提問的是有關當時典章制度的經學根據問題，梁武帝則專門問到玄儒論題。這種截然不同的傾向也正反映著二人扮演的歷史角色。（《梁書》稱：「朱异掌握機謀，朝儀國典、詔誥敕書並兼掌之。」）

梁武帝第一句話是：「聞卿善于經義，儒玄之中何有所通達？」李業興回答：「少爲書生，止讀五典，至於深義，不辨通釋。」這裡已經鮮明地表現出兩人基本態度的不同。實際上，梁武帝佞佛，通儒玄，喜談辯，而李業興孜孜研習經典，不涉玄，不玄談。如此相反的志趣，在下面每一番問答中都有所反映。直至最後梁武帝問：「《易》曰太極，是有無？」業興答：「所傳太極是有，素不玄學，何敢輒酬。」於此便結束了這場對話。李業興對梁武帝所提問的論題並不感興趣，而業興的回答也未能滿足梁武帝的好奇心，二人始終保持各自不同的立場與風格。

他們的幾段問答對話中，有一段尤爲引人注目：

> 衍（即梁武帝）曰：「《禮》，原壤之母死，孔子助其沐槨。原壤叩木而歌，曰：『久矣夫，予之不托于音也。狸首之班然，執女手之卷然。』孔

---

* 陳秀琳，東京大學東洋文化研究所助教授。

> 子聖人，而與原壤爲友？」
> 業興對：「孔子即自解，言『親者不失其爲親，故者不失其爲故。』」
> 又問：「原壤何處人？」
> 業興對曰：「鄭注云『原壤，孔子幼少之舊故』，是魯人。」

這裡討論的是《禮記．檀弓》中的一章。〈檀弓〉原文的大意是說孔子有一舊交叫原壤，因他的母親逝世，孔子幫他作了一副棺材。這時候，原壤敲打棺材，唱歌逗弄。一弟子見原壤如此非禮之行爲，便問孔子爲何還與這種人交往。孔子回答說：「親者毋失其爲親也，故者毋失其爲故也。」

那麼，梁武帝所提出的第一個問題，即孔子既爲聖人，何以與原壤爲友——〈檀弓〉本身就已有了答案。但凡衹要記得原文就可以回答，因而李業興的回答自然沒有錯誤。第二個問題是問原壤爲何處人？雖然經典沒有明文，但是，原壤既然是孔子的故舊，很容易就可以推定他是魯人。（李業興所引用的大概是鄭玄《論語注》的佚文。鄭氏注《論語》雖在南朝不太盛行，但何晏《論語集解》中引馬融也有同樣的說法：「原壤，魯人，孔子故舊也。」按說，李業興的答話，即對南朝人士來說也沒有什麼不一般之處。）

這是一場多麼奇怪的對話呀！北朝使臣與南朝皇帝之間的對談原本關係到國家威望（參《廿二史箚記》「南北朝通好以使命爲重」條），竟有如小學生的知識競賽，這又怎麼可能呢？其實，兩個問題都是顯而易見的道理，史稱「少而篤學，洞達儒玄」的梁武帝怎會不知，卻要北朝使臣來特爲指點？顯然，梁武帝的提問是別有用意的，也就是說他自己有另一種答案。那麼，何謂另一種答案？這就需要再加考索了。

唐初孔穎達等人編撰的《禮記正義》，特別介紹了梁朝儒者皇侃的觀點，並且進行批評：

> 皇氏云原壤是上聖之人，或云是方外之士，離文棄本，不拘禮節，妄爲流宕，非但敗于名教，亦是誤于學者，義不可用。

另外，《論語・憲問》也有關於原壤的記載：

原壤夷俟。子曰：「幼而不遜悌，長而無述焉，老而不死，是爲賊也。」以杖叩其脛。

皇侃《論語義疏》的解釋則是：

原壤者，方外之聖人也。不拘禮教，與孔子爲朋友。壤聞孔子來，夷踞豎膝以待孔子之來也。孔子，方內聖人，恒以禮教爲事。見壤之不敬，故歷數之以訓門徒也。孔子歷數之既竟，又以杖叩擊壤脛，令其脛而不夷踞也。

以上爲皇侃的說法。因爲他仕梁武帝爲國子助教，與梁武帝的關係最近，我們有必要鄭重地探討。

原壤居母喪而不拘禮節，並被稱爲「方外之士」；又夷俟——夷踞豎膝以待孔子，這使我們聯想到阮籍。《世說新語・任誕篇》：

阮步兵喪母，裴令公往弔之。阮方醉，散髮坐床，箕踞不哭。裴至，下席于地，哭弔唁畢，便去。或問裴：「凡弔，主人哭，客乃爲禮。阮既不哭，君何爲哭？」裴曰：「阮方外之人，故不崇禮制；我輩俗中人，故以儀軌自居。」時人嘆爲兩得其中。

原壤與阮籍，他們的形象是多麼的相似！無怪乎朱熹的《論語集注》對原壤的評語是：「原壤，孔子之故人，母死而歌。蓋老氏之流，自放於禮法之外者。」《世說》中的阮籍是被人稱贊的，《集注》中的原壤是被否定的，但是，他們都被認爲是放達不羈之人。在這一點上，意思是一樣的。

清代陳澧《東塾讀書記》評論皇侃的《論語義疏》時說：「皇氏玄虛之說尤多，甚至謂原壤爲方外聖人，孔子爲方內聖人。」陳氏的意思是，皇侃不僅將原壤視為像阮籍一般的放達之士，並且把他神聖化，捧他到極高的位置，是魏晉以來玄學之流弊，不可以為訓。程樹德等近代學者也持與陳氏同樣的見解。然而，這樣理解皇侃的觀點，實在是很有問題的。

首先，通過整篇《論語義疏》，我們可以看到皇侃講說中一個最明顯的特點是，凸出孔子的崇高地位，將他聖化，甚至神化。與此相比，顏淵以下的孔門弟子僅能被定為賢人，他們與聖人孔子之間是存在著本質上的差別。即使皇侃濡染玄學，又或者原壤的德性如阮籍一般高，我們也很難想像原壤能被視為聖人，並且與孔子並列。亞聖顏子尚且未能評上聖人，更何況原壤見於經典上的事跡祇有上列的〈檀弓〉與〈憲問〉二條，根本沒有憑據可以讓他被賦予那麼高的評價。難道說學學阮步兵居喪而歌，不跪而豎膝，就可以升到聖人寶座，儼然位于顏淵、子夏之上了嗎？

從思想史的角度來看問題，我們還必須參考唐長孺先生的《魏晉玄學之形成及其發展》。據唐先生分析，玄學發展到東晉以後，名教與自然結合的問題已經獲得了解決的方法。因大勢所趨，嵇康、阮籍般的放誕派不再為時世所容，代之而興的是禮玄雙修的風氣。我們考慮皇侃所處的年代——梁代，名教與自然合一的觀點盛行已久，不可動搖。再者，皇侃本身正是以禮學負名，很難想像他會稱讚一個破壞名教的放誕人物。實際上，我們翻閱《論語義疏》就可以看出，皇侃論述的主要內容是王弼、郭象以來所謂的正統玄學的言論，卻並不涉及像阮籍那樣的放誕派的說法。

名教與自然的問題解決了。接著下來，名教還需要面臨佛教的挑戰。唐先生的文章引用了我們在上面看過的《世說新語》那一段，然後寫道：

> 這是以方內、方外區別對於禮法的態度，此時名教與自然合一之說尚未有一致的認識，所以各從所執，時人還以為兩得其中。東晉之後玄學中的方外之士已不被肯定，於是，區別內外移轉於佛教與儒術之分；慧遠以在家與出家之不同說明禮法不能拘束僧人，豈非即是裴楷所云之方外與俗中，只是在東晉之末這個問題只存在於佛教中而已。

我們讀了唐先生的論說以後，自然會產生懷疑皇侃所說的「方外」是否也指佛教？梁武帝異常推崇佛教，皇侃撰的《論語義疏》雖是儒經，書中猶以周孔之教爲「外教」（關於《論語義疏》與佛教的關係問題，張恒壽氏《六朝儒經注疏中之佛教影響》一文最富啓發）。又，如《列子》稱孔子曰「丘聞西方有聖者焉」，是把佛與孔子並列爲聖人的先例。我在上面已經指出陳澧等認爲皇侃將原壤視爲阮籍般的放誕之士的看法很值得懷疑。如果現在認爲皇侃將原壤視爲佛的話，那些疑點都可以解決。稱佛爲聖人，與孔子並列，是符合皇侃所處的時代思潮，在皇侃自己的思想體系裡也沒有矛盾。不過，原壤又如何能被看作是佛？

我的推測是，皇侃根據《論語》，把當時有關佛教與禮教的爭論影射到原壤與孔子的身上，所以纔視原壤爲佛。這裡說的爭論是圍繞于僧人可否踞食的問題。用餐的儀節，中國習俗固要跪坐，當時的僧人卻依印度習俗，不跪而企踞。（企踞也叫偏踞、偏坐或偏企。言「偏」者，蓋對「端坐」、「方坐」而言。）劉宋文帝時期，鄭道子、范泰等人主張僧人也應該跪坐，與慧義等要固執踞食的僧人之間進行了非常激烈的爭論，有關記載保存在《弘明集》卷十二。企踞大概與阮籍的「箕踞」一樣，也就是皇侃所說「夷踞豎膝」。范泰的論書中也用到了《論語》裡「夷俟」一詞。這樣看來，皇侃根據《論語》裡的原壤「夷俟」，而讓孔子用杖打脛的記載，而出現了原壤被視爲佛的可能性應該說是很大的。

我們看到了皇侃的解釋以後，再回頭看梁武帝的發問，似乎可以理解他的意圖。因爲原壤是佛的觀點是從〈憲問〉的故事直接得來，所以，梁武帝先從〈檀弓〉提出問題。如果讓皇侃回答這個問題，他會引用《論語》並暢論原壤是與孔子並列的大聖人。李業興卻從正面作出了雖不誤卻又最不靈巧的回答。梁武帝見業興不悟，就更直截了當地問起原壤的身分。梁武帝所期待的回答是說方外人、西方人或是身毒人，奈何業興又止能回答是魯人。於是，梁武帝知道李業興根本不知道原壤是佛的觀點，再問下去也是茫然，便不再追問而換了話題。我推測梁武帝自己準備的答案應該和皇侃的解釋相同，否則他的提問就毫無意思。反過來看梁武帝的問答也可以作爲我們推測皇侃的解釋的旁證。

皇侃解釋原壤是佛，並沒有確鑿的根據，甚至類似文字遊戲。不過，南朝人士卻覺得新奇、玄妙，而且可以互相討論、欣賞。正是因爲如此，皇侃的講說在當時廣爲流傳，連皇帝也會認同他的觀點。可是，這種解釋究竟衹能在處於同一文化背景下的一群人之間纔被承認，「少爲書生，止讀五典」的北朝學者作夢也想像不到。

到了唐初，一統天下，文化欲刪南朝的浮華，文意以載道爲重，儒學以名教爲主，孔穎達等要對皇侃的解釋極力加以否定是完全自然的結果。

經 學 研 究 論 叢
第 八 輯　　頁209～248
臺灣學生書局　2000年3月

董仲舒《春秋》公羊學解經方法析論

陳明恩*

壹、前言

揆諸中國哲學思想歷史，就其發展來說，董仲舒是由先秦蛻變至兩漢的重要人物。尤其是兩漢《春秋》學，與董仲舒之關係更為密切。《史記．儒林列傳》云：

> 董仲舒，廣川人也。以治《春秋》，孝景時為博士。下帷講誦，弟子傳以久次相受業，或莫見其面，蓋三年董仲舒不觀於舍園，其精如此。……董仲舒為人廉直。是時方外攘四夷，公孫弘治《春秋》不如董仲舒，而弘希用事，位至公卿。董仲舒以弘為從諛，弘疾之，乃上言曰：「獨董仲舒可使相膠西王。」膠西王素聞董仲舒有行，亦善待之。董仲舒恐久獲罪，疾免居家。至卒，終不置產業，以脩學著書為事。故漢興至于五世之閒，惟董仲舒名為明於《春秋》，其傳公羊氏也。胡毋生，齊人也。孝景時為博士，以老歸教授。齊之言《春秋》者多受胡毋生，公孫弘亦頗受焉。❶

* 陳明恩，臺灣師範大學國文研究所博士生。

❶ 司馬遷：《史記》（北京：中華書局，1989年），頁3127－3128。凡本文所引古籍文字，均於首次引用時詳細注出使用版本、出版地、出版年及頁碼，餘則僅注頁碼於引文之末，以簡省篇幅。

《漢書・儒林傳》則云：

> 漢興，……言《春秋》，於齊則胡毋生，於趙則董仲舒。……而公孫弘以治《春秋》爲丞相，封侯。❷
>
> 胡毋生字子都，齊人也。治《公羊春秋》，爲景帝博士。與董仲舒同業，仲舒著書稱其德。年老，歸教於齊，齊之言《春秋》者宗事之；公孫弘亦頗受焉。（頁 3615－3616）
>
> 瑕丘公受《穀梁春秋》及《詩》於魯申公，傳子至孫爲博士。武帝時，江公與董仲舒並。仲舒通五經，能持論，善屬文。江公吶於口，上使與仲舒議，不如仲舒。而丞相公孫本爲《公羊》學，比輯其議，卒用董生。於是上因尊公羊家，詔太子受《公羊春秋》，由是《公羊》大興。（頁 3617）

依《史記》與《漢書》所論，漢代初年《公羊》學之所以能立於學官，且得以發揚光大者，主要得力於胡毋生、董仲舒與公孫弘三人。❸在這三人當中，公孫弘之說不詳、胡毋生之說亦不可得而知，惟董仲舒「以脩學著書爲事」、且「明於《春秋》」。據此可知，欲研究西漢初年之《春秋》公羊學，捨董仲舒即無法窺其全貌。董仲舒不僅傳承了春秋學的論述傳統，同時還建構出一套解釋《春秋》的理論體系以及方法。然歷來治經學史者，對於董仲舒所建構出之《春秋》公羊學體系則所論未詳、或缺而不論，實甚可惜。❹囿於學力所及，本文不擬就董仲舒《春秋》

---

❷ 班固：《漢書》（北京：中華書局，1987 年），頁 3593。

❸ 葉國良等著《經學通論》云：「（漢初）《公羊》學之所以能壓倒《穀梁》學，立於學官，並得以發揚光大，主要是靠董仲舒通五經、能持論、善屬文，與公孫弘的身居相位、利用職權，抬高《公羊傳》的地位；而胡毋子都對公羊學的貢獻則在將《公羊傳》由口耳相傳的階段正式寫定。」《經學通論》（臺北：國立空中大學，1996 年），頁 289。

❹ 由於國內各大學對於「經學史」這門學科不夠重視，故有關經學史之著作甚爲缺乏。就坊間現有經學史觀之，皮錫瑞《經學歷史》論及兩漢雖以「經學昌明時代」標目，然於董仲舒只云：「案《史記・儒林傳》，董仲舒、胡毋生皆以治《春秋》，孝景時爲博士。」見皮錫瑞著、周予同注釋：《經學歷史》（北京：中華書局，1989 年），頁 73。馬宗霍亦僅云：「言《春秋》於齊則胡毋生，於趙則董仲舒」」《中國經學史》（臺北：臺灣商務印書館，1992

公羊學所涉及的所有論題，進行全面性的討論，以下僅就董仲舒《春秋》公羊學的解經方法略作分析，並略涉及《春秋》公羊學之傳承及《春秋繁露》的真偽問題。

貳、董仲舒與《春秋》公羊學之傳授

一、《春秋》公羊學的形成

《公羊傳》，亦稱《公羊春秋》❺、《春秋公羊傳》❻，是解釋《春秋》的重要典籍，與《左傳》❼、《穀梁傳》❽並稱《春秋》「三傳」。在《春秋》三傳中，《公羊傳》是最早被立於學官的（漢儒稱《春秋》即是指《公羊》，故此處逕稱《公羊傳》，說詳下文）。《史記．儒林列傳》云：

年），頁 36。其他如楊成孚《經學概論》雖論及《公羊傳》之成書及其傳授，然於董仲舒則語焉未詳。見《經學概論》第八章「《公羊傳》與《穀梁傳》」（天津：南開大學出版社，1994 年），頁 94 以下諸頁。蔣伯潛、蔣祖怡《經與經學》（上海：上海古籍出版社，1995 年）亦然。日人安井小太郎著、連清吉、林慶彰譯之《經學史》（臺北：萬卷樓圖書公司，1996 年）亦略而不談。由筆者所見之經學史而論，董仲舒之經學思想確實頗受忽視。究其原因，或與《春秋繁露》一書眞偽難辨有關，此於下文另有討論，此處暫略。

❺ 如前引《漢書．儒林傳》云：「胡毋生字子都，齊人也。治《公羊春秋》，爲景帝博士。」

❻ 如何休：〈《春秋》公羊傳序〉。

❼ 《左傳》在漢代或稱《左氏春秋》，如《史記．十二諸侯年表序》云：「《春秋》，上記隱，下至哀之獲麟，約其文，去其煩重，以制義法，王道備，人事浹。……魯君子左丘明懼弟子人異端，各安其意，失其眞，故因孔子史記，具論其語，成《左氏春秋》。」（頁 510）又，《漢書．儒林傳贊》云：「歆白《左氏春秋》可立，哀帝納之，以問諸儒，皆不對。」（頁 3619）或稱《左氏》，如《後漢書．儒林列傳》云：「（何）休善歷筭，與其師博士羊弼，追述李育意，以難二傳，作《公羊墨守》、《左氏膏肓》、《穀梁廢疾》。」范曄：《後漢書》（北京：中華書局，1987 年），頁 2583。或稱《春秋左氏傳》，如《後漢書．儒林列傳》云：「（服虔）有雅才，善著文論，作《春秋左氏傳解》。」（頁 2583）或稱《春秋左氏》，如《後漢書．儒林列傳》云：「（潁容）著《春秋左氏條例》五萬餘言，建安中卒。」（頁 2584）

❽ 《穀梁傳》又稱：《穀梁春秋》、《春秋穀梁傳》。稱《穀梁春秋》者，如前引《漢書．儒林傳》：「瑕丘公受《穀梁春秋》，及《詩》於魯申公，傳子至孫爲博士。」稱《春秋穀梁傳》者，如范寧：〈春秋穀梁傳序〉。

> 及今上即位，趙綰、王臧之屬明儒學，而上亦鄉之，於是招方正賢良文學之士。自是之後，言《詩》於魯則轅固生、於燕則韓太傅；言《尚書》自濟南伏生；言《禮》自魯高堂生；言《易》自菑川田生；言《春秋》於齊魯自胡毋生、於趙自董仲舒。（頁 3118）

又，《漢書．儒林傳贊》云：

> 自武帝立五經博士，……初，《書》唯有歐陽，《禮》后，《易》楊，《春秋》公羊而已。（頁 3620－3621）

景帝時，胡毋生與董仲舒皆以治《春秋》爲博士，可知《春秋》在西漢初期即已立於學官。雖然《春秋》在西漢初期即被立於學官，但《公羊傳》在西漢以前的傳授情形卻不得其詳。在先秦時期，雖說諸子之文間或與《公羊傳》偶合，然並未見《公羊傳》制作之徵；而漢興以來，雖說公羊義廣爲學者所應用，然《史記》所稱，但謂之「《春秋》」，而不云「《公羊傳》」；《春秋繁露》所引，亦僅稱「《傳》曰」，未嘗有「《公羊傳》」之名。[9]雖然《公羊傳》一名遲至東漢才出現，但這是否表示西漢以前即無所謂的「《公羊》學」呢？事實上，由漢初《公羊》義頗爲盛行及學者引《公羊》義逕稱《春秋》這兩點來看，在漢儒的眼中，並無《經》、《傳》之差異，《經》與《傳》在漢初仍是合而爲一的。[10]既然

[9] 先秦兩漢諸子引《公羊》義之情況，可參看李新霖：《春秋公羊傳要義》（臺北：文津出版社，1989 年），頁 2－9；蔣慶：《公羊學引論》（遼寧：教育出版社，1995 年），頁 74－75。案：「《公羊傳》」之名首見於劉歆《七略》（即《漢書．藝文志》所引：「《公羊傳》十一卷」），崔適《春秋復始．序證》云：「西漢之初，所謂《春秋》者，合《經》與《傳》而名焉者也。《傳》者，後世所謂《公羊傳》也。其始不但無《公羊傳》之名，亦無《傳》之名，統謂之《春秋》而已。」又云：「要之，《公羊傳》之名，自劉歆始。」《春秋復始》（上海：古籍出版社，1995 年，《續修四庫全書》本），卷 1，頁 381。

[10] 蔣慶云：「在古文學未盛行之前，在漢儒眼中，《公羊傳》即是《春秋傳》，《公羊》學即是《春秋》學。這即是說，在漢初儒者眼中，《春秋經》與《公羊傳》合一，具有同等效力，引《公羊傳》即是引《春秋》，學《公羊》即學《春秋》，沒有離開《公羊》之《春秋》。」《公羊學引論》，頁 63－64。

《經》、《傳》不分，且引《春秋》者必合於《公羊傳》，可知《公羊傳》在漢初應該是以「附《經》」的方式在學界流傳（此乃漢儒言《春秋》必同於《公羊傳》之主要原因），無「《公羊傳》」之「名」，並不代表無「《公羊》學」之「實」。且胡毋生、董仲舒之所以得立於博士者，正以其對於《春秋》有獨到之見解，且其說法被朝廷所接受、提倡，並用此以教育博士弟子。很顯然的，《公羊》學在漢初即已成形；而董仲舒正是《公羊》學系統化、理論化之重要人物。

二、《春秋》公羊學的傳授

目前所見最完整的有關《公羊傳》之傳授、撰作者與寫作年代的說法，始於東漢戴宏。徐彥《公羊傳疏》引戴宏〈公羊傳序〉云：

> 子夏傳與公羊高，高傳其子平，平傳其子地，地傳與其子敢，敢傳與其子壽。至漢景帝時，壽乃共弟子齊人胡毋子都著於書帛。⓫

戴宏之說，擷其重點凡二：

㈠《公羊傳》傳自孔子弟子子夏。

㈡《公羊傳》傳至漢景帝時始由公羊壽與胡毋子都共同寫定。

戴宏所論，直至清末崔適始駁之曰：

> 子夏少孔子四十四歲。孔子生於襄公二十一年，則子夏生於定公七年。下適景帝之初，三百四十餘年。自子夏至公羊壽，甫及五傳，則公羊氏世世相去六十餘年，又必父享耄年，子皆夙慧，乃能及之。其可信乎？⓬

崔適所云，乃依一般常理所作之推斷，其說雖屬合理，但仍有未周之處。蓋其所謂「自子夏至公羊壽，甫及五傳，則公羊氏世世相去六十餘年，又必父享耄年，子皆

⓫ 《春秋公羊傳注疏》（臺北：藝文印書館，1989 年，《十三經注疏》本），頁 3。本文下引十三經經文，均直注頁碼於引文之末，以簡省篇幅。

⓬ 崔適：《春秋復始》，頁 381。

夙慧」者，僅爲一「合理之懷疑」，並不足以證明公羊氏必非「父享耄年，子皆夙慧」，亦不足以否認公羊氏有一累世《公羊》學之傳授譜系。實則，戴宏所說之所以難以令人信服，主要在於缺乏文獻證據：

㈠《公羊傳・隱公二年》：「紀伯子者何，無聞焉耳。」何休《春秋公羊解詁》云：「孔子畏時遠害，又知秦將燔《詩》、《書》，其說口授相傳，至漢，公羊氏及弟子胡毋生等始記於竹帛。」（頁 26）又，《漢書・藝文志》云：「《公羊傳》十一卷，公羊子，齊人。」（頁 1713）可知自西漢末年以至於東漢，學者對於《公羊傳》之傳授已不得其詳。至若戴宏所論，不知根據何在。此其說不足信者一也。

㈡《四庫全書總目》云：「今觀《傳》中有『子沈子曰』、『子司馬子曰』、『子女子曰』、『子北宮子曰』，又有『高子曰』、『魯子曰』：蓋皆傳授之經師，不盡出於公羊子。〈定公元年傳〉『正棺於兩楹之間』二句，《穀梁傳》引之，直稱『沈子』，不稱『公羊』：是併其不著姓字者，亦不盡出公羊子；且併有『子公羊子曰』，尤不出高之明證。」⑬明恩案：《四庫全書總目》所言極是。今察《公羊傳》引子沈子三次⑭、子司馬子一次⑮、子女子一次⑯、子北宮子一次⑰、魯子六次⑱、高子一次⑲、子公羊子二次。⑳可知當時傳《公羊傳》者多

⑬ 《四庫全書總目》（臺北：臺灣商務印書館，1983 年，影印武英殿本），頁 1－527。

⑭ 《公羊傳》引子沈子三次，分別見於：
①〈隱公十一年〉：「子沈子曰：『君弒，臣不討賊，非臣也；不復讎，非子也。葬，生者之事也。《春秋》君弒，賊不討，不書葬，以爲不繫乎臣子也。』」（頁 42）
②〈莊公十年〉：「子沈子曰：『不通者，蓋因而臣之也。』」（頁 88）
③〈定公元年〉：「子沈子曰：『定君乎國，然後即位。』」（頁 316）

⑮ 《公羊傳》引子司馬子一次，見於〈莊公卅年〉：「子司馬子曰：『蓋以操之爲已蹙矣。』」（頁 109）

⑯ 《公羊傳》引子女子一次，見於〈閔公元年〉：「子女子曰：『以《春秋》爲《春秋》，齊無仲孫，其諸吾仲孫與？』」（頁 114）

⑰ 《公羊傳》引子北宮子一次，見於〈哀公四年〉：「子北宮子曰：『辟伯晉而京師楚也。』」（頁 343）

⑱ 《公羊傳》引魯子六次，分別見於：
①〈莊公三年〉：「魯子曰：『請後五廟，以存乎姑姐妹。』」（頁 76）

矣，戴宏所述，未得其實。此其說不可信者二也。[21]

基於以上二理，可證戴說有待商榷。既然戴《序》不足採信，且現存文獻又缺乏直接證據可以說明西漢以前《公羊傳》的傳授情形；因此，有關《公羊傳》之傳授，吾人所知者，僅得以下二端：

(一)《公羊傳》有一口授傳統，並經諸多經師口授相傳、增益發揮而成，至於傳文創始於何人及詳細之傳授情形，則不得其詳。

(二)《公羊傳》之口授傳統至西漢初年才略有變化，而始著於竹帛；其關鍵人物雖不必即是公羊壽與胡毋生，但應與儒家有關。[22]

明恩謹案：《公羊傳》有一口授傳統，除前引何休之說外，《史記・十二諸

---

②〈莊公廿三年〉：「魯子曰：『我貳者，非彼然，我然也。』」（頁 101）
③〈僖公五年〉：「魯子曰：『蓋不以寡犯眾也。』」（頁 128）
④〈僖公廿年〉：「魯子曰：「以有西宮，亦知諸侯之有三宮也。』」（頁 142）
⑤〈僖公廿四年〉：「魯子曰：『是王也，不能乎母者，其諸此之謂與？』」（頁 149）
⑥〈僖公廿八年〉：「魯子曰：『溫近而踐土遠也。』」（頁 154）

[19] 《公羊傳》子高子一次，見於〈文公四年〉：「高子曰：『娶乎大夫者，略之也。』」（頁 167）

[20] 《公羊傳》引子公羊子二次，分別見於：
①〈桓公六年〉：「子公羊子曰：『其諸以病桓與！』」（頁 54）
②〈宣公五年〉：「子公羊子曰：『其諸爲其雙雙而俱至與！』」（頁 191）

[21] 除此之外，學界尚有透過戴宏及徐彥之生世，以及戴宏引讖諱之說而疑之者。參考何照清：《兩漢公羊學及其對當時政治之影響》（臺北：輔仁大學中國文學研究所碩士論文，1986 年），頁 9－10。

[22] 有關《公羊傳》著於竹帛此一問題，徐復觀認爲：「《公羊傳》之成立，合理的推測，應當是孔門中屬於齊國這一系統的第三代弟子，就口耳相傳的加以整理，紀錄下來，有如《論語》成立有《齊論》、《魯論》的情形一樣。先有了這樣著於竹帛的『原傳』，在傳承中又有若干對『原傳』作解釋上的補充，被最後寫定的人，和『原傳』抄在一起，這便是漢初《公羊傳》的共同祖本。」《兩漢思想史》卷 2（臺北：臺灣學生書局，1989 年），頁 324。徐氏所言，可備一說。又，葉國良等著《經學通論》云：「《公羊傳》可能是戰國至漢初，儒家某一派的經師，長期的口耳相傳，不斷的發展修改，到景帝時才由其中的公羊氏家族領導寫定。」同註❸，頁 282。至於《公羊傳》之成書年代，李新霖認爲，上限當在樂正子春之時或以後，下限當在漢初。說詳《春秋公羊傳要義》，頁 16－17。

侯年表序》云：「七十子之徒，口受其傳指，為有所刺譏褒諱挹損之文辭不可以書見也。」（頁 509）又《漢書・藝文志・春秋略》云：「及末世口說流行，故有公羊、穀梁、鄒、夾之傳。四家之中，公羊、穀梁立於學官，鄒氏無師，夾氏未有書。」（頁 1715）觀《史記》、《漢書》及何休之說，則漢人似乎一致認為《公羊傳》是口說流行而成的。然近人頗有疑之者。如：

洪業認為：「二傳（指《公羊、《穀梁》）雖具問答體裁，未必僅以口說相傳。且司馬遷云：『秦焚《詩》、《書》而六藝缺。』必有竹帛，然後可焚，口說非烈火所能及。觀二傳之殘缺，似非口授遺忘之缺也。」㉓

又，李新霖云：「揆諸常情：如孔子微旨在當時或不便著錄而以口傳，然事過境遷，公羊氏似無再堅持口傳之理。況公羊氏五傳而後，筆之於書，較諸伏生口授《尚書》，寫成《今文尚書》，意義非凡，何以《史記》、《漢書》皆不置一言？且伏生距秦禁書未久，所能傳者不過二十九篇，亡失者已不少。《春秋》經傳合言，亦有四萬餘字，僅由公羊一家，世世口傳，不啻奇蹟！」㉔

本文認為，洪、李二氏之說看似合理，然其所疑者如「公羊氏似無再堅持口傳之理」、「《春秋》經傳合言，亦有四萬餘字，僅由公羊一家，世世口傳，不啻奇蹟」均是似是而非之辭：

㈠公羊氏是否有必要堅持口授傳統，不能僅就「理」上言，必須找出證據才行。在沒有確切證據的前提下，存而不論可也，不必推求太過。

㈡公羊氏是否有能力僅靠一家口傳四萬餘字之《春秋》及《公羊傳》是一問題，而伏生僅憑記憶傳《今文尚書》又是另一問題；以伏生之情況證公羊氏口授系

㉓ 洪業：〈春秋經傳引得序〉，《十三經引得（四）》（臺北：南嶽出版社，1977 年），頁 31。

㉔ 李新霖：《春秋公羊傳要義》，頁 15。案：李氏之說實本於徐復觀。徐復觀云：「把口傳的《公羊傳》『著之於竹帛』，較以《尚書》的今文讀古文，遠較困難而重要，何以《史記》的〈儒林列傳〉及《漢書》的〈儒林傳〉皆未一言？……《漢石經》所刻《今文尚書》，計一萬八千六百五十字；連其所亡失者合計之，當不出四萬字。伏生不能口傳已經亡失之《尚書》，而只能根據殘存之篇簡二十九篇，教授於齊魯之間。則《春秋經》一萬六千五百七十二字，《公羊傳》二萬七千五百八十三字，合共四萬四千一百五十五字，僅由公羊一家，靠口頭上單傳，這可以說是不可能之事。」《兩漢思想史》卷 2，頁 320。

統之不可信，實有跳躍式類比論證之嫌，並不足以令人信服。蓋二者之間並無密切之關連性也，故其說不足為憑。

三、結語

「《公羊傳》」一詞雖不見於先秦兩漢典籍，然由漢初公羊義盛行、學者引《春秋》必合於《公羊傳》以及《春秋》博士成立於漢景帝時期這三點來看，《春秋》公羊學成立於漢初應是不成問題的。至於《公羊傳》在兩漢之前的傳授情形，目前所見最早之說法始於東漢戴宏；然戴宏之說因缺乏文獻證據，並不足採信。另有關《公羊傳》是否有一口授傳統此一問題，雖然學界看法不一，然持反對意見者，其所持論據亦不足以令人信服；在未有確切證據之前，似乎不應全盤推翻公羊氏口傳《公羊傳》之可能。所以，本文毋寧相信《公羊傳》有一口授之過程，至於此一過程是否由公羊氏所獨承，證諸《四庫全書總目》所云，則傳《公羊》者多矣，實不必太過拘泥於一家獨傳之說；至於傳《公羊》者是儒家中的那一學派，由於文獻不足徵，存之勿論，可也。

參、董仲舒與《春秋繁露》

董仲舒之著作，最早見於文獻紀錄者有三：

㈠《史記・十二諸侯年表序》：

> 上大夫董仲舒推《春秋》義，頗著文焉。（頁 510；《索隱》云：「作《春秋繁露》是。」）

㈡《漢書・董仲舒傳》：

> 仲舒所著，皆明經術之意，及上疏條教，凡百二十三篇。而說《春秋》得失，〈聞舉〉、〈玉杯〉、〈蕃露〉、〈清明〉、〈竹林〉之屬，復數十篇，十萬餘言，皆傳於後世。（頁 2525－2526）

㈢《漢書・藝文志・春秋類》：

《公羊董仲舒治獄》十六篇。（頁 1714）

依《史記》所述，則在史遷之時，董仲舒雖「頗著文」，然其所著似乎尚未集結成「書」；若依《漢書》所載，則董仲舒之著作頗豐，除百二十三篇外，尚有專解《春秋》之作數十篇及專言治獄者十六篇，但亦未曾標舉《春秋繁露》一名。觀《史記》及《漢書》所論，可知《春秋繁露》一名在東漢初期尚未出現；然董仲舒有著作傳於世，卻是不爭之事實。直至《隋書·經籍志》始著錄：「《春秋繁露》十七卷，漢膠西相董仲舒撰。」㉕其後《春秋繁露》一書雖經《唐書·經籍志》、《宋史·藝文志》等陸續著錄㉖，然自宋代以下，疑者頗多。由於《春秋繁露》之眞僞涉及本文所使用之史料的眞實性問題，有必要先作澄清。

一、《春秋繁露》的真偽問題

《春秋繁露》是眞是僞？歷來爭議頗多。總括其要，約有四種不同的說法：

㈠以《春秋繁露》一書爲僞作者。持此說者，其所持之理由，約有以下數端：

⑴疑其爲後人「取而附著」者。如《崇文總目》云：

> 《春秋繁露》十七卷，董仲舒撰。原釋其書盡八十二篇，義引宏博，非出近世，然其閒篇第已舛，無以是正。又即用〈玉杯〉、〈竹林〉題篇，疑後取而附著云。㉗

⑵疑其「失眞」者。如歐陽脩云：

㉕ 魏徵、令狐德棻撰：《隋書》（北京：中華書局，1994 年），頁 930。

㉖ 《舊唐書·經籍志》錄：「《春秋繁露》十七卷，董仲舒撰。」劉昫等撰：《舊唐書》（北京：中華書局，1995 年），頁 1979。又，《宋史·藝文志》錄：「董仲舒《春秋繁露》十七卷。」脱脱等撰：《宋史》（北京：中華書局，1995 年），頁 5057。

㉗ 王堯臣等編次、錢東垣輯釋：《崇文總目》，收入王雲五主編：《國學基本叢書》（臺北：臺灣商務印書館，1967 年），頁 23。

《漢書・董仲舒傳》載仲舒所著書百餘篇，第云〈清明〉、〈竹林〉、〈玉杯〉、〈繁露〉之書，蓋略舉其篇名。今其書纔四十篇，又總名《春秋繁露》者，失其眞也。予在館中校勘群書，見有八十餘篇，然多錯亂重複。又有民間應募獻書者，獻三十餘篇，其間數篇，在八十篇外。乃知董生之書，流散而不全矣。㉘

⑶疑其「辭意淺薄」，而攻之甚力者。如程大昌云：

右《繁露》十七卷，紹興間董某所進。臣觀其書，辭意淺薄，間掇取董仲舒策語，雜置其中，輒不相倫比，臣固疑非董氏本書矣。又班固記其說《春秋》凡數十篇，〈玉杯〉、〈繁露〉、〈清明〉、〈竹林〉，各爲之名，似非一書。今董某進本，通以《繁露》冠書，而〈玉杯〉、〈清明〉、〈竹林〉特各居其篇卷之一，愈益可疑。他日讀《太平寰宇記》及杜佑《通典》，頗見所引《繁露》語言，顧今書皆無之。……㉙

㈡對《春秋繁露》之眞僞問題持存疑之態度者。持此說者亦有不同之立場：
⑴或對《春秋繁露》之由來表示「未詳」者。如晁公武云：

史稱「仲舒說《春秋》事得失，〈聞舉〉、〈玉杯〉、〈繁露〉、〈清明〉、〈竹林〉之屬數十篇，十餘萬言，傳於後世」。今溢而爲八十二篇，又通名《繁露》，皆未詳。㉚

⑵或以「傳疑存之」者。如陳振孫云：

㉘ 歐陽脩：〈書《春秋繁露》後〉，《六一題跋》（北京：中華書局，1985 年，《叢書集成初編》本），頁 499－450。

㉙ 程大昌：〈秘書省繁露書後〉，《程氏演繁露》（臺北：臺灣商務印書館，1981 年，《四部叢刊廣編》本），頁 1。

㉚ 晁公武撰、孫猛校證：《郡齋讀書志校證》（上海：上海古籍出版社，1990 年），頁 104。

《春秋繁露》十七卷，漢膠西相廣川董仲舒撰。案《隋》、《唐》及《國史志》，卷皆十七。《崇文總目》凡八十二篇，《館閣書目》止十卷；萍鄉所刻，亦財三十七篇。今乃樓攻媿得潘景憲本，卷篇皆與前志合，然亦非當時本書也。先儒疑辯詳矣。其最可疑者，本傳載所著書百餘篇，〈清明〉、〈竹林〉、〈繁露〉、〈玉杯〉之屬，今總名曰《繁露》，而〈玉杯〉、〈竹林〉則皆其篇名，此決非其本眞。況《通典》、《御覽》所引，皆今書所無者，尤可疑也。然古書存於世者希矣，姑以傳疑存之，可也。[31]

(3)或對《春秋繁露》之眞僞問題表示無能爲力者。如樓郁云：

董生之書，視之諸儒，尤博極閎深也。本傳稱〈玉杯〉、〈繁露〉、〈清明〉、〈竹林〉之屬。今其書十卷，又總名《繁露》。其是非請俟賢者辨之。[32]

(三)或在「眞」、「僞」之間採取「折衷」之態度者。如《四庫全書總目》云：

《春秋繁露》十七卷，漢董仲舒撰。……今觀其文，雖未必全出仲舒，然中多根極理要之言，非後人所能依託也。是書宋已有四本，多寡不同，至樓鑰所校，乃爲定本。[33]

(四)力主《春秋繁露》爲董仲舒所作者。如樓郁〈春秋繁露跋〉云：

---

[31] 陳振孫：《直齋書錄解題》（京都：中文出版社，1978 年），頁 457。

[32] 樓郁：《春秋繁露・序》（臺北：中華書局，1959 年，《四部備要》本），頁 1。

[33] 《四庫全書總目》，頁 1－602。

> 余又據《説文解字》「王」字下引董仲舒曰：「古之造文者三畫而連其中謂之王。三者，天地人也，而參通之者，王也。許叔重在後漢和帝時，今所引在〈王道通三〉第四十四篇中。其〈本傳〉中對越三仁之問；朝廷有大議，使使者及廷尉張湯就其家問之；求雨閉諸陽，縱諸陰，其止雨反是；〈三策〉中言天之仁愛人君；天道之大者在陰陽，陽爲德，陰爲刑，故王者任德教而不任刑之類，今皆在其書中，則其爲仲舒所著無疑，且其文詞亦非後世所能到也。[34]

據以上所引諸家之說可知，論者之所以對《春秋繁露》之眞實性產生疑問，主要之關鍵問題有三：

㈠辭意淺薄，間掇取董仲舒策語雜置其中，輒不相倫比。

㈡班固記其說《春秋》凡數十篇，似非一書，而今通以《繁露》冠書，愈益可疑。

㈢《通典》、《御覽》、《太平寰宇記》頗引《繁露》之語，然今本皆無之，故甚可疑。

即以上三點觀之，第㈠點純屬個人主觀之偏見，不足爲憑；以此類推，論者亦可就觀點之不同而主張其文爲「博極閎深」（如樓郁）。然無論「辭意淺薄」或「博極閎深」，均不能作爲論證一部著作眞僞之準據。至於第㈡點，如前所述，史遷之時董仲舒所著文尚未集結成冊，直至班固才明白指出「仲舒所著，皆明經術之意，凡百二十篇。而說《春秋》得失，……復數十篇，十萬餘言」云云，又著錄其《公羊董仲舒治獄》十六篇於《漢志》之中。據此可知，董仲舒的著作是逐漸「輯綴」而成的，並非驟然成書。假如把這一點列入考慮，則今本所錄與班固所記不合，實爲自然之現象，並不足爲奇。《四庫全書總目》所論即採取此一態度。而第㈢點所述，僅顯示出論者失察而已，並不足以論《春秋繁露》之眞僞；其失樓郁已駁之甚詳，毋庸再辯。近人黃朴民在樓郁之說的基礎上，透過今本《春秋繁露》與《漢書．董仲舒傳》相一致之處的比較，進一步論證《春秋繁露》爲董仲舒所著。

---

[34] 樓郁：《春秋繁露．跋》，頁3。

茲據其說並加補充，列表如下，以清眉目㉟：

	《春秋繁露》	《漢書・董仲舒傳》
論元	是以《春秋》變一謂之元，元猶原也。其義以隨天地終始也。……故元者爲萬物之本。(〈重政〉)㊱	臣謹案《春秋》謂一元之意，一者萬物之所從始也；元者辭之所謂大也，謂一爲元者，視大始而欲正本也。(頁 2502)
論教化	聖人之道，不能獨以威勢成政，必有教化。故曰：「先之以博愛，教之以仁也。難得者，君子不貴，教以義也。雖天子必有尊也，教以孝也。必有先也，教以弟也。」此威勢之不足獨恃，而教化之功不大乎。(〈爲人者天〉；頁319－320)	古之王者明於此，是故南面而治天下，莫不以教化爲大務。立大學以教於國，設庠序以化於邑，漸民以仁，摩民以誼，節民以禮，故其刑罰甚輕而禁不犯者，教化行而習俗美也。(頁 2503－2504)
論改制	今所謂新王必改制者，非改其道，非變其理，受命於天，易姓更王，非繼前王而王也。……故必徒居處、更稱號、改正朔、易服色者，不敢不順天地明自顯也。若夫大綱、人倫、道理、政治、習俗、文義，盡如故，亦何改哉！故王者有改制之名，無易道之實。(〈楚莊王〉；頁 17－19)	故《春秋》受命所先制者，改正朔，易服色，所以應天也。(頁 2510) 改正朔，易服色，以順天命而已，其餘盡循堯道，何更爲哉！故王者有改制之名，亡變道之實。……道之大原出於天，天不變，道亦不變。(頁 2518)
論災異譴告	凡災異之本，盡生於國家之失。國家之失，乃始萌芽，而天出災異以譴告之。譴告之而不知變，乃見怪異以驚駭之。驚駭之尚不知畏恐，其殃咎乃至。(〈必仁且智〉；頁 259)	國家將有失道之敗，而天乃先出災害以譴告之，不知自省，又出怪異以警懼之，尚不知變，而傷敗乃至。(頁 2498)
論義利	仁人者，正其道不謀其利，修其理不急其功，致無爲，而習俗大化。(〈對膠西王越大夫不得爲仁〉；頁 268)	夫仁人者，正其誼不謀其利，明其道不計其功。(頁 2524)
論陰陽形德	陽出實入實，陰出空入空，天之任陽不任陰，好德不好刑如是也。(〈陰陽位〉；頁 338)	是故陽常居大夏，而以生育養長爲事；陰陽常居大冬，而積於空虛不用之處。以此見天之任德不任刑也。(頁 2502)

㉟ 參考黃朴民：《董仲舒與新儒學》（臺北：文津出版社，1992 年），頁 62－65。

㊱ 蘇輿：《春秋繁露義證》（北京：中華書局，1992 年），頁 147。

	陽之出，常縣於前，而任歲事；陰之出，常縣於後，而守空虛；陽之休也，功已成於上，而伏於下；陰之伏也，不得近義，而遠其處也。天之任陽不任陰，好德不好刑如是。（〈天道無二〉；頁345）	
論天	爲生不能爲人，人之人本於天，天亦人之曾祖父也。（〈爲人者天〉；頁318） 父者，天之子也；天者，父之天也。無天而生，未之有也。天者萬物之祖，萬物非天不生。（〈順命〉；頁410）	臣聞天者群物之祖也。（頁2515）

以上所列，僅舉其犖犖大者，藉以會觀其要。事實上，〈本傳〉對策所涉及之所有論題，無不可於《春秋繁露》一書找到相類似之論點。由是觀之，《春秋繁露》爲董仲舒所著，實不成問題；今本《春秋繁露》之所以脫誤、舛亂者，當與後人之整理、傳抄、翻印、排比不夠縝密有關。

二、《春秋繁露》的主要內容

今本《春秋繁露》共八十二篇，已是殘卷。其中第三十九、四十、五十四爲闕文，實僅存七十九篇。學界對這七十九篇之內容分類說法不一，茲簡述如下：

㈠徐復觀所持之三分說：

⑴董仲舒之《春秋》學。計有以下諸篇：從〈楚莊王〉第一到〈俞序〉第十七共十七篇，加上〈三代改制質文〉第二十三、〈爵國〉第二十八、〈仁義法〉第二十九、〈必仁且智〉第三十、〈觀德〉第三十三、〈奉本〉第三十四等六篇，共二十三篇。這二十三篇，皆以發明《春秋》大義爲準，其論斷的標準，一歸之於《春秋》。僅偶爾提及陰陽；僅在〈十指〉第十二「木生火，火爲夏」，間接提到五行；這構成《春秋繁露》的第一部分，是董氏的《春秋》學。

⑵董仲舒所建立之「天的哲學」。計有如下諸篇：自〈離合根〉第十八起，至〈治水五行〉第六十一止，凡四十四篇，內除言《春秋》者五篇；論人性者二篇（明恩案：指〈深察名號〉第三十五與〈實性〉第三十六兩篇），闕文三篇，以下的共三十四篇；再加上〈順命〉第七十、〈循天之道〉第七十七、〈天地之行〉第

七十八、〈威德所生〉第七十九、〈如天之行〉第八十、〈天地陰陽〉第八十一、〈天道施〉第八十二等六篇，總共四十一篇，皆以天道的陰陽四時五行，作爲一切問題的解釋、判斷的依據，而僅偶及於《春秋》，這是董氏所建立的天的哲學，而成爲《春秋繁露》中的第二部份。在這第二部份中，又可顯然分成兩類：一類是以陰陽四時爲主的；一類是以五行爲主的。

⑶由尊天而推及郊天與一般祭祀之禮，與當時朝廷禮制相關者，計有如下幾篇：〈郊語〉第六十五、〈郊義〉第六十六、〈四祭〉第六十八、〈郊祀〉第六十九、〈郊事〉第七十一、〈祭義〉第七十六。其餘〈執贄〉第七十二，乃禮之一端；〈山川頌〉第七十三乃董氏因山川興起的雜艾。故全書實由三個部份構成，而以第一第二兩部份爲主。前一部份最高之準據爲「古」、爲「經」、爲「聖人」；而後一部份之準據爲「陰陽」、爲「四時」，而以五行作補充。㊲

㈡賴炎元所持之四分說：

⑴從〈楚莊王〉第一到〈俞序〉第十七，共十七篇，主要是發揮《春秋》微言大義。

⑵從〈離合根〉第十八到〈諸侯〉第三十七，共二十篇，主要是論君主治理國家的原則和方法，其中論述的對象包括正名、人性、仁義、禮樂、制度等方面。

⑶從〈五行對〉第三十八到〈五行五事〉第六十四（其中缺三篇），以及〈天地之行〉第七十八到〈天道施〉第八十二，共三十篇，主要論天地陰陽的運轉，災異的發生和消除，闡發天人相應的道理。

⑷從〈郊語〉第六十五到〈祭義〉七十六，共十二篇，是論述祭祀天地、宗廟以及求雨、止雨的儀式和意義，發揮尊天敬祖的道理。㊳

㈢黃朴民所持之三分說：

⑴對《春秋》的解釋和闡發，也就是那些「本《春秋》以立論」者。其中又可分成兩類：一類是對《春秋》所載史實的具體解釋、闡發，這方面之篇目包括〈楚莊王〉、〈玉杯〉、〈竹林〉、〈玉英〉、〈精華〉、〈王道〉、〈滅國〉、

㊲ 徐復觀：《兩漢思想史》卷 2，頁 310－311。

㊳ 賴炎元：《春秋繁露今注今譯．自序》（臺北：臺灣商務印書館，1996 年），頁 4－5。

〈隨本消息〉、〈盟會要〉、〈奉本〉、〈觀德〉、〈郊義〉、〈郊祭〉、〈順命〉等；另一類是對《春秋》主旨的抉微與總結，扼要論述《春秋》大義對現實政治的指導意義，這一類篇目主要包括：〈正貫〉、〈十指〉、〈重政〉、〈俞序〉、〈二端〉、〈符瑞〉、〈仁義法〉等。

⑵記載董生相關言行，透過這些言行，反映出董仲舒的基本思想，其主要篇目有：〈郊事對〉、〈對膠西王越大夫不得爲仁〉、〈五行對〉、〈止雨〉、〈堯舜不擅移湯武不專殺〉等。

⑶吸收陰陽家、法家、墨家、道家之思想因素，並結合當時社會政治需要所創立的新說。主要篇目有：〈循天之道〉、〈實性〉、〈深察名號〉、〈五行相生〉、〈五行相勝〉、〈天道無二〉、〈陰陽出入〉、〈天辨在人〉、〈祭義〉、〈陰陽終始〉、〈陰陽義〉、〈王道通三〉、〈陽尊陰卑〉、〈爲人者天〉、〈天容〉、〈五行五事〉、〈五行變救〉、〈基義〉、〈威德所生〉等。[39]

綜觀三家之說，可知論者對於《春秋繁露》各篇之內容的分判略有差異，唯一相同的是：三家之說均認爲《春秋繁露》內含董仲舒之「《春秋》學」。話雖如此，各家對於《春秋繁露》中那些篇目可以納入董仲舒「《春秋》學」此一範疇底下，意見則不一致。蓋徐氏之說將「偶及」《春秋》，而其內容主要在談論天道、陰陽、四時、五行者列入「天的哲學」此一範疇；而賴說則是依照今本《春秋繁露》之順序依次論列，故〈離合根〉第十八以外，均排除在董仲舒春秋學之外；至於黃氏之說，則是將《春秋繁露》中凡是對《春秋》所載史實作具體解釋、闡發，以及論述《春秋》大義對現實政治的指導意義者，均納入董仲舒春秋學，故其分判略有不同。由於三家之分判基準不同，很難做全面性的比較；但是，由於本文旨在探討董仲舒《春秋》公羊學的解經方法，故就取材上來說，理當選取與《春秋》相關之篇目作爲研討對象，取材上的差異，很可能會影響整體的判斷。所以，有關《春秋繁露》中那些篇目可以列入董仲舒「《春秋》學」之範疇此一問題，有必要作更詳盡的探討。爲便於下文討論，茲將三家之說表列如下，以觀其異同：

[39] 黃朴民：《董仲舒與新儒學》，頁69－70。

篇目＼論者	徐復觀	賴炎元	黃朴民	備註
〈楚莊王〉第一	春秋學	春秋學	春秋學	
〈玉杯〉第二	春秋學	春秋學	春秋學	
〈竹林〉第三	春秋學	春秋學	春秋學	
〈玉英〉第四	春秋學	春秋學	春秋學	
〈精華〉第五	春秋學	春秋學	春秋學	
〈王道〉第六	春秋學	春秋學	春秋學	
〈滅國〉第七	春秋學	春秋學	春秋學	
〈滅國〉第八	春秋學	春秋學	春秋學	
〈隨本消息〉第九	春秋學	春秋學	春秋學	
〈盟會要〉第十	春秋學	春秋學	春秋學	
〈正貫〉第十一	春秋學	春秋學	春秋學	
〈十指〉第十二	春秋學	春秋學	春秋學	
〈重政〉第十三	春秋學	春秋學	春秋學	
〈服制象〉第十四	春秋學	春秋學		
〈二端〉第十五	春秋學	春秋學	春秋學	
〈符瑞〉第十六	春秋學	春秋學	春秋學	
〈俞序〉第十七	春秋學	春秋學	春秋學	
〈三代改制質文〉第廿三	春秋學			賴說列入論述君主治理國家的原則和方法一類。
〈爵國〉第廿八	春秋學			賴說列入論述君主治理國家的原則和方法一類。
〈仁義法〉第廿九	春秋學		春秋學	賴說列入論述君主治理國家的原則和方法一類。
〈必仁且智〉第卅	春秋學			賴說列入論述君主治理國家的原則和方法一類；黃說對於此篇未有特別之論述。
〈觀德〉第卅三	春秋學		春秋學	賴說列入論述君主治理國家的原則和方法一類。
〈奉本〉第卅四	春秋學		春秋學	賴說列入論述君主治理國家的原則和方法一類。
〈郊義〉第六十六			春秋學	徐說列入由尊天而推及郊天及一般祭祀之禮一類；賴說列入論述祭祀天地、宗廟以及尊天敬祖一類。二氏之說略同。

〈郊祭〉第六十七			春秋學	徐說列入由尊天而推及郊天及一般祭祀之禮一類；賴說列入論述祭祀天地、宗廟以及尊天敬祖一類。二氏之說略同。
〈順命〉第七十			春秋學	徐說列入天的哲學一類；賴說列入論述祭祀天地、宗廟以及尊天敬祖一類。
合計	廿三篇	十七篇	廿二篇	

從上表可以得知，就《春秋繁露》各篇自〈楚莊王〉第一至〈俞序〉第十七，可以納入董仲舒「《春秋》學」之範疇這點而言，三家所述，差異不大（僅黃說未將〈服制象〉第十四列入）。然自〈離合根〉第十八以下，三家所論，差異極大。之所以會產生此一差異，主要有三點原因：

㈠如前所述，各家之分判基準不同；分判基準既不相同，則其結論互有差異，實屬必然之現象；

㈡各家對於《春秋繁露》各篇之內容的理解不盡相同；

㈢各家對於「《春秋》學」此一名詞之理解略有出入。

以上是造成各家說法不同的主要因素；而最重要的則是第三點。蓋吾人必先有一套對於「《春秋》學」的理解，而後方能依此理解去衡定《春秋繁露》各篇是否可以納入「《春秋》學」此一範疇。就此而言，本文並不贊同賴炎元的說法。蓋如前所述，《春秋繁露》一書乃後人「輯綴」而成，其編排次第並無一定之標準；若依今本之次序以定其內容，並由此加以分類，實不妥當。比較妥當的分類方式，應是就《春秋繁露》各篇之內容加以分析，而後再加以判定。然此又涉及兩方面之問題：

㈠由於《春秋繁露》各篇並非只針對某一問題而發，其議論也不僅止於某一個層面，故各家之判斷難免出現見仁見智之差異；

㈡就是前面所提到的，如何去理解「《春秋》學」一辭。

本文認爲，所謂「《春秋》學」，顧名思義，應是以《春秋》爲研討之對象，並由此形成某種獨特之理論體系，此乃「《春秋》學」之所以成立的充要條件。既然「《春秋》學」是以《春秋》爲研討之標的，則有關《春秋繁露》各篇那些可以納入「《春秋》學」此一範疇，在認定上不妨採取廣義之標準，以免因標準之不同而產生遺珠之憾。在此前提下，本文主張：凡是論及《春秋》、或與《春秋》有關者，都可納入「《春秋》學」之範疇。[40]倘若以此爲考量之標準，則上表所列各篇，事實上都可納入董仲舒「《春秋》學」之範疇；而本文所用之材料，即以上表所列各篇爲準。

肆、董仲舒《春秋》公羊學的解經法則

一、董仲舒解讀《春秋》的前提

歷來治《春秋》公羊學者，其說之重點雖不一致，然其認爲《春秋》寓含孔子之「微言大義」則無二致。最早提及此一說法者，應是《左傳》。《左傳・成公十四年》云：「故君子曰：『《春秋》之稱，微而顯，志而晦。婉而成章，盡而不汙，懲惡而勸善。非聖人誰能修之。』」（頁 465）又，〈昭公卅一年〉云：「《春秋》之稱，微而顯，婉而辯，上之人能使昭明，善人勸焉，淫人懼焉，是以君子貴之。」（頁 930）除《左傳》之說外，戰國以降之學者論及《春秋》，大體上亦有相類似之見解。例如：

㈠《孟子・滕文公下》云：「世衰道微，邪說暴行有作，臣弒其君者有之，子弒其父者有之。孔子懼，作《春秋》。《春秋》，天子之事也。是故孔子曰：『知我者其惟《春秋》乎？罪我者其惟《春秋》乎？』」（頁 117）又，〈離婁下〉云：「王者之迹息而《詩》亡，《詩》亡然後《春秋》作。……其事則齊桓、晉文，其文則史。孔子曰：『其義則丘竊取之矣』。」（頁 146）

㈡《荀子・勸學篇》：「《禮》之敬文也；《樂》之中和也；《詩》、《書》之博也；《春秋》之微也（楊倞《注》云：「微，謂褒貶沮勸，微而顯志而晦之類也。」），在天地之閒者畢矣。」[41]

---

[40] 徐復觀與黃朴民的分類方式與此類似，只是詳略有別而已。至於賴炎元之說，就「『內容』分類」的角度來說，實不甚妥當。若依其說，則《春秋繁露》中許多有關《春秋》之篇目均將摒除在「《春秋》學」之外。

[41] 王先謙：《荀子集解》（北京：中華書局，1992 年），頁 12。

㈢《莊子・天下篇》：「其在於《詩》、《書》、《禮》、《樂》者，鄒魯之士搢紳先生多能明之。《詩》以道志，《書》以道事，《禮》以道行，《樂》以道和，《易》以道陰陽，《春秋》以道名分。（成玄英《疏》云：「《春秋》褒貶，定其名分。」）」[42]

㈣《禮記・經解》：「孔子曰：『屬辭、比事，《春秋》教也。……屬辭、比事而不亂，則深於《春秋》者也。（孔《疏》云：「『屬辭、比事，《春秋》教』也者，屬，合也；比，近也。《春秋》聚合會同之辭，是屬辭；比次褒貶之事是比事也。」）」（頁 845）

㈤《史記》：「上大夫壺遂曰：『昔孔子何爲而作《春秋》哉？』太史公曰：『余聞董生曰：「周道微廢，孔子爲魯司寇，諸侯害之，大夫壅之。孔子知言之不用，道之不行也，是非二百四十二年之中，以爲天下儀表，貶天子，退諸侯，討大夫，以達王事而已。」夫《春秋》，上明三王之道，下辨人事之紀，別嫌疑，明是非，定猶豫，善善、惡惡、賢賢、賤不肖，存亡國，繼絕世，補敝起廢，王道之大者也。……《春秋》辯是非，故長於治人。……《春秋》以道義。撥亂世，反之正，莫近於《春秋》。《春秋》文成數萬，其指數千，萬物之聚散皆在《春秋》。』……太史公曰：『……《春秋》采善貶惡，推三代之德，褒周室，非獨刺譏而已也。』」（頁 3297－3299）

㈥《漢書・藝文志》云：「昔仲尼沒而微言絕，七十子喪而大義乖。故《春秋》分爲五。」（頁 1701）

以上所引諸家之論，雖說其評論《春秋》之「用語」略有不同，然其「意義」並沒有太大的差別：均認爲《春秋》寓含孔子之「微言大義」或「一字褒貶」之筆法。據此可知，《春秋》內涵孔子「微言大義」之說實爲戰國以降學者之共識。然而，如何探求《春秋》的「微言大義」呢？就方法上來說，首先必須涉及「解讀」及「詮釋」兩方面之問題。「解讀」與「詮釋」分別代表了研究過程中兩個非常重要的階段，前者爲後者之基礎，而後者則爲前者之目的。茲說明如下：

一般來說，任何語言文字的表述都會有其特定的「語意限制」，即：說

[42] 郭慶藩：《莊子集釋》（北京：中華書局，1993 年），頁 1067。

「甲」即是「甲」而不能是「乙」，或者是「甲」又是「乙」；即便說「甲」是「乙」（明恩謹案：即所謂「言在此意在彼」），其所指的也是「乙」，而不可能是「非乙」。「能指」與「所指」之間一定具有某種內在的邏輯關係；而其所表達之語意，也必定有某種限制。準此，當先哲透過某些概念以表達其思想觀念時，就「發話者」的立場來說，這些概念的意義應有一定的脈絡可尋。既然任何語言文字在表達上都有其內在的邏輯關係與語意限制，且其意義有一定之脈絡可尋，那麼，在「解讀」原典所使用之概念時，首先就可以透過對於原典中相關論述之文法、語法等條件的探索，以瞭解其遣詞用字的基本特徵，從而確定其所使用之詞語（或概念）的確切意涵。這樣的一種對於文本的初級認識，可稱之爲「文義解釋」，它是吾人瞭解文本的先期程序。就《春秋》之解讀而言，無論論者對於《春秋》之性質抱定何種態度，一旦進入「意義」的理解，此一程序是不可或缺的；因此，論及董仲舒《春秋》公羊學的解經方法，首先就必須瞭解董仲舒「解讀」《春秋》的基本進路。此爲本文所要探討的重點之一。

至於「詮釋」，它所涉及的則是語言文字在文本中的「特殊意義」及「可能意義」這兩方面之問題。由於中國古哲通常是藉由詮釋經典以表達其哲學（經學）思想；因此，這兩方面的探討，反倒成爲瞭解哲學（經學）家之思想精義的主要關鍵。職是之故，雖說詮釋原典必須以文義解釋爲基礎，但文義解釋僅是詮釋的「先期程序」，它不能決定讀者對於文本的特殊體認，以及讀者個人的創造性詮釋。而對於文本的特殊體認及創造性解釋，正是《春秋》公羊學得以成立的一項重要因素。故本文所探討的第二項重點，就在於董仲舒如何在文義解釋的基礎上，去發掘《春秋》的特殊意義及其所蘊含之「微言大義」。

二、董仲舒解讀《春秋》的基本原則

《春秋繁露・玉杯篇》云：

> 《春秋》論十二世之事，人道浹而王道備。法布二百四十二年之中，相爲左右，以成文采。其居參錯，非襲古也。是故論《春秋》者，合而通之，緣而求之，五（伍）其比，偶其類，覽其緒，屠其贅，是以人道浹而王法立。以爲不然？今夫天子踰年即位，諸侯於封內三年稱子，皆不在經也，

而操之與在經無異。非無其辨也，有所見而經安受其贅也。故能比貫類、以辨附贅者，大得之矣。（頁32－33）

此段文字爲董仲舒推求《春秋》「微言大義」的基本原則。㊸依〈玉杯篇〉所述，董仲舒解讀《春秋》的基本原則有三：

㈠合而通之，緣而求之。所謂「合而通之」，是指綜觀全書，並進而推求其所以通貫全書的原則；而「緣而求之」，則是指順著《春秋》之語義脈絡，而求其語言文字之意義。而要綜觀全書並求其意義，首先就必須涉及「解讀」之問題。

㈡五其比、偶其類、覽其緒、屠其贅。「五其比，偶其類、覽其緒、屠其贅」是董仲舒在綜觀《春秋》後所指出的理解《春秋》之「法門」。按照董仲舒的說法，要論《春秋》，首先要「排列」《春秋》在各種不同情境下所使用的語言文字，而後按照「類別」加以「聚合」，進而發現其「統緒」，並進一步辨析經文所未明言之旨意。藉由此一步驟，便可發現《春秋》所使用之語言文字在各種不同情境下所呈現的「特殊意義」。

㈢藉由上述程序，即可獲得「王道浹而王法立」之結論。此一結論乃是論者經由上述程序所「發現」的，孔子在作《春秋》的時候，只是透過簡略的文字加以表述，並未直言《春秋》具有此一作用。可知此一結論的提出，乃是論者進一步剖析經文後，所發現的孔子在作《春秋》時所未曾明確指陳的涵義（即闡發《春秋》之「微言大義」）。而欲透過《春秋》以發現孔子所未曾明確指陳的涵義，此即涉及「可能涵義」之問題。

董仲舒解讀《春秋》的基本原則可細分爲以上三項。就此三項觀之，可知董仲舒在解讀《春秋》的時候，其背後實有一套縝密的「詮釋方法」作爲其解讀之基準。爲了揭示此一詮釋方法的特殊性，以下試分就「解讀」與「詮釋」兩個層次加

㊸ 蘇輿《春秋繁露義證》云：「此董子示後世治《春秋》之法。合而通之，合全書以會其通，如傳聞、所聞、所見異辭之類是也。緣而求之，謂緣此以例彼，如不與諸侯專封例貶，而殺慶封稱楚子知爲侯伯討之類是也。『五其比、偶其類』，此見于經，有類可推者也。『覽其緒、屠其贅』，此不見于經，餘義待伸者也。」（頁33）

以說明。

三、董仲舒解讀《春秋》的主要方法

如前所述，詮釋之基礎首在於原典的閱讀；而閱讀原典，首先必須觸及的就是文義之解釋。然而，由於《春秋》言簡義賅，想要透過文義解釋以進一步推闡其中所蘊含的哲學義理，勢必存在某些限制。於是，董仲舒發展出一套特殊的解讀策略：打破語言文字的內在邏輯關係及語意限制，認爲不能直接就語言文字本身去推求《春秋》之「微言大義」，而是要深入語言文字的背後，去發掘《春秋》所蘊含的特殊之義理內涵。就《春秋繁露》所述，董仲舒解讀《春秋》的方法約有以下數端：

㈠《春秋》之辭，多所況，是文約而法明也。（〈楚莊王〉，頁 3）

㈡《春秋》無通辭，從變而移，今晉變爲夷狄，楚變爲君子，故移其辭以從其事。（〈竹林〉，頁 46）

㈢故說《春秋》者，無以平定之常義，疑變故之大則，義幾可諭矣。（〈竹林〉，頁 55）

㈣《春秋》之書事時，詭其實以有避也。其書人時，易其名以有諱也。……然則說《春秋》，入則詭辭，隨其委曲而後得之。（〈玉英〉，頁 83）

㈤《春秋》無達辭，從變從義，而一以奉人。（〈精華〉，頁 95）

據此可知，董仲舒在解讀《春秋》時，並不執著於語言文字的表層意義，他認爲《春秋》所使用之語詞具有多層次之特點：

㈠《春秋》之辭，多所況。所謂「《春秋》之辭，多所況」，蓋指《春秋》在闡釋義理時，每每運用「比喻」的方式來推明事理；換言之，即援引兩事物中相類似之一端互爲說明，〈楚莊王篇〉所云「《春秋》之用辭，已明者去之，未明者著之」（頁 4），所闡述的就是這個道理。既是透過「比喻」之方式，則理解《春秋》自然不能執著於文字的表層意義，而是必須深入語言文字的背後，發掘其蘊含之「可能涵義」。

㈡《春秋》「無通辭」、「無達辭」。所謂「《春秋》無通辭」、「《春秋》無達辭」，是指《春秋》在推明事理時，其所使用之語言文字沒有一定的論述格局；既然沒有一定的論述格局可以遵循，則理解《春秋》就必須依照各種不同的情況而予以適當的理解，不能執著於單一的文字意義，故而才有「從變從義」、「移其辭以從其事」之說。

㈢《春秋》「從變從義」、「移其辭以從其事」。所謂《春秋》「從變從義」、「移其辭以從其事」，是指《春秋》在推明事理之時，其所注重的是「義」與「事」的變化；隨順情境之變化而予以適當之解說，才是《春秋》之語言文字的最大特點。既然《春秋》之辭從變而移，辭乃依事而變化，則語言文字本身就只有「陳述」之作用；至於意義的判斷，就必須「隨其委曲而後得之」，有待論者進一步去發掘。而此「待發掘」者，即是《春秋》之辭的「可能涵義」或「特殊意義」，也正是董仲舒所著力的焦點。

由於《春秋》所使用之語言文字具有上述特點，因此，治《春秋》者即不能執著於語言文字的表層意義，而是要深入語言文字的背後，去發掘深藏於語言文字之下的深層涵義。至於如何去發掘深藏於語言文字底下的義理內涵，這就涉及董仲舒對於《春秋》的詮釋問題。

四、董仲舒《春秋》公羊詮釋學的建立

《春秋繁露・俞序篇》云：

> 仲尼之作《春秋》也，上探正天端王公之位，萬民之所欲；下明得失，起賢才，以待後聖。故引史記，理往事，正是非，見王公。史記十二公之間，皆衰世之事，故門人惑。孔子曰：「吾因其行而加乎王心焉。」以爲見之空言，不如行事博深切明。……假其位號以正人倫，因其成敗以明順逆。（頁161－163）

按照董仲舒的說法，孔子作《春秋》，主要表達了他的政治理想，並且明示後君治人的法則；《春秋》所透露的理念法則，即所謂的「微言大義」。然如前所云，董仲舒認爲《春秋》之「義」顯現在語言文字的背後，那麼，要如何來推求此隱藏於文字背後的「微言大義」呢？揆諸《春秋繁露》所述，董仲舒認爲應有以下諸法門：

㈠《春秋》赴問數百，應問數千，同留經中。繙引比類，以發其端。卒無妄

言而得應於《傳》者。（〈玉杯〉，頁40）

㈡不義之中有義，義之中有不義；辭不能及，皆在於指，非精心達思者，其孰能知之。……由是觀之，見其指者，不任其辭，然後可以適道矣。（〈竹林〉，頁50－51）

㈢《春秋》之道，固有常有變，變用於變，常用於常，各止其科，非相妨也。（〈竹林〉，頁53）

㈣《春秋》記天下之得失，而見所以然之故。甚幽而明，無傳而著，不可不察也。夫泰山之爲大，弗察弗見，而況微渺者乎！故案《春秋》而適往事，窮其端而視其故，得志之君子，有喜之人，不可不慎也。（〈竹林〉，頁56）

㈤今《春秋》之爲學也，道往而明來者也。然而其辭體天之微，故難知也。弗能察，寂若無；能察之，無物不在。是故爲《春秋》者，得一端而多連之，見一空而博貫之，則天下盡矣。（〈精華〉，頁96－97）

㈥《春秋》，大義之所本耶？六者之科，六者之恉之謂也。然後援天端，布流物，而貫通其理，則事變散其辭矣。（〈正貫〉，頁143）

㈦《春秋》二百四十二年之文，天下之大，事變之博，無不有也。雖然，大略之要有十指。（〈十指〉，頁145）

㈧《春秋》至意有二端，不本二端之所從起，亦未可與論災異也，小大微著之分也。夫覽求微細於無端之處，誠知小之將爲大也，微之將爲著也。吉凶未形，聖人所獨立也，雖欲從之，末由也已。……故聖人能繫心於微而致之著也。（〈二端〉，頁155）

綜觀其意，董仲舒用以詮釋《春秋》的方法有三：

㈠繙引比類，以發其端：

「比類」之說，已見前述，此處不贅；而所謂的「繙引」，則是指反覆援引比類所得之統緒。故「繙引比類」者，即是指：排列《春秋》在各種不同情境下所使用的語言文字，並依其類別加以聚合，進而發現其統緒，並反覆援引比類所得之統緒。藉由此一程序，即可發現《春秋》之「端」。何謂「端」？今察《春秋繁露》，「端」在董仲舒的用法中具有多層次之涵義：

⑴「端」指「原因」。如：

〈楚莊王篇〉「四者天下同樂之，一也；其所同樂之端，不可一也。」（頁21）〈竹林篇〉「故按《春秋》而適往事，窮其端而視其故」（頁 56）、「其端乃從懾魯勝衛起」（頁 57）、「吾本其端，無義而敗，由輕心然」（頁 66）；〈滅國上〉「存亡之端，不可不知也」（頁 134）；〈滅國下〉「衛滅之端，以失幽之會」（頁 136）。

⑵「端」指「類別」。如：

〈精華篇〉「是故爲《春秋》者，得一端而多連之，見一空而博貫之。」（頁 97）

⑶「端」指「始」或「根本」。如：

〈玉英篇〉「是故治國之端在正名」（頁 68）、〈立元神〉「君人者，國之元，發言動作，萬物之樞機，樞機之發，榮辱之端也」（頁 166）、〈官制象天〉：「天有十端，十端而止已：天爲一端，地爲一端，陰爲一端，陽爲一端，火爲一端，金爲一端，木爲一端，水爲一端，土爲一端，人爲一端，凡十端而畢，天之數也」（頁 216－217）、〈深察名號〉「治天下之端，在審辨大；辨大之端，在深察名號」（頁 284）、〈爲人者天〉「政有三端：父子不親，則致其愛慈；大臣不和，則敬順其禮；百姓不安，則力其孝弟」（頁 319）。

⑷「端」指「徵兆」。如：

〈立元神〉：「陰道尚情而露情，陽道無端而貴神。」（頁 172）

⑸除以上四類外，「端」在《春秋繁露》中更有兼攝以上數義，而作爲一統合性概念者。如：

前引〈王杯篇〉云：「《春秋》赴問數百，應問數千，同留經中，繙援比類，以發其端。」又，〈天道施〉云：「天道施，地道化，人道義，聖人見端而知本。」（頁 468－469）「端」字含攝上述諸義，在〈二端篇〉中表現得最爲明顯。其言云：

> 《春秋》至意有二端，不本二端之所從起，亦未可與論災異也，小大微著之分也。夫覽求微細於無端之處，誠知小之將爲大也，微之將爲著也，吉凶未形，聖人所獨立也，雖欲從之，末由也已，此之謂也。故王者受命，

> 改正朔，不順數而往，必迎來而受之者，授受之義也。故聖人能繫心於微，而致之著也。是故《春秋》之道，以元之深，正天之端，以天之端，正王之政，以王之政，正諸侯之即位，以諸侯之即位，正竟內之治，五者俱正，而化大行。故書日蝕，星隕，有蜮，山崩，地震，夏大雨水，冬大雨雹，隕霜不殺草，自正月不雨，至於秋七月，有鸛鵒來巢，《春秋》異之，以此見悖亂之徵，是小者不得大，微者不得著，雖甚末，亦一端。孔子以此效之，吾所以貴微重始是也，因惡夫推災異之象於前，然後圖安危禍亂於後者，非《春秋》之所甚貴也。然而《春秋》舉之以為一端者，亦欲其省天譴，而畏天威，內動於心志，外見於事情，修身審己，明善心以反道者也，豈非貴微重始、慎終推效者哉！（頁155－156）

依上所述，「端」字在《春秋繁露》中具有「原因」、「類別」、「根本」、「徵兆」等涵義；比較特殊的是，「端」字在董仲舒的用法中，有時也兼攝上述涵義，而作為一統合性的概念來使用。「緍援比類，以發其端」之「端」，雖然也可以用「原因」、「類別」、「根本」、「徵兆」等來加以解釋；但是，用統合義之端來加以解釋，似乎更為貼切。不過，前引〈二端篇〉所云，其所指則更為具體，蓋指「小大」、「微著」之「端」。然此「小大」、「微著」之「端」究係何指？觀〈二端篇〉所述，應指「人事」與「災異」這兩項而言：就「人事」而言，「端」指「『志』（或「心」）之『端』」；而就「災異」而言，「端」指「『災異』之『徵兆』」。然而，若就《春秋繁露》所述觀之，其最終之歸宿仍在於「志之端」。

〈玉杯篇〉云：

> 《春秋》之論事，莫重於志。……《春秋》之好微與，其貴志也。《春秋》修本末之義，達變故之應，通生死之志，遂人道之極者也。（頁25－39）

可見透過「緍引比類」所發之「端」，其所重者實在於人心之所應為與所不應為這點上面，並藉此判斷《春秋》褒貶之基準。對此，董仲舒曾舉例加以說明：

《春秋》譏文公以喪取。難者曰：「喪之法，不過三年，三年之喪，二十五月。今按《經》：文公乃四十一月方取，取時無喪，出其法也久矣，何以謂之喪取？」曰：「《春秋》之論事，莫重於志。今取必納幣，納幣之月在喪分，故謂之喪取也。且文公秋祫祭，以冬納幣，皆失於太蚤，《春秋》不譏其前，而顧譏其後，必以三年之喪，肌膚之情也，雖從俗而不能終，猶宜未平於心，今全無悼遠之志，反思念取事，是《春秋》之所甚疾也，故譏不出三年，於首而已譏以喪取也，不別先後，賤其無人心也。緣此以論禮，禮之所重者，在其志，志敬而節具，則君子予之知禮；志和而音雅，則君子予之知樂；志哀而居約，則君子予之知喪。故曰非虛加之，重志之謂也。志爲質，物爲文，文著於質，質不居文，文安施質；質文兩備，然後其禮成；文質偏行，不得有我爾之名；俱不能備，而偏行之，寧有質而無文，雖弗予能禮，尚少善之，介葛盧來是也；有文無質，非直不予，乃少惡之，謂州公寔來是也。然則《春秋》之序道也，先質而後文，右志而左物，故曰：『禮云禮云，玉帛云乎哉！』推而前之，亦宜曰：『朝云朝云，辭令云乎哉！』『樂云樂云，鐘鼓云乎哉！』引而後之，亦宜曰：『喪云喪云，衣服云乎哉！』是故孔子立新王之道，明其貴志以反和，見其好誠以滅僞，其有繼周之弊，故若此也。」（〈玉杯〉，頁23－28）

桓之志無王，故不書王；其志欲立，故書即位。書即位者，言其弒君兄也；不書王者，以言其背天子。是故隱不言立，桓不言王者，從其志，以見其事也。從賢之志，以達其義；從不肖之志，以著其惡。由此觀之，《春秋》之所善，善也；所不善，亦不善也。不可不兩省也。

《經》曰：「宋督弒其君與夷。」《傳》言：「莊公馮殺之。」不可及於《經》，何也？曰：「非不可及於《經》，其及之端眇，不足以類鉤之，故難知也。《傳》曰：『臧孫許與晉郤克同時而聘乎齊。』按《經》無有，豈不微哉！不書其往，而有避也。今此《傳》而言莊公馮，而於經不書，亦以有避也。是以不書聘乎齊，避所羞也；不書莊公馮殺，避所善

> 也。是故讓者，《春秋》之所善，宣公不與其子，而與其弟，其弟亦不與子，而反之兄子，雖不中法，皆有讓高，不可棄也，故君子爲之諱。不居正之謂避，其後也亂。移之宋督，以存善志，此亦《春秋》之義，善無遺也。若直書其篡，則宣繆之高滅，而善之無所見矣。」難者曰：「爲賢者諱，皆言之，爲宣繆諱，獨弗言，何也？」曰：「不成於賢也。其爲善不法，不可取，亦不可棄。棄之則棄善志也，取之則害王法。故不棄亦不載，以意見之而已。苟志於仁，無惡。此之謂也。」（〈玉英〉，頁76－78）

觀董仲舒所述三例可知，人的行爲是否「已發」並不重要；重要的是「志」在「未發」之時其動機是否純正。「從賢之志，以達其意；從不肖之志，以著其惡」，故娶時無喪而納幣在喪分，其志已違禮，因此《春秋》譏之；而桓王之志欲立，故書即位以著其惡；即使是爲善不法者，亦取其「善志」而不棄。可見「志」才是《春秋》之「端」的要旨所在。而災異之端，其最終還是歸結於「志」之上。故〈二端篇〉云：

> 是故《春秋》之道，以元之深，正天之端，以天之端，正王之政，以王之政，正諸侯之即位，以諸侯之即位，正竟內之治，五者俱正，而化大行。故書日蝕，星隕，有蜮，山崩，地震，夏大雨水，冬大雨雹，隕霜不殺草，自正月不雨，至於秋七月，有鸛鵒來巢，《春秋》異之，以此見悖亂之徵，是小者不得大，微者不得著，雖甚末，亦一端。孔子以此效之，吾所以貴微重始是也，因惡夫推災異之象於前，然後圖安危禍亂於後者，非《春秋》之所甚貴也。然而《春秋》舉之以爲一端者，亦欲其省天譴，而畏天威，內動於心志，外見於事情，修身審己，明善心以反道者也，豈非貴微重始、慎終推效者哉！（頁155－156）

《春秋》之所以舉災異以爲一端者，其意用在於「欲其省天譴，而畏天威，內動於心志，外見於事情，修身審己，明善心以反道者也」。可見董仲舒所謂的「端」主要是指「『心』之『端』」。

㈡變用於變，常用於常，各止其科，非相妨也：

按照董仲舒的說法，《春秋》所推明之事理，原就有常有變，變之道理運用於變化的事情上，而經常的道理運用於經常的事情上；理事相應，各有其適應之法則，不會相互妨礙。換言之，治《春秋》者不能執著於語言文字之表層意義，而必須視各種不同情境的變化，選擇適當的解釋法則，如此方能理解《春秋》所推闡的「微言大義」。故云：「《春秋》之道，固有常有變，變用變，常用於常，各止其科，非相妨也。」這些解釋法則，據董仲舒的觀察，計有六種。前引〈正貫篇〉於「《春秋》，大義之所本耶？六者之科，六者之恉之謂也。然後援天端，布流物，而貫通其理，則事變散其辭矣」之後又接著說：「故志得失之所從生，而後差貴賤之所始矣；論罪源深淺，定法誅，然後絕屬之分別矣；立義定尊卑之序，而後君臣之職明矣；載天下之賢方，表謙義之所在，則見復正焉耳；幽隱不相踰，而近之則密矣，而後萬變之應無窮者，故可施其用於人，而不悖其倫矣。」（頁 143）此「六科」乃董仲舒綜貫《春秋》全書後，所歸結出的治《春秋》之「綱領」，也是解釋《春秋》之法則，由此而引生出《春秋》公羊學之「經權理論」。[44]

㈢見其指者，不任其辭：

前面說過，「科」是指「微言大義」之「綱領」；此處之「指」，則是指「微言大義」之「細目」。前引〈十指篇〉於「《春秋》二百四十二年之文，天下之大，事變之博，無不有也。雖然，大略之要有十指」之後，接著又說：

> 十指者，事之所繫也，王化之所由得流也。舉事變見有重焉，一指也。見事變之所至者，一指也。因其所以至者而治之，一指也。強幹弱枝，大本小末，一指也。別嫌疑，異同類，一指也。論賢才之義，別所長之能，一指也。親近來遠，同民所欲，一指也。承周文而反之質，一指也。木生火，火爲夏，天之端，一指也。切刺譏之所罰，考變異之所加，天之端，

[44] 「經權理論」是《春秋》公羊學一項非常重要的內容，惟此已涉及《春秋》公羊學之理論問題，實非本文所能及，有興趣之讀者可參閱李新霖：《春秋公羊傳要義》，頁 188－229；蔣慶：《公羊學引論》，頁 232－250。

一指也。舉事變見有重焉，則百姓安矣。見事變之所至者，則得失審矣。因其所以至而治之，則事之本正矣。強幹弱枝，大本小末，則君臣之分明矣。別嫌疑，異同類，則是非著矣。論賢才之義，別所長之能，則百官序矣。承周文而反之質，則化所務立矣。親近來遠，同民所欲，則仁恩達矣。木生火，火爲夏，則陰陽四時之理相受而次矣。切刺譏之所罰，考變異之所加，則天所欲爲行矣。統此而舉之，仁往而義來，德澤廣大，行溢於四海，陰陽和調，萬物靡不得其理矣。說《春秋》者凡用是矣。此其法也。（頁 145－147）

就〈十指篇〉所述觀之，所謂「十指」，其內容實與「六科」之說極爲相近；比較特殊的是，此處涉及五行與災異之問題，爲董仲舒《春秋》學之另一特點。觀「六科」與「十指」之說，可知「六科」偏重於原則性之問題，而「十指」則偏重於具體性的層面上。這些具體的內容含括安百姓、審得失、正事本、明君臣、著是非、序百官、立教化、達仁恩、次陰陽、行天道等等。㊺這些是董仲舒所歸結出來的治《春秋》之「法」。換言之，治《春秋》必須把握以上所論之法則；只要掌握這些法則，自能通曉《春秋》之「微言大義」，而不必執著於語言文字之上。

董仲舒根據「十指」，進一步在社會和政治等層面推闡《春秋》之義。〈王道篇〉云：

《春秋》立義：天子祭天地，諸侯祭社稷，諸山川不在封內不祭。有天子在，諸侯不得專地，不得專執天子之大夫，不得舞天子之樂，不得致天子之賦，不得適天子之貴。君親無將，將而誅。大夫不得世，大夫不得廢置君命。立適，以長不以賢，立子以貴不以長，立夫人以適不以妾。天子不臣母后之黨。親近以來遠，未有不先近而致遠者也。故內其國而外諸夏，內諸夏而外夷狄，言自近者始也。……《春秋》之義，臣不討賊，非臣

㊺ 另請參考韋政通：《董仲舒》（臺北：東大圖書公司，1986 年），頁 56－59。

> 也；子不復讐，非子也。（頁112－117）

可以看出，董仲舒透過「科」、「指」等原則所闡發之《春秋》大義，實含括了一整套君君、臣臣、父父、子子之政治原則與倫理綱常，而構成董仲舒《春秋》公羊學之主要特徵與理論體系。

《春秋》之「大義」表現在「端」、「科」、「指」這幾個層面之上，此乃董仲舒所建立之《春秋》詮釋學最大的特點。此一特點，用公羊學之術語來說，即是「條例」。這些條例，包括了三部份之內容：

㈠文例。文例即行文之例，也就是例的表現形式。《春秋》行文之例，也就是前文所指出的三點：

⑴《春秋》之辭，多所況；

⑵《春秋》無通辭、無達辭；

⑶《春秋》從變而移，移其辭以從其事。

㈡義例。此乃例之內容及其實質之所在。《春秋》之例的內容及實質，即是透過「端」、「科」、「指」所闡述之君君、臣臣、父父、子子等政治原則與倫理綱常。

㈢法。法是法則，也就是具體的行爲規範。董仲舒透過義例的推闡所建立的行爲法則相當多，前引〈王道篇〉所述即是，茲不贅。[46]

這些「條例」，董仲舒在〈王道篇〉中歸納爲二十三項。其言云：

> 觀乎蒲社，知驕溢之罰；觀乎許田，知諸侯不得專封；觀乎齊桓、晉文、宋襄、楚莊，知任賢奉上之功；觀乎魯隱、祭仲、叔武、孔父、荀息、仇牧、吳季子、公子目夷，知忠臣之效；觀乎楚公子比，知臣子之道，效死之義；觀乎潞子，知無輔自詛之敗；觀乎公在楚，知臣子之恩；觀乎漏言，知忠道之絕；觀乎獻六羽，知上下之差；觀乎宋伯姬，知貞婦之信；

---

[46] 「條例」包含「文例」、「義例」、「法」三項內容，請參考章權才：《兩漢經學史》（臺北：萬卷樓圖書公司，1995年），頁98。

觀乎吳王夫差，知強陵弱；觀乎晉獻公，知逆理近色之過；觀乎楚昭王之伐蔡，知無義之反；觀乎晉厲之妄殺無罪，知行暴之報；觀乎陳佗、宋閔，知妬淫之禍；觀乎虞公、梁亡，知貪財枉法之窮；觀乎楚靈，知苦民之壞；觀乎魯莊之起臺，知驕奢淫佚之失；觀乎衛侯朔，知不即召之罪；觀乎執凡伯，知犯上之法；觀乎晉郤缺之伐邾婁，知臣下作福之誅；觀乎公子翬，知臣窺君之意；觀乎世卿，知移權之敗。故明王視於冥冥，聽於無聲，天覆地載，天下萬國莫敢不悉靖其職，受命者不示臣下以知之至也，故道同則不能相先，情同則不能相使，此其教也。由此觀之，未有去人君之權，能制其勢者也；未有貴賤無差，能全其位者也。故君子愼之。（頁 130－133）

除此之外，在董仲舒的相關說法中，又已隱含後世「三科九旨」說之雛形。所謂「三科」，是指：「存三統」、「張三世」、「異內外」；又因每一科又內含三種意義，故合而成「九旨」。爲便於說明，茲以後世「三科九旨」說爲準，略作說明如下：

㈠存三統。〈三代改質文篇〉云：「湯受命而王，應天變夏作殷號，時正白統。親夏故虞，絀唐謂之帝堯，以神農爲赤帝。……文王受命而王，應天變殷作周號，時正赤統。親殷故夏，絀虞謂之帝舜，以軒轅爲黃帝，推神農爲九皇，……故《春秋》應天作新王之事，時正黑統。王魯，尚黑，絀夏，親周，故宋。」（頁 187－191）此即「存三統」。而其中所蘊含之「三旨」則是：「新周、故宋、以《春秋》當新王。」

㈡張三世。〈楚莊王篇〉云：「《春秋》分十二世以爲三等：有見，有聞，有傳聞。有見三世，有聞四世，有傳聞五世。故哀、定、昭，君子之所見也；襄、成、文、宣，君子之所聞也；僖、閔、莊、桓、隱，君子之所傳聞也。」（頁 9－10）此即「張三世」，而其中所蘊含之「三旨」，用徐彥的話來說，即是「所見異辭，所聞異辭，所傳聞異辭」（詳下文）。

㈢異內外。〈王道篇〉云：「親近以來遠，未有不先近而致遠者也。故內其國而外諸夏，內諸夏而外夷狄，言自近者始也。」（頁 116）此即「異內外」，而其中所蘊含的「三旨」即是：「內其國而外諸夏，內諸夏而外夷狄」。[47]

五、結語

認爲《春秋》寓含孔子之「微言大義」，此乃治《春秋》者之基本共識，董仲舒也不例外。在此前提下，如何推求《春秋》之「微言大義」，便成爲治《春秋》者所必須思考的首要問題。就董仲舒而言，其詮釋進路包含以下三個層次：

㈠就解讀《春秋》這點而言，董仲舒提出兩項基本原則：

⑴合而通之，緣而求之。解讀《春秋》首先要綜觀《春秋》全書，並進而求其通貫全書的原則；另一方面則是要順著《春秋》之語義脈絡，而求其語言文字之意義。

⑵五其比，偶其類，覽其緒，屠其贅。按照董仲舒的說法，要論《春秋》，首先要「排列」《春秋》在各種不同情境下所使用的語言文字，而後按照「類別」加以「聚合」，進而發現其統緒，以進一步推闡《春秋》之餘義。

㈡就解讀《春秋》之方法而言，董仲舒提出以下幾點：

⑴《春秋》之辭，多所況；

⑵《春秋》無通辭、無達辭；

⑶《春秋》從變而移，移其辭以從其事。

按照董仲舒的觀察，《春秋》在闡釋義理時，每每運用「比喻」的方式來推明事理，且其所使用之語言文字，沒有一定的論述格局，而且《春秋》之辭從變而移，辭乃依事而變化。因此，在董仲舒的理解中，《春秋》之辭事實上僅有「陳述」之作用，至於意義的判斷，則必須「隨其委曲而後得之」，有待論者進一步去發掘。由於《春秋》所使用之語言文字具有上述特點，因此，治《春秋》者即不能執著於語言文字的表層意義，而是必須深入語言文字的背後，去發掘深藏於語言文字之下的深層涵義。

可以看出，董仲舒解讀《春秋》的方法相當特殊。蓋董仲舒並不是透過歸納的方法去闡明《春秋》所使用之語言文字的涵義；相反的，董仲舒認爲必須打破語言文字的內在邏輯關係及語意限制，如此方能突破語言文字所加諸於人的理解上的

---

[47] 有關「三科九旨」說之分析，另請參閱葉國良等著：《經學通論》，頁289－295。

隔閡，而直接深入語言文字的背後，從中探討《春秋》之微言大義。

㈢就詮釋《春秋》這點而言，董仲舒提出「條例」之說。認爲透過「端」、「科」、「指」等「條例」，即可闡發《春秋》之所未曾明言之意蘊，並由此而建立其特殊的《春秋》公羊詮釋學。

伍、董仲舒解經方法對後世的影響

以上爲董仲舒解經方法之主要內容。至於董仲舒解經方法對後世之影響，主要有三個層面：

一、《春秋》公羊學條例化的形成

透過「條例化」以詮釋《春秋》，是董仲舒所發展出之獨特的對於《春秋》的理解進路。西漢前期，雖說胡毋生有所謂「條例」之說，然其理論並無具體文獻可供參證；因此，論及《春秋》「條例」之說，比較具體可靠的文獻，還是必須推因於董仲舒。此乃董仲舒《春秋》學對後世影響極爲深遠的地方。

二、奠定「三科九旨」說之基礎

如前所述，「三科九旨」之說在董仲舒的相關說法中已略具雛形。此一理論雛形經何休之闡發，乃成爲《春秋》公羊學重要的理論之一。何休根據董仲舒之說，於〈隱公元年〉《傳》下進一步發揮其義云：

> 所見者，謂昭、定、哀，已與父時也；所聞者，謂文、宣、成、襄，王父時也；所傳聞者，謂隱、桓、莊、閔、僖，高祖、曾祖時事也。異辭者，見因有厚薄，義有淺深。時因衰義缺，將以理人倫，序人類，因制治亂之法。故於所見之世，恩己與父之臣尤深，大夫卒，有罪、無罪皆日錄之，「丙申，季孫隱如卒」是也。於所聞之世，王父之臣因少殺，大夫卒，無罪者日錄，有罪者不日，略之，「叔孫得臣」是也。於所傳聞之世，高祖、曾祖之臣恩淺，大夫卒，有罪、無罪皆不日，略之也，「公子益師無駭卒」是也。於所傳聞之世，用心尚粗觕，故內其國而外諸夏，先詳內而後治外，錄大略小，內小惡書，外小惡不書：大國有大夫、小國略稱人、內離會書，外離會不書是也。於所聞之世，見治升平，內諸夏而外夷狄，

書外離會，小國有大夫，〈宣十一年〉「秋，晉侯會狄於攢函」、〈襄二十三年〉「邾婁鼻我來奔」是也。至所見之世，著治太平，夷狄進至於爵，天下遠近大小若一，用心尤深而詳，故崇仁義，譏二名，「晉魏曼多」、「仲孫何忌」是也。（頁17）

到了唐代，徐彥才正式提出「三科九旨」之理論。徐彥於《春秋公羊》經傳解詁隱公第一」標題下《疏》曰：

問曰：「《春秋說》云『《春秋》設三科九旨』，其義如何？」答曰：『何氏之意，以爲三科九旨正是一物。若總言之，謂之三科。科者，段也。若析而言之，謂之九旨。旨者，意也。言三個科段之內有此九種之意。故何氏作《文謚例》云：『三科九旨者，新周、故宋、以《春秋》當新王。此一科三旨也。』又云：『所見異辭、所聞異辭、所傳聞異辭，二科六旨也。』又：『內其國而外諸夏、內諸夏而外夷狄，是三科九旨也。』」（頁7）[48]

三、影響宋儒治經之態度

《春秋繁露・竹林篇》云：

《春秋》記天下之得失，而見所以然之故，甚幽而明，無傳而著，不可不察也。夫泰山之爲大，弗察弗見，而況微渺者乎！故按《春秋》而適往事，窮其端而視其故，得志之君子，有喜之人，不可不慎也。（頁56）

---

[48] 「三科九旨」另有異說。徐彥《春秋公羊》經傳解詁隱公第一」標題下又云：「問曰：『案：宋氏之注《春秋》說，說：「三科者，一曰張三世，二曰存三統，三曰異內外，是三科也。九旨者，一曰時，二曰月，三曰日，四曰王，五曰天王，六曰天子，七曰譏，八曰貶，九曰絕。』」（頁7）然後代《公羊》家大抵依何休之說。

自董仲舒《春秋》「無傳而著」之說出，後世儒者頗有從之者。如盧仝撰《春秋摘微》，即捨傳以解經。㊾韓愈〈寄盧仝詩〉詩云：

> 《春秋》三傳束高閣，獨抱遺經究終始。往年弄筆嘲同異，怪辭驚眾謗不已。㊿

其後宋儒之治《春秋》者，復依傍其遺緒，而信《經》不信《傳》之風乃一時蔚爲風尚。如劉敞《春秋權衡》云：

> 《傳》雖可信，勿信也。熟信哉？信《春秋》而已。51

趙飛鵬在《春秋經筌》一書中亦有同樣的看法，其言云：

> 善學《春秋》者，當先平吾心，以《經》明《經》，而無惑於異端。……然世之說者，例以爲無《傳》則《經》不可曉。嗚呼！聖人作《經》之初，豈意後世有三家者爲之《傳》邪？若三《傳》不作，則《經》遂不可明邪？聖人寓王道以示萬世，豈故爲是不可曉之義，以罔後世哉！……愚嘗謂學者當以無《傳》明《春秋》，不可以有《傳》求《春秋》。52

宋儒信《經》不信《傳》之說，即本於董仲舒《春秋》「無傳而著」之論。當然，

㊾ 晁公武《郡齋讀書志》云：「《春秋摘微》四卷。右盧仝撰。其解經不用傳，然意甚殊。韓愈謂『春秋三傳束高閣，猶抱遺經究終始』，蓋實錄也。」晁公武撰、孫猛校證：《郡齋讀書志校證》（上海：上海古籍出版社，1990年），頁108。

㊿ 錢謙益等輯、屈萬里等編：《全唐詩稿本》（臺北：聯經出版事業公司，1986年），頁11848－11849。

51 劉敞：《春秋權衡》（臺北：世界書局，1988年，景印摛藻堂《四庫全書薈要》本），頁37－180。

52 趙飛鵬：《春秋經筌・序》（臺北：世界書局，1988年，景印摛藻堂《四庫全書薈要》本），頁147－178。

董仲舒《春秋》學對後世之影響可能不止以上三點，然即此三點觀之，董仲舒《春秋》學所影響於後世者，實在非常深遠：除理論體系之建立、詮釋方法之建構外，更重要的，還影響了後世的治經態度，董仲舒《春秋》學之重要性由此可知。

陸、結論

董仲舒是《春秋》公羊學系統化、理論化的重要人物；其對於《春秋》之闡釋，主要體現在《春秋繁露》一書。然《春秋繁露》一書歷來頗有疑其僞作者，故本文首論《春秋繁露》之眞僞問題，並證明《春秋繁露》爲研究董仲舒哲學、經學思想之可靠史料；進而據之以論董仲舒之解經方法。

本文指出，董仲舒解經方法可分爲兩個層次：「解讀」與「詮釋」。就「解讀」此一層次而言，董仲舒認爲，解讀《春秋》有兩項基本原則：㈠綜觀《春秋》全書，進而求其通貫全書的原則；同時必須順著《春秋》之語義脈絡，而求其語言文字之意義。㈡「排列」《春秋》在各種不同情境下所使用的語言文字，而後按照「類別」加以「聚合」，進而發現其統緒，以進一步推闡《春秋》之餘義。而在解讀方法上，董仲舒認爲，由於《春秋》所使用之語言文字沒有固定的論述格局，因此，論《春秋》就必須打破語言文字之邏輯關係及語意限制，如此方能深入語言文字之背後，進而發掘《春秋》所蘊含的特殊義理內涵。

可以看出，董仲舒在解讀《春秋》時，並非依循一般文義解釋之進路，去歸納、分析《春秋》所使用之語言文字的特定含義，並依此特定含義，去分析《春秋》的義理內涵。相反的，董仲舒透過文義解釋所發現的，是《春秋》所使用之語言文字並無固定之格局，《春秋》「無達辭」、「無通辭」是董仲舒所發現的《春秋》在使用語言文字時的最大特點。既然《春秋》所使用之語言文字沒有特定的論述格局，那麼，論者應如何來推求《春秋》的「微言大義」呢？這就涉及「詮釋」之問題。

就「詮釋」此一層次而言，由於《春秋》之辭「多所況」、且「無通辭」、「無達辭」，而在闡述義理時又「從變而移」、「移其辭以從其事」；可見《春秋》之「辭」並不明確指陳義理之所在，而是將其義蘊隱藏在語言文字的背後。如此一來，表層的文字事實上就僅具「陳述」之作用；至於意義的判斷，則必須深入語言文字之背後。既然「辭」在《春秋》之中僅具「陳述」之作用，且意義隱藏於語言文字之後，則「辭」在董仲舒的理解中，事實上是不能盡《春秋》之「意」的。「辭」既然不能盡《春秋》之「意」，那麼《春秋》之「意」應由何而見呢？董仲舒認爲，《春秋》之「意」主要表現在「端」、「科」、「指」這幾個層面上；論者必須藉由這些「條例」，方能進入《春秋》之「辭」的核心。很明顯的，董仲舒在分析《春秋》的義理內涵時，其詮釋並非藉由「部份」以進至於「整體」這樣的詮釋過程。換句話說，董仲舒並非藉由個別概念之分析，以進至於整體思想特質分析；相反的，董仲舒是運用其所建構出之特殊「框架」來解釋《春秋》。《春秋》對於董仲舒而言，是被解讀、被詮釋的對象；同時也是被運用的對象：藉由《春秋》以表達個人特殊的哲學見解。將《公羊》學「條例化」，可說是董仲舒詮釋《春秋》時所展現出來的獨特的解經方法，並由此而建構出董仲舒獨特的《春秋》公羊學理論。[53]

總之，董仲舒所建立的《春秋公羊》詮釋學，不僅富有個人之特色，更奠立了《春秋》公羊學的詮釋基礎；而其《春秋》「無傳而著」之論，更直接影響唐、宋學者對於《春秋》的理解，其《春秋》公羊學對於後世之影響，實不言可喻。

[53] 徐復觀云：「（董仲舒）所說的指，是由文字所表達的意義，以指向文字所不能表達的意義；由文字所表達的意義，大概不出《公羊傳》的範圍。文字所不能表達的『指』，則突破了《公羊傳》的範圍，而仲舒所獨得，這便形成他的春秋學的特色。」《兩漢思想史》卷2，頁336－337。

經學研究論叢
第八輯　　頁249～262
臺灣學生書局　2000年3月

王夫之《續春秋左氏傳博議》探析

蔡妙眞*

一、緒論

船山《續春秋左氏傳博議》一書，所議之年代始於成公，蓋繼宋呂祖謙《東萊左氏博議》而作，故以「續」爲名；內容亦仿東萊之博議泛論，「書理亂得失之跡，疏其說於下」；❶其旨也與東萊之書相同，並非爲闡發《左傳》而作，乃是藉《左傳》所載所評之事，論天下治亂之理，與君子小人義利之辨。

該書起自成公二年，終於哀公十一年。分上下兩卷，上卷評論《左傳》二十四則記事，下卷評論二十六則。或論人或論事，皆務求抉之至深，鉤人事之隱意，不使小人詭遁於公義也。

二、議論中呈顯之思想

㈠ 理氣不離

船山哲學以「氣」爲根源義，氣有陰陽之別，其聚散循環乃宇宙生滅復生之因，故氣爲天（形上義者）、爲太極之實稱；而氣化之機皆有理存焉，故云：

盈天地之間，人身之內，人身之外，無非氣者，故亦無非理者，理行乎氣

* 蔡妙眞，中國技術學院專任講師。

❶ 《東萊左氏博議》自序。

之中，而與氣爲主持分劑者也。❷

故所謂「道」者、「理」者、「天」者、「太極」者，皆其異稱耳，其實一也。此思路於《續春秋左氏博議》中，亦頗有闡發，如：

一陰一陽之謂道。❸

無形者道也……有形者氣也。❹

陰陽之氣爲宇宙之實體，其形而上者之謂道。故氣與道之名，乃對同一實體之不同層次之描述也。道與理亦然：

道一本而萬殊，萬殊者，皆載夫一本者也。❺

理一而分殊，不可得而宗也。❻

道即是理，皆就氣聚散揉化時呈顯之秩序而言；其本皆一氣耳，其間陰陽絪縕，揉合變造而爲萬殊之象，此即船山本體論與宇宙論之關係。至於形上義之「天」亦然：

天無往而非理之自出。❼

天爲理之所自出，則天爲根源，理爲其流動，一如氣與理之關係。

由上可知，船山認定氣、理、天、道皆爲同一實體之不同面向之描述，則理

❷ 《讀書說》卷6。
❸ 《續春秋左氏博議》卷上，頁32。同治四年湘鄉曾氏金陵刊本。
❹ 《續春秋左氏博議》卷下，頁40。
❺ 《續春秋左氏博議》卷下，頁30。
❻ 《續春秋左氏博議》卷下，頁7。
❼ 《續春秋左氏博議》卷上，頁8。

氣當然不可離，也不可分說分治，故而船山於《左傳》中之人事，皆深究名實，不使姦人得以名掩實或以名欺君子也。

㈡ 習與性成及惡之來源

天既爲理之所自出，則人倫社會規範，來自人心之以爲當然，而此心念之起，爲天（亦即氣）之作用而生：

> 人倫之序，天秩之矣。顧天者，生夫人之心者也。❽

於此，船山哲學由宇宙論而伸展至人性論。天理是虛無的，其顯現則有賴於萬物各展其性，故船山云：

> 人各以其心而凝天，天生夫人之心而顯其序。❾
>
> 天理之在人心，如明鏡之懸，而象至自睹。❿

至於天如何生人之心性？在於「繼」也：

> 人物有性，天地非有性。陰陽之相繼也善，其未相繼也不可謂之善。故成之而後性存焉，繼之而後善著焉。⓫

由於陰陽之氣，隨時在交揉離散，是「動」的本體觀，引而遂有「命日受」、「性日生」之說：

> 天性者，生理也，日生則日成也；則夫天命者，豈但初生之頃命之哉……

---

❽ 《續春秋左氏博議》卷上，頁1。
❾ 《續春秋左氏博議》卷上，頁1。
❿ 《續春秋左氏博議》卷上，頁3。
⓫ 《周易外傳》卷5，繫辭上傳第5章。

> 夫天之生物，其化不息……故天日命於人，而人日受於天，故曰：性者，生也日生而日成之也。⓬

既是日生日成，演合變化之機，不能不有差池，惡之所由生也。亦即不善於繼道，則有惡流焉，船山於此有詳盡之說解：

> 一陰一陽之謂道，道不可以善名也。成之者性也，善不可以性域也。善者，天人之際者也，故曰：繼之者善也。然則道大而善小乎？善大而性小乎？非性有不善，而性不足以載善也……善鍾於性，而不可謂性可盡善也……善有體焉有用焉，繼之者，善體；營而生，用也，成之者性，用凝而成體也。善之體有四，仁義禮智也；繼天之元亨利貞而以開人之用者也；善之用有三，智仁勇也，變合乎四德之幾而以生人之動者也……體生用而用溢於體，用非其故體，而別自爲體，不善之所自出，亦安得謂非性之所有乎……介紹乎性之用以親其體，則盡性而至於命；馳騁其性之用以背其體則流惡而不返，故性者，善之成功而不善之初幾所自啓也……故君子終不責性而責習。⓭

船山以爲「善」指陰陽之相繼，爲純粹至善，故不可以善名之，故云道大而善小。善之顯現須賴萬物之性，故曰「成之者性也」。正如人之性體爲仁義禮智，由此發而於外則有智仁勇之表現，循性體展性用乃成其爲人，乃能呈顯天生予人之道。但人性或有陷溺而未能盡現善體，故曰善大性小。陷溺者何也？溺於用而離其體，則習成焉，熏於習則性遠矣。任智者，則或有悖禮失義之節，如縱橫家者流；恂仁者，則或有昧於智理之時，如墨家兼愛；逞勇者，則或有暴虎憑河之譏，凡此皆有不盡善之處，故曰「盈而無待者，性之體也；微感而通者，性之用也。」⓮

⓬ 《尚書引義》卷3，太甲二。

⓭ 《續春秋左氏博議》卷下，頁19－20。

⓮ 《續春秋左氏博議》卷上，頁37。

對於「習」，船山猶有申論：

> 妨性莫甚於從欲。⓯
>
> 望其風旨而知其所趨。風旨者，習以生心，不期而不掩者也。習於繁者，欲簡之而不能自已。⓰
>
> 利者，習之所熏也……乃有所利而爲惡者，習之責也。⓱

可見「習」起於縱於欲，欲不惡也，縱之惡也；縱則違於道，違道則欺心，欺心則理不得，理不得惡乃生焉，故曰：

> 心不依道而行之無疑者，非能無疑也，欺其志而已矣。⓲

故修養之方在求心安：

> 心之所靖者，理莫之違也。⓳
>
> 求其心安者，而理得矣。⓴

基於此習性說，船山議論《左傳》人物，多由其是否有欺心之跡著手，並或探其欺心成習之根源；而於事故，多視其積病之因，一如探究人之困於習也。

三、對《左傳》人事之議論

秉前述思想，船山對成公以後《左傳》所記人事，有其特有之持議，皆持之

⓯ 《續春秋左氏博議》卷上，頁 39。
⓰ 《續春秋左氏博議》卷上，頁 5。
⓱ 《續春秋左氏博議》卷下，頁 19。
⓲ 《續春秋左氏博議》卷上，頁 17。
⓳ 《續春秋左氏博議》卷下，頁 27。
⓴ 《續春秋左氏博議》卷上，頁 1。

有故，非橫生議論之流。茲將《續春秋左氏博議》中之評論，依其所據之論點，分為二部分言之。

㈠ 由理氣以論人事

船山講「理一分殊」「道一分殊」，一者，氣也；分殊者，此氣之萬化也，故船山哲學為一「動」的哲學。變動之中，「合理」如何可得？船山以為天秩顯乎人倫，則天理寓乎人心，人又有其時、地、身分之異，故未可孤懸一理以律之，所以說「道者，自然之例；義者，隨時之善。」㉑持此觀點以論事，使船山不流於拘儒，往往能直指眞僞或破俗論之拘執。

如成公二年齊晉交戰，齊師敗績，辟司徒之妻先問君之免而後及其父，齊侯以為有禮而賞。船山則以為「心各生於當人之天」，言行之眞僞當由此考得。以辟司徒之妻而言，身非繫社稷君國者，則生死存亡之際，憤盈以發者，當為父之免，乃今先君而後父，於心不得為安，於理不得為諧，故不當以禮崇之也。㉒

相反的例子是襄公三十年宋大災，共姬因待姆不下堂，遂逮乎火而死。《左傳》引君子之言評其行乃女道，非婦道，故不得為賢。船山則以為《易》道周流之要在時與位，安位乘時而典禮行；然臨生死之際，豈必泥於曲繁分析之禮？若於此時猶拘拘於毫髮之別，則是見時位而未為尙志信道，禮之精神盡失，終將見譏為「忠信之薄」耳。船山向來反對有一成例之理以為軌範，他認為「人各以其心凝天」㉓才能因應氣之周流變合，共姬臨難守身，亦任之以誠而已，誠即道也，今以禮之虛文責之，反昧於理也。㉔

又如昭公十三年，楚觀從因王有殺父之仇而興亂，申亥則因王有惠於父而報之。船山以為二人之行為皆不得為孝忠。蓋「道有並建而各該善者，必推之此而後以加諸彼；道有特建而統善者，則全於此而已備於彼矣。」而「孝，道之大，能統忠而無與相悖之理。」以此觀之，觀從似孝，實陷父於有亂賊之子；申亥似忠，實

㉑ 《續春秋左氏博議》卷上，頁32。

㉒ 此則記事見《續春秋左氏博議》卷上，頁1－2。

㉓ 《續春秋左氏博議》卷上，頁1。

㉔ 此則記事見《續春秋左氏博議》卷上，頁39－41。

以「惠」視君臣之義，終至爲小人懷惠耳。故船山強調當安其心以奉親，則不昧於私怨與小惠，而能得理矣。㉕

又定公九年，駟歂殺鄧析而用其《竹刑》，《左傳》引甘棠之思而爲之惜，以爲用其道不棄其人，乃得以勸能。船山則以爲駟歂之失，在用《竹刑》而不在殺析也。用《竹刑》有何失？船山曰：

> 道一本而萬殊，萬殊者皆載夫一本者也。故道亦非獨崇也，法亦非獨卑也。生亦非獨貴也，殺亦非獨賤也。法載道，法亦崇矣；殺載生，殺亦貴矣。

多朗朗清澈的一段話，可見船山與傳統儒家輕法思想之出發點不同，他認爲法本身未必有罪，然議法不足以生天下之心，法要載道必於制法之人求之，故曰：「夫奚以載之哉？載之者，人也。人奚以載之哉？載之者，德也。」而《竹刑》之作者鄧析邪惡，惡足以載道？法而不載道，斯惡法也，用之何爲？㉖

又如定公十二年公山不狃以費叛魯，敗而奔齊，後至吳。哀公八年吳將伐魯，公山不狃故道吳於險，以不覆宗國。船山藉此論悔過之深義，以爲：「悔不忠者，遷而忠，非必前日之君也；悔不信者，遷而信，非必前日之友也。」亦即「忠」之理一，其表現卻須因時、事而不同，如此乃能得其眞理而存其天性，公山狃之所爲非直情而逕行者，如此則是欺心，欺心則天理焉得而昭顯？㉗

由上可知，船山以其理氣思想觀察人事，強調的是氣化萬殊之中，如何於言行中展現人性，亦即如何於性中呈顯天道。船山以爲正因理一萬殊、氣化日新，故「有即事以窮理，無立理以限事」㉘於此考察人心，則其心是否凝理（凝則眞，不凝則僞）皆可揭而不蒙，蓋「事所不至，心不生焉。心所不至，理所不凝，天不於

㉕ 此則記事見《續春秋左氏博議》卷下，頁12－14。

㉖ 此則記事見《續春秋左氏博議》卷下，頁30－32。

㉗ 此則記事見《續春秋左氏博議》卷下，頁42－43。

㉘ 《續春秋左氏博議》卷下，頁6。

此而顯其節文也。」[29]以萬殊與日新的動態角度看事，能不膠著，輒有發人之所未見者。

至於專以氣論事者，最明顯的例子是以氣論神異事件。襄公十七年，華臣欺凌公室，大亂宋國之政，適逢國人逐瘈狗，狗入華臣氏，華臣遂奔陳。船山以爲神鬼亦氣，爲實有者，氣與之訢合者則有所應，故曰：「神之來也，非乘虛而入也，匪誠有於中而不致也。」「虛其心以致昭明悽愴之氣，而鬼趨之矣。」今華臣倒行逆施，有戾氣（兩者互爲因果），與瘈狗之氣相呼應，故狗趨之。故就此事而言，有是氣矣（華臣之悖逆）而有是理矣（瘈狗趨之，看似天理昭彰）；亦可曰有是理矣（同氣相求），而有是氣矣（瘈狗趨華臣之事）。[30]故曰：

> 天之可畏而不可欺也，其孰爲之乎……理氣焉耳。理者，即夫人之心；氣者，即夫人之生氣也……狙詐以使氣，氣遂不依其心，而假借其使之之命，因以流而不返，則心不爲政，而爲氣動……欺天而天罰之，欺心而心蕩之，故君子之事天，事之於心而已。[31]

以下就來看船山如何以使氣欺心思想議論善惡行爲。

㈡ 由「習與性成」論善惡

船山《讀四書大全說》對行爲之不能如性，以致有不善生，有頗爲詳細之說明：

> 凡不善者，皆非固不善也。其爲不善者，則只是物交相引不相値而不審於出耳。惟然，故好勇、好貨、好色，即是天德天道之見端；而惻隱、羞惡、辭讓、是非，苟其但緣物而不緣性動，則亦成其不善也。[32]

---

[29] 《續春秋左氏博議》卷上，頁1。

[30] 此則記事見《續春秋左氏博議》卷上，頁28－30。

[31] 《續春秋左氏博議》卷下，頁2－3。

[32] 卷8，頁1。

緣物則溺而成習，遂汨其天性，惡就於此產生，如成公二年，齊晉交戰，齊使賓媚人賂晉，晉郤克要求以蕭同叔子（齊侯之母）爲質，賓媚人以孝道折之。船山以爲郤克「蓋覆忿涔溢於嗌，而氣故不能爲之和平，於是乎猖狂而率爲之詞。」其違天理遠甚，非但賓媚人耳，人人得而折之也。郤克習於使權慢姣，乃有如此泯滅人性之言行。㉝

又如襄公十年，鄭五族作亂，攻朝而殺子駟等人，子西子產聞父見弒而追盜，子西尸而追，歸而臣妾多逃、器用多喪；子產完守備，成列而後出，殺盜而歸。船山以爲《左傳》對子產有獎才之意，而深以此爲史氏之罪。蓋「性」爲君，「才」其臣耳，二者一而不貳，統而不分，故不可捨性而獎才也；若獨取其才而擿其性，必其性有所不至，性不至，斯惡矣，惡得而獎之哉？倉遽之間聞父變，充溢心念者，絕非以臣妾器用爲計，若猶轉念於此，不得謂爲依性也，一任其才而不能返性，此時才反爲性之賊，難怪船山要說「善有時而可以不善」。㉞

又如襄公二十一年，晉祁奚見宣子而免叔向，祁奚不見叔向而歸，叔向亦不告免而朝。船山以爲兩人皆矯情不近理。君子當自行其志，展其樂善之情，所謂「君子者，盡其道而無憂者也，情所必至，勿違其性，禮所必行，勿貶其節，昭昭然揭白日而行之。」此實即「誠」的工夫，船山曾主張以誠通天人之際：

> 誠者，實理也。體以是立，用以是當，忠信之原，而義理之所自出也。㉟
>
> 蓋性，誠也……然在誠則無不善。㊱

言行不由其誠，性之美善不顯，天理自然不得見，致使小人之姦益昌，君子自然會有爲善不免之悲矣。㊲

以誠釋天理人性，尚見於定公十年孔子相夾谷一事。齊魯會盟於夾谷，齊人

㉝ 此則記事見《續春秋左氏博議》卷上，頁2－3。

㉞ 《續春秋左氏博議》卷上，頁8。追盜一事則見於卷上，頁23－25。

㉟ 《周易外傳》卷10，頁17。

㊱ 《讀四書大全說》卷10。

㊲ 此則記事見《續春秋左氏博議》卷上，頁30－32。

欲以兵劫魯侯，並於盟書載曰：「齊師出竟而不以甲車三百乘從我者，有如此盟。」後又欲野響魯侯，凡此舉動皆爲孔子正大凜然之言以退之。船山以此感嘆聖人乃至仁大義之浹洽者，並申其來源爲「誠」也。所謂「至仁大義之浹洽」實即發揮人性之極至，蓋人性之體爲仁義禮智，則至仁大義即是至誠也，是性體之周用也，體用不爽則習無以入，故成其爲聖，船山於此以大自然爲喻：

> 日惟誠明，故不如火之倚於木；雲惟誠舒，故不如煙之蘊於火；雷唯誠震，故不如鐘鼓之待於枹；春唯誠溫、秋唯誠清，故不如纊之待襲、箑之待搖，而溫清無量。大哉誠乎！聖人之所以如神者，足於此矣。

誠則善顯，不誠則惡生，此善惡之由，而聖人小人之別也。[38]

如何斯可致誠？船山提出「養心」之說。定公十四年，梁嬰父譖董安于於知文子，知文子討安于於趙氏，安于請死以定趙氏。船山以爲行事當循天理，天理又在心之安，「居之於心而靖之於道者，其至矣。」今董安于奠其心於趙氏之必存，可謂恃心而迷道，迷則姦亂生。故游俠刺客亦自高其心而未得爲善者，實因心無道矣，因此修養工夫當由「養心」作起，必使心之動皆與道爲居，「安」乃可得。如何養心呢？船山提出「寬以居之，仁以守之，學以聚之，問以辨之」四句訣，能於此修練，則臨大故皆能不妄也。[39]

又如昭公九年，晉荀盈卒而未葬，晉侯飲酒樂，屠蒯入而飲工、外嬖及自己，俎以失職責之。船山以爲屠蒯爲知氏之爪牙，三酌而使平公替權臣之心沮，後世反以直臣稱之，是名義爲小人所操，於害滋甚。船山以爲誠能直道而行者，得性而知天，可使姦人之術窮，而不會反受制於小人：

> 心者，義之所自制也；身者，義之所自顯也；道者，心之所自廣也；禮者，身之所自臬也。盡其道率繇其禮，夙夜無㥄，而動止有經，喜怒不得

---

[38] 此則記事見《續春秋左氏博議》卷下，頁32－33。

[39] 此則記事見《續春秋左氏博議》卷下，頁33－35。

而乘。

喜怒不乘即不陷於習之所制，則惡無由而得生。今平公挾裁抑之心，「浮喜動，積怒張」故終爲小人所制。

又如襄公九年，記穆姜筮而知己無四德，必死東宮，後果薨於是。船山以此論爲善去惡，皆在實行，徒知己惡而未能改，於事無補。船山以爲習之浸染如崩，故當力挽之：

> 苟非心爲主於中，以馭氣而制形，則當其惰，莫能以振；當其泆，莫能以斂矣。匪振其惰，弗作也；匪斂其泆，弗成也，是以爲善也如登。惰而畏振，順於所陷；泆而畏斂，逐於所歆。是以爲惡也如崩……爲善如登，而氣凌於千仞，乃登之矣；爲惡如崩，而力挽其奔車，乃弗崩矣。

習之蝕性可怕如此，故船山以爲焉可空論知行之難易，而坐視天性之沉淪。

船山論因習而成惡之例，尚有昭公元年趙孟視蔭一事。趙孟視蔭，言己不能等待五年，后子評其玩歲惕日，難以長久。船山則以爲，禍淫之報，來自一心，趙孟陰有所圖，而故爲柔惰之跡以解天下，此即「以狙詐使其氣，氣遂不依其心」，而禍乘焉，所以說：

> 夫其懼而思戢，禍宜乘之於其退，陰有所圖，禍宜乘之於所逞，此天理之報心而不爽者也。[40]

又如昭公七年，鄭子產聘于晉，晉侯有疾，夢黃熊入于寢門，問子產爲何鬼？子產以夏郊之祀對之。船山以爲晉以博物之名玩子產，子產習於此名，以致流蕩忘歸，是以君子辭小善之名而不欲居，「避夫夕日昃月之影移我，而喪其眞也。」子產妄以淫祀對之，乃爲護其博物之譽，習染浮榮而不知己心之淪，難怪船山要感慨「淫

[40] 此則記事見《續春秋左氏博議》卷下，頁1－3。

泆愉志，迷而不復志於君子之道者，可弗懼哉？」㊶

又如昭公二十三年莒庚輿以人試劍，船山以此論惡之來由。船山以爲惡之表現有二，一出於爲利，一則無所利而亦爲惡。前者乃來自於習之所薰，而後者則是體用不能相應，從欲而迷其本性，惡遂生焉：

> 智仁勇者，所以載仁義禮智而行者也。以其縱溢之故，力亦漸微而不能載其天德，而用之溢也。乘才情以取盈，則婦人之仁，猾士之智，凶人之勇，充其枵然而自爲功矣。

如此一來，才情借血氣以逞，無能盡其性矣。所以「君子之盡性，不但盡其用也，而必盡其體性之體。」不能盡性之體，則其體空，「欲」乃浮動於其中，則血氣逞縱而習成，故雖無所利而必爲惡，實已溺於習而渾不自覺也。故莒庚輿之以劍試人，其惡較之出於有所利而爲惡者尤甚。㊷

四、結論

東萊自述其《東萊左氏博議》成書動機來自於「爲諸生課試之作」㊸，故所論輒有即勢言理以求僥倖之跡，而船山則一以其「理氣習性」說貫串之，有其脈絡分明之思維，能反復抉摘古人之情僞，故視之爲「藉史以揚學」或較近之矣。但對成公以後《左傳》所記人事，有其特有之持議，其中或有能指正《左傳》之未盡者，雖亦有未識《左傳》深意之處，然皆持之有故，非橫生議論之流，蓋其意初在以史作爲理論之證，非爲訂補《左傳》而撰也，然亦不妨其爲《左傳》之翼也。

此外，由於船山持「性日生日成」之說，此乃一「動」的視野，故論事重「變」、重「勢」、重「時」，非持一繩墨以苛律眾生也，曾昭旭先生即贊之曰：

㊶ 此則記事見《續春秋左氏博議》卷下，頁 8－10。

㊷ 此則記事見《續春秋左氏博議》卷下，頁 19－20。

㊸ 自序。

船山論史，特重因時順勢，並因而予法制器物以應有之重視。[44]

此其《續春秋左氏博議》尤長之處也。船山曾云：「是非厚薄精粗美惡之辨，擇之至極而無以易之，然後可曰善矣。」[45]以此視船山《續春秋左氏博議》之作，亦可曰善矣。

[44] 曾昭旭《王船山哲學》（臺北：遠景出版社，民國 72 年），頁 273。

[45] 《續春秋左氏博議》，卷上，頁 7。

經 學 研 究 論 叢
第 八 輯　　頁263～290
臺灣學生書局　2000 年 3 月

理雅各英譯《春秋》《左傳》析論

劉家和、邵東方、費樂仁*

一、理雅各氏譯《春秋》經兼收《左傳》

十九世紀蘇格蘭傳教士、著名漢學家理雅各（James Legge, 1815－1897）氏潛心數十年，翻譯了《中國經書》（*The Chinese Classics*），其中包括《論語》、《大學》、《中庸》、《孟子》四書，和《尚書》、《詩經》、《春秋》以及《左傳》。理氏的目標是要翻譯和注釋中國的「四書五經」，但由於《禮記》篇幅甚大、《易經》又完全別具一格（sui generis），從事兩書翻譯皆須時日，所以他先行出版了「四書」和三經（《尚書》、《詩經》和《春秋》）。應該說理氏視《禮記》爲《五經》之一，是遵循了唐初所修《五經正義》的傳統。❶《中國經書》的第五卷是《春秋》和《左傳》兩部書的英譯。在唐修《五經正義》中，《春秋》是其中一經，而《左傳》雖不算作經，但作爲解釋《春秋》的「傳」也列入其中。理氏也沒有把《左傳》當作「經」，同樣地是把它作爲解經之傳加進來的。他的這種做法可以說是承襲了自唐開始的中國經學的一種傳統。

---

* 劉家和，北京師範大學史學研究所教授。邵東方，史丹福大學宗教研究系研究員。費樂仁，香港浸會大學宗教哲學系教授。

❶ 在漢代，作爲五經之一的「禮」並不是指《禮記》，而是指《儀禮》。明成祖永樂年間命胡廣等修《五經大全》，也以《禮記》爲禮經，於是唐定五經的這個傳統沿襲下來。清代雖以《周禮》、《儀禮》與《禮記》三者並列爲禮經，《禮記》仍然爲經。所以理氏遵循這個傳統是很自然的。

應當說明的是，理氏並非盲目地遵循中國經學的固有傳統。他翻譯《春秋》時附以《左傳》、卻不附以《公羊傳》或《穀梁傳》，其理由在於，如果衹譯《春秋》之經文，那麼讀者對於春秋時期的歷史就衹能得到一個相當貧乏而不甚清晰的印象；惟有附以《左傳》，才能解決這個問題，而其他二傳是解決不了這一問題的。關於這一點，他在此書的前言中已經說明。❷有趣的是，理氏的這一考慮，又有與中國前人見解相近的地方。清代乾隆朝（1736－1795）官修《四庫全書總目提要》（1789 年成書刻板）中經部、《春秋》類「春秋左傳正義」條裡就曾有云：「左氏之義明，而後二百四十二年內善惡之跡一一有徵。」❸同類「春秋釋例」言之猶明，其條曰：「《春秋》以《左傳》爲根本。」❹其實持此見解的不衹是官修《四庫全書總目》，在此以前，惠士奇（1671－1741）在《春秋說》中就說：

> 或以爲左氏紀事誕妄不足信，始自趙匡，南北宋諸儒從而和之；於是學者胸馳臆斷，異說並興，《左傳》雖存而實廢矣。吾恐《左傳》廢而《春秋》亦隨之而亡也。❺

理氏沒有引用中國學者這一類的話，並非因爲他對此一無所知，而是在於他本人對於《春秋》的評估與《四庫全書總目》的作者截然不同。不過，在若無《左傳》就難以明白《春秋》所載之事這一點上，理氏還是與惠士奇和《四庫全書總目》的看法基本一致的。

---

❷ *The Chinese Classics* (Hong Kong: Hong Kong University Press, 1960), Vol.1, "Preface", P.v. 按，本文所引理雅各語，皆爲筆者所譯。

❸ 永瑢等撰：《四庫全書總目》（北京：中華書局，1965 年整理影印本），頁 210。以下凡引此書，祇標書名、頁碼。

❹ 《四庫全書總目》，頁 212。

❺ 阮元編：《皇清經解》第 2 册（上海：上海書店，1988 年影印本），頁 176。以下引此書，祇標書名、册數、頁碼。

二、理氏依照中國傳統以《春秋》爲經，但又對之深致懷疑與不滿

在中國學術史上，斷言《春秋》爲孔子所作、並由此視《春秋》爲經典的傳統是從孟子開始的。在英譯本的《緒論》（Prolegomena）裡，理氏首先引了《孟子》中的三段話：「世衰道微，邪說暴行有作，臣弒其君者有之，子弒其父者有之。孔子懼而作《春秋》。」「昔者，禹抑洪水，而天下平；周公兼夷狄，驅猛獸，而百姓寧；孔子成《春秋》，而亂臣賊子懼。」「其事則齊桓、晉文，其文則史，其義則丘竊取之矣。」❻然後他列舉事例，說明現存之《春秋》是不合乎這些評述的。析而論之，理氏的致疑表現在以下兩個方面：

㈠ 懷疑《春秋》真為孔子所作

當理雅各在 1861 年翻譯《論語》時，他基本上還是確信五經中唯《春秋》孔子本人之作。❼然而嗣後經過近十年的研究，到了《春秋》、《左傳》譯成之時，他卻已不再相信《春秋》眞的是孔子所作的了。根據其《緒論》中，我們可以將理氏的觀點概括爲兩點：

第一，在理氏看來，主張《春秋》爲孔子之作的權威根據乃是孟子之語，而孟子僅是說：孔子作《春秋》的材料來源取自魯之《春秋》、晉之《乘》、楚之《檮杌》等等，惟有「義」（「the righteous decisions」）的內容才是孔子所賦予的。可是，他本人卻無法從《春秋》裡看出什麼「義」來。既然沒有「義」，那麼《春秋》這部書裡還能有什麼爲孔子所作呢？在此，我們完全可以想見，理氏作爲一個西方學者，限於文化背景的差異，很難從《春秋》裡看出什麼「義」來。不過需要說明的是，在這一點上，他的理解也曾受到了中國學者某種程度的影響。理氏特別轉引了其學術好友王韜（1828－1897）一篇專論文中所引宋末馬端臨（1254－1323）和明代郝敬（1558－1639）之語並加以發揮，以說明現存《春秋》祇是原本

---

❻ *The Chinese Classics*, Vol.5, “Prolegomena”, P.2.

❼ *The Chinese Classics*, Vol.1, “Prolegomena”, P.1.

《春秋》的殘篇。❽應該說，這是對於《春秋》權威性的一種婉轉否定。理氏又引用了十八世紀的清代史學家兼詩人趙翼（1727－1814）在《陔餘叢考》中的一段話，來印證《春秋》中書或不書「王正月」都不含有什麼「褒貶」的深文大義。由於趙翼在文中尚未排除有孔子在《春秋》個別地方作了加工的可能，理氏還對於趙氏以及中國其他學者不能完全擺脫其所受傳統教育之束縛表示惋惜。❾

第二。理氏又從孔子本人不曾說及修《春秋》之事，進而對孟子的說法表示懷疑。他自己沒有直接提出這個問題，而是以頗為欣賞的口吻援引了十八世紀一位不甚尊經的清代詩人袁枚（1716－1797）致友人葉書山的一封信，因為他驚喜地發現他們在這一問題上見解一致。所以不妨說，袁氏的話實際上代表了理氏本人要說的話。

袁氏在信中指出：「《春秋》一書，斷非孔子所作。」其所列五點理由是：一，孔子自稱「述而不作」，如何會代替史官去作《春秋》？二，孟子引孔子「知我罪我」的話可疑，因為那種話顯然以王自居；那是孔子不能做的，也是魯國的君臣所不能允許的。三，說孔子作《春秋》「游、夏不能贊一辭」，可是傳統上都說孔子寫《春秋》至哀公十四年春而止，而《春秋》實際寫到哀公十六年孔子去世。那麼這三年的歷史自然是由他人撰寫的，為何說別人不能贊一辭呢？所以《春秋》本來就是魯史官之作，與孔子的生死無關。四，《論語》是最權威的書，而《論語》衹說孔子教人《詩》、《書》，他自己學《易》，完全沒有說到修《春秋》的事。《春秋》是傳統上原本就存在的書。五，《春秋》裡面還有一些講得不明不白、是非不清的話，聖人何以會寫出這樣的話呢？以上五點表明，袁氏用《論語》和其他證據相當有力地否定了孟子之語的權威，理氏對於袁氏的這些意見十分贊同。可是袁氏也未排除孔子在個別地方對《春秋》有所改動，這又使得理氏對像袁

---

❽ *The Chinese Classics*, Vol.5, “Prolegomena”, P.4.

❾ *The Chinese Classics*, Vol.5, “Prolegomena”, PP.5－6. 附帶說明，理氏所引趙氏文最後部分並不完全、且有譯誤。趙氏的原意是，寫《春秋》底本的史官用周正者，孔子就加一個「王正月」；原來未用周正者，孔子也就隨之不書「王正月」。見趙翼撰，欒保群、呂宗力校點：《陔餘叢考》（石家莊：河北人民出版社，1990 年），頁 30－31，「春不書王」條。以下凡引此書，衹標書名、頁碼。

枚這樣的中國學者不能完全免除儒家傳統的俗見表示遺憾。❿

㈡ 否定《春秋》的價值

理氏否定《春秋》價值的主要論述見於其《緒論》第五節。⓫概括地說來，他的否定包括了以下兩個方面：

第一，他從知識系統的角度批評了《春秋》之失眞，或者說他從史學研究的角度批評了《春秋》之不合事實。按照他的歸納，《春秋》之不合事實有三類情形：

第一類，《春秋》置事實於不顧。

在這一類情形中，理氏舉了兩種例子。一種是，《春秋》以爲國君的即位是大事，一般總是要寫明的；可是也有少數不寫的例子。如魯僖公元年（前 659）不書即位，《左傳》說明了不書即位的原因，而《春秋》卻沒有說明事實。另一種是，《春秋》以爲葬國君是大事，一般總是要寫明的；可是也有少數不寫的例子。如對於楚國與吳國的國君，《春秋》皆不書葬。因爲書葬某國君的時候，按規矩是要寫上其正式頭銜的，而楚、吳之君皆已自稱爲王，《春秋》不允許周王以外的任何君主稱王，所以也就不書楚、吳國君之葬。《春秋》不顧歷史事實，亦未加以說明。

第二類，《春秋》隱諱事實眞象。在這一類情形中，理氏列舉了三種事例。一種是，《春秋》中多有「公薨」、「子卒」之類的記載，可是「公薨」這同一說法竟無分別地應用於不同諸侯的不同性質之死亡上，「子卒」這同一說法竟然不加區分地應用於不同貴族的不同性質之死亡上——既不論那是善終、還是暴死，也不論其死亡的具體原因。這樣一來，《春秋》就把事情的眞相掩蓋起來了。再一種是，對於不同人在不同情況下的出走，也常常用同一個詞來表示。例如，《春秋》莊公元年（前 693）記「夫人孫於齊」，又《春秋》昭公二十五年（前 517）記「公孫於齊」。在前一個事例中，已故魯君桓公的妻子文姜因爲參與了謀殺其夫的

---

❿ *The Chinese Classics*, Vol.5, “Prolegomena”, PP.81－84. 至於《公羊傳》中所說孔子修《春秋》的例子，理氏認爲是孤證，不可信。同前引書 P.16。

⓫ *The Chinese Classics*, Vol.5, “Prolegomena”, PP.38－53.

陰謀活動，所以不得不逃往娘家齊國。而在後一個事例中，魯昭公是由於在與季氏貴族的鬥爭中失敗了，才不得不逃往齊國。同是「孫於齊」一語，卻表達了完全不同的事情，這樣的用語當然將事情的眞相掩蓋了。另一種是，關於周王外出的事。例如，《春秋》僖公二十四年（前 636）記「天王出居於鄭」，二十八年（前 631）又記「天王狩於河陽」，兩次都講的是周襄王外出，第一次他是因爲避其弟王子帶之亂，而第二次則係受晉文公之召。到河陽去會見諸侯。兩次外出的原因和性質有顯著的不同，可是從《春秋》經文的記載則無法看出其中不同的事實眞相。

第三類，《春秋》表述有誤。理氏共計舉了六個事例。一是宣公二年（前 608）記「晉趙盾弒其君夷皋」；其實殺晉君的人是趙穿，其時趙盾逃亡在外，祇是他回來後沒有懲辦趙穿而已。二是昭公十九年（前 523）記「許世子止弒其君買」；其實許君買患瘧疾，在服了其子止的藥以後去世。三是昭公元年（前 541）記「楚子麇卒」：其實楚君麇在患病中，在公子圍探望時被勒死的。四是昭公十三年（前 529）記「楚公子比自晉歸於楚；弒其君虔於乾溪」；其實楚靈王虔是在眾叛親離的情況下，在乾溪自縊而死的。五是哀公六年（前 489）記「齊陳乞弒其君荼」；其實陳乞祇是策劃了以公子陽生取代幼君荼的行動，卻不主張殺荼，殺荼是陽生爲了免於後患而下手的。六是宣公十年記「陳夏徵舒弒其君平國」；其實是陳君平國與二大夫到夏家。污辱了夏徵舒，才被夏徵舒射死的。理氏認爲，對於以上六個弒君的事例，《春秋》都未能作出正確或者清楚的表述。

第二，理氏又從價值系統的角度批評了《春秋》之失善，或者說從倫理學的角度批評了《春秋》之不合道德。具體說來，這又分別表現在以下兩個方面：

第一方面，如果說中國儒家正統的說法以爲《春秋》褒善貶惡、是非分明，那麼理氏的看法則正好與之相反。他批評《春秋》道：

> 書中各段都不過寥寥數語。每一個段落都旨在說明一個事實。然而，至於作者是想向讀者展示令他們讚嘆稱道的美德，還是揭露足以引起他們憎惡憤慨的醜行，那麼從字裡行間則絲毫看不出作者的任何意圖。這些不能稱作記述的語句中不帶任何感情。作者不論對卑鄙的謀殺活動，還是對輝煌的英雄業績，都如同記述日蝕那樣平鋪直敘——某年某月發生了某事，如

此而已。⑫

在理氏看來，所謂《春秋》書法似乎是不解之謎。其實又何止是理氏一人？宋儒朱熹(1130－1200)則是更早就對此有所疑惑。理氏在譯註中曾引朱子這一類的話⑬，不過其所引還不是朱子最具代表性的話（原因在於理氏是從《欽定春秋傳說匯纂》的「綱領」中轉引朱子之語的，而「綱領」本身所引之語大多不全。）例如，有人問朱子：「諸家解《春秋》如何？」朱氏答道：

> 某盡信不及。如胡文定《春秋》，某也信不及，知得聖人意裡是如此說否？……況自家之心，又未如得聖人，如何知得聖人肚裡事！⑭

朱子採取的是一種近乎懷疑主義的態度，儘管他口裡還說著「聖人」。至於具體的例子，前面一段中所舉的例子都是非常典型的，這裡就不再復述了。對理氏而言，《春秋》不分是非，在感情上對善惡如同對待日蝕一樣，可謂麻木不仁。

第二方面，理氏以爲《春秋》的作者有意偏袒有權勢的統治者。理氏批評《春秋》的作者說：

> 他對強者，而不是弱者，抱有更大的同情。他寧可對當權者的劣跡和遭到反抗的情況視若無睹，而去注意身受其害的人民群眾的憎憤與不滿。他無法想像還有什麼比犯上作亂更值得譴責之事。⑮

---

⑫ *The Chinese Classics*, Vol.5, "Prolegomena", P.3.

⑬ *The Chinese Classics*, Vol.5, "Prolegomena", P.15.

⑭ 黎靖德編，王星賢點校：《朱子語類》（北京：中華書局，1986 年），第 6 冊，頁 2155。以下凡引此書，衹標書名、頁碼。

⑮ 理氏在此加有一注："See the *Analects*, VII, P.xxxv."按《論語》此章原文是：「子曰：奢，則不孫；儉，則固。與其不孫也，寧固。」這並不能說明理氏的論點。可能此處有錯。另外，理氏一方面懷疑《春秋》爲孔子所作，另一方面又將批評《春秋》與批評孔子聯繫起來，把孔子當作此書的作者。這也顯出他有猶豫不定的地方。

因此。他在記述發生在統治者中的事情時常常帶有偏袒之見，而對被統治者行爲的記載也往往有失公允。⑯

理氏在這方面並沒有列舉多少例子。不過，從他對於《春秋》宣公十年（前 599）所記「陳夏徵舒弒其君平國」這一條的分析與評論來看⑰，他頗同情於那個身受欺凌而被迫起來反抗的「可憐的青年人」（理氏原話）夏徵舒。他覺得，如此表述這樣的事件是有欠公平的，從道德上說是令人難以接受的。

經過以上兩個方面的批評後，理氏便以爲《春秋》的價值可以被徹底地否定，從而人們對於《春秋》的迷信也就可以隨之消除。事情是否眞是這樣的簡單呢？這一層請待下面詳細討論。

三、理氏否定《春秋》，同時卻肯定《左傳》

㈠ 理氏肯定《左傳》的理由

理氏爲什麼會肯定《左傳》呢？據他自己聲稱：

> 我之所以認爲《左傳》基本可信，是因爲它的記述方式與《公羊傳》和《穀梁傳》不同。後者的記述中有傳說的印記，並且這些記述的來源顯然不是有文字的記載，而是根據人們口耳相傳的故事。另外，相對來說，這些記述所包括的內容範圍較爲狹窄。他們一定是在人們對過去某個事件的記憶已基本消失時才把它記錄下來的。如果他們當時能夠得到左氏的資料，可以肯定，他們是一定會加以利用的。讀過這三本著作之後，人們無疑會認爲，左氏著作中的記述最爲可靠。⑱

理氏認爲《左傳》有成文的記載爲根據，而《公羊》與《穀梁》二傳則出自十口相

⑯ *The Chinese Classics*, Vol.5, “Prolegomena”, PP.50－51.

⑰ *The Chinese Classics*, Vol.5, “Prolegomena”, P.49.

⑱ *The Chinese Classics*, Vol.5, “Prolegomena”, P.33.

傳。有偶無獨，唐代學者啖助（724－770）曾說過這樣的話：

> 余觀《左氏傳》，自周、晉、齊、宋、楚、鄭等國之事最詳。晉則每一出師具將佐，宋則每因興廢備舉六卿，故知史策之文，每國各異。左氏得此數國之史以授門人，義則口傳，……故此餘傳，其功最高；博採諸家，敘事尤備。能令百代之下頗見本末；因以求意，經文可知。⑲

並且，在理氏曾經參考的《四庫全書總目》卷二十六「春秋左傳正義」條中也有類似的說法：「今以《左傳》經文與二傳校勘，皆左氏義長。知手錄之本確於口授之本也。」⑳這兩段文字頗可與理氏的說法相參證，足見理氏的看法與中國傳統的觀點大體上是一致的。

理氏相信《左傳》的另外一個原因是，此書作者的年代比較接近於孔子。《左傳》的作者是否就是司馬遷（前145－前68）在《史記‧十二諸侯年表序》中所說的魯君子左丘明？左丘明又是否如杜預在《春秋左氏經傳集解序》中所說那樣是孔子的弟子？這些問題自唐、宋以降就多有爭論，至今尚無定論。理氏沒有參與這些問題的討論，衹是根據《左傳》書中內在的年代材料來推測《左傳》作者的年代。《左傳》說到「悼之四年」，而魯悼公卒於公元前 430 年；又說到「趙襄子」，而此人死於公元前424年。這些都是《左傳》記載中最晚的年代。所以《左傳》之作必不能早於公元前 424 年，也不至晚於此年太多。理氏由此推論，《左傳》作者當爲公元前五世紀之人，換言之，按理氏之意，左氏乃春秋戰國之際的人。他雖在年代上接近於孔子，但又不大可能直接受教於孔子之門，因爲孔子卒於公元前478年。㉑

儘管理氏認爲《左傳》一書是可靠的，但是他並不排除其中有後來攙入的成

---

⑲ 陸淳：《春秋啖趙集傳纂例》卷 1，「三傳得失議第二」（上海：商務印書館，1936 年《叢書集成》本），頁3。以下凡引此書，衹標書名、卷數和頁碼。

⑳ 《四庫全書總目》，頁210。

㉑ *The Chinese Classics*, Vol.5, “Prolegomena”, P.24, P.33.

份。他不僅知道中國學者早有類似的看法，而且在他看來，《左傳》中的「君子曰」和一些預言大概是漢代人加進去的。㉒他的這一主張和《四庫全書總目》「春秋左傳正義」條頗有相通之處。但此條仍然把《左傳》作者定爲左丘明，這是理氏與之不同之處。不過，《四庫全書總目》此條說不能因《左傳》攙進某些後來加入的成份，就否認全書皆非左丘明所作。理氏則認爲，絕不能因爲《左傳》某些後來攙入的成份，就把全書都說成是後出之書。這又是他與《四庫全書總目》作者用意相近的地方。

㈡ 理氏主張《左傳》具有雙重作用

在譯註過程中，理氏的一個重要看法是，《左傳》一書兼具解經和證史的雙重作用。㉓首先，我們必須指出，理氏提到的《左傳》解經和中國傳統的《左傳》解經說是有同有異的。他所說的《左傳》解經，總起來說包含了兩個方面：一是《左傳》敘述了《春秋》經中所講的事情，使人們能夠了解《春秋》的簡短經文所記是怎麼一回事情；二是《左傳》中也有一些解釋經文字句的話。僅就這兩點而言，理氏的解經說似乎與中國傳統說法相去不遠。不過，理氏還認爲，《左傳》在解經方面，有時做得成功，有時又不甚成功。理氏進而說，《左傳》作者之解經尚無類似《公羊傳》或《穀梁傳》那樣的「褒貶」思想，並由此猜測《左傳》作於孟子的褒貶說出現以前。他這種關於《左傳》解經與褒貶無關的看法，就明顯地與中國經學傳統的說法判然不同了。但是，理氏所說《左傳》解經有時不成功的說法在中國學術史早就有學者提出過。唐代趙匡曾有言：「《左氏》解經，淺於《公》《穀》，誣謬實繁。」㉔宋代朱熹亦云：「左氏之病，是以成敗論是非，而不本於義理之正。嘗謂左氏是個猾頭熟事，趨炎附勢之人。」㉕不過深一層看，理氏的《左傳》解經說與中國傳統《左傳》解經說的關鍵性區別在於，理氏把《左傳》解經不成功的地方（即因敘事眞實而無法完成解經的任務）不當作什麼了不起的大問

㉒ *The Chinese Classics*, Vol.5, “Prolegomena”, PP.34－35.

㉓ *The Chinesec Classics*, Vol.5, “Prolegomena”, P.28－31.

㉔ 《春秋啖趙集傳纂例》卷 1，「趙氏損益義第五」，頁 8。

㉕ 《朱子語類》，頁 2149。

題，甚至還認爲是《左傳》的某種優點；而中國傳統則將《左傳》解經不成功之處視作離經叛道的言論。以上所引趙匡及朱熹之說就代表了這種看法，當然持有這種看法的學者還不止他們二人而已。

如何知道理氏不以《左傳》解經之不成功爲意呢？這祇須看他對於《左傳》敘史的評價就可以了。他頌揚左氏敘史之筆凝練、生動、逼眞，並借用法國漢學家斯坦尼斯拉斯·朱利安（Stanislas Julien）的話稱左氏爲「偉大的作家」（un grand ecrivain），以爲稱左氏爲「中國的夫瓦沙」（the Froissart of China）實不爲過。㉖按，夫瓦沙（1333－1405）爲十四世紀法國著名的編年史作家，其著作以記事眞實與文章優美聞名於世。如果說其它西方漢學家這樣稱道《左傳》作者是受了這部書的感染所致，那麼對理氏而言還另有一層原因，那就是恰好《左傳》這一部書提供了他批評《春秋》的材料根據。在上一節裡，我們列舉了理氏批評《春秋》的許多例子，說明他的材料依據基本上出自於《左傳》，此處不再贅述。

那麼。如何解釋《左傳》與《春秋》之間這種不協調的現象呢？理氏本人對此也感到驚異：

> 令人無比驚異的是，左氏似乎沒有意識到，他和孔子所記述的事件有很多不同之處。比如他曾說，經文掩蓋了事實的本質。不過，他似乎總是看不出文本描述中的那些不可信的成分。㉗

然而使理氏深以爲異的東西，恰恰是中國經學傳統中視爲理所當然之事。在《公羊傳》與《穀梁傳》裡就有好幾十處論及隱諱之事，並且明文指出了關於隱諱的規則。《左傳》在這方面的確不如其他二傳，其中涉及隱諱之處，除了理氏所指出的那一條外，不足十處，而且一般都祇是指出這裡經文有所隱諱，而未說理由。僅有僖公元年一條說：「公出復入，不書，諱之也，諱國惡，禮也。」㉘這一條說隱諱

㉖ *The Chinese Classics*, Vol.5, “Prolegomena”, P.31.

㉗ *The Chinese Classics*, Vol.5, “Prolegomena”, P.29.

㉘ *The Chinese Classics*, Vol.5, “Prolegomena”, P.133.

是根據當時的禮（制度）作出的。其實這也還是客觀介紹性的，理氏並沒有明確提出自己的解釋。而《左傳》的這一特點正好適合理氏揭發《春秋》書法隱諱的需要。至於左氏對於《春秋》隱諱問題不甚敏感，則是因爲他生活於春秋時期，對於那個時代的習俗慣例熟視無睹，故無須特別加以說明。理氏對於《春秋》書法的隱諱頗爲反感和懷疑，這一看法雖然無法在中國經學傳統中找到同情者，可是在中國的史學傳統裡卻能找到其先行者。唐代史學家劉知幾（661－721）在其《史通・惑經》中就曾明確地指出，他對於《春秋》的隱諱有十二點懷疑，並提出了五條證據說明人們對於《春秋》的讚揚是言過其實的。在〈惑經篇〉之後，接著就是〈申左篇〉；在此篇中劉氏指出《左傳》有三點長處，而《公羊》、《穀梁》二傳有五個短處。劉氏和理氏一樣，也是用《左傳》作依據來批評《春秋》的。理氏的參考書目中雖然沒有列出劉知幾《史通》的這兩篇文字，然而就這一點言，他們論述《春秋》、《左傳》的思路似無二致。

四、論理氏關於《春秋》和《左傳》的見解

㈠ 關於《春秋》和《左傳》的成書時代與作者的問題

如上所述，理氏對於孔子作《春秋》之說頗有致疑，但他並未斷然否定它爲孔子所作，而且行文中仍以孔子爲《春秋》之作者。我們已經指出，理氏在這個問題上顯示出了一種認識上的矛盾。現在距離理氏此書之出版已經一百二十餘年，學者們對於孔子與《春秋》的關係問題的看法，似乎仍然處於分歧之中。

大體與理氏之書同時，日本學者安井衡（1799－1876）出版了《左傳輯釋》（1871），他認爲《春秋》爲孔子所作是毋須置疑的。其後日本學者竹添光鴻（1842－1917）作《左氏會箋》（1893），仍然持孔子作之說。而在中國，當《公羊》家的經今文學在清末興起之時，康有爲（1858－1927）等主張變法的人把《左傳》說成是僞書（這一點隨後將要談到），卻堅信《春秋》爲孔子所作之聖經，其目的是借孔子的聲望來協助自己從事政治宣傳。當然，並非政治活動家的今文經學家皮錫瑞（1850－1908）也認爲六經皆孔子所作。同時，中國的古文經學家章太炎（1869－1936）、劉師培（1884－1919）也均持孔子作《春秋》說。清末中國的有變革思想的學者對於《春秋》經傳所持見解和態度，竟然與理氏恰恰相反。而且，

上一個世紀末，日本學者的見解也與理氏大有逕庭。

到了本世紀二十年代初，當古史辨運動興起之際，顧頡剛（1893－1980）氏在致錢玄同（1887－1939）氏的《論孔子刪述六經說及戰國著作僞書書》說：「看劉知幾的《惑經》，《春秋》倘使眞是孔子作的，豈非太不能使亂臣賊子懼了嗎？」㉙錢氏於《答顧頡剛先生書》中也說：「六經之中最不成東西的是《春秋》。」㉚以後錢氏又有致顧氏《論春秋性質書》，云：以爲如把《春秋》看作孔子發表微言大義的書，那麼此書就不成爲歷史；如以爲此書是歷史記載，按照孔子的才能還不至於寫出這樣不成東西的書來。錢氏表示他自己主張後一說。顧氏於《答書》中同意錢氏的看法，並簡要地列出六點看法來支持錢說。㉛從那以後，六大冊《古史辨》中就不再出現專門辯論孔子與《春秋》的文章，大概疑古學者們以爲這個問題已經弄清楚了，無須再加爭辯了。實際上，確實有很多中國學者不再相信孔子作《春秋》說。這一點並不奇怪，因爲在中國經學史上，早就有懷疑孔子作《春秋》的傳統。但是，同樣又有許多學者在不同程度上承認孔子曾修《春秋》之說。這種現象也不足爲奇，這是由於在中國主張孔子修《春秋》說的傳統更爲深厚。

本世紀八十年代初，楊伯峻（1909－1992）氏出版《春秋左傳注》，他在此書前言的「《春秋》和孔丘」一節中再次斷言「孔丘實未嘗修《春秋》，更不曾作《春秋》。」㉜此後，臺灣學者張以仁（1929－）氏撰《孔子與春秋的關係》㉝，詳述其孔子作《春秋》說，並專門提出六點論難以駁楊氏之說，因爲在他看來，楊氏之說是這一說中最有代表性的。稍後大陸學者李學勤（1933－）氏作《孔子與春秋》㉞，也對楊氏說提出辯難，而主張孔子作《春秋》之說。現在看來，對於傳統

㉙ 顧頡剛編：《古史辨》第1冊（上海：上海古籍出版社，1982年影印本）頁42。以下凡引此書，祇標書名、冊數、頁碼。

㉚ 顧頡剛編：《古史辨》第1冊，頁78。

㉛ 顧頡剛編：《古史辨》第1冊，頁275－278。

㉜ 楊伯峻：《春秋左傳注》（北京：中華書局，1981年），頁17。

㉝ 載氏著《春秋史論集》（臺北：聯經出版事業公司，1990年）

㉞ 見《金景芳九五誕辰紀念文集》（長春：吉林文史出版社，1996年）。

的孔子修《春秋》說作何解釋是要繼續研究的，但是完全否定孔子修《春秋》說則似乎根據仍然不足。實際情況既然如此，我們對理氏在孔子是否作《春秋》問題上表露出的猶豫態度，也就容易理解了。

那麼，我們又應該怎樣來看待理氏對於《左傳》的估價呢？這裡需要考察一下理氏身後關於這一問題討論的發展狀況。

在理氏譯書以後，關於《左傳》有過兩度比較激烈的爭論：第一次出現在十九世紀末至二十世紀初，其時公羊派的今文經學在中國興起，《左傳》則被認爲僞書。且不說見解屢變的廖平（1852－1932），康有爲於 1891 年出版《新學僞經考》，發揮了劉逢祿（1776－1829）《左氏春秋考證》的見解，專門論證《左傳》乃劉歆（前 53－23）之僞作。與康氏的見解針鋒相對的是經古文學派的章炳麟（1869－1936）、劉師培。章氏於其所作《春秋左傳讀敘錄》中㉟，多方論證《左傳》於先秦時期已經成書，並反駁劉歆僞作說之不合理。劉氏於《左傳》亦多有論證，而其所作之《周秦諸子述左傳考》、《左氏學行於西漢考》㊱，以及《司馬遷左傳義序例》、《漢代古文學辨誣》㊲，更以相當充分之例證辨明劉歆僞作說乃無稽之談。

第二次則發生在本世紀二十至三十年代，那時疑古之風方熾，《左傳》自然也屬於被疑之列。當然，由於《左傳》中確實存在比較複雜的情況（如後來攙入成份之存在），所以此後在學術界一直有所爭論，以至於今。不過。爭論的雙方大體上仍然是沿著以上兩種主張發展的。本世紀二十年代末及三十年代初的重要討論文章，大都收進《古史辨》第五冊中。其中發展劉逢祿、康有爲說的代表作是顧頡剛氏的《正德終始說下的政治和歷史》。㊳此文詳論五行說之晚出，由此證明《左傳》中此類文字皆非原作所固有，而是後人加進去的。而發展章太炎說的則是錢穆

㉟ 載《章氏叢書》第 1 冊（浙江圖書館刻印本，1919 年）。據錢玄同氏自云，他於 1908 年從章氏受聲韻訓詁之學時，已經見到了此篇書稿。見顧頡剛編著《古史辨》第 5 冊，頁 4。

㊱ 皆見於《左庵集》第 2 卷。據錢玄同氏考，《左庵集》之文作於 1909 年。後收於《劉申叔先生遺書》（寧武：南氏鉛印本，1936 年）。

㊲ 分別見於《左庵外集》第 3、第 4 卷。

㊳ 原發表於 1930 年 6 月之《清華學報》。

（1895－1990）氏的《劉向歆父子年譜》㊴，此文之「自序」部分提出二十八個問題，從邏輯上證明劉歆不可能僞造群經，正文則自劉向之出生（前 79）至劉歆、王莽（前 45－23）之去世（公元 23 年）逐年排列史事，從事實上說明其間並無劉歆僞造群經之餘地。顧頡剛、錢穆這兩位學術好友雖然沒有直接交鋒，卻明白地表示了各自的對立看法。隨後楊向奎（1908－2000）氏發表《論左傳之性質及其與國語之關係》一文。㊵他沿著劉師培的路子，從先秦、西漢的文獻（尤其是《史記》）中舉出許多直接或間接引用《左傳》中書法、凡例、解經語及「君子曰」等證據，說明這些都是《左傳》所原有，非出後人之竄加。

反觀中國以外，情形亦復如此。日本之安井衡於 1871 年出版《左傳輯釋》、竹添光鴻於 1893 年出版《左氏會箋》，皆沿襲《四庫全書總目提要》的說法，即以爲《左傳》乃左丘明所作，不過其中有少數後來攙入的部分。這種說法與理氏基本上是相同的。到本世紀二、三十年代，與國內的疑古辨僞的討論相呼應，在國外也有過對於《左傳》作於何時的討論。據洪業（1893－1980）在其所作《春秋經傳引得序》中介紹，主張《左傳》是劉歆等僞作的有德國之佛朗克（O. Franke, *Studien zur Geschichte des konfuzianischen Dogmas und der chinesischen Staatsreligion*, 1920）、日本之津田左右吉（1873－1961，《左傳的思想史研究》，1935 年）等，主張《左傳》成書於戰國時代的有瑞典之高本漢（Bernhard Karlgren, 1889－1978, *On the Nature and Authenticity of the Tso Chuan*, 1926 年）、日本之狩野直喜（1868－1947，《左氏辨》，1928 年）與新城新藏（1873－1938）（《東洋天文學史研究》，1928）、法國之馬伯樂（Henri Maspero, 1883－1945, *La composition et la date du tso tchouan*, 1931－1932 年）等。㊶他們的看法在不同程度上都受到中國學者對立觀點的影響，要爲不可掩之事實。

本世紀二、三十年代的討論因第二次世界大戰告一段落。經過十多年的沉寂

㊴ 原發表於 1930 年 6 月之《燕京學報》。

㊵ 原載前北平研究院《史學集刊》1936 年第 2 期，後又收入《繹史齋學術文集》（上海：上海人民出版社，1983 年），頁 174－214。

㊶ 參見《洪業論學集》（北京：中華書局，1981 年），頁 261－268。

之後，五、六十年代以來，對《左傳》又繼續有所討論。不過就對於《左傳》作者的分歧而言，仍舊堅持劉歆僞造《左傳》說的人已經爲數甚少。據目前所知，持此說的主要代表作莫過於徐仁甫（1908－1981）的《左傳疏證》一書[42]，及其所撰有關論文。與此相反，反對劉歆僞造說者卻占了上風。不過，在這派學者中仍然存在著不同的看法。例如，楊伯峻氏在其《春秋左傳注》的「前言」和趙光賢(1910－)氏在其《左傳編撰考（上、下）》[43]，都以爲《左傳》成書於戰國時期，並非左丘明其人之所作，在成書年代的推算上差別也不甚懸殊（楊氏主張成書於公元前 403－386 年，趙氏以爲《左傳》紀事部分成書於公元前 430 年後不久，而其經改編並加進解經語當在公元前 375－352 年。）。但是楊氏認爲《左傳》原來就是解經之作，而趙氏則以爲解經部分是後來加進來的。此外，還有學者更進一步主張《左傳》爲春秋末葉左丘明之作的。持此說者，在大陸有胡念貽氏[44]，在臺灣有張以仁氏等。[45]

總之，關於《左傳》成書年代與作者問題，經過約一個世紀的激烈辯論，雖至今尚未得出具體的定論，可是西漢末劉歆僞造說已經愈來愈缺乏說服力，《左傳》爲先秦古典之作已不再成爲問題。從這一點來看，理氏對於《左傳》成書年代之討論，雖然其中一些內容已難以成立（如說「君子曰」爲漢代人所加），可是從總體來說，還不能說是已經完全過時了。

(二) 關於《春秋》及《左傳》意義的評價問題

上文談到，理氏從歷史學和倫理學兩個方面否定了《春秋》的價值，認爲它既不眞又不善。至於《左傳》，理氏卻充分肯定了它的史學價值和文學價值。理氏

---

[42] 徐仁甫：《左傳疏證》（成都：四川人民出版社，1981 年）。

[43] 原載《中國歷史文獻研究集刊》1980 年第 1 集和 1981 年第 2 集，後又收入其《古史考辨》（北京：北京師範大學出版社，1987 年）。

[44] 見《左傳的眞僞和寫作時代考辨》一文，不過胡氏以爲《左傳》中是有某些後來摻入的成份的。文載《文史》第 11 輯（北京：中華書局，1981 年）。

[45] 張氏〈從司馬遷的意見看左丘明與國語的關係〉一文載於其所著《春秋史論集》。又張高評氏於其所著《左傳導讀》（臺北：文史哲出版社，1987 年）中之第 3、4 兩章亦持此種見解，並有詳細論證。

用《左傳》提供的歷史材料來批評《春秋》，這也是他之所以肯定《左傳》的一個原因。同時，理氏對於《左傳》說到《春秋》隱諱事實而無所感的情況頗感驚訝，實際上也是對於《左傳》有一定程度的不滿。理氏對於《春秋》的不滿，往往因意識到《春秋》的問題、而又不能徹底否定此書而變得更加深化了。

理氏相當清楚地知道，他所用來說明《春秋》不具價值的例子，其中許多條都是早已被先前的中國學者引用過的。理氏曾經引用過的趙翼的《陔餘叢考》裡有「《春秋》書法可疑」條[46]，其中的很多例子都成爲理氏的材料來源。唯其如此，理氏才更感到中國學者和中國之不可理解。爲什麼對於《春秋》這樣一部古書，中國人會如此地迷信它？爲什麼已經發現了其中問題的學者也不敢斷然否定《春秋》與孔子的關係、並從而徹底拋棄它？理氏在不同的段落裡不止一次地發出這樣的疑問。他在此書的《緒論》中專門寫了「《春秋》對於中國（歷代）政府和人民的影響」一節。[47]他指出，《春秋》不僅影響到中國歷代的史書，並且陶鑄了中國王朝的權力與人民的性格，故其作用是非常惡劣的。中國國運之所以走到了當時（鴉片戰爭以後）那種地步，就與《春秋》的隱諱或不肯正視事實的傳統有關。他所指的是，中國皇帝以天子自居，對內不尊重人民的權益，對外又以唯我獨尊的態度對待別國。但問題尚不止此，他希望讀者注意：

> 當孔子的著作對他們來說已經遠不足以再作爲行爲的指南時，他們便將陷入危急的境地。如果我的研究有助於他們確信這一點，並能夠促使他們離開孔子而另尋一位導師，那麼我就實現了我終生的一個重大目標。[48]

理氏的話說得非常明白：他從事中國經書研究的最終目標，就是要使得中國人瞭解，孔子的經書已經不再能夠作爲人們的思想指南，需要另外尋求一位導師（即耶穌）。

---

[46] 《陔餘叢考》，頁30。

[47] *The Chinese Classics*, Vol.5, "Prolegomena", PP.51－53.

[48] 同前引書，PP.53。

如果說理氏翻譯和研究《春秋》的內在動機是希望讓人們擺脫《春秋》的影響而去接受基督教，這一點對於許多中國人來說，恐怕不易有一個比較全面的認識。如果懷著簡單的排外心理，那麼就會以爲這不過是西方傳教士所作的文化侵略，即企圖通過學術的方式，讓中國人放棄自己固有的文化，歸宗於西方基督教文化。當然，作爲一個傳教士，理氏自然希望有更多的人接受基督教，此既在情理之中，亦無可指責。一個人究竟選擇最終選擇何種信仰，不僅是其個人的支配，更受到其文化背景的支配。而要判斷一個人是否爲文化侵略者，則必須看他是從根本上鄙視別國的文化、全部否定其文化價値，還是有分析地既尊重別國的文化成果、並又指出其中的問題。如果我們是以這樣的態度來觀察問題，就不難發現理氏經常處於一種精神矛盾的狀態中：他對於中國文化的某些方面是如此一往情深（他花費那麼大的力氣去翻譯難度很高的中國經書，其實更多地是爲了便於西方人了解中國文化。），如他對《左傳》的讚賞；而對於另一些方面則又是深惡痛絕，如對《春秋》的貶抑。甚至對於孔子本人，理氏也存在著矛盾的態度：一方面，他覺得孔子是一位偉大的中國古代學者，所以不大相信孔子眞的會寫《春秋》這樣的書；另一方面，他又仍然把《春秋》列在孔子名下，表示了他的某種反感。他在《中國經典》第一卷的《緒論》裡有專章討論孔子，既肯定孔子在保存中國古代文化方面的作用，又否定孔子思想上的保守傾向；甚至在說到孔子誤以當時的中國「天下」的時候，也沒有把後世中國君主的傲慢歸咎於孔子，而衹是說孔子在這方面沒有留下教誨作爲預防。㊾根據以上這些情況，我們是絕不能把理氏視爲西方的文化侵略者，而應當說他是中國文化之友，儘管他的見解未必完全正確，也未必與我們的觀點完全相同。

其實，衹要檢討一下理氏以後的中國學術史，我們便可以說，這位西方學者在某種程度上爲中國學術發展的未來，顯示出了一種人們始料不及的先兆。從思想史的觀點看，這是具有重要意義的。在理氏此書出版以後，在中國學術界首先出現了以康有爲爲代表的經今文《公羊》學派，他們對於《春秋》、《左傳》的態度與理氏正好相反。可是，康氏所倡導的維新運動失敗了。到了本世紀五四運動開始的

㊾ 同前引書，PP.107－108。

時候，傳統儒家意識形態已對知識界失去了號召力，「打倒孔家店」的口號高入雲霄，在史學界隨即也興起了疑古的思潮。《春秋》被看作「最不成東西」的東西，《左傳》也被視爲劉歆之僞作。一切儒家經典都被視爲過時的歷史垃圾，激烈抨擊的程度不知要比理氏高多少倍。儘管疑古學者與理氏在正面的方向指引上有所不同，但是二者同視中國文化不能再照老路走下去了，在這一點上雙方則完全是一致的。也正是在這一點上，我們不妨把理氏對於《春秋》的見解看作是一種有意義的遠見，因爲他竟先於當時中國學者而有見於此。當然，那也並非理氏個人的見識高於當時中國學者的問題，差別在於他和中國學者身歷的是不同的文化背景和歷史環境。

那麼是否可以說，理氏和疑古學者對於《春秋》、《左傳》的價值的認識就完全正確呢？是否《春秋》、《左傳》中就毫無積極的思想文化資源可以供我們開發呢？我們不認爲可以這樣說。十九世紀日本學者安井衡在這方面爲提供了一個很好的例證。1870 年，他在其《左傳輯釋．序》中曾表示了一種與理氏相反的見解，他認爲孔子作《春秋》是有褒貶之「義」的。所以他說：

> 苟失其道，雖天子之尊，亦必貶之。非孔子貶之，道貶之也。道者，天也。聖人奉天，垂教萬世，固不敢以尊卑殊其義。知我罪我，意蓋在斯矣。[50]

安井氏所舉的兩個例子，皆據《左傳》。第一個例子是，《春秋》隱公元年（前722）記：「秋，七月，天王使宰咺來歸惠公仲子之賵。」[51]《左傳》認爲，這裡稱周王使者的名字，表示對天子的批評。[52]既然周天子有錯誤都可以批評，那麼孔子作《春秋》自然無可非議。第二個例子是，《春秋》宣公四年（前 605）記：

---

[50] 安井衡：《左傳輯釋》（臺北：廣文書局，1987 年影印本）。

[51] 見理氏書之中文頁 1，英文 PP.3－4。

[52] 見理氏書之中文頁 2，英文 PP.6－7。按理氏對此事有懷疑，認爲周王不至於胡塗到這種程度。

「公子歸生弒其君夷。」[53]《左傳》的解釋是：「凡弒君，稱君，君無道也；稱臣，臣之罪也。」[54]這裡，理氏對「無道」一詞未能翻譯準確。他譯爲「沒有原則」，又加了問號，以示尚未確定其意。其實，「無道」者即指暴君。在中國歷史上，無道之君的典型就是夏桀、殷紂之類。對於這樣的君主，人民是可以反對、甚至可以誅殺的。所以《左傳》在此處所說的，正是儒家《詩》《書》之「義」。《左傳》作者以這樣的儒家之「義」來解釋《春秋》，就發揮出了一種民貴君輕的民本思想。在中國古代思想史上，這樣的看法自然應該說是一種具有突破性的創見或精華了。

但是值得注意的是，《左傳》的這一思想在中國的學術史上卻長期是受到貶抑的。唐代的啖助、趙匡和宋代的朱熹等都批評《左傳》的這種解釋是在鼓勵人民反對君主（他們忘了儒家經典中原有之「義」——天意反對虐待人民的暴君，因而人民有權反對暴君。），故視爲離經叛道之說。他們的正統思想傾向固不必說，而理氏的態度卻值得我們注意。理氏雖然翻譯了這一段話，卻對其含意似乎無動於衷。儘管他沒有表示譴責，但也不覺得此處有什麼特別意義。反而倒是與理氏大體同時的日本學者安井衡注意到了這一點，並對之加以表彰。爲什麼會出現這樣兩種的不同態度呢？這是值得思考的一個現象。我們認爲，《左傳》之所以受到日本學者的重視，大概有兩點原因：一是日本學者原來是把中國儒家經典當作自己的文化淵源的一個部分來看待的，從而持有某種敬意（至少在安井所在時代還是如此），故鑽研得比較深，了解得比較細；二是安井氏之書正作於明治維新前夕，當時人們對民主的要求又促使他從傳統中去發現相應的積極因素。在這一特殊思想背景下，安井衡便能發現中國傳統學者和理氏都未曾看出的東西。即以中國的情形而言，在清朝末年和民國初年，劉師培、梁啓超（1873－1929）等人開始重視《左傳》中的民本思想，也是時代變化的影響之故。至於《春秋》中原來是否就有如此明確的民本思想，我們尙無更多的根據加以證明。不過《左傳》作者根據自己的理解對《春秋》作了如此的解釋，若按哲學解釋學（philosophical hermeneutics）的原則來說，

---

[53] 見理氏書之中文頁294，英文P.296。

[54] 見理氏書之中文頁295，英文P.296。

乃是完全正常的現象，因爲「所有理解性的閱讀始終是一種再創作、表演和解釋」。[55]理氏表彰了《左傳》的許多優點，卻偏偏沒有看出此書這一不凡之處。其所以如此者，看來衹有用中西文化背景上的差距來解釋了。

五、對於理氏英譯文的討論

理氏既然要翻譯《春秋》和《左傳》，那就不能不先理解它們；因爲衹有理解深透，才有可能用英文確切表達。而理氏譯文在理解上的得失，則與其所參考之書有著密切的關係。故不論其所參考之書，則難明其譯文得失之源。而且本文所舉理氏譯文失誤之例不可能完全，通過分析其所參考之書及其於不同之書參考之不同程度，便可從總體上說明理氏於《春秋》、《左傳》把握之程度。所以，我們首先來討論一下理氏所參考的書目，然後再討論其譯文之得失。

㈠ 關於理氏所參考的文獻

理氏所參考的書籍以漢文爲主，凡五十七種，其中三種又包括書多部：《十三經注疏》包括書三部，從《通志堂經解》中引書十三部，從《皇清經解》中引書二十一部。共計列漢文參考書九十一部，這些還不包括他所用的辭書和一般工具書。[56]在上一世紀六、七十年代，一位蘇格蘭學者研究《春秋》、《左傳》竟能參考如此大量的漢文書籍，表現出他對中國經學的研究熟悉程度。這一點實在令我們後輩學人由衷欽佩。

我們注意到，理氏在開列參考書目時，是經過愼重考慮並有選擇的。例如，《通志堂經解》中共有解《春秋》之書三十五部，他選列了十三部。看來他有個人的選取標準，即空談褒貶義理之類的書皆不列入。他所列舉者基本是有助於了解春秋史事和廣泛搜集各家對於原文解釋之書。理氏不僅列舉了《皇清經解》中全部解釋《左傳》的書，而且還列舉了其中一部分解說《公羊傳》和《穀梁傳》的著作。他對清代學者的著作似乎未加甄選，其實這種做法就是一種選擇，即他認識到清代

---

[55] Hans-Gerog Gadamer, *Truth and Method*, trans. Joel Weinsheimer and Donald G. Marshall (New York： The Continuum Publishing Company, 1993), P.160.

[56] *The Chinese Classics*, Vol.5, “Prolegomena”, PP.136－147.

學者在解經方面的特殊成就而盡量收錄。除了全部收入《皇清經解》中解釋《春秋》、《左傳》的書以外，理氏又收進了顧棟高（1679－1759）的《春秋大事表》等書。尤其值得一提的是，理氏還及時地注意到與其同時代學者俞樾（1821－1906）問世不久而學術價值甚高的《春秋左傳平議》一書。他還參考了其好友王韜關於《春秋》、《左傳》的著作手稿，其中一些至今還未見到印本（王氏關於天文曆法的著作現已出版）。這些都充分說明，理氏是決心把自己的研究和翻譯建立在最新學術成果的基礎上的。這樣的作法，對於一位西方學者來說，是談何容易啊！

我們當然不能否認，理氏所列的參考書即使以當時人的眼光看也還是不十分完備的。理氏從事《春秋》、《左傳》的研究和翻譯之際，清代經學家已經出版了不少很有價值的著作，如後來為王先謙（1842－1918）收進《皇清經解續編》中有關《左傳》研究的著作就達十六部之多[57]；除了其中兩部（顧棟高和俞樾之書）以外，理氏都未提及。這當然是一件令人遺憾的事，不過，我們怎能過份要求一位寄旅香港的外國學者，把如此眾多、散於中國各處的書籍搜羅殆盡呢？倘若《皇清經解續編》提早二十年編成，我們相信理氏肯定是會採用其中之書的。

同時，這裡需要說明的是，理氏並非充分地利用所有被列出的參考書籍。例如，理氏在參考書目裡列了《春秋公羊傳注疏》和《春秋穀梁傳注疏》，並在這本譯註《緒論》的「附錄一」裡，通過舉例對《公羊》、《穀梁》二傳加以解說。他在《左傳》譯文的注中，還曾多次表明，在某些地方三傳的文字及說法的不同。可是，大概由於對此二傳的研究不足，他仍不免把《公羊傳》（唐初徐彥作疏）和《穀梁傳》（唐初楊士勛作疏）的注疏都誤說為孔穎達（574－648）所作。又如，《春秋》襄公二十一年說到九月和十月都有日蝕。理氏在譯文的注中說明，第一次日蝕記載是正確的，而第二次日蝕記載是錯誤的；他在此又引了楊士勛認為不可能連月發生日蝕的類似說法。[58]楊氏此語其實就在《春秋穀梁傳注疏》（此書就在理氏所列書目之中），可是理氏不提引自此書，而是對楊氏本人作了一個注，說他是《穀梁傳》的注釋家。他未直接說明楊士勛與《春秋穀梁傳注疏》的關係，這是為

---

[57] 王先謙編：《皇清經解續編》（上海：上海書店，1988年影印本）。

[58] *The Chinese Classics*, Vol.5, P.491.

什麼呢？細加分析，便可發現他所引楊氏之說，乃是從《欽定春秋傳說匯纂》轉引的。理氏為什麼會沒有注意到《穀梁傳疏》的作者並不是孔穎達呢？看來是因為《公羊傳》和《穀梁傳》並非他的研究重點所在。理氏衹是在與《左傳》作比較之處，才去注意此二傳。不過我們知道，這樣的做法很容易就會把《欽定春秋傳說匯纂》當作便於使用之書。因為其中三傳（其實還有胡傳）就並列在一起，對照起來閱讀非常方便。理氏參考《匯纂》並非不可以，而問題在於《匯纂》對三傳皆有所刪節，所以通過《匯纂》來對三傳作比較，從學術研究的角度來說是不適當的。

在清代學者關於《春秋》、《左傳》的著作裡，理氏參考最多的是兩種書：一種是康熙皇帝玄燁（1654－1722）下令編寫的《欽定春秋傳說匯纂》。在理氏的翻譯中，我們可以看到他不時地參考《欽定春秋傳說匯纂》的例子（PP.5, 36, 56, 59, 61, 90, 112, 116, 121, 160, 161,…）。理氏為什麼會重視《匯纂》呢？我們覺得這有兩點原因：一是，康熙皇帝在公元 1721 年為此書所作的《序》中明確指出，他不贊成從《春秋》中寫什麼或不寫什麼之中尋求什麼深文大義，而衹是注重歷史事實的鑒戒作用。這在一定程度上與理氏的見解有相近的地方。二是，理氏需要參考的書太多，而《匯纂》所引清以前各代學者解經之說十分豐富，故參考《匯纂》有一定的方便之處。因為這頗有助於他在所列參考書目範圍以外涉獵更多學者的說法。這裡略舉一些例子。例如，此書第 5 頁提到了宋代學者胡安國（1074－1138），而胡氏之書既不在理氏所列參考書目之內，又不在《通志堂經解》中；而這是理氏從《匯纂》所引的《胡安國傳》得知的。又如，此書第 61 頁引了宋代學者王葆的話，按王氏的著作不在《通志堂經解》中，也不在理氏所列書目之內；這裡的引文見於《匯纂》，理氏乃是從《匯纂》引來的。又如，此書第 90 頁引了宋代學者蘇轍（1039－1112）的見解，儘管蘇氏之書收在《通志堂經解》中，但並不在理氏所列參考書目之內；他在此是從《匯纂》引來的。又如。此書第 112 頁引了明代學者卓爾康（1570－1644）的見解，而卓氏著作也不在理氏所列書目之內；這也是從《匯纂》引來的。又如，此書第 160 頁引了宋代學者趙鵬飛的見解，趙氏書雖在《通志堂經解》中，卻不見於理氏所列書目；這仍然是他從《匯纂》引來的。又如，此書第 161 頁引了明代學者王錫爵（1534－1610）的話，而王氏的著作並不在理氏所列書目之內；這自然又是從《匯纂》引來的。類似的例子還有若干，恕不備引。《匯纂》的確是一部方便而有用的參考書，故理氏相當依賴它。使用此書固然可以得到方便，但也會受到一定的限制。原因在於康熙皇帝在此書《序》中還別有用心地聲稱，《匯纂》對於「傳」和「說」，凡被視爲違背經義或日觸犯禁忌的，都必須一律刪掉。可見此書的選擇性是相當強的。所以理氏使用此書，一方面增廣了其參考的範圍，另一方面也限制了其選擇的機會。

另一種就是毛奇齡（1623－1713）的三部書（見於理氏所列書目）。理氏爲什麼會重視毛奇齡的書呢？看來這也有兩點原因：一是毛氏重《左傳》而嚴厲批評《胡安國傳》，這一點有與理氏相近似的地方。二是毛氏的《春秋》經傳研究也有其所長。理氏不僅在此書翻譯中重視毛氏之說，而且在對《書經》的翻譯和研究的過程中也重視他的經解。

概括地說，《匯纂》的優點是內容廣博，而毛氏之書的長處是富有獨特的見解，這兩種書的一個共同特點，就是其解說的主觀任意性甚強。使我們感到欣慰的是，理氏並沒有對這兩種書採取盲從的態度。例如，《左傳》襄公十四年（前559）記，衛國君主被放逐出國，晉君問師曠說，衛人逐出國君，是否做得太過分了？師曠講了一大段話，意思是，這不是衛人行爲過分，而是衛君做得太過分了。天是非常愛人民的，所以給人民立一個國君是爲了保護人民。如果國君盡職，愛護人民，那麼人民就應當對待國君如父母；如果國君失職，虐待人民，人民就有權利放逐他，因爲天是不會允許國君一人騎在人民頭上肆無忌憚的。理氏在翻譯了這一段話以後，特別加了這樣一句說明：「《匯纂》編者竟然譴責這位樂師的激憤情緒，讀者諸君諒必不會驚奇。」[59]由此可見，理氏對於《匯纂》的政治立場還是有相當清醒的認識。又如，毛奇齡對於《春秋》和《左傳》的關係有一個基本的看法，那就是古代記事有兩類：用概括性的一句話來表達的記在「簡」上，用敘述性的文字來表達的記在「策」上；孔子修《春秋》是修了簡上的書，左丘明修《左傳》是修了策上的書。因此二者之間雖有差異，但又有著內在的一致性。[60]足見理

---

[59] *The Chinese Classics*, Vol.5, P.467.

[60] 毛奇齡：《春秋毛氏傳序》，見《皇清經解》第 1 冊，頁 565－566。按毛氏此說相當武斷，前人頗有批評，而理氏對於毛氏此說亦有所存疑，參見 *The Chinese Classics*, Vol.5, P.466。

氏對於毛氏的主張也是有所分析的。

當然我們還不能不指出的是，理氏對於清代學者解釋《春秋》、《左傳》的著作的參考尚不能說是相當充分的。這不僅反映在他所列的書目不夠全備，缺少當時已行世的若干重要著作（其中許多書是到他晚年時，才被王先謙收進《皇清經解續編》中）上，而且對於已經列入其書目並見於《皇清經解》的書，他也在有一些地方參考得不夠周到細緻。這種情況在一定程度上影響到了其譯文的準確性。關於這些，我們將在以下討論理氏的譯文的過程中涉及，這裡就不多說了。

㈡ 關於理氏的譯文

理氏對於《春秋》、《左傳》既譯爲英文，又有所解釋。對於《春秋》，理氏的辦法是，把每年的經文分條譯在一處，不夾入解釋。對於《左傳》，理氏採用的是另一種辦法，即不是以每一條譯文緊緊地對應著原文，而是以《春秋》的條目爲順序，涉及到哪一條《春秋》經文便附上有關的《左傳》譯文，有傳無經者則在有關地方附上此段譯文。由於理氏是把《左傳》當作解經的文字來處理的，所以《左傳》的譯文常常是和有關的解釋夾在一起的。理氏的解釋和《左傳》譯文夾在一起，是因爲他的解釋是直接與譯文相應配合的。也就是說，理氏作出種種說明，主旨僅在幫助那些衹通英文而不瞭解中國文化的外國人，能夠讀懂他的譯文。嚴格地說，理氏的解釋一般都不是文獻考證式的，故不具備獨立的學術價值（當然不排除在少數地方有其獨到之見）。正因爲這一點。以下我們衹討論理氏的譯文，而不單獨涉及他的注解。

《春秋》、《左傳》的篇幅長、難度高，而歷來學者們之間對兩書的爭論勝義紛披。所以，翻譯這樣的古書無疑是一件艱巨的工作。從總體上評價，理氏的譯文應該說是相當成功的。他不僅基本上表達了原文的含義，而且表達得清楚可讀，讓人能夠通過譯文而知原書本義。作爲生活於理氏一個世紀之後的學者，我們這樣來評價理氏譯文的成就，自信並無過份誇張和溢美之處。如果讀者們能細心地對照原文來讀理氏的譯文，大概也會得出相似的結論。因此，這一部譯著至今仍然有著它的重要學術價值。

但是，正如世界上的絕大多數譯著不可能十全十美一樣，理氏所譯此書也是有其不足之處的。何況理氏的譯文業已經歷了一個多世紀的時間，後人對《春秋》、《左傳》的翻譯研究又有所進步完善。在這裡，我們就用瑞典學者高本漢的《左傳注釋》（*Glosses on Tso-chuan*）(61)，來與理氏的譯文作一些比較，以便讀者從中看出一個世紀以來的外國學者在《左傳》研究上的進展。現在試舉一些例子如下：

首先。讓我們來看一下高氏比理氏有所進步的地方。高氏在其書中舉了若干例子，來說明理氏譯文的失誤。這裡祇略舉幾條來說明高氏比理氏高明之處究竟何在。例如，《左傳》襄公二十五年（前 548）「將庸何歸」一句，理氏把「庸何」一詞中的「庸」字解釋爲「用」的意思，譯文作「of what use」(62)，這是以杜預注爲根據的。高氏根據王引之的說法，把「庸何」中的「庸」字理解爲副詞，「庸何」的意思就是「何」。(63)這樣的理解當然比理氏（和杜預）更加準確了。又如，《左傳》襄公二十六年（前 547）記楚王「昧於一來」，杜預把「昧」字注爲「貪冒」。理氏不採杜預之說，把「昧」解釋爲「盲目地」。(64)高氏參考了王念孫（1744－1832）的研究成果，從「昧」字的字音考出「昧」與「沒」同音，其義當爲「貪」。(65)這樣，他就證明了杜預的注是正確的，而理氏用「昧」的通常之意來解釋，則被證明是錯誤的。類似以上兩例的例子在譯文中還有一些，在此不一一列舉。我們舉出以上兩個例子旨在說明，高氏所參考的清代學者經學著作遠爲廣泛，而且其思考較爲細緻。這絕不是偶然的，作爲出色的近代語言學家，高氏在古漢語的文法學和字源學上的修養是高於理氏的。另外，高氏還指出了理氏書有漏譯的地方。例如，《左傳》昭公三年（前 539）中就漏了「道殍相望，而女富尤溢」一句未譯。(66)所以，閱讀理氏之書若能同時參考高氏之作，那將會是極有助益的。

我們雖如此說，並不意味凡是高氏之說都是正確的。事實上我們還應注意到

---

(61) Bernhard Karlgren, "Glosses on *Tso-chuan*", *Bulletin of the Museum of Far Eastern Antiquities* (Stockholm, 1968).

(62) *The Chinese Classics*, Vol.5, P.510, P.514.

(63) 見高氏書第 623 條。

(64) *The Chinese Classics*, Vol.5, P.522, P.527.

(65) 見高氏書第 640 和 613 條。

(66) 見高氏書第 675 條及 *The Chinese Classics*, Vol.5, P.589。

以下幾點：第一，高氏之書名爲《左傳注釋》，實際上祇注了其中八百條，並非對《左傳》全篇每句作注；因此，高氏之書不能覆蓋理氏譯文之全部。例如，《左傳》文公十四年（前 613）之「夫己氏」這一個稱呼，理氏譯爲「So and so, No.6.」[67]按此說亦非理氏首創，前人已有此義，清代經學家孔廣森（1752－1786）、焦循（1763－1820）等均持此說。但是，清儒顧炎武（1613－1682）、沈欽韓更早已說明「夫己氏」的意思就是「那個人」。[68]理氏的譯文不太恰當，可是高氏也未能指出來。這樣的例子不僅此一處有之，在此就不再列舉了。

第二，也有高氏批評理氏、而兩人的理解皆不可取者。例如，《左傳》襄公二十三年（前 550）記范鞅之語云，「欒，免之，死將訟汝於天。」理氏把「免之」譯爲「Get out of my way」（讓開）。[69]高氏書第 601 條則把「免之」理解爲「逃了」。按他們兩人的解釋皆誤。《公羊傳》魯宣公十五年（前 594）楚司馬子反對宋華元說：「諾，勉之。」[70]這句話證明《左傳》「欒，勉之」與《公羊傳》中的「勉之」是相當的句式，「免」即「勉」。日本學者竹添光鴻說：「或謂免是勉之壞字。」[71]按竹添氏這一推測是有道理的。元代學者熊忠在《古今韻會舉要·銑韻》中曰：「勉，通作免。」[72]所以，「免」本來就與「勉」相通，不必說因字壞而來。這裡的「免（勉）之」的意思是「好好地幹吧」，即范鞅告訴他的敵人欒樂：「你好好地來和我拼搏吧！」這是決鬥前用反面語言來表示自己決心的一種說法，所以下文才接著說，「就是死了，我也要到天上去同你鬥爭到底。」在傳統中國學者看來，「免之」在這裡不難理解，所以一般中國學者對此都不加注（當然也有中國學者把握不準的時候）。理氏和高氏作爲西方人，尚不能理解到這樣細微的地方，自是意料中事，當然不能苛求。

---

[67] *The Chinese Classics*, Vol.5, P.268.

[68] 見劉文淇：《春秋左氏傳舊注疏證》（北京：科學出版社，1959 年），頁 566－567。

[69] *The Chinese Classics*, Vol.5, P.498, P.501.

[70] 見《十三經注疏》，頁 2286。

[71] 見《左氏會箋》，襄公二十三年（臺北：新文豐出版公司，1978 年影印本），頁 8。

[72] 見黃公紹原編，熊忠舉要：《古今韻會舉要》，《景印文淵閣四庫全書》第 238 冊（臺北：臺灣商務印書館，1986 年影印本），頁 615。

第三，還有少數高氏之說不如理氏解說的地方。例如，《左傳》昭公十八年（前 524）的「將有大祥」一句。杜預把「祥」解釋爲「變異之氣」。理氏把它譯爲「凶兆」（portent）。應該說他們的理解都是正確的。高氏書第 730 條堅持要把「祥」字解釋爲好的預兆，從而把事情說成先有災、而後有好的後果。高氏這樣的說法，顯然迂闊難通。同時這也表明，高氏衹知道「祥」字有吉祥這樣正面意義的意思，卻不知道「祥」這個字在中國古文獻裡，也可以表示反面內容的意思。當然，後一種情況遠比前一種情況少見。

最後，我們必須聲明，我們雖然指摘了理氏和高氏在翻譯上的一些失誤，但這絕不是求全責備，更不意味著說他們兩位前賢的學術水平不高。「他山之石，可以攻玉」，須知他們對中國經典的譯注，在西方皆屬近代漢學開山之作，向爲國際漢學界所注重。這裡我們衹不過想說明，從學術史的觀點來看，對於像《左傳》這樣的古典著作之研究，是不可能到了某個人或某個階段，就達到盡善盡美的程度了，而總是有繼續深入研究之餘地的。

通過以上的析論，我們可以看到，理氏英譯《春秋》、《左傳》能達到如此高的學術境界，絕不是一蹴即至，而是建立在長期艱苦而嚴肅的研究基礎之上，並與他所接受的中西深厚的學術憑藉有著密切的關係。近百年來，西方研究中國經典新著層出不窮，但理氏的《春秋》、《左傳》譯著仍爲西人研治漢學之必備，其意義與作用至今不衰。因此，評析這樣一部翻譯研究中國經書的扛鼎之作，不僅可以呈現理雅各在漢學研究上的成績，而且有助於我們認識理氏學術思想的發展歷程。

作者附識：本文的撰寫得到香港浸會大學研究委員會的贊助，並承蒙該校曾憲博副校長、黎翠珍院長的支持和陳巧玲女士的幫助，謹此深致謝意。

經 學 研 究 論 叢
第 八 輯　　頁291～306
臺灣學生書局　2000 年 3 月

王充《論衡》與《論語》的關係
——論後漢的批評精神

鬼丸紀著・陳靜慧譯*

王充的生涯見於《後漢書・王充傳》及《論衡・自紀篇》中。根據二書，王充乃會稽上虞人，生於後漢光武帝建武三年（西元 27 年）。自幼聰慧，有讀書人的氣質，長大後曾到京師受業太學，師事班固之父班彪。曾數任地方官，但都不得志；常依理諫爭，卻不爲採用，乃辭官。著《論衡》、《譏俗節義》、《政務》，晚年有《養性書》等書，卒於和帝永元年間（西元 89－104 年），享年七十。著作之中，今只存《論衡》八十五篇。

究竟《論衡》是怎樣的一本書？對於這點，相當於《論衡》序篇的〈對作篇〉中有如下的記載：

> 是故《論衡》之造也，起眾書並失實，虛妄之言勝眞美也。

上述說出了《論衡》作者執筆時的強烈動機。漢代自董仲舒以來，天人感應之說盛行，假借聖人之名預言吉凶的讖緯之書充斥，神秘主義是時代的潮流，不過，另一方面也有學者從理性論證的角度出發反駁眾說，王充便是其中的一人。王充批評的對象不只限於讖緯災異等天人感應之說的思想，還包括《論語》、《孟子》等儒家

* 鬼丸紀，北海道札幌開成高等學校教諭。陳靜慧，九州大學文學碩士。

經典及《韓非子》一類的諸子書，乃至於時人的迷信、風俗等多方面。他論證的方法極爲科學、合理，而其博學多識理性論證之風則令人讚嘆。然而，一般認爲他提倡宿命論，看輕人爲努力的結果，對一個思想家而言，這給他帶來了學問的極限。

《論衡》中出現的〈問孔篇〉、〈刺孟篇〉，不只是對獨尊儒術、把孔子神格化的漢代思想界而言，即使是對自前漢武帝以後，一直是以儒學爲官學的中國思想界來說，它都是個異數。所以，《四庫提要》中就批評說：

> 刺孟、問孔二篇，至於奮其筆端以與聖賢相軋，可謂誖矣。

其實，王充基本上最尊崇的聖賢還是孔子，這從他的「可效放者，莫過孔子」（〈自紀篇〉）、「材鴻莫過於孔子」（同上）可以看出。尊孔往往是他思想的依據所在，而〈問孔篇〉與他的這種思想傾向究竟有何關連？王充作〈問孔篇〉的用意爲何？關於這點，佐藤匡玄氏在其《論衡的研究》（創文社東洋學叢書）一書中有詳細的說明。以下引自該書第360頁，他說：

> 後漢初頃，當時的儒學家把孔子神格化，對孔子的言行施以神秘色彩的解釋，孔子被偶像化的傾向益形顯著。面對這樣的時代風潮，王充竟膽敢著〈問孔〉一篇，也許他的用意是在痛下針砭。他批評的矛頭，與其說是對準了孔子，不如說是對準了好談神秘思想（讖緯思想）的孔學末流。雖然王充在〈問孔篇〉裡有極其嚴格的對孔批判，不過，綜觀《論衡》全書，基本上王充的態度既不是非孔也不是刺孔，更不用說是反孔的了。他徹頭徹尾都是站在儒家的立場批評儒家，在這點上，他與傳統儒學家之間有一線之隔，立場不盡相同，我們應該把他的〈問孔篇〉視爲漢代儒學家所展開的自我反省。

至於本文是把〈問孔篇〉視爲《論語》的注釋書之一類，姑且不論其對《論語》的注解是否恰當，我想把重點放在注釋中所透露出的，王充個人思想的特色上。如果我們能夠找到他的依據及根本思想，也許能夠從新的角度發現王充作〈問孔篇〉時的眞正用意。

一、運命論

眾所周知，《論衡》全書中有關「命」說的部分極多，它是一個很重要的看法，與全書其他思想都有關連，當然〈問孔篇〉也不例外。以下就來看看〈問孔篇〉裡的運命論呈現的是怎樣的論調。

〈問孔篇〉第九章❶，引用了《論語・雍也篇》第二十八章的話，說孔子會見素有惡名的衛靈公夫人南子後，受到子路的質疑，他辯解道：「予所鄙者，天厭之，天厭之。」王充卻以爲：天殺之類的事既不存在於過去，也不可能發生在未來。接著他說：

> 孔子稱曰：「生死有命，富貴在天。」若此者，人之死生，自有長短，不在操行善惡也。成事，顏淵蚤死，孔子謂之短命，由此知短命夭死之人，未必有邪行也。❷

是說，人的生死禍福由運命決定，與行爲的善惡無關。這裡，他用顏淵的早逝作爲例證，指出天殺的事過去從不曾發生。歷史的事實與否是他判斷事情的基準，他的運命論可以說是在一種實證的、理性的思考模式下展開辯證思考的。

〈問孔篇〉第十章則引用了「鳳凰不至，河不出圖，吾已矣夫」（《論語・子罕篇》第九章），並作了二種解釋，後者的解釋是：

> 或曰：「孔子不自傷不得王也，傷時無明王，故己不用也。鳳凰河圖，明王之瑞也。瑞應不至，時無明王；明王不存，己遂不用矣。」夫致瑞應何以致之？任賢使能，治定功成；治定功成，則瑞應至矣！瑞應至後，亦不須孔子；孔子所望，何其末也！不思其本而望其末也；不相其主而名其

---

❶ 〈問孔篇〉的章別，從世界書局《新編諸子集成》。

❷ 原文無「未」字，從黃暉《論衡校釋》補之。

> 物，治有未定，物有不至，以至而效明王，必失之矣。孝文皇帝可謂明矣，案其本紀，不見鳳凰與河圖。使孔子在孝文之世，猶曰：「吾已矣夫！」

「鳳凰」、「河圖」者，是有明君出現時的瑞兆。原文是孔子自嘆不遇明君，上文則是王充對孔子之嘆所作的批評。王充以爲能夠任賢使能，政治便能上軌道，政治一上軌道，瑞兆自然出現。上述，除了「瑞兆」的出現是一不切實際的想法外，基本上是一種非常合理的解釋。他很科學的、一刀見血地指出：不從根本的政治問題著手，一味期待符瑞是本末倒置，又引用史實指出明君之世也不一定會有符瑞相應。又說，即使瑞兆顯世，孔子也不會受到重用。因爲，孔子的用世與否與符瑞無關，也與時君不相干。這裡，不容忽視的是：聖君明主之世，聖人也不一定受重用的宿命論觀才是他思想的根本。所以，孔子雖貴爲聖人卻命中注定仕途多舛的看法，不只在〈問孔篇〉，幾乎是充斥《論衡》全書之中。

〈問孔篇〉第十二章引述了「賜不受命而貨殖焉」（《論語・先進篇》第十八章）一句。在此，「命」一般有「孔門的禮教之命」（古注）和「天命」（新注）二種解釋，王充採用了後者，並批評道：

> 夫人之富貴在天命乎？在人知也？如在天命，知術求之不能得；如在人，孔子何爲言「死生有命，富貴在天」？夫謂富不受命而自以術得知❸，貴亦可不受命而自以努力求之。世無不受貴命而自得貴，亦知無不受富命而自得富者。成事，孔子不得富貴矣！周流應聘，行說諸侯，智窮策困，還定詩書，望絕無冀，稱已矣夫！自知無貴命，周流無補益也，孔子知己不受貴命，周流求之不能得，而謂賜不受富命，而以術知得富，言行相違，未曉其故。

依王充之見，命中若不注定富貴，則再如何努力都是枉然。這是他從自己不得志的

---

❸ 原文無「以」字，從黃暉《論衡校釋》補之。

官場經驗中所歸納出的結論。從而若把「命」解作「天命」的話，原文的意思就是「賜不受富裕之命，卻貨殖財產」，這與他的運命論思想是相矛盾的。「死生有命，富貴在天」（《論語・顏淵篇》）是王充論及天命時經常引用的一句話。這裡王充再一次引以爲據，作爲孔子無富貴之命之說的證明。像這樣子，在論述時不忘列舉事例說明的實證主義風格，是《論衡》一書的一大特色。

〈問孔篇〉的第十三章引述了顏回去世時孔子的「噫！天喪予」（《論語・先進篇》第九章），接著說：

> 此言人將起，天與之輔；人將廢，天奪其祐。孔子有四友，欲因而起，顏淵早夭，故曰：「天喪予」。問曰：顏淵之死，孔子不王，天奪之邪？不幸短命，自爲死也？如短命不幸，不得不死，孔子雖王，猶不得生。輔之於人，猶杖之扶疾也。人有病，須杖而行，如斬杖本得短，可謂天使病人不得行乎？如能起行，杖短能使之長乎？夫顏淵之短命，猶杖之短度也。

對於顏淵的死，孔子因爲極度悲傷乃不禁感嘆「天喪予！」，這本是極其自然的想法❹，王充卻解釋作孔子本欲藉顏淵之力，得其輔佐爲王，所以感嘆天挫我也。在這樣的解釋之下，又說顏淵夭折短命與孔子能否爲王並無關連，他用病人與枴杖之間的關係來作比喻。他說：孔子失去顏淵不得爲王，這與幫助病人的枴杖原本就太短，不足以用來輔行是一樣的道理，顏淵他從一開始就注定要短命夭折的了。❺像這樣子，在論證時運用比喻的手法，是《論衡》書中的另一特色。

緊接著對於個人才能與地位的問題，他說道：

> 且孔子言「天喪予」者，以顏淵賢也。案賢者在世，未必爲輔也，夫賢者未必爲輔，猶聖人未必受命也。爲帝有不聖，爲輔有不賢。何者？祿命骨法與才異也。由此言之，顏淵生未必爲輔，其死未必有喪。孔子云「天喪

❹ 朱子注曰：「悼道無傳，若天喪己也。」

❺ 《論衡・氣壽篇》以爲，人之壽命由出生時從天而稟之氣決定。

予」，何據見哉？

是說，賢者未必爲王輔，而聖人也不必定身受天命而能爲王。怎麼說呢？因爲上天賦與人的命運與個人的才能是分開行事的。所以，顏淵生也不一定爲孔子之輔佐，其死也稱不上是「天喪」的了。❻這裡，我們看到王充他很獨特的天命觀，他以爲上天賦予每個人的命運是互不干涉，個個獨立的。

接著，他還說：

> 且天不使孔子王者，本意如何？本稟性命之時，不使之王邪？將使之王，復中悔之也？如本不使之王，顏淵死何喪？如本使之王，復中悔之，此王無骨法，便宜自在天也。且本何善所見，而使之王？後何惡所聞，中悔不命。天神論議，誤不諦也。

意思是如果天意本不欲孔子爲王，那麼顏淵之死對孔子而言就不構成「天喪」。如果上蒼囑意孔子爲王，又中途反悔，那就是孔子命中本注定不能爲王的了。

《論衡》的〈命義篇〉、〈無形篇〉裡，說人的壽命由出生時所稟受的氣的厚薄決定，人一旦稟氣而生，一切便成定局不能再更改。〈自然篇〉裡則說，天是無爲自然，無意識的存在。以上這些都是他立說時的根本。「天喪予」一章，王充所引述的是當時一般的解釋，王充似乎也同意那就是孔子的本意。而不管是時人的看法，或者是引述時人之說再加以批評的王充之說，二者都是立論在運命論的立場上的。只不過，王充的想法可以說是一種較爲徹底的實證主義運命論觀罷了。

綜合上述，第九至十三章中，除了十一章之外，內容都是王充引用《論語》的不同篇章，表達了他自己的運命論，且所引各章都側重在孔子、顏淵雖貴爲聖人，賢德出眾，卻都能者不能有其位，一生多波折的論點上，王充並由此導引出他

---

❻ 《論衡・偶會篇》引《論語》中的這段記載說：顏淵死，子曰：「天喪予！」子路死，子曰：「天祝予！」孔子自傷之辭，非實然之道也。孔子命不王，二子壽不長也。不王不長，所稟不同，度數並放，適相應也。

自家說的宿命論觀。

二、仕官論

〈問孔篇〉另外一個大特色是對官場去留時，所應有的態度論述頗多。下面我們循序來看：

〈問孔篇〉第七章引述《論語・公冶篇》第十九章後，解釋說：

> 子張問：「令尹子文三仕爲令尹，無喜色；三已之，無慍色。舊令尹之政，必以告新令尹，何如？」子曰：「忠矣。」曰：「仁矣乎？」曰：「未知，焉得仁？」子文曾舉楚子玉代己位而伐宋，以有乘敗而傷其眾。不知如此，安得爲仁？」

上述，「焉得仁」一句爲止，是引用《論語》的原文，之下才是王充的解釋。他說子文這個人，三爲令尹又三次被罷官，態度自在無喜無憂，孔子說他稱得上是「忠」但還不算是「仁」，這是因爲他不是一個智者。王充接著說：

> 問曰：「子文舉子玉，不知人也。智與仁，不相干也。有不知之性，何妨爲仁之行？五常之道，仁義禮智信也。五者各別，不相須而成。故有智人，有仁人者；有禮人，有義人者。人有信者未必智；智者未必仁；仁者未必禮，禮者未必義。子文智蔽於子玉，其仁何毀？謂仁焉得不可？

他說智者不必定是仁者，仁者不必定是智者。從而，子文非智者一說，不構成他不是仁者的理由。他最後的結論說：

> 且忠者，厚也；厚人，仁矣。孔子曰：「觀過斯知仁矣！」子文有仁之實矣，孔子謂忠非仁，是謂父母非二親，配匹非夫婦也。

先且不論王充對「仁」與「忠」的定義如何？在這裡，對於官場進退無喜無憂的子文的態度，其實與《論衡・自律篇》中王充對自己官場態度的描述幾乎一致。從這裡，我們可以看出王充雖然沒有把握住仁的眞義，但從他認同子文是爲仁者的觀點看來，他是對子文是予以肯定的。

〈問孔篇〉第十一章有如下的描述：

> 子欲居九夷，或曰：「陋，如之何？」子曰：「君子居之，何陋之有？」孔子疾道不行於中國，志恨失意，故欲之九夷也。或人難之曰：「夷狄之鄙陋，無禮義，如之何？」孔子曰：「君子居之，何陋之有？」言以君子之道，居而教之，何爲陋乎？

是說孔子因爲道不行於中國，所以想移居夷狄之地，原文見《論語・子罕篇》第十四章。這裡，「孔子疾道不行於中國」一句以下是王充的論述。接著，王充對孔子想要捨中國，移居到粗鄙不談禮義的夷狄之地，實行教化的想法有一番批評，以下省略部分，只引述其後半：

> 或曰❼：「孔子實不欲往，患道不行，動發此言。或人難之，孔子知其陋，然而猶曰：『何陋之有？』者；欲遂已然，距或人之諫也。」實不欲往，志動發言，是僞言也。君子於言，無所苟矣。如知其陋，苟欲自遂，此子路對孔子以子羔也。子路使子羔爲費宰，子曰：「賊夫人之子」，子路曰：「有社稷焉，有民人焉，何必讀書，然後爲學？」子曰：「是故惡夫佞者。」子路知其不可，苟欲自遂，孔子惡之，比夫佞者。孔子亦知其不可，苟應或人，孔子、子路皆以佞也。

這裡，王充先引述一段「或人」的話，說孔子欲往夷狄之說只不過是一時興來之語，接著他又引用〈先進篇〉第二十三章，子路推薦學問人格尚未成熟的子羔掌位主政，受到孔子的指責，他巧辯反駁，招惹孔子不悅的一段，說二人都是「僞言」

❼ 原文無「曰」字，從黃暉《論衡校釋》補之。

也。這段文章的主要目的是批評「僞言」，不過從文中可以看出他對主政者的道德要求是基本的重點所在。

〈問孔篇〉第十四章引述《禮記・檀公篇上》，孔子到衛國遇見昔日館人的喪禮，乃解馬作爲奠儀，對此王充不以爲然，因爲《論語・先進篇》第八章裡顏淵和孔子之子鯉去世時孔子都沒有賣車爲二人製棺椁，此事見《論語・先進篇》第八章，原文是：

> 顏淵死，顏路請子之車以爲椁，子曰：「才不才，亦各言其子也，鯉也死，有棺而無椁，吾不徒行以爲之椁，以吾從大夫之後，不可徒行也。」

以上，是孔子說明自己兒子鯉去世時，他都沒有賣車去替兒子製椁厚葬，因爲他是大夫的身分，於禮出門時不宜徒步而行。對此，王充批評道：

> 孔子重副舊人之恩❽，輕廢葬子之禮。此禮得於他人，制失親子也。然則孔子不鬻車以爲鯉槨，何以解於貪官好仕，恐無車而自云？君子殺身以成仁，何難退位以成禮。

他認爲孔子之所以對他人解馬相贈，卻不肯賣車爲自己的兒子製椁，原因是因爲他怕失去官位，而身爲君子，應該是不惜捨官職以成就「禮」的。這裡，他不諱直言地表達了他對官場進退的道德標準的看法。

〈問孔篇〉第十七章，是有關《論語・陽貨篇》孔子欲應佛肸之聘前往出仕的一段記事。王充批評說連名爲「盜泉」之水也不肯喝的孔子，不應該去奉仕一個有惡名的人。接著對孔子的「吾豈匏瓜也哉，焉能繫而不食？」，他又批評道：

> 「吾豈匏瓜也哉？焉能繫而不食？」自比以匏瓜者，含「人當仕而食祿，我非匏瓜繫而不食。」非子路也。孔子之言，不解子路之難。子路難孔

---

❽ 原文「副」作「賻」字，從黃暉《論衡校釋》改之。

> 子，豈孔子不當仕也哉？❾當擇善國而入之也。孔子自比匏瓜，孔子欲安食也。且孔子之言，何其鄙也！何徒仕為食哉？君子不宜言也。匏瓜繫而不食，亦繫而不仕等也。距子路可云：「吾豈匏瓜也哉？繫而不仕也。今言繫而不食。」❿孔子之仕，不為行道，徒求食也。

對於這章，漢代一般的解釋是孔子比喻自己不像是那個懸掛在半空中無須進食的匏瓜，以作為他出仕的正當藉口。古注也大多因循此說，這點黃暉在其《論衡校釋》中業已指出。王充也採用這個說法，指責孔子所言不是為了求道，是為了求俸祿，而這種話不應出自一個君子的口中。瓠瓜本是一種食物，原文的「繫而不食」的「食」字應該是被動詞，是孔子害怕自己不為所用，不能貢獻己力發揮理想的比喻，這種讀法才較為自然合理，這也是現在一般的解釋。上文裡，王充把「食」解作「食祿」，並引以為「鄙」。前面，我們談過王充的孔子觀及其所遭遇的官場經驗，由此來看，上述，與其說王充是詆毀孔子，倒不如說這是他的官場道德觀還較為恰當。

此外，還有第十八章是針對《論語・陽貨篇》第四章，孔子應公山弗擾之招一事所作的批評。

從以上種種，我們知道「仕官論」在〈問孔篇〉中所占篇幅極多，另外如前所述王充的「運命論」也多與他的「仕官論」有所關連，可見得「仕官論」是王充問「孔」時的問題意識之所在。

《論衡》的〈自紀篇〉裡，有王充對官場的拔擢貶黜毫不動心並引以自豪一類的記述；又說他作《譏俗節義》十二篇諷刺世人，在他或高官在位或貶居窮地時態度前後不一。〈問孔篇〉之所以對官場進退提出了嚴格的道德標準，就是因為王充自身的境遇使然，他不想隨波逐流，他相信自己這種強烈的執著與生命的抉擇是正確的，所以才選擇最具權威的聖人孔子作為他發問的對象的。

---

❾ 原文「徒」作「彼」字，從黃暉《論衡校釋》改之。

❿ 原文「言」作「吾」字，從黃暉《論衡校釋》改之。

三、表現論

我們所看到〈問孔篇〉的幾項特色之中，唯一王充在序文中便開宗明義講明意圖的，是所謂的「難其不解之文」。〈問孔篇〉中共有五章是就孔子說理不清，易招致聽者誤會等提出質疑，以下逐章敘述。

〈問孔篇〉的第二章，先是就《論語・爲政篇》第五章的內容說：

> 孟懿子問孝，子曰：「毋違。」樊遲御，子告之曰：「孟孫問孝於我，我對曰：『毋違。』樊遲曰：「何謂也？」子曰：「生，事之以禮，死，葬之以禮，祭之以禮。」問曰：孔子之言毋違者，毋違禮也。⓫孝子亦當先意承志，不當違親之意。孔子言毋違，不言違禮。懿子聽孔子之言，獨不爲嫌於毋違志乎？樊遲問：「何謂？」孔子乃言「生事之以禮，死葬之以禮，祭之以禮。」使樊遲不問，毋違之說遂不可知也。懿子之才，不過樊遲，故《論語》篇中，不見言行。樊遲不曉，懿子必能曉哉？

孟懿子是魯國大夫，也是政治實力家。依皇侃之說，有違禮之行，所以在他問「孝」時，孔子故意告誡他「毋違」。其後，才向弟子樊遲說明他所謂的「毋違」是指不要違禮。這裡針對孔子回答孟懿子的話，王充以爲孔子的說明不足，很可能招致孟懿子的誤解，對旁人而言更是一頭霧水。王充又說，樊遲都不能解的問題，才智不過樊遲的孟懿子又如何能解？王充這個單純原始的質疑，其實是不無道理的。那麼對於這章，諸注又如何作解呢？

古注、新注都以爲孟懿子應該是不懂得「毋違」的眞正意思的，所以孔子才故意解釋給樊遲聽，這點上新、舊注是一致的。而王充想知道的就是孔子爲什麼不直接告訴孟懿子？關於這點，朱熹說：

> 是時，三家僭禮。故夫子以是警之。然語意渾然，又若不專爲三家發者，

⓫ 原文作「毋違，毋違者禮也」，從黃暉《論衡校釋》改作「毋違者，毋違禮也」。

> 所以爲聖人之言也。

朱子以爲聖人之意在教禮於萬世，至於孟懿子個人是否能夠領悟是無關緊要的。王充之所以針對這點而發難，是基於他「告小材勅，大材略」（〈問孔篇〉本文）的想法的。

〈問孔篇〉第三章，引述《論語·里仁篇》第五章說：

> 孔子曰：「富與貴是人之所欲也，不以其道得之，不居也；貧與賤，是人之所惡也，不以其道得之，不去也。」此言人當由道義得，不當苟取也。當守節安貧，不當妄去也。夫言不以其道得富貴，不居，可也。不以其道得貧賤，如何？富貴顧可去，去貧賤何之？去貧賤得富貴也，不得富貴，不去貧賤。如謂得富貴不以其道，則不去貧賤邪，則所得富貴，不得貧賤也。貧賤何故，當言得之，顧當言貧與賤是人之所惡也，不以其道去之，則不去也。當言去，不當言得，得者，施於得之也。今去之，安得言得乎？獨富貴當言得耳，何者？得富貴乃去貧賤也。

王充以爲「不以其道得之」這句話是有問題的。這個部分，眾說紛紛，王充認爲孔子的「其道」指的是「正道」，而「之」字指的是貧賤。所以，如果說得到富貴的手段不正當的話，終究還是脫不了貧賤的。那麼，下一句就應該是「不以其道去之，則不去也」才說得通。《論語》的這章，諸注之中，王充把「道」解作「正道」，這點與新注相同，而後半部分他把「得」改作「去」之後，文章變得較爲自然暢快，上下文也成了對句了。

最後他說：

> 七十子既不問，世之學者亦不知難，使此言意結不解⑫而文不分，是謂孔子不能吐辭也；使此言意結，文又不解，是孔子相示，未形悉也。弟子不

---

⑫ 原文無「結」字，從黃暉《論衡校釋》補之。

> 問，世俗不難，何哉？

從所謂的「是謂孔子不能吐辭」一句，可以看出王充認爲孔子有許多用語不當的地方。最後他懷疑爲什麼弟子們及世之學者都不曾質疑呢？一方面也指出他認爲孔子在表達能力上，或有不足之處。

〈問孔篇〉第四章則引述《論語．公冶長》篇的第一章，說：

> 孔子曰：「公冶長可妻也，雖在縲紲之中，非其罪也。」以其子妻之。問曰：孔子妻公冶長者，何據見哉？（中略）案孔子之稱公冶長，有非辜之言，無行能之文，實不賢，孔子妻之，非也；實賢，孔子稱之不具，亦非也。

《論語》中對公冶長之爲人，除了說「可妻也」之外，全無述及。針對這點，王充以爲只提到他曾遭冤罪，對其爲人品性則一言不及的作法是錯誤的。到底遭冤罪是「可妻」的原因？抑或是他沒有值得一提的長處？不管是那個原因，孔子都是難辭其咎的。對於這點，朱子以爲「長之爲人，無所考，而夫子稱其可妻，其必有以取之矣。」便不再追究，他酌量孔子的用心後，很自然的把焦點放在人間寵辱的名譽問題上。相對於此，王充則是一個徹底的理性主義者，他要求一個清楚明白的交代。

〈問孔篇〉第八章引述了《論語．雍也篇》第三章孔子說的：「有顏回者，不遷怒，不貳過，不幸短命死矣！今也則亡，未聞好學者也。」接著說：

> 夫顏淵所以死者，審何用哉？今自以短命，猶伯牛之有疾也。人生受命，皆當全潔⑬，今有惡疾，故曰無命。人生皆受天長命，今得短命，亦宜曰無命，如天命⑭有長短，則亦有善惡矣！言顏淵短命，則宜言伯牛惡命；言伯

---

⑬ 原文作「皆全當潔」，從黃暉《論衡校釋》改作「皆當全潔」。

⑭ 原文無「命」字，從黃暉《論衡校釋》補之。

牛無命，則宜言顏淵無命。一死一病，皆痛云命，所稟不異，文語不同，未曉其故也。

王充把這裡的「不幸短命死矣」與〈雍也篇〉伯牛染上惡疾，孔子探病時說的「無命」（原文是「亡之命矣夫」）作一比對，指出孔子在用語上有欠統一。他說：如果說伯牛是「無命」的話，那麼也應該說顏淵是「無命」；如果說顏淵是「短命」的話，那麼伯牛就應該說是「惡命」。總之，在描述天命問題時應該修辭統一，或用「有、無」一組，或用「善惡、長短」一組去形容才對。這裡，同樣是無關內容的修辭上的問題。

〈問孔篇〉第十六章，討論的是《論語・憲問篇》第二十五章的例子，他說：

> 蘧伯玉使人於孔子，孔子曰：「夫子何爲乎？」對曰：「夫子欲寡其過而未能也。」使者出，孔子曰：「使乎！使乎！」非之也。（中略）且實孔子何以非使者？非其代人謙之乎？非其對失指？⓯所非猶有一實，不明其過，而徒云使乎使乎。後世疑惑，不知使者所以爲過。韓子曰：「書約則弟子辨。」（《韓非子・八說篇》）孔子之言使乎，何其約也！

上述，對蘧伯玉的使者孔子評曰：「使乎！使乎！」古注、新注都以爲這是稱譽之詞，不過〈問孔篇〉卻認爲這是孔子不滿使者的回答，所以貶之之詞。所以貶之的理由，王充列出了「代人謙之」、「對失指」的二種推測，不管是什麼理由，他認爲孔子的措詞太過精簡，已有失眞之嫌了。

以上五章所指摘的都是孔子在用語上的疑點。其不同於常的是，這裡，他強調簡明平暢的論理方式，他要談的不是內容，而是在內容之前的敘事方法論了。

《論衡・自紀篇》裡有一段話說：

⓯ 原文作「非其代人謙之乎；其非乎對失指也」，從黃暉《論衡校釋》改作「非其代人謙乎，非其對失指也」。

> 夫口論以分明爲公，筆辯以荴露爲通，吏文以昭察爲良。深覆典雅，指意難睹，唯賦頌耳。經傳之文，聖賢之語，古今言殊，四方談異也。當言事時，非務難知，使指閉隱也。後人不曉，世相離遠，此名曰語異，不名曰材鴻。淺文讀之難曉，名曰不巧，不名曰知明。

他認爲好文章的條件是通暢易懂，而如經傳一類艱澀難解的不見得是好文章，他甚至語帶辛辣，用「淺文」來形容這一類的文章。這樣的寫作態度貫穿《論衡》全書，站在這種「文章貴明」的立場上，王充的結論是〈問孔篇〉第三章所謂的「孔子不能吐辭」，而上述五章所批評的內容就是對此而發的。誠如許多前人所指，孔子並不是個擅於雄辯的人，而最早提出這個看法的人可以說就是王充了。

〈問孔篇〉的第九章繼這種文至暢快的主張，進一步地強調服人以「理」的論證方法。如前所述，第九章裡孔子見南子後，對子路辯稱說：「予所鄙者，天厭之！天厭之！」王充便就其宿命論的觀點批評，之外，還提出論證的方法論。他說：

> 尚書曰：「毋若丹朱敖，惟慢遊是好。」謂帝舜敕禹毋子不孝子也。重天命，恐禹私其子，故引丹朱以敕戒之。禹曰：「予娶，若時辛壬癸甲，開呱呱而泣，予弗子。」陳己行事，以往推來，以見卜隱效己，不敢私不肖子也。不曰天厭之者，知俗人誓好引天也。

《尚書・益稷篇》裡的這段是舜告誡禹不要「子不肖之子」，禹回答說：從前自己的孩子哭了也不曾特別寵愛他，以表白自己不縱私情。王充認爲禹回答的話，能夠「以往推來」，即根據過去發生的事實論斷未來，以說服對方，不像孔子只說了個「天罰」。

剛才我們已經提到在文章表現的方法上，王充主張思考嚴密，論理暢快，而這裡所強調的以理服人就是站在這樣的基本線上所衍伸出來的想法。這種重視歷史證據的想法在《論衡》中隨處可見，不過像這樣在文中直接闡述理論的例子倒是罕見。而王充選擇了《論語》作爲他下筆的對象，我們後人也得以從此窺見他的「孔子觀」。《論衡》與《論語》間最大的差異就是這種論理性的有無，他選擇以《論語》作爲批評的對象，用一種較爲尖銳的表達方式說出了自己的主張。

結　語

以上我們從王充的運命論、仕官論、表現論三方面探討了〈問孔篇〉在思想上的特色，而這三者在王充來說又是密不可分的。例如王充在觸及他運命論的篇章裡，問題的核心常圍繞著仕官進退的問題，而論述的方法大多是講求實證與論理暢快的。當然，〈問孔篇〉不只有上述三項特色，例如第十五章裡就可以看到他的唯物思想，不過整體而言仍是以這三點特色爲主。這也可以說是他思想的主幹，這樣的傾向瀰漫在《論衡》的各個篇章之中。

有關於他的運命論及仕官論，在〈逢遇〉、〈累害〉、〈命祿〉、〈幸偶〉、〈命義〉等篇章敘述較多，至於他的表現論敘述較完整的只有〈自紀篇〉一章，因爲它是一種方法論，事實上在《論衡》著作的過程中它已被充分地隨機運用，可見其重要性。甚至可以說王充從一開始就注意到這個問題，所以像第八章乍看之下像似在討論無關緊要的問題，事實上其背後的重點還是在表現論上的。王充是這麼地在乎文章是否論理清楚，所以對孔子言簡意賅的諸多發言有許多疑問，他的質疑也使得《論語》、《論衡》二書的對比更加明顯了。王充生在安定而集權的時代，學問的體系逐漸形成，重視條理是必然的時代潮流，所以有《春秋繁露》、《白虎通》一類的書出現。在這樣的趨勢之下，〈問孔篇〉的出現也許不算是意外吧！

經 學 研 究 論 叢
第 八 輯　　頁307～314
臺灣學生書局　2000 年 3 月

書《孝經述議復原研究》後

陳秀琳*

去夏粗習劉孟瞻《左傳舊疏考正》，率爲評論一篇，又自撰《禮是鄭學說》，就二劉學術之大概，略述鄙見。惟當時所據止《詩》、《書》、《左氏》三經正義，二劉原文不可得見，則所論多臆測耳。近有日本一友來京，賚以林秀一先生編刊《孝經述議復原研究》複印件。此書復原劉炫《孝經述議》五卷，卷一、卷三爲影印傳存殘帙，其餘三卷乃林先生於日本舊傳《孝經》類書中輯得之，據云已得原書十之七八爾。今翻看一遍，雖未及細讀，猶得窺見劉炫著書之風貌，且謂前所推論未爲大謬，殊足欣慰。茲誌其事之一二，以備忘如次。

《書・呂刑》孔注「後爲甫侯，故或稱〈甫刑〉，正義（中華版《十三經注疏》，頁 247 中）曰：

> 《禮記》、書傳引此篇之言，多稱爲「〈甫刑〉曰」，故傳解之，「後爲甫侯，故或稱〈甫刑〉。知後爲甫侯者，以《詩・大雅・崧高》之篇，宣王之詩，云「生甫及申」，〈揚之水〉爲平王之詩，云「不與我戍甫」，明子孫改封爲甫侯。不知因呂國改作甫名，不知別封餘國而爲甫號？
>
> 然子孫封甫，穆王時未有甫名，而稱爲〈甫刑〉者，後人以子孫之國號名之也。猶若叔虞初封於唐，子孫封晉，而《史記》稱《晉世家》。
>
> 然宣王以後改呂爲甫，《鄭語》史伯之言，幽王之時也，乃云「申、呂雖

*　陳秀琳，東京大學東洋文化研究所助教授。

衰，齊、許猶在」，仍得有呂者，以彼史伯論四嶽治水，其齊、許、申、呂是其後也。因上申、呂之文而云「申、呂雖衰」，呂即甫也。

〈呂刑〉或作〈甫刑〉，注疏謂呂侯後世改爲甫侯故也。〈緇衣〉正義（頁 1647 下）說同。然《詩·崧高》正義（頁 566 中）乃曰：

《尚書》作〈呂刑〉，此作甫侯者，孔安國云：「呂侯後爲甫侯。」《詩》及《禮記》作甫，《尚書》與《外傳》作呂，蓋因燔詩書，字遂改易，後人各從其學，不敢定之故也。

雖引孔注爲說，不盡以時之先後爲論，而謂後人各從其學耳，則旨意實稍異也。但《詩》《書》二疏均以二劉舊疏爲藍本，《禮記正義》則據皇侃爲本。然則〈緇衣〉疏與《書》疏同旨，《詩》疏反與《書》疏稍異者，不可不以爲疑也。今得《孝經述議》，此疑斯解矣。案《天子章》述議曰：

孔於《尚書》傳云：「後爲甫侯，故或稱〈甫刑〉。」斯不然矣。《詩·大雅·崧高》之篇，宣王之詩也，已言「惟申及甫」，《外傳》史伯之言，幽王時，乃云「申、呂雖衰，齊、許猶在」，是非先爲呂而後爲甫也。此甫呂之字，古文異文，事經燔書，各信其學，後人不能改正，兩存之耳，非先後異封也。《外傳》說「氏曰有呂」，云「爲股肱心膂」，則「呂」當是也。

劉炫云「事經燔書，各信其學，後人不能改正，兩存之」，正與〈崧高〉疏同。而此更明言孔注說先呂後甫之非，並以字當作「呂」爲正。是知〈崧高〉疏僅擷取劉說之一端，《述議》所載始爲其說之正也。至若《書》疏乃即襲用劉炫舊疏所具材料，而全改旨意者也。何以知之？則《述議》引《國語》「申、呂雖衰，齊、許猶在」，實《周語·下篇》東周靈王太子晉之言，而劉炫稱爲幽王時史伯之言，是誤以爲《鄭語》文也。《述議》下文又曰：

> 《外傳・鄭語》史伯云：「伯夷能當於神以佐堯，故賜姓曰姜，氏曰有呂。」（案：「賜姓」以下，實亦《周語》文。）又曰：「申、呂雖衰，齊、許猶在。」《周語》曰：「申、呂、齊、許由大姜。」是申、呂、齊、許皆伯夷之裔胄也。

是劉炫固誤以「申、呂雖衰，齊、許猶在」爲《鄭語》文，明矣。而《書》疏亦云「《鄭語》史伯之言，幽王之時也，乃云『申、呂雖衰，齊、許猶在』」，其誤正同，則其所引據皆襲劉炫舊疏，斷可知也。蓋《書》疏以劉炫舊疏爲本，而劉炫於此駁難孔說，唐臣撰定正義，立專守本注爲法則，則不得不改移其說以遷就孔說也。要《書》疏，其文則襲於劉炫，其義則唐臣倒反劉義，是今得《述議》始可確知者也。此不僅知劉炫舊義，又可驗知唐臣刪改舊疏之實情，猶可珍重。使以告孟瞻於地下，不知其爲欣喜何如也。

前稿（《禮是鄭學說》）說二劉立說有一種現實合理主義存在，並舉「天道轉運古今一也」及「命之長短古今一也」等言爲例。今可於《述議》中，更舉類似者如次：

> 《六經》名目皆自成名，《詩》、《書》、《春秋》初不配經字，獨《孝經》言經始可者，劉向《別錄》以來皆以「孝者天之經，地之義，民之行」，故稱《孝經》。劉炫斥此說爲傅會，謂「後世所作，星、筭、卜、相、龜、鶴、牛、馬，苟可足用，莫不稱經」，並稱「《星經》豈復皆地義民行，舉大而稱經乎」。
>
> 師儒傳說，曾子問孝，斯有《孝經》之作。劉炫一反其說，力說《孝經》爲孔子身手所作，孔子假設曾子之問，以便述作，非曾子實問也。此義全書屢見，而其中有說：「莊周之斥鷃笑鵬、罔兩問影，屈原之漁父鼓枻、太卜拂龜，馬卿之烏有、亡是，楊雄之翰林、子墨，皆假設客主，更相應答，與此復何所異，而前賢莫之覺也。
>
> 〈開宗明義章〉孔傳「仲尼之兄字伯尼」，述議云：「孔子首似尼丘，故以仲尼爲字，其兄之首不必似山，而亦以尼爲字者，蓋以弟字爲尼，故亦

> 俯同之焉。後世此事亦多矣，如陳氏之元方、季方，司馬之伯達、仲達，皆其類也。」

此等皆《述議》廣參後世世俗之事，以推論經典也。

前稿又言二劉及王劭之音學，不拘前儒成說，以通假用韻之實例爲據，創定新見，尤可注意。今《述議》不見論說古今韻部，而有言四聲別義者。〈三才章〉述議云：

> 「德行」之與「施行」，今世借音有平聲去聲之異，於古則皆與「行列」之行同音。據其始爲則平聲言之，指其成就則去聲言之，音雖小殊，而本是一物。

是謂四聲別義爲今世借音，古本無其別，亦其音學之一端也。

前稿以〈天保〉疏與〈司服〉疏相較，謂二劉一反南北朝義疏學之常規，竭力排斥穿鑿傅會之說。今檢《述議》，

> 於〈開宗明義章〉云：下章所引皆直言「《詩》云」，而此稱「《大雅》」，二章指言《書・呂刑》之篇名。或稱雅者正也，將論一篇之致，取其以正爲始；天子刑法所由，故取〈呂刑〉爲證。曲爲小說，吾無所取焉。
>
> 於〈喪親章〉云：〈間傳〉云「三日不食」，此云「三日而食」者，謂三日之後乃食。文不害意，此之謂也。

是皆明言摒棄穿鑿之意。亦有明斥南朝諸儒而攻駁其傅會之說者，如

> 〈三才章〉「則天之明，因地之利」，述議云：梁王以爲「則」者法擬之名，「因」者仍就之稱；「則天」者孝敬無所不被也，「因地」者謂隨方而教，不得同爲一也。地有風俗之殊，君子之化，不求變俗，故有因名；

天以日月遍照，無有可因之理，唯有可則之義。斯不然矣。《左傳》云「爲君臣上下，以則地義」，地豈不可則乎；上云「因天之時」，何云不可因也。此皆爲語不可重，故變其文，非有別意也。

又如〈開宗明義章〉開頭「仲尼」二字，南朝諸儒各有所見，而劉炫一一駁倒之。其文曰：

江左朝臣各言所見。謝萬云：「所以稱仲尼，欲令萬物視聽不惑也。」《記》云「孔子閑居」，何獨不慮惑哉？車胤云：「將明一經之義，必稱字以正之。直稱孔子，恐後世相亂。」然則諸稱「孔子」，豈可皆被亂乎？殷仲文云：「夫子深敬孝道，故稱字以說。」然則名尊於字，若其深敬孝道，何以不自稱名？近世有沛國劉瓛得重名於江左，掊擊諸說，自立異端，云：「夫名以名質，字以表德。夫子既有盡孝之德，今方制法萬代，宜用此表德之字，故記字以冠首。」詳夫仲尼之盡者，自以聖性能盡，非字盡而名不盡也。仲尼之聖，誰或不知，方待表德之字，以彰孝性之盡者乎？

至於劉炫自說則云：

遍檢傳記，諸稱「丘」也，皆是對人之辭。明非對人談語，不可自稱己名。後世以來，於君父之前則稱名，朋友之交則稱字，是稱字輕於稱名矣。今夫子假託教誨之義，方與弟子對語，事無所敬，辭非自稱，固當宜以字矣。

「遍檢傳記」前稿既言之，「後世以來」則上文已及矣。又案：名字輕重之義，義疏家例引《公羊》莊十年「名不若字」爲說，此則獨以後世通俗之法爲驗，亦可異也。

通觀諸例，合之前稿所說，則劉炫爲學之大略，或尚可仿佛也。但孰謂江左天子以及朝臣概皆懵愚之徒，何光伯之佻薄也。當知彼之所講，此所不容，風馬牛不相干，學術之體判然有別。若以時之先後言，則謂之轉變、革新，未爲不可。然此後來者，博則博矣，精則精矣，奈其浮躁何也。唐人之評論二劉，今覺甚可同感也矣。

末後記一疑案，謂《白虎通》豈不甚行於河北與？今檢《述議》凡三引《白虎通》。

〈卿大夫章〉引《白虎通》云：「大夫者，大扶進者也。」

〈孝治章〉引《白虎通》曰：「君者群也，群下之歸心也。」

〈諫爭章〉引《白虎通》云：「諫必三者，象月三日成魄，臣道就。」

案：上二條皆片言隻語，不足深論。至後一條則莊二十四年《公羊》注文，實非《白虎通》也。（案《公羊疏》亦止舉〈鄉飲酒義〉爲說，則殆不可以爲《白虎通》佚文也。）又案〈開宗明義章〉述議云：

致事以後，君有特命，乃駕而造朝，車不常用，故懸之。韋孟詩曰：「懸車之義，以洎小臣。」然則古之禮制必有懸車之言，不知元本出何書也。

案：懸車，《白虎通》有明文。劉炫旁引韋孟詩，（此詩見《漢書》）而不引《白虎通》，豈劉炫不讀《白虎通》者也？若《曲禮》孔疏（頁 1232 下）則備引《白虎通》。又案〈廣至德章〉述議云：

鄭玄《樂記》注以三老五更各一人，以三五爲名耳。養老之禮，希世間出。漢明帝永平二年始尊事三老，兄事五更，以李躬爲三老，桓榮爲五更。是鄭玄以前已有以一人爲說者也。魏高貴鄉公甘露三年云云……。吳、蜀、晉、宋皆無其事。後魏高祖孝文皇帝大和十七年云云……，各用一人，從鄭說也。

劉炫歷引漢魏以來故事爲說，亦非南北朝義疏學者所爲，前稿已言之。學風不同，固是也。但《白虎通》既有明文，言「三老五更幾人乎，曰各一人」，使劉炫誠知此，豈可置之不論，而止旁引漢魏以降事也？此緣《述議》而生疑者。

若更就他書言之，則《檜風正義》（頁 381 中）說得玦乃去之義，祇以《荀卿書》爲據，（另引《穀梁》注，又謂本《荀卿》。）實則其義亦見《白虎通》。又若夏后氏、殷人、周人名義之辨，〈八佾〉皇疏、〈檀弓上〉疏（頁 1276 上）、〈祭法〉疏引熊氏說（頁 1587 中），其義略同，而〈八佾〉、〈檀弓〉二疏引《白虎通》，熊氏乃不引。斯疑《白虎通》或盛行於江左，河北不甚行也。前撰《賈疏探原試例》，頗疑《家語》行於河北，江左不甚行。豈二書流傳情勢正相反，北則《家語》，南即《白虎通》與？姑誌疑以俟考耳。

[illegible]

[illegible]

經學研究論叢
第八輯　頁315～318
臺灣學生書局　2000年3月

讀《雪堂自述》及《羅振玉對甲骨學的貢獻》

羅繼祖*

一

按《雪堂自述》，實指《集蓼編》暨《扶桑二月記》、《五十日夢痕錄》三書言，皆雪堂公早年著作，以非一時所著，又出版非同時同地，雖經收入臺灣本《羅雪堂全集》內，然其書非今日大陸各大圖書館所備有，故不能人人皆獲見。今年上海出版《雪堂自述》，實出自黃愛梅女士所編輯，先與我商榷，我極贊助之。書出以寄我，女士言所蒐輯尚有多出此輯以外者，未能悉刊，以爲憾事。然即此亦已略備矣。

《扶桑二月記》撰寫最早，乃光緒二十八年壬寅，雪堂公時年三十七歲，旅滬近十載，閱歷漸深，世情亦漸熟，於改革教育，欲取徑於東鄰，運籌已初具藍圖，穩打穩紮，非同築室道謀也。雖初偕張南通，藉其聲氣，繼已揣其爲人，凶險如苗某某，必不可倚信，後果然，幸陷溺未深也，遂與之割席斷交。後遂通藉京朝，入簉秩宗，且歷充各省視學，似頗嚮用矣。然性本恬靜，不欲冒進，而當局又頻以故事厄之，況伉言參己觸忌，賴南皮斡旋，乃循例補官，積資至三品，初未嘗躐一級。然外不至藩臬，內不至丞議，何歟？

---

*　羅繼祖，退休教授。

公初入學部，即抗言不阿，既不似張邵希（仁黼）之消極避譏，又顯斥夫嚴範孫之投機側媚。循國家故事，力護列聖之臨蒞寶座不至委諸草莽，此豈出身翰苑之輩所可及，當使榮相以下爲之戰栗。中朝大官，其識竟越弗逮。新進之一丞一尉，此豈非學部新設後之笑端，令人齒冷者，無人記之，只公自言。所以，這部《自述》雖僅僅是自述，但內容卻包括當時之朝章國故不少，未可等閑視之。以後內閣大庫檔案之獲得保存，明代文淵閣殘存之得以重見天日，敦煌遺籍殘剩得不再歸於外人，皆緣公一言而啓之，豈細故哉！

公在官六年，政治上之貢獻，除上舉三事外，他無有也。部中長官不能虛己以聽，其奈之何？故以「刖存」自號，最後並「舌存」亦不存矣。及總監督去，代以勞京卿（乃宣）。京卿，公丈人行也，時已瀕末造。旋唐尚書亦高擢去。

如果以爲公在京六年，自計於時無補益，而復思研舊學，當時最使公關心者，乃洹陽之出龜，已早有計畫。然於朝局，宮中、府中連成一氣，亦早有計及。時豐鎬舊臣，凋零幾盡，維南皮巋然僅存，及兩宮先後西徂，權在宗潢，南皮勢孤，料難與爭，旋以騎箕，於是朝右愈無人矣。及西川爭路事起，當道因應失當，公知事危，遂動歸與之興，而事有湊巧，於是乘桴事成。

走筆至此，我不能不承認自己以前在秉筆時犯了很大的、不可饒恕的錯誤。我草《永豐鄉人行年錄》時，於作者二十八歲時，即失敘「中日甲午之役」一事。不知這是作者一生發跡的緣起，理應大書特書，而竟默無一言。這是寫舊式年譜的缺點，若新式，必羅列並世知名及與作者關係較密的若干人，但我嫌體例不嚴。如若將來改寫，必須愼重考慮一下，予以適當的地位。

雖然，往者已矣，追補苦晚。念我半生拈筆，不知自檢，疏失孔多。惟琨妹《羅振玉評傳》一書，版行在後，取材多出我書，而融貫敷陳，獨具鑪錘，不受我書之羈勒，誠青出於藍。武漢謝貴安文出，我函告彼，答以此自出公論，何俟謝文，而我尚稱謝文爲「醒酒湯」也。

二

今見臺灣去年十二月「中國國史專題論文集第四屆討論會」論文，題目是《羅振玉對甲骨學的貢獻》，作者爲臺灣中國文化大學副教授羅獨修宗人。這是一篇對數十年來羅、王兩家問題的最後結論，不意出之於臺灣青年學者之手，可謂中原無人矣。其文先設爲甲、乙兩造之詞。甲：一，甲骨之研究與羅氏完全無涉；二，羅非王比；三，甲骨四堂；四，羅王之學；五，羅氏一人之力；六，同一人因時間不同而對羅氏有反正兩極之批評。乙：一，人云亦云；二，誤認羅氏欺世盜名；三，政治影響學術；四，捧王抑羅。然後再展開討論，對兩造著作的短長，分四方面：一，羅主王副誤爲王主羅副；二，二重證據法非今日始得行之；三，《先公先王考》名過其實；四，《殷周制度論》所敘多誤。次肯定羅氏的功績：一，甲骨之搜集、傳播、拓印；二，考定小屯乃殷墟；三，《史記・殷本紀》帝王之名之審核訂正；四，文字考釋。又作奠基的五端：一，傳授；二，卜法之研究；三，禮制；四，斷代；五，殷墟器物之研究。當然，羅以一人之力，所擔負的任務已夠多，所以晚年已不免捉襟露肘，嘆力不從心了。最後還有結論（略）。

上述各節，我認爲作者和所涉及胡厚宣、陳夢家、董作賓、張舜徽諸先生一樣，宅心純正，專爲學術，初無城府及個人私見。不過，我還恐此文不能「不脛而走」，考慮爲之擴大宣傳，故已專函向作者致謝。另，再回到本題上，黃女士正在從事研究生工作，年事尚青，但已能將《雪堂自述》全文用新式標點斷句一過，是其平時自學工力不弱，雖斷句尚有小誤。又《遼海續吟》中「張忠武」原爲張勳，而不是張國樑，我已去函更正。張勳行事固背時而動，但身當末造，遺老們仍以忠臣許之。我在《庭聞憶略》中說，凡一代封建國家結束時，總有一些人舍生殉義，張即其一。

此外，王門弟子中我最熟悉的，是謝剛主丈。我們認識的時間並不早，而是校史的晚期，通過王仲犖介紹，卻一見如故，又由謝認識劉盼遂。謝和劉對羅、王問題的看法，是否和其他人一致，我不清楚，因爲見面時未涉及到。不過到解放後再在舊都與謝、劉見面時，我已將《觀堂書札》部分整理好，請他們看時，卻很淡漠，令我感到意外。等「文革」後，謝丈在知我已寫好《永豐鄉人行年錄》來索看時，居然爲我作序，並致我長函，譽我書勝於楊山松《孤兒籲天錄》，則語出肺腑，似已排除其門戶之見，而序語云云，我至今仍留冠書首，不以爲忤也。至王門中他人如周傳儒、吳其昌，則明顯挾有陰私甚深，我已在《王國維之死》內一一駁斥之，不留餘地。若傅斯年則咒詛滿紙，暴露其學閥面目無遺矣。

己卯年七月一日稿

經 學 研 究 論 叢
第 八 輯 頁319～350
臺灣學生書局 2000 年 3 月

東漢圖讖《赤伏符》本事考

黃復山*

王莽攝政、篡漢，符命寖滋，迄至東漢之初，光武帝劉秀藉《赤伏符》即眞，二十年間，流傳於當時之政治性圖讖，實不勝枚舉，《赤伏符》爲其中最享盛名者。詳考緯書輯本，如清殷元正《集緯》、黃奭《黃氏逸書考・通緯》、日安居香山《重修緯書集成》等，所收《赤伏符》佚文，除「劉秀發兵捕不道」讖文之外，尙有「王梁主衛作玄武」一句，僅祇兩條。其中，「劉秀」讖之預言功能，影響最廣遠，如應劭即謂：「《河圖赤伏符》云：『劉秀發兵捕不道，四夷雲集龍鬥野，四七之際火爲主。』故（劉歆）改名，幾以趣也。」❶今人鍾肇鵬《讖緯論略》循之亦云：「《赤伏符》之讖可能出于漢成帝末年，成、哀之際，此讖流傳已廣，所以才有劉歆改名應讖。」❷丁鼎《神秘的預言》乃謂：「這條讖言可能產生于劉秀出生之前，劉秀當初的命名可能與『劉秀發兵捕不道』這條讖言的流傳有關。」❸張廣保更明言：「劉秀將成爲漢代復興之主的讖語，至少在光武出生前就已秘密流傳。……（劉歆）他的改名肯定與應讖有關。」❹

諸人所言，皆謂：《赤伏符》見於成帝末年、光武帝劉秀出生之前，劉歆見

---

* 黃復山，淡江大學中國文學系副教授。

❶ 班固《漢書》（北京：中華書局，1987 年）卷 36，〈楚元王傳〉頁 1972，顏師古注引。

❷ 鍾肇鵬《讖緯論略》（瀋陽：遼寧教育出版社，1991 年），頁 27。

❸ 丁鼎《神秘的預言》（太原：山西人民出版社，1993 年），頁 63。

❹ 張廣保〈緯書與漢代政治〉，見《原道》（貴陽：貴州人民出版社）第 5 輯（1999 年 4 月），頁 265。

之因改名曰「秀」，冀以得應驗也。惟考諸文獻，劉歆改名、以迄光武起義於南陽，凡二十八載，其間不見「劉秀發兵」之讖語流傳。直至光武二十九歲、更始元年之七月，劉歆反莽敗亡後，此讖始見箸錄，且讖文僅兩句，內容亦與上文應劭所引「劉秀……爲主」之三句者不同；更始三年六月，光武乃藉此兩句之讖語以即帝位。

詳覈史實，劉歆改名之時，「劉秀」讖文尚未造生；光武之即位，亦非《赤伏符》讖文先作預言，而純屬王莽末年政治性圖讖之附會而已。此一本事，尚未見學者專力探論，是以不腆駑鈍，蒐檢相關史料，依年月爲次，更比對圖讖佚文所述，以見《赤伏符》讖文之本意，因有是文之作。

撰述所據史料，略依年代先後列次如下：

1.班固《漢書》（西元 82 年成書）

2.劉珍《東觀漢記》（約西元 120 年撰成）

3.荀悅《漢紀》（西元 200 年成書）

4.華嶠《後漢書》（嶠卒於 293 年）

5.司馬彪《續漢書》（彪生卒年 246－306）

6.袁宏《後漢紀》（宏生卒年 328－376）

7.范曄《後漢書》（西元 432 年成書）

8.劉昭注司馬彪《續漢書》（約西元 503 年）

9.李賢注范曄《後漢書》（約西元 680 年）

九書之中，班《漢》成書最早，可信度當最高。明帝嘗詔命班固、尹敏等人「共撰〈世祖本紀〉」，班固又撰光武帝「功臣、平林、新市、公孫述事，作列傳、載記二十八篇，奏之」❺，此即劉珍《東觀漢記》之基礎，是以《東觀》光武君臣部分，或亦有班固撰作，徵實性亦屬可靠。至若荀悅《漢紀》「抄撰《漢書》，略舉其要」，至獻帝建安「五年（西元 200）書成，乃奏記」。❻荀《紀》王莽部分，與班《漢》、袁宏《後漢紀》或同或異，可互爲參斠。至於范曄《後漢書》，則爲

---

❺ 范曄《後漢書》（北京：中華書局，1962 年），卷 40 上，〈班固傳〉，頁 1334。

❻ 荀悅《漢紀‧序》（臺北：華正書局，1974 年），頁 5。

曄左遷宣城太守（宋文帝元嘉元年、西元 424）時始撰，迄元嘉二十二年（西元 445）以謀反罪受誅，其「十志」尚未完成，梁劉昭爲曄書作注時，乃取司馬彪《續漢書》之「八志」併入。是以今本《後漢書》實爲曄《書》與彪《志》合成，其「本紀、列傳」所言圖讖事實，與〈祭祀志〉詳略不同，皆將一一爲之考述。

一、劉歆改名與《赤伏符》無關

言及劉歆改名者，最早見於班固《漢書・楚元王傳》：「初，歆以建平元年改名秀，字穎叔云。及王莽篡位，歆爲國師，後事皆在〈莽傳〉。」❼並未說及與圖讖有關。直言劉歆改名與圖讖有關者，首見於建武五年（西元 29），隴右義軍首領竇融與羣臣商議決策，其中智者皆曰：「自前世博物道術之士谷子雲、夏賀良等，建明漢有再受命之符，言之久矣，故劉子駿改易名字，冀應其占。」❽以劉歆改名，與夏賀良等人「漢有再受命之符」有關。其後應劭亦言劉歆改名以應符命。此外，唐李賢注《後漢書・竇融傳》亦謂：「劉歆以哀帝建平元年改名秀，字穎叔，冀應符命。」❾

若應劭所言之《赤伏符》，劉歆改名之前已見傳流，何以迄至光武起義之二十八年中，竟未再見任何蹤影？更考此二十八年間，輒有假藉高祖、文帝、武帝、成帝之名，以行謀反或亂政者❿，卻全未言及「劉秀」；況且王莽好爲符命，篡漢

❼ 班固《漢書》卷 36，〈楚元王傳〉，頁 1972。

❽ 范曄《後漢書》卷 23，〈竇融傳〉，頁 798。

❾ 范曄《後漢書》卷 22，〈竇融傳〉，頁 799。

❿ ⑴假藉高祖：如莽新始建國元年（西元 9）九月，長安狂女子碧呼道中曰：「高皇帝大怒，趣歸我國。不者，九月必殺汝！」莽收捕殺之。（《漢書》卷 99 中，〈王莽傳〉，頁 4118）

⑵假借成帝：始建國二年九月癸酉，長安男子武仲自稱「漢氏劉子輿，成帝下妻子也。劉氏當復，趣空宮。」（同上，頁 4119）

⑶假借武帝：莽新地皇二年（西元 21）秋，卜者王況爲李焉作讖書，言：「文帝發忿，居地下趣軍，北告匈奴，南告越人。」又言莽大臣吉凶，各有日期。（同上，卷 99 下，頁 4166）

⑷王莽末，天下咸思漢，安定人劉芳，由是詐自稱武帝後，變姓名爲劉文伯。（袁宏《後漢紀》，頁 14）

之初，即已造作七百餘件，何乃此條讖文竟能始終隱藏，毫無影蹤？

再者，竇融之智者所言夏賀良「赤精子讖」，在哀帝二年（西元前 5）六月，乃劉歆改名兩年之後，焉可據後出之讖附會先前行事？細覈夏賀氏情事，載錄於《漢書・李尋傳》中，其讖書淵源自成帝元年（西元前 12）齊人甘忠可所詐造之《天官曆包元太平經》十二卷，讖書言及「漢家逢天地之大終，當更受命於天，天帝使眞人赤精子，下教我此道」。當時中壘校尉劉向嘗受詔考論其書，向奏甘忠可「假鬼神，罔上惑眾」，忠可因下獄治服，未斷而病死。甘忠可生前嘗以此書教夏賀良，迄哀帝初立，司隸校尉解光以明經通災異得幸，夏賀良等人乃藉解光以白哀帝；事下奉車都尉劉歆，歆以爲不合五經，不可施行。解光因曰：「前歆父向奏忠可下獄，歆安肯通此道？」⓫可知「赤精子讖」中必無「劉秀」名號，劉歆與父向亦皆不以其讖爲是，何乃三十載後，竇融臣屬竟謂劉歆循夏良賀讖說「改易名字，冀應其占」，顯爲臆說也。是以清何焯曰：「載其改名於哀帝之時，以見歆樂禍非望，素不能乃心王室。」⓬並未以應讖說爲是。陳槃先生亦謂改名之說非是，論曰：「彼時天下，亂象未成，歆何敢遽萌非分之想，不虞殺身滅門之禍耶？」⓭

劉歆之改名，實與哀帝有關。蓋「綏和二年三月，成帝崩。四月丙午，太子即皇帝位」，是爲哀帝。⓮哀帝名欣，荀悅曰：「諱欣之字曰喜。」⓯可知哀帝既立，時人皆以「喜」字替代「欣」字。而劉歆時由王莽薦舉典校祕書，亦避諱改「歆」曰「秀」，是以其〈上山海經表〉，一則曰「臣秀領校祕書」，再則曰「時臣秀父向爲諫議大夫」。⓰而錢穆《劉向歆年譜》更明謂：「歆之改名，殆以諱嫌名耳。……後世之說，殆不足信。」⓱是以《赤伏符》之「劉秀」讖，與劉歆於哀

⓫ 班固《漢書》卷 75，〈李尋傳〉，頁 3192。

⓬ 王先謙《漢書補注》（臺北：新文豐出版公司，1975 年），卷 36，〈楚元王傳〉，頁 35 引。

⓭ 陳槃《古讖緯研討及其書錄解題》（臺北：國立編譯館，1993 年），頁 453。

⓮ 班固《漢書》卷 11，〈哀帝紀〉，頁 334。

⓯ 班固《漢書》卷 11，〈哀帝紀〉，頁 334，顏師古注引。

⓰ 嚴可均《全漢文》（京都：中文出版社，1978 年），卷 40，頁 3。

⓱ 錢穆《劉向歆年譜》頁 71。收入《兩漢經學今古文平議》（臺北：三民書局，1978 年）中。

帝建平元年改名，絕無關係；此讖亦絕非哀帝時已傳流當世！

二、劉氏興漢之讖語來源

劉歆改名時，既無《赤伏符》之「劉秀」讖語，則「劉秀」讖出自何時？曰：實源自莽新地皇二年之王況讖也。

㈠ 王況讖「漢家當復興，李為漢輔」

王莽篡漢後，豪傑蠭起謀反。天鳳六年（西元 19），臨淮瓜田儀，琅玡女子呂母，莒人樊崇、逄安，先後起兵反莽；明年，鉅鹿男子馬適求等謀舉燕、趙之兵以誅莽；地皇二年（西元 21）正月，莽長子統義陽王臨謀反；南郡秦豐、平原女子遲昭平皆聚眾爲亂。是年秋，卜者王況更爲魏成大尹李焉造讖十餘萬言，欲藉以謀反，《漢書．王莽傳》詳敘其事：

> 魏成大尹李焉與卜者王況謀，況謂焉曰：「新室即位以來，……軍旅騷動，四夷並侵，百姓怨恨，盜賊並起，漢家當復興。君姓李，李音徵，徵火也，當爲漢輔。」因爲焉作讖書，言：「文帝發忿，居地下趣軍，北告匈奴，南告越人。江中劉信，執敵報怨，復續古先，四年當發軍。江湖有盜，自稱樊王，姓爲劉氏，萬人成行，不受赦令，欲動秦、雒陽。十一年當相攻，太白揚光，歲星入東井，其號當行。」又言莽大臣吉凶，各有日期。會合十餘萬言。（卷 99 下，頁 4166）

王況藉口「漢家當復興，……李……爲漢輔」，乃造讖書十餘萬字，以「文帝」爲神主，欲動秦地、雒陽之眾，起而反莽。其讖書並未道及「劉秀」。王莽好符命，遂改易讖言以厭之。《漢書》載其事曰：

> 莽以王況讖言「荊楚當興，李氏爲輔」，欲厭之，乃拜侍中掌牧大夫李棽爲大將軍、揚州牧，賜名聖，使將兵奮擊。（卷 99 下，〈王莽傳〉，頁 4168）

王況讖言「漢家」，王莽則作「荊楚」；況之「李……爲漢輔」，莽則簡作四字

「李氏爲輔」。此二文皆出自班固《漢書．王莽傳》，則王況讖語及王莽說辭皆當有據，是此讖之初，並無「劉氏」、「劉秀」等字句，確然可信。

㈡ 李守讖「劉氏當復起，李氏為輔」

王況讖「漢家當復興，……李……爲漢輔」，既傳流京師長安，則王莽親信皆當知之。其中有李守者，爲王莽宗卿師，知曉此讖，並爲其子弟道及。劉珍、袁宏、范曄皆書其事，而內容稍異。以下俱爲迻錄，再析言其詳。

袁宏《後漢紀》言：

> 宛人李通，字次元。父守爲王莽宗卿師，……少事劉歆，好星曆讖記之言，云：「漢當復興，李氏爲輔。」私竊議之，非一朝也。通嘗爲吏，有能名。見王莽政令凌遲，挾父守所言，又居家富佚，爲閭里豪，自免歸。從弟軼，亦好事者，謂通曰：「今四方兵起，王氏且亡，劉氏當興。南陽宗室，獨有劉伯昇兄弟汎愛眾，可以謀大事。」（頁3）

范曄《後漢書．李通傳》則謂：

> 李通字次元，南陽宛人也。世以貨殖著姓。父守……初事劉歆，好星歷讖記，爲王莽宗卿師。通亦爲五威將軍從事，出補巫丞，有能名。莽末，百姓愁怨，通素聞守說讖云「劉氏復興，李氏爲輔」，私常懷之。且居家富逸，爲閭里雄，以此不樂爲吏，乃自免歸。（卷15，頁573）

范曄《後漢書．光武帝紀》亦謂：

> 宛人李通等以圖讖說光武云：「劉氏復起，李氏爲輔。」（卷1，頁2）

劉珍《東觀漢記》云：

> （李通兄弟爲光武）言：「天下擾亂饑餓，下江兵盛，南陽豪右雲擾。」因具

言讖文事：「劉氏當復起，李氏爲輔。」（《太平御覽》卷 90，頁 712 引）[18]

李守「初事劉歆，好星歷讖記」，又爲「王莽宗卿師」，對「王況讖」當有耳聞，是以或轉述於其子通，則李守讖源自王況無疑。惟袁宏、劉珍、范曄三氏於讖語略有改作，袁《紀》作「漢當復興，李氏爲輔」，蓋因主持「漢室興復」大業之李焉，本非「劉氏」也，尚符原意；而《東觀》改作「劉氏當復起」、范《書》作「劉氏復興」，皆以「劉氏」爲詞，殆直指劉縯、秀兄弟等宗室而言，乃失「王況讖」之本意。

而袁宏謂李通之從弟軼亦熟知「劉氏當興」之讖，此則「漢室、荊楚」衍爲「劉氏」之第一層也。惟可注意者，三書所言，皆僅作「讖」字而無篇名，可證此時尚無「《赤伏符》」之專名產生。

王況造讖於地皇二年（西元 21）秋，李通兄弟以讖說光武，則在地皇三年十月，相去僅一歲。細覈李通說辭與光武反應，亦可知光武當時實未深信也。

劉珍《東觀漢記》載：

先是時伯玉同母兄公孫臣爲醫，伯升請呼難，伯升殺之。上恐其怨，故避之。使來者言李氏欲相見款誠無他意，上乃見之，懷刀自備，入見。固始侯（李通）兄弟爲上言：「天下擾亂饑餓，下江兵盛，南陽豪右雲擾。」因具言讖文事：「劉氏當復起，李氏爲輔。」上殊不意，獨內念李氏富厚，父爲宗卿師，語言譎詭，殊非次第，嘗疾毒諸家子數犯法令，李氏家富厚，何爲如是，不然諾其言。諸李遂與南陽府掾史張順等連謀。（《太平御覽》卷 90，頁 712 引）

---

[18] 宋李昉《太平御覽》（石家莊：河北教育出版社點校本，1994 年）。又，唐歐陽詢《藝文類聚．帝王部》（京都：中文出版社，1980 年）、宋王欽若《冊府元龜》（北京：中華書局，1989 年）〈帝王部〉、〈將帥部〉，多引錄《東觀漢記》光武初年載事，行文偶與《御覽》者不同。本論文以《御覽》爲準，若有異文，則別作校證。

班彪《續漢書》曰：

> 先是李通同母弟申徒臣能爲醫，難使，伯升殺之。上恐其怨，不欲與軼相見。軼數請，上乃強見之。軼深達通意，上乃許往，意不安，買半臿佩刀懷之。至通舍，通甚悅，握上手，得半臿刀，謂上曰：「一何武也！」上曰：「蒼卒時以備不虞耳。」⑲

《東觀》、《續漢》皆云光武「懷刀自備」，是不信李通兄弟之誠意；范曄《後漢書》又謂李通以圖讖遊說時，「光武初不敢當」⑳，而《東觀》更稱：光武「不然諾其言，諸李遂與南陽府掾史張順等連謀」。足見光武初不以李通所言爲是，李通亦別尋他人逕自起義，並不以光武拒絕而畏失圖讖之徵驗。是則讖語之「劉氏」斯時並未直指劉秀，劉秀亦未獨受重視也！。今人述及此事，泛謂：「李通後以此讖說劉秀，劉秀初不敢當，李通便細爲謀畫，劉秀大喜，二人結盟造反」。㉑皆屬不察之臆說也。

再觀前引李通從弟軼之言：

> 今四方兵起，王氏且亡，劉氏當興。南陽宗室，獨有劉伯昇兄弟汎愛眾，可以謀大事。（袁宏《後漢紀》，頁3）

李軼謂讖語乃并指「劉伯昇兄弟」而言，未專指爲「劉秀」。詳考史實，起義之初，南陽宗室實以劉縯爲首領，劉秀聲名未見卓爾，是年歲暮，李通兄弟與劉縯終於結盟起義，劉秀僅祇附於驥尾，在義軍中更無舉足輕重之地位。起事之初，義軍失利，劉縯乃求援於南陽宜秋之下江兵首領王常，王常亦謂：

---

⑲ 范曄《後漢書》卷15，〈李通傳〉，頁574注引。

⑳ 范曄《後漢書》卷1上，〈光武帝紀上〉，頁2。

㉑ 田兆元等〈論儒家神學與皇權的離合關係〉，見《上海大學學報》（社會科學版），第5卷第2期（1998年4月），頁18。

王莽篡弑，殘虐天下，百姓思漢，故豪傑並起。今劉氏復興，即眞主也。誠思出身爲用，輔成大功。（《後漢書》卷 15，〈王常傳〉，頁 578）

王常泛指「劉氏復興即眞主也」，未指稱「劉秀」。實則王常與李軼二人所見聞，殆以劉縯爲主人公，皆未見光武有重要之地位也，而魏文帝〈冊孫權太子登爲東中郎封侯文〉乃曰：「漢光武受命，李氏爲輔。」㉒可見後世史書曲意讚辭，謂直稱「劉秀」而來，並非當時實情也。

三、「劉氏興漢」之讖未指特定對象

㈠ 更始立為天子與「劉秀」讖無關

地皇四年（西元 23 年 2 月 1 日改元「更始元年」）「正月，漢兵得下江王常等以爲助兵，擊前隊大夫甄阜、屬正梁丘賜，皆斬之」。㉓范曄《後漢書》謂：

自阜、賜死後，百姓日有降者，衆至十餘萬。諸將會議立劉氏以從人望，豪傑咸歸於伯升。而新市、平林將帥樂放縱，憚伯升威明而貪聖公懦弱，先共定策立之，然後使騎召伯升，示其議。伯升曰：「諸將軍幸欲尊立宗室，其德甚厚，然愚鄙之見，竊有未同。今赤眉起青、徐，衆數十萬，聞南陽立宗室，恐赤眉復有所立，如此，必將內爭。今王莽未滅，而宗室相攻，是疑天下而自損權，非所以破莽也。且首兵唱號，鮮有能遂，陳勝、項籍，即其事也。舂陵去宛三百里耳，未足爲功。遽自尊立，爲天下準的，使後人得承吾敝，非計之善者也。今且稱王以號令。若赤眉所立者賢，相率而往從之；若無所立，破莽降赤眉，然後舉尊號，亦未晚也。願各詳思之。」諸將多曰：「善。」將軍張卬拔劍擊地曰：「疑事無功。今日之議，不得有二。」衆皆從之。（卷 14，〈劉縯傳〉，頁 551）

㉒ 歐陽詢《藝文類聚》卷 51，頁 924。

㉓ 班固《漢書》卷 99 下，〈王莽傳下〉，頁 4179。

豪傑咸欲推尊劉縯（字伯升，或作伯昇）以從人望，而新市、平林之將帥，則欲立劉玄以縱其私慾。劉縯乃持平曰：「首兵唱號，鮮有能遂。」更謂赤眉亦以漢爲名，若渠別立劉氏之賢者爲帝，則義軍不免內爭，不利於敵莽；因而欲待赤眉所立是否賢能而後動，或破莽降赤眉後，再論尊號。由此可知：平林、劉縯、赤眉等義軍，皆未以「劉秀」爲意，若非當時尚無「劉秀發兵」讖語，即是此讖全然未得時人重視，否則有切身關係之光武劉秀，何以從未言及一詞？

再觀更始立爲天子後，各地義軍之擁戴說辭，皆證當時並無「劉秀」讖之流傳。

㈡ 義軍皆奉更始為帝，未見「劉秀為天子」讖流傳

地皇四年二月，更始即位於南陽宛縣，號稱天子。

五月，王莽大臣王尋、王匡、嚴尤、陳茂將兵四十萬攻昆陽，嚴尤說王邑曰：「昆陽城小而堅，今稱尊號者在宛，然進大兵向宛，彼必奔走；宛下兵敗，昆陽自服。」[24]謂更始爲「稱尊號者」，可見更始既立三月，王莽朝已正視其爲「興復漢室」之首領矣。

七月，王莽衛將軍王涉說劉歆反莽，嘗欲與歆等「同心合謀，共劫持帝，東降南陽天子」。[25]起事既以「東降南陽天子」爲目的，又僅以「興漢」爲辭，而非自立爲天子，可見已視「南陽天子」更始爲正統，未有「劉秀爲天子」之意也。

同年七月，平陵人方望說隗囂起義，言及「承天順民，輔漢而起，今立者乃在南陽」。[26]隗囂本即響應更始而起義，方望所言，實得隗之本意，其中「今立者乃在南陽」與王涉欲「東降南陽天子」，二言指稱實無差別也。皆爲屬意更始，而未見「劉秀」之跡象。

明年正月，鄧曄起兵南鄉，說邑宰曰：「劉帝已立，君何不知命也！」宰乃請降，曄盡得其眾。[27]可知亦視更始爲正統天子無疑。

---

[24] 袁宏《後漢紀》，頁 10。

[25] 班固《漢書》卷 99 下，〈王莽傳下〉，頁 4184。

[26] 范曄《後漢書》卷 13，〈隗囂傳〉，頁 513。又見袁宏《後漢紀》，頁 13。

[27] 班固《漢書》卷 99 下，〈王莽傳下〉，頁 4178。

上述四例，皆足以反證：此時並無「劉秀爲天子」讖言產生之客觀環境。

更始雖得當時豪傑尊崇爲正統，然而後世史書既奉光武爲正朔，故於更始之載事，多所譏貶，如范曄云：「新市、平林將帥樂放縱，憚伯升威明而貪聖公懦弱。」㉘又謂：「更始即帝位，南面立，朝群臣。素懦弱，羞愧流汗，舉手不能言。」㉙袁宏《後漢紀》亦謂：「聖公素懦弱，流汗不敢言。」㉚欲以此類說辭，凸顯光武應讖爲眞命天子之說服力。然而更始本自有領導能力，並非庸懦無識者，東漢張衡已知史傳多所曲筆，嘗欲修正史書以得其眞，惜當政不聽。《後漢書・張衡傳》謂：

> 永初中，謁者僕射劉珍、校書郎劉騊駼等著作東觀，撰集《漢記》，因定漢家禮儀，上言請衡參論其事，會並卒，而衡常歎息，欲終成之。……（謂）更始居位，人無異望，光武初爲其將，然後即眞，宜以更始之號建於光武之初。書數上，竟不聽。及後之著述，多不詳典，時人追恨之。（卷59，頁1940）

張衡謂「更始居位，人無異望」，衡以上述義軍擁戴四例，可見更始實得人望，當世亦別無「劉秀爲天子」之期盼。惜張衡之上書未得見用，致使《漢記》載此類事件多有不詳，「時人追恨之」。今人周天游亦嘗考論此事，曰：

> 覩劉玄結客報怨，復以詐死拔父於獄；誅莽後，納鄭興之諫，斷然西都長安，絕非一般怯懦無能之輩。袁《紀》此文因襲《東觀記》，實東漢史臣美諛光武、貶惡劉玄之曲筆也。㉛

㉘ 范曄《後漢書》卷14，〈劉縯傳〉，頁551。

㉙ 范曄《後漢書》卷11，〈劉玄傳〉，頁469。

㉚ 袁宏《後漢紀》，頁8。

㉛ 周天游《後漢紀校釋》，〈更始元年・二月〉載事〔註7〕。原書撰成於1983年，刊本未見，電腦資料網站「中華文化網」錄有全書。本文所引周氏說辭，即取自該網站。

由上述文獻可知，更始即位時，原有劉縯與之俱得人望，而劉秀實不預焉。更始既立，當時豪傑起義之際，皆擁戴其號，深信不疑，並未見「劉秀爲天子」之絲毫蹤影。光武既建東漢，史官所言，乃曲從光武而譏貶更始，是以「劉秀爲天子」讖文之傳世年月，遂於史傳載錄中，寖次提前至光武起義之初。

四、「劉秀爲天子」讖文之產生

㈠ 西門君惠指稱「劉秀興漢」

以「劉秀」爲興復漢室之特定人士者，實出自長安術士西門君惠造作，初始乃藉以指稱新莽國師劉歆也。王莽地皇四年正月，更始立爲天子，六月一日光武大破王尋四十二萬大軍於昆陽，全國震動。七月，王涉、劉歆謀反，欲以自保。其事《漢書．王莽傳》詳載之，而後世所言略有差舛，故先列《漢書》所言，再論其餘。《漢書》云：

> 先是，衛將軍王涉素養道士西門君惠。君惠好天文讖記，爲涉言：「星孛掃宮室，劉氏當復興，國師公姓名是也。」涉信其言，以語大司馬董忠，數俱至國師殿中廬道語星宿，國師不應。後涉特往，對歆涕泣言：「誠欲與公共安宗族，奈何不信涉也！」歆因爲言：「天文人事，東方必成。」涉曰：「新都哀侯小被病，功顯君素耆酒，疑帝本非我家子也。董公主中軍精兵，涉領宮衛，伊休侯主殿中，如同心合謀，共劫持帝，東降南陽天子，可以全宗族；不者，俱夷滅矣！」伊休侯者，歆長子也，爲侍中五官中郎將，莽素愛之。歆怨莽殺其三子，又畏大禍至，遂與涉、忠謀，欲發。歆曰：「當待太白星出，乃可。」忠以司中大贅起武侯孫伋亦主兵，復與伋謀。伋歸家，顏色變，不能食。妻怪問之，語其狀。妻以告弟雲陽陳邯，邯欲告之。七月，伋與邯俱告，莽遣使者分召忠等。時忠方講兵都肄，護軍王咸謂忠謀久不發，恐漏泄，不如遂斬使者，勒兵入。忠不聽，遂與歆、涉會省戶下。……收忠宗族，以醇醯毒藥、尺白刃叢棘并一坎而埋之。劉歆、王涉皆自殺。莽以二人骨肉舊臣，惡其內潰，故隱其誅。（卷99下，〈王莽傳下〉，頁4184）

西門君惠言「劉氏當復興，國師公姓名是也」，衍生自李通「劉氏當復興」讖語無疑，惟增添「國師公姓名是也」一語，意謂讖語已直稱「劉秀」姓名矣，此爲李守、李通讖語尚未見及者，亦爲後說轉詳之例。然而主事之王涉又言：欲劫持王莽以「東降南陽天子」。可知謀反僅欲藉「國師劉秀（歆）」名諱爲號召，以全身保妻子而已，並非另立「劉秀爲天子」也。

姜忠奎即謂：「至云『劉秀爲天子』，初亦或指劉歆而言。以其尊爲國師，莽如不終，秀當繼立，而因緣妙合，又孰料其爲南頓令之子哉！」㉜謂讖語初爲劉歆而作，其後光武乃因緣際會而藉以即位。陳槃《河圖赤伏符解題》考論此事，亦云：「余以爲此符殆僞託于地皇四年，光武大捷昆陽之後。蓋此時新莽大局已無可收拾，伯升更爲更始所害，光武繼起，軍民皆歸心，劉氏復興之望，集于一身。」㉝以讖言出於昆陽一役王莽大敗後，頗得其情，惟云讖與光武有關，則不符史實也。由下文所論，更始四年五月光武初見「劉秀發兵」之讖，尚不願置信，乃謂今年此讖已專爲光武而造，則其間三年何以全未再見蹤影？顯然非實也。然而荀悅《漢紀》載此事則謂：

> 二公敗於昆陽，關東震恐。道士西門君惠謂莽從兄王涉曰：「讖云：『漢復興，劉秀爲天子。』天子，國師劉歆是也。」先是歆依讖改名秀，涉以語大司馬董忠，共語歆。歆謂：「天文人事，東方必成。」歆亦怨殺其二子，又畏大禍將至，遂謀與忠劫莽東降。忠等誅死，歆、涉以親近，莽惡其人聞，遂隱誅。歆、涉自殺。（頁 428）

荀《紀》載「讖云：『漢復興，劉秀爲天子。』天子，國師劉歆是也」，已直言「天子」一詞，並直指其人爲「國師劉歆」，又謂「先是歆依讖改名秀」。由下文「二句型式之《赤伏符》」所考論，可知類此荀悅云云者，皆屬後世史官撰述之時，據流傳之熟語附會先朝史實所致也。

㉜ 姜忠奎《緯史論微》（1935 年手稿景印本），卷 6，頁 15。

㉝ 陳槃《古讖緯研討及其書錄解題》，頁 453。

至若范曄《後漢書》言此事，則更形眞切。范曄謂：建武五年（西元 29）隴右竇融與羣臣商議決策，其中「智者」皆曰：

> 漢承堯運，歷數延長。今皇帝姓號見於圖書，自前世博物道術之士谷子雲、夏賀良等，建明漢有再受命之符，言之久矣，故劉子駿改易名字，冀應其占。及莽末，道士西門君惠言：「劉秀當爲天子。」遂謀立子駿。事覺被殺，出謂百姓觀者曰：「劉秀眞汝主也。」皆近事暴著，智者所共見也。（《後漢書》卷 23，〈竇融傳〉，頁 798）

竇融之智者所言，上距劉歆謀反被誅（西元 23）僅六載、光武即眞（西元 25）四年，已將讖語中之「劉秀」，由「國師公」傳爲「光武帝」矣，更將此讖與三十載前劉歆避諱改名之事結合，謂劉歆「改易名字，冀應其占」。今日吾人雖知其僞，而當時則翕然一聲，認定其乃「近世暴著，智者所共見」，絕無疑議之史實也。雖此段「智者之言」，除《後漢書》外，未見其餘史書可供參校，然而考查袁宏《後漢紀》與范曄《後漢書》，皆有自撰傳主言語處[34]，可知此處「智者言」之徵實性，殆可質疑也。然而可知者，讖言直指「劉秀興復漢室」，以西門君惠之讖爲首。其後乃據此衍生《赤伏符》讖文矣。

㈡「劉秀發兵捕不道」讖與義軍立帝無關

《赤伏符》出現之前，豪傑亂賊多假藉劉氏宗室爲名號，如邯鄲卜者王郎，善星曆，以爲河北有天子氣，乃詐稱爲成帝遺腹子劉子輿，說動趙繆王子林，於更始元年（西元 23）十二月十七日壬辰，入邯鄲城，止於王宮，立爲天子，並移檄州郡曰：

> 朕，孝成皇帝子子輿者也。昔遭趙氏之禍，因以王莽篡殺，賴知命者將護朕躬，解形河濱，削跡趙、魏。王莽竊位，獲罪於天，天命佑漢，故使東

---

[34] 如引述方望以書辭別隗囂一文，袁宏《後漢紀》，頁 25，與范曄《後漢書・隗囂傳》（卷 13，頁 520）即頗有差異。耿弇說光武自立之說辭，袁宏《後漢紀》，頁 29，亦與范曄《後漢書・耿弇傳》（卷 19，頁 706）多異。

郡太守翟義、嚴鄉侯劉信，擁兵征討，出入胡、漢。普天率土，知朕隱在人閒。南嶽諸劉，爲其先驅。朕仰觀天文，乃興于斯，以今月壬辰即位趙宮。休氣熏蒸，應時獲雨。蓋聞爲國，子之襲父，古今不易。劉聖公未知朕，故且持帝號。諸興義兵，咸以助朕，皆當裂土享祚子孫。（《後漢書》卷12，〈王郎傳〉，頁492）

王郎既立爲天子，於是趙國以北，遼東以西，皆從風而靡。光武斯時受更始之命，征討於河北，王郎遂於二年正月，購光武以十萬戶。光武勢孤，乃「令王霸至市中募人，將以擊郎。市人皆大笑，舉手擨揄之。霸慙而去」[35]，致使光武倉皇於河北、幽州之地，甚爲狼狽。可知「劉秀興漢室」之讖，當僅傳流於長安，而未知曉於各地，是以世人皆不以光武名諱爲意也。

更始三年（西元 25）正月，方望說安陵人弓林曰：「更始必敗，劉氏眞人當受命。劉嬰本當嗣孝平帝，王莽以嬰爲孺子，依託周公，以奪其位，以爲安定公，今在民間，此當是也。」林等信之，於長安求得嬰，將至臨涇，聚黨數千人，立嬰爲天子。[36]方望既於長安求得劉嬰，又言「劉氏眞人當受命」，而不稱「劉秀」，則長安所傳讖言，解讀之際亦各有所取也。

同年六月，赤眉亦立宗室劉盆子，《後漢書》詳載其事云：

軍中常有齊巫鼓舞祠城陽景王，以求福助。巫狂言：「景王大怒曰：『當爲縣官，何故爲賊？』」有笑巫者輒病，軍中驚動。時方望弟陽怨更始殺其兄，乃逆說崇等曰：「更始荒亂，政令不行，故使將軍得至於此。今將軍擁百萬之眾，西向帝城，而無稱號，名爲群賊，不可以久。不如立宗室，挾義誅伐。以此號令，誰敢不服？」崇等以爲然，而巫言益甚。前及鄭，乃相與議曰：「今迫近長安，而鬼神如此，當求劉氏共尊立之。」六

[35] 吳樹平《東觀漢記校注》（鄭州：中州古籍出版社，1987 年），卷 10，〈王霸傳〉，頁364。

[36] 袁宏《後漢紀》，頁25。

月，遂立盆子爲帝，自號「建世元年」。（卷11，〈劉盆子傳〉，頁479）

城陽景王即漢初朱虛侯劉章，以其廢諸呂，興漢室，故齊國多爲之立祠祭祀。軍中齊巫藉口「當爲縣官，何故爲賊」，可知初起時僅欲求一正式官銜，並無立天子之意，而方陽一語，乃使赤眉求景王之後立爲帝，建立之時，亦祇曰「當求劉氏共尊立之」。可知「劉秀」讖語，於此事並無任何影響。惟劉秀光武即帝位，亦在此年六月中。

五、《赤伏符》「劉秀」讖流傳考略

《赤伏符》之出，與光武即位有關。先是更始二年（西元 24）五月，光武平王郎亂事，收復河北，暫居邯鄲；更始見光武威聲日盛，君臣疑慮，乃遣侍御史持節立光武爲蕭王，令罷兵與諸將有功者還長安；惟其時赤眉立劉盆子爲帝，其餘賊黨銅馬、青犢、尤來、大槍、五幡等四處爲亂，耿弇因說光武曰：「今更始失政，君臣淫亂，諸將擅命於畿內，貴戚縱橫於都內，天子之命，不出城門。天下至重，公可自取，毋令他姓得之。」光武始貳於更始，明年六月，乃正式即位。[37]

至若即位與《赤伏符》之關係，袁宏《後漢紀》載錄始末較詳，曰：

> （更始三年）五月，蕭王自漁陽過范陽，命收葬士卒死者。至中山，羣臣上尊號，……王不聽。（至南平棘）諸將固請，……王感其言，使馮異問以羣臣之議。異至曰：「三王背叛，更始敗亡，天下無主，宗廟之憂，在於大王。宜從眾議，上以安社稷，下以濟百姓。」王曰：「我昨夢乘赤龍上天，覺悟，心中悸動，此何祥也？」異再拜賀曰：「此天帝命發於精神。心中悸動，大王重慎之至也。」會諸生彊華自長安奉《赤伏符》詣鄗，群臣復請曰：「受命之符，人應爲大，今萬里合信，周之白魚，焉足比乎？符瑞昭晢，宜答天神，以光上帝。」六月己未，即皇帝位于鄗。改年爲建

[37] 范曄《後漢書》卷 19，〈耿弇傳〉，頁 706。又見於袁宏《後漢紀》，頁 29、范曄《後漢書》卷 1，〈光武帝紀〉，頁 15。

武元年。（頁38）

可知除耿弇勸說外，諸將亦於更始三年五月，二度懇勸光武即帝位，惟皆未得首肯。其後光武「夢乘赤龍上天」，又得彊華奉《赤伏符》至，始藉口「受命之符，人應爲大」，於六月二十二日即位鄗縣。

夢乘赤龍之事，又見於《東觀漢紀》，載事相同，可信爲眞。至若彊華奉符至，則《東觀》敘述較爲曲折，曰：

> 時傳聞不見《赤伏符》文軍中所，上未信。到鄗，上所與在長安同舍諸生彊華自長安奉《赤伏符》詣鄗，與上會。群臣復固請，上奏世祖曰：「符瑞之應，昭然著聞矣。」乃命有司設壇於鄗南千秋亭五成陌。六月己未，即皇帝位。（頁7）

首句「傳聞不見……」文意拗折難明，《藝文類聚》引《東觀漢記》此條，作「時傳聞《赤伏符》，不見文章軍中所」[38]，較爲明確。然而《宋書・符瑞志》又謂彊華之前，尚有將軍萬脩先得《赤伏符》，而光武不信：

> 光武平定河北，還至中山，將軍萬脩得《赤伏符》，言「光武當受命」，羣臣上尊號，光武辭。前至鄗縣，諸生彊華又自長安詣鄗，上《赤伏符》，文與脩合。羣下又請曰：「受命之符，人應爲大。」光武又夢乘赤龍登天，乃即位，都洛陽，營宮闕。（《宋書》卷27，〈符瑞志上〉，頁770）

萬脩爲信都令。更始二年二月，光武初征河北，受困於王郎，顛沛奔亡之際，幸得信都太守任光及萬脩襄助，纔得勦滅王郎。建武二年，萬脩奉命擊南陽宛城亂軍，未剋而卒。萬脩隨光武轉戰河北，未見與長安有所關聯，何以竟在河北中山之地，獲得傳流於長安之《赤伏符》，並無漢史述及。《宋書》所載乃僅見者，亦可見古

---

[38] 歐陽詢《藝文類聚》卷12，頁235。

史文獻之增衍難定其眞也。

細繹史書中此事載錄，實多見淆亂，如《赤伏符》篇名，此時並未定訂，而漢末、三國以後之史書，則多直言篇名，似謂光武起義時已有《赤伏符》專書出現。下文將羅列諸文獻，詳爲考覈，以明其眞。

㈠ 二句型式之《赤伏符》

《赤伏符》最早實僅二句而非三句，見於更始三年六月，光武即位祭天之祝文中。《後漢書．光武帝紀》載錄其事曰：

> 六月己未，即皇帝位。燔燎告天，禋于六宗，望於羣神。其祝文曰：「皇天上帝，后土神祇，眷顧降命，屬秀黎元，爲人父母，秀不敢當。羣下百辟，不謀同辭，咸曰：『王莽簒位，秀發憤興兵，破王尋、王邑於昆陽，誅王郎、銅馬於河北，平定天下，海內蒙恩。上當天地之心，下爲元元所歸。讖記曰：「劉秀發兵捕不道，卯金修德爲天子。」』秀猶固辭，至于再，至于三。羣下僉曰：『皇天大命，不可稽留。』敢不敬承。」於是建元爲建武，大赦天下，改鄗爲高邑。(卷1上，頁22)

司馬彪《續漢書》亦載此文，「讖記」文句相同。㊴此「讖記」既見於光武即位告天之祝文中，又得二史書轉載，其爲實錄無疑！由此可證更始三年六月傳世之「劉秀」讖文，實僅二句，只作「讖記」，別無篇名。內容則改易前年七月西門君惠所言之「劉氏當復興」讖語。當時並無「立天子」之意，至此則改易作「劉秀……爲天子」。是以後世史家言及此讖，皆取祝文「讖記」文意，代作西門氏之語言，如荀悅《漢紀》云：「道士西門君惠謂莽從兄王涉曰：『讖云：漢復興，劉秀爲天子。』」㊵華嶠《後漢書》亦曰：「道術之士西門君惠、李守等多稱讖云：『劉秀爲天子。』」㊶皆與史實不符。再者，細繹史料文獻，光武建國之初，此讖並無篇名，只作「讖記」，偶有史書於行文敘述之中稱其篇名《赤伏符》，乃撰者用後世

㊴ 見《後漢書．志》卷7，〈祭祀志上〉，頁3157。

㊵ 荀悅《漢紀》，頁428。

㊶ 袁宏《後漢紀》，頁289。

熟語泛稱前世故事，並非實情。迄至建武三十二年光武封禪泰山，始於封禪銘文中見此讖篇名，曰「《河圖赤伏符》」。

㈡ 四字型式之《赤伏符》

除二句型式外，此讖又有四字型式之例。時當建武十九年，杜篤以關中表裏山河，先帝舊京，不宜改營洛邑，乃上奏〈論都賦〉㊷，賦曰：

> 天畀更始，不能引維，慢藏招寇，復致赤眉。海內雲擾，諸夏滅微；羣龍並戰，未知是非。于時聖帝，赫然申威。荷天人之符，兼不世之姿。受命於皇上，獲助於靈祇。立號高邑，搴旗四麾。（《後漢書》卷 80，〈文苑傳〉，頁 2606）

賦文蓋言更始敗亡，光武興漢之過程，文中「海內雲擾……羣龍並戰」云云，與《赤伏符》相似，唐李賢注曰：「《赤伏符》曰：『四夷雲擾，龍鬪于野。』……謂更始敗後，劉永、張步等重起，未知受命者爲誰也。」㊸是以賦文此句與《赤伏符》指稱相同。然則杜篤「海內雲擾……羣龍並戰」一語，不見於光武即位祝文之「讖記」中，而與建武三十二年封禪銘文、亦即習見之三句型式《赤伏符》「劉秀發兵捕不道，四夷雲集龍鬥野，四七之際火爲主」之第二句相似。

何以杜篤建武十九年此句賦文，與建武三十二年宣布之《河圖赤伏符》文字相近，而不見於光武建武元年即位之祝文中？考其實，乃光武即位後，詔令博通經記、善說圖讖之朝官、學者，令校圖讖所致也。圖讖之校定，長達三十載之久，此事言者已多。㊹杜篤善賦，建武十五年，「大司馬吳漢卒，光武詔諸儒誄之，篤於

㊷ 賦中言及：「皇帝以建武十八年二月甲辰，升輿洛邑，巡于西岳。……其歲四月，反于洛都。明年，有詔復函谷關，作大駕宮、六王邸、高車廄於長安。」是以推斷作賦於建武十九年。

㊸ 范曄《後漢書》卷 80，〈文苑傳〉，頁 2606。

㊹ 拙著〈歷代《尚書》讖緯學述〉（輔仁大學中文研究所博士論文，1996 年），第一章，頁 43，已有考論。

獄中爲誄，辭最高，帝美之」。㊺杜篤既以文學高辭得光武偏愛，又長居京師，其受詔參與校定圖讖，於理固然，是以得親見官方校改之圖讖，並用之於四年後所撰之〈論都賦〉中，乃不足怪也。

至若「龍鬬」之本意，范曄《後漢書．王郎傳贊》謂：「天地閉革，野戰群龍。昌、芳僭詐，梁、齊連鋒。寵負強地，憲縈深江。實惟非律，代委神邦。」㊻或可作爲詮解。蓋王郎一名昌，詐稱成帝遺腹劉子輿，更始元年稱帝於邯鄲；梁王劉永於建武元年自稱天子於睢陽，更封琅邪張步爲齊王，二人並亂於山東；三水盧芳則詐稱武帝曾孫劉文伯，建武元年更與匈奴結合，自稱漢帝；潁川李憲自稱淮南王，並於建武三年自立爲天子；南陽彭寵則於建武四年攻拔薊城，自立爲燕王。六人之外，又有公孫述稱帝於西蜀、隗囂自立於隴右，勢力皆自尊大。除王郎敗於光武稱帝前，其餘七人皆與光武野戰漢疆，迄至建武十二年吳漢斬公孫述後，始得完全敉平。是以《赤伏符》之「四夷雲擾，龍鬬于野」，當指此事也。

羣龍爭鬬之亂象，在光武即位之前，尙屬更始朝廷所須憂慮之形勢，故當時傳流之讖記先曰「發兵捕不道」，再爲「修德」之「卯金」劉氏「爲天子」一事取得依準。光武既立號建國稱天子，則不必再說「卯金爲天子」矣；其時豪傑、流賊於各地割據自雄，則與劉秀產生切身利害關係，故讖語乃改易爲更貼切之「四夷雲擾，龍鬬于野」。此一推論，雖未得文獻佐證，惟以情境言之，亦頗有可能也。

㈢ 三句型式之《赤伏符》

1.《赤伏符》讖文

《赤伏符》篇名，最早見於光武三十二年二月封禪泰山之刻石銘文中。司馬彪《續漢書》載其事曰：

> 二月，上至奉高，遣侍御史與蘭臺令史，將工先上山刻石。文曰：「維建武三十有二年二月，皇帝東巡狩，至于岱宗，柴，望秩於山川，班于羣神，遂覲東后。從臣太尉熹、行司徒事特進高密侯禹等。漢賓二王之後在

㊺ 范曄《後漢書》卷80，〈文苑傳〉，頁2595。

㊻ 范曄《後漢書》卷12，〈王郎傳〉，頁509。

位。孔子之後褒成侯，序在東后，蕃王十二，咸來助祭。《河圖赤伏符》曰：『劉秀發兵捕不道，四夷雲集龍鬭野，四七之際火爲主。』」（《後漢書・志》卷7，〈祭祀志上〉，頁3165）

銘文所引圖讖，除《河圖赤伏符》外，尚有《河圖會昌符》、《河圖合古篇》、《河圖提劉予》、《雒書甄曜度》、《孝經鉤命決》等五篇。今傳緯書輯本中，《赤伏符》、《提劉予》佚文各得兩條，《會昌符》、《合古篇》各僅衹一條，可見此銘所引之讖文，後世並不常用。此條三句型式之讖文，既爲《赤伏符》之定準，文意當可一一詮解，以明其眞。

2.「雲擾」、「雲集」詞意

「雲擾」、「雲集」、「雲亂」、「雲合」、「擾攘」等辭，皆爲兩漢習見之用詞，多用以說明莽新、更始時之政治局勢，如「王莽之際，天下雲亂，英雄並發」、「南陽豪右雲擾」、「不待雲擾而新室立矣」、「經營河北，英俊雲集，百姓歸往」、「旌旗耀天，四面雲合」、「更始立，東方擾攘」。[47]

---

[47] 用詞五種，凡15例，列述如下：

一、雲亂

(1)薛瑩《漢紀》：「王莽之際，天下雲亂，英雄並發。」（《藝文類聚》卷12，頁236）

二、雲擾

(2)《東觀漢記・光武紀》：「（李通）爲帝言……下江兵盛，南陽豪右雲擾。」（卷1，頁2）

(3)范曄《後漢書》：辯士說陳康曰：「四方雲擾，公所聞也。」（卷18，頁677）

(4)班固《漢書》：「天下雲擾，大者連州郡，小者據縣邑。」（卷100上，頁4207）

(5)杜篤〈論都賦〉：「海內雲擾，諸夏滅微；群龍並戰，未知是非。」（卷80，頁2606）

(6)漢黃憲《天祿閣外史・妖孽》：「災異虐而德音乖，雲擾之禍，釀于朝夕。」（卷1，頁6。收入《漢魏六朝筆記小說》[河北教育出版社，1994年]。）

(7)漢黃憲《天祿閣外史・尊王》：「王莽之亂，不待雲擾而新室立矣。」（卷7，頁7）

(8)洪邁《容齋隨筆》：「漢自中平黃巾之亂，天下雲擾。」（卷12，頁14）

三、雲合

(9)漢末何攀：「旌旗耀天，四面雲合，乘勝席捲。」（《華陽國志》[四川巴蜀書社，1984年]，卷11，頁868。）

杜篤賦與四字型式《赤伏符》皆用「雲擾」一詞，顯見「擾亂、不安」之意，而三句式則作「四夷雲集」，僅作平面敘述，不見動盪杌隉之象。是「雲擾」較貼切建武初年亂象，而「雲集」則顯示建武末年之昇平景象。再查讖文《易是類謀》「四野擾擾，鬱怏芒芒」、《春秋運斗樞》「四方煩擾，小民失恩」等辭，可見讖文本欲以「擾亂」爲意，非僅指稱羣雄「雲集」而已。考杜篤此賦作於光武宣布圖讖之前十三年，讖語字句仍在刪修之中，篤賦「雲擾」一辭，乃漢世熟語，可證此條讖文本作「四夷雲擾」，其後改作「雲集」，反失本義。

3.「四七」指稱

「四七之際」一詞，李賢注曰：「四七，二十八也。自高祖至光武初起，合二百二十八年，即四七之際也。」㊽以爲高祖建國二百二十八年後，光武又再興漢。惟此解增「二百」一數，近似冗贅附會。考光武封禪銘文嘗言「年二十八載興兵」㊾，自謂起兵時年正二十八歲，以此詮解「四七」，或更合於讖文之意。

然而《春秋佐助期》云：「諸侯上象四七，三公寅亮參兩。四七，二十八宿也；參兩，天地也。」㊿以「四七」指稱「諸侯」。應劭《漢官儀》謂：「天子建侯，上法四七。」㊿亦取「四七」與「侯」對應，與《佐助期》「天子法斗，諸侯應宿」㊿之意相同。桓帝延熹八年（西元 165），劉瑜上書陳事，述及：「諸侯之

四、雲集

⑽方望謂囂：「基業已定，英傑雲集，思爲羽翮比肩是也。」（袁宏《後漢紀》，頁 25）

⑾馮異謂朱鮪：「經營河北，英俊雲集，百姓歸往。」（同上書，頁 34）

⑿袁宏《後漢書》：「論曰：一假名號，百姓爲之雲集，而況劉氏。」（頁 39）

⒀岑彭說朱鮪：「百姓歸心，賢俊雲集，誅討群賊，所向破滅。」（同踳，頁 48）

五、擾攘

⒁袁宏《後漢書》：「（耿）弇與公相失，道路擾攘，皆欲擊公。」（頁 20）

⒂袁宏《後漢書》：「（竇）融見更始立，東方擾攘。」（頁 45）

㊽ 范曄《後漢書》卷 1，〈光武帝紀〉，頁 21。

㊾ 見《後漢書・志》卷 7，〈祭祀志上〉，頁 3165。

㊿ 孫　《古微書》（臺北：新文豐出版社影印《守山閣叢書》本，1978 年），卷 12，頁 187。

51 應劭《漢官儀》卷上，頁 24。收入《漢官六種》（臺北：中華書局，1985 年）中。

52 李昉《太平御覽》卷 76，〈皇王部一〉，頁 592。

位，上法四七，垂文炳燿，關盛衰者也。」桓帝感其言，特詔瑜問災咎之徵，瑜乃「指事案經讖以對」。[53]劉瑜既陳「諸侯之位，上法四七」，文意與《春秋緯》相同，又「案經讖」答詔對，可見其陳事，確與讖緯內容有關。是則《赤伏符》之「四七」，或藉「諸侯」以指稱「羣龍、豪傑」也。蓋上既言「四夷雲集」，下乃云「羣豪之際」，並且推論「羣豪」之中，屬火德之劉氏當爲眞主。

以「四七之際」解喻羣雄，或亦爲西蜀公孫述而發者。蓋建武六年（西元30），公孫述既自立爲天子，乃屢移書中國，自陳符命，略謂「廢昌帝，立公孫」、「西太守，乙卯金」，謂西方太守公孫氏，將軋絕卯金劉氏。[54]光武覆書駁斥之餘，當亦制作讖語厭解其說，是以拈出「羣豪之中火德爲主人」一詞，以爲頡頏。

由諸所推測中，可知「四七之際」詞意含混，作爲「二百二十八年」、「二十八歲」、「羣雄之中」諸解，皆似可通。亦可見讖文刊定之際，主事諸臣用心之深刻也。

4.《赤伏符》定名緣由

由上文史料考覈，李焉爲王況造讖、光武微時蔡少公言讖、李守李通父子言讖、西門君惠言讖等文獻觀之，史家述說之際，祇云「觀讖」、「稱讖」、「說讖」、「圖讖」、「讖文」等語，全未指稱任何特定篇目，可信其說原本即屬無篇名之讖語。光武即位後，詔命儒臣校定圖讖，始逐漸刊定當世傳流之諸多讖文，並各別賦以篇目，是以唐李賢注《後漢書．樊英傳》，乃得標舉緯書七種、篇名三十五之數。[55]此條「劉秀發兵」讖，亦於建武三十二年之封禪銘文中，稱其全名曰《河圖赤伏符》。

推論其定名緣由，或因哀、平以後，「漢爲火德」已成定論，故造此符者乃將文字書寫於赤色錦帛上，光武既以火德興漢，讖文又有「火爲主」之語，故編定篇目時以「赤」字稱之。惟若以圖讖內文考論，疑又與符命形制有關，蓋讖緯佚文

---

[53] 范曄《後漢書》卷57，〈劉瑜傳〉，頁1857。

[54] 范曄《後漢書》卷13，〈隗囂傳〉，頁537。

[55] 范曄《後漢書》卷82上，〈方術列傳．樊英〉，頁2721。

多言「赤圖」、「赤字」，如：

> 《尚書帝命驗》：「河龍圖出，洛龜書威，赤文象字，以授軒轅。」
> 《春秋元命苞》：「唐帝遊河渚，赤龍負圖以出，圖赤色如錦狀。」
> 《尚書中候立象》：「黃龍負圖，長三十二尺，置於壇畔，赤文綠錯。」
> 《雒書靈準聽》：「（湯時）有黑龜，並赤文成字，言夏桀無道，湯當代之。」
> 《雒書靈準聽》：「武王伐紂，……白魚躍入王舟，……目下有赤文成字。」(56)

由圖讖所言「赤色錦狀」、「赤文成字」推測，華彊由長安持來之符命，若非以「赤錦」爲底，則或以「赤字」書於帛上，故光武日後訂定篇目時，乃以「赤」名之。

至於篇名之「伏」字，或指「厭伏」之意，此乃漢代方術家之常言也。《漢書·王莽傳》謂：「莽以王況讖言『荊楚當興，李氏爲輔』，欲厭之，乃拜侍中掌牧大夫李棽爲大將軍。」(57)藉拜官之事以「厭」讖語。《後漢書·光武帝紀》亦云：「王邑圍昆陽，……夜有流星墜營中，晝有雲如壞山，當營而隕，不及地尺而散，吏士皆厭伏。」(58)司馬彪《續漢志》引此事，則以星占論斷曰：「雲如壞山，謂營頭之星也。占曰：『營頭之所墜，其下覆軍殺將，血流千里。』」(59)可知吏士見隕星墜營，思及星占，乃「皆欲厭伏」，以期消彌凶象也。據此而論，則「伏」字殆如王莽、王邑等事，暗指此符預言「亂賊終將厭伏」；以此意加諸「赤色命符」中，則成《赤伏符》專名矣。

---

(56) 有關圖讖之形制，拙著〈東漢《河圖》、《雒書》與「經讖」關係之探討〉略有探論，收入《一九九七東亞漢學論文集》（臺北：臺灣學生書局，1998 年）。

(57) 班固《漢書》卷 99 下，〈王莽傳〉，頁 4168。

(58) 范曄《後漢書》卷 1 上，〈光武帝紀〉，頁 7。

(59) 范曄《後漢書》卷 1 上，〈光武帝紀〉，頁 8，李賢注引。

(四) 蔡少公言《赤伏符》

史書或謂：王莽末年，光武往新野訪姊婿鄧晨，亦言及「劉秀爲天子」之讖，然而未賦圖讖篇名。惟其事實多可疑處，請依史書所載，迻錄其實於下：

袁宏《後漢紀》：

> 新野人鄧晨，字偉卿，家富於財。晨少受《易》，好節義。世祖與之善，以姊妻之，是爲新野公主。世祖與晨遊宛，穰人蔡少公，道術之士也，言「劉秀當爲天子」。或曰：「是國師公劉子駿也。」世祖笑曰：「何知非僕耶？」坐者皆笑。當是時，莽行一切之法，犯罪輒斬之，名曰「不順時令」。晨謂世祖曰：「王莽暴虐，盛夏斬人，此天亡之時，宛下言儻能應也。」世祖笑而不應。（頁3）

范曄《後漢書・鄧晨傳》：

> 鄧晨字偉卿，南陽新野人也。世吏二千石。父宏，豫章都尉。晨初娶光武姊元。王莽末，光武嘗與兄伯升及晨俱之宛，與穰人蔡少公等讌語。少公頗學圖讖，言：「劉秀當爲天子。」或曰：「是國師公劉秀乎？」光武戲曰：「何用知非僕邪？」坐者皆大笑，晨心獨喜。及光武與家屬避吏新野，舍晨廬，甚相親愛。晨因謂光武曰：「王莽悖暴，盛夏斬人，此天亡之時也。往時會宛，獨當應邪？」光武笑不答。（卷15，頁582）

二書皆置此事於「王莽末」，然而載記多有差慝。以史實言，「盛夏斬人」在地皇元年（西元 20），王莽下詔書言：「方出軍行師，有趍讙犯法者，斬無須時。」於是春夏斬人於都市，百姓震懼也。[60]至於「避吏新野」，據司馬彪《續漢書・光武帝紀》：「伯昇賓客劫人，上避吏於新野鄧晨家。」[61]范曄《後漢書》則謂：

---

[60] 范曄《後漢書》卷15，〈鄧晨傳〉，頁582，李賢注引。

[61] 司馬彪《續漢書》，收入周天游《八家後漢書輯注》（上海：上海古籍出版社，1986 年），頁295。

「地皇三年，南陽荒饑，諸家賓客多爲小盜。光武避吏新野，因賣穀於宛。」[62]是謂光武「舍晨廬」在地皇三年。可知若據袁書，則少公言讖與避吏新野，皆同在一年；據范書，則少公言讖在先、避吏新野在後。二書不同。

再考燕語者，袁書謂「世祖與晨及蔡少公」，范書則多兄長「伯升」。光武素厚謹，又敬事兄。若兄長在座，何自大若是，敢僭越兄長，自命曰天子？而「坐者皆大笑」，更知無人視以爲眞；且鄧晨何能有此慧眼？又如何襄助光武成此占驗？皆不見史書文獻說及。再者，西門君惠說讖雖指名「劉秀」，惟尚未起事即已見誅，王莽隱晦其事，其讖亦未傳流廣遠。南陽宛縣去長安甚遠，何乃於劉歆起事之前，竟先得其讖？考《東觀漢記》載錄，或可知其舛謬。《東觀》謂：

> 更始遣使者即立公爲蕭王。諸將議上尊號，上不許。上發薊，至中山，諸將復請上尊號。初，王莽時，上與伯升及姊婿鄧晨、穰人蔡少公燕語。少公道讖言「劉秀當爲天子」。或曰：「是國師劉子駿也。」上戲言曰：「何知非僕耶？」坐者皆大笑。時傳聞不見《赤伏符》文軍中所，上未信。到鄗，上所與在長安同舍諸生彊華，自長安奉《赤伏符》詣鄗，與上會。（《太平覽御》卷 90，頁 714 引）

行文以「立蕭王」（西元 24 年 5 月）、「諸將議尊號」（25 年 5 月）、「王莽時」（22 年？）、「彊華詣鄗」（25 年 6 月）四事爲次，可知鄧晨事乃是倒敘回憶，並非實況。其所附「劉秀當爲天子」讖語，若置於王莽地皇三年（西元 22），光武起義之年，則無其實；若置即眞之年，與《赤伏符》合參，則較不易令人察覺其非也。是則「王莽時」蔡少公言讖，實屬史家偏愛之行文，並非實情也。

《宋書・符瑞志》更將前後混爲一事，謂：

> 初光武微時，穰人蔡少公曰：「讖言：『劉秀發兵捕不道，卯金修德爲天子。』」國師公劉子駿名秀，少公曰：「國師公是也。」光武笑曰：「何

[62] 范曄《後漢書》卷 1，〈光武帝紀〉，頁 2。

用知非僕？」道士西門君惠等並云：「劉秀當爲天子。」（卷27，頁770）

將「劉秀當爲天子」改易爲二句型式之《赤伏符》，更續以西門君惠之言，意指此「劉秀」乃光武而非劉歆也，與當時實況全然不符。

《赤伏符》之出典，後世尚有一說，蔡邕《琴操》謂：春秋末季，薪者獲麟，麒麟「吐三卷圖：一爲《赤伏》，劉季興爲王；二爲周滅，夫子將終；三爲漢制造，作《孝經》。」[63]將《赤伏符》視作麒麟所吐，且爲劉邦創立漢業之徵祥，更與原意差懸遠甚矣！此類說辭，皆屬後說轉精之衍增也。

六、《赤伏符》「王良主衛」讖文解義

除「劉秀發兵」讖之外，《赤伏符》又有「王良主衛」一讖，建武元年七月，光武依讖言，不次拔擢野王令「王梁」爲大司空。袁宏《後漢紀》載此事云：

> 秋七月辛未……野王令王梁爲大司空，封武彊侯。初，《赤伏符》曰：「王良主衛作玄武。」上以野王，衛徙也；玄武，水神也；大司空，水土之官也。乃以梁爲大司空。（頁40）[64]

范曄《後漢書》亦謂：

> 王梁字君嚴，……從平河北，拜野王令。……及即位，議選大司空，而《赤伏符》曰「王梁主衛作玄武」，帝以野王，衛之所徙；玄武，水神之名；司空，水土之官也。於是拜梁爲大司空，封武強侯。（卷22，〈王梁傳〉，頁774）

---

[63] 歐陽詢《藝文類聚》卷10，〈符命部〉，頁186。

[64] 華嶠《後漢書》亦有此語，見徐堅《初學記》（北京：中華書局，1985年），卷11，〈職官部上〉，頁257。

袁《紀》作「王良」，范《書》作「王梁」，疑後世轉訛所致。「王良」與「衛」所以產生關聯，實乃附會戰國衛元君故事，《史記・衛康叔世家》載：「元君十四年，秦拔魏東地，秦初置東郡，更徙衛野王縣，而并濮陽爲東郡。」[65]蓋言秦既滅魏，乃徙衛元君於野王縣。王梁既爲野王令，正屬衛元君所徙之地，乃應「王良主衛」一語。至於「作玄武」者，五行配屬中，「左青龍、右白虎、前朱鳥、後玄武」乃將龍、虎、鳳、龜蛇等五物，分屬東、西、南、北四方；龜蛇又稱玄武，乃北方之物，而時序屬冬，於《周禮》六官中則屬冬官、爲司空。是以光武解此讖作「玄武水神、司空水土」，因立王梁爲大司空。然而光武此解實屬附會，原讖蓋以星象占驗爲意也。

考「王良」爲春秋末期趙國之善馭者，先秦子書多見載錄：

《孟子・滕文公》：「趙簡子使王良與嬖奚乘。」

《荀子・王霸》：「王良、造父者，善服馭者也。」

《韓非子・外儲說右上》：「用六馬之足，使王良佐轡，則身不勞而易及輕獸。」

《呂覽・審分》：「王良之所以使馬者，約審之以控其轡，而四馬莫敢不盡力。」

「王良」或作「王梁」：

《荀子・正論》：「王梁、造父者，天下之善馭者也。」

《論衡・命義》：「天有王梁、造父，人亦有之，稟受其氣，故巧於御。」

「王良」既爲善御者，古代天文官遂藉以稱星宿，《史記・天官書》取戰國星官而成，亦曰：

---

[65] 司馬遷《史記》卷 37，〈衛康叔世家〉，頁 1604。

營室爲清廟，曰離宮、閣道。漢中四星，曰天駟；旁一星，曰王良。王良策馬，車騎滿野。（卷 27，頁 1309）⑯

由《史記》所載，王良與營室之關係不甚明確，覈以《荊州占》云：「閣道，王良旗也，有六星。」⑰「閣道」即營室宿，可證王良星的在二十八宿之「營室」中無疑。讖緯所言「王良」，亦出自古星官，《春秋元命苞》曰：「漢中四星，天騎，一曰天駟也；旁一星王良，主天馬。」與《史記》所言，實出一源也。可知讖文中之「王良」，當解作星名而非人名也。

至若營室、王良等星宿與衛地之關係，《漢書・地理志》亦有說解，曰：

衛地，營室、東壁之分壄也。今之東郡及魏郡黎陽，河內之野王、朝歌，皆衛分也。（卷 28 下，頁 1664）

《漢書・地理志》乃輯劉向、朱贛所言中國分野、風俗而成者⑱，宋王應麟《玉海》引《地理志》亦曰：「成帝時，劉向略言其地分，今著于篇：……衛地，營室、東壁之分壄也。」⑲可知王良星屬營室宿中，其分野對應衛地，野王縣正屬其分也。此則「王良主衛」之本意也。至於「作玄武」一語，實與方位配屬有關。

《周禮・考工記・輈人》言輪輻形制，謂：「龜蛇四斿，以象營室也。」鄭玄注：「營室，玄武宿，與東壁連體而四星。」⑳唐杜佑《通典・禮・旌旗》亦云：「漢制……龜蛇旐四斿、四刃，以象營室。」㉑可知王良星所屬之營室宿，配以龜蛇之斿，而龜蛇又稱玄武，是可謂「王良……作玄武」之正解也。全句讖文乃

---

⑯ 班固《漢書》卷 26，〈天文志〉，頁 1279，引文相同，惟二「王良」作「王梁」。

⑰ 《史記》卷 27，〈天官書〉，頁 1309，司馬貞《索隱》引。

⑱ 班固《漢書》卷 28 下，〈地理志〉，頁 1640。

⑲ 王應麟《玉海》（臺北：臺灣商務印書館，1986 年，《四庫全書》本），卷 2，頁 43。

⑳ 《周禮》（臺北：藝文印書館，1978 年，《十三經注疏》本），卷 40，〈考工記・輈人〉，頁 8。

㉑ 唐杜祐《通典》（北京：中華書局，1988 年），卷 66，頁 1841。

說解天文星象，蓋謂：

> 王良星屬衛地之分野，又屬北方玄武之象徵。

此類星象說辭，習見於圖讖中，如「鄘，天漢之宿」（《詩推度災》）、「中臺上星主梁、雍，下星主冀州」（《論語讖》）、「璣星為青、兗州，權星為徐、揚州」（《春秋合誠圖》）。每一星宿皆有相對應之州域彊屬，是以《春秋元命包》即謂：「王者封國，上應列宿之位。」《春秋感精符》亦云：「上為星辰，各應其州分野，為國作精神符驗也。」據此可證「王良主衛」當亦指星象分野中，王良星應對衛地而已，並未預兆某特定人士之官職也。

再者，詳考緯書輯本，見「王良星」讖文十餘條，多與戰爭有關，而未與冬官司空產生關連，如：

> 《論語讖》：「王良策馬野骨曝。」
>
> 《河圖》：「王良策馬，此皆兵候，聖雄並起，期不出九年，天下之兵擾。」
>
> 《河圖表記》：「歲星守留王梁，國中歸兵革行，五穀不成。」
>
> 《洛書甄耀度》：「客星出王良，天下有急，關津不通，兵起，若馬多死。」

是則光武以「王梁」讖附會大司空官職，實非讖緯之「王良（梁）星」原意。又，王梁拜官大司空時，另有儒者王良，亦顯聞於同時。《後漢書》載：

> 王良字仲子，東海蘭陵人也。少好學，習《小夏侯尚書》。王莽時，寢病不仕，教授諸生千餘人。建武二年，大司馬吳漢辟，不應。三年，徵拜諫議大夫，數有忠言，以禮進止，朝廷敬之。（《後漢書》卷 27，〈王良傳〉，頁 932）

儒者王良學《尚書》，於王莽時已有美名，又「教授諸生千餘人」，可知爲當世名儒；光武建國之次年，又得吳漢薦舉，進爲諫議大夫，顯然非無名小輩。其本名「良」，較之「王梁」更與《赤伏符》相應，而光武未舉用爲官，則讖語之解義，實隨光武師心臆測而已。

七、結語

由史書考述，可知劉歆改名爲「劉秀」，純屬避哀帝名諱而已。當時既無「劉秀讖」傳世，劉歆亦未有僥倖改名應讖之心。「劉秀讖」之初始型式，實乃王況爲李焉所造生之「漢家當復興，李氏爲輔」一語，蓋王況與劉姓宗室無關，故作「漢家」爲泛稱。

王莽宗卿師李守本好星曆，因常誦王況讖，並爲子弟道及，是以其子李通乃取以游說劉縯、劉秀兄弟，共同起義反莽。惟李通所誦讖文，已改易「漢家」爲「劉氏」，作「劉氏當復起，李氏爲輔」，以符合劉縯宗室身分。此時「劉氏興漢」並未指稱特定對象，是以劉姓起義自立爲天子者不在少數，劉玄乃得平林等義軍擁戴而即位爲「更始帝」，斯時各地義軍多望風響應，長安衛將軍王涉、國師劉歆亦在其中。

王涉門客西門君惠知王莽逐漸勢微，乃以「劉秀興漢」讖語，鼓動王涉、劉歆劫持王莽以降南陽更始帝，蓋以劉歆時已取名「劉秀」，以此可見起事之正當性。惟其初絕無「劉秀稱天子」之意。然而涉、歆之謀未動，已見誅戮，其事亦寢。兩年後，長安乃流傳「劉秀發兵捕不道，卯金修德爲天子」讖語，並由諸生彊華自長安奉以授之光武，光武藉以即位，且書之即位告天祝文中，惟名之曰「讖記」，而無《赤伏符》篇名。

二句型式之「劉秀讖」初出，實無篇名，僅作「讖記」；其後杜篤〈論都賦〉嘗引類讖語詞，李賢注文以四字型式之「劉秀讖」解之，其涵意不見於二句型式，可證當初之「讖記」已有改作。訖至建武三十二年封禪銘文中，始拈出《河圖赤伏符》篇名，內容亦成今日習見之三句型式。是則「劉秀爲天子」之讖文，始見於光武即位鄗地之時，定名曰《赤伏符》則在三十二年之後。

至若「王梁主衛」讖文，本指星象占驗之分野說而已，乃二十八宿中之營室宿，包有王良星，其分野屬衛國，而方位則爲北方玄武龜蛇之象，並無指稱人事、職官之意。

今存《赤伏符》佚文僅兩條，所以歸諸《河圖》類中，殆以起義之初，並無附會儒家經籍之圖讖存世，是以編修之際，乃命此「讖記」曰《河圖》。篇名至光武晚年始得訂定，後世史家列述光武起義初期之諸多行事，偶或有引用《赤伏符》爲證者，當屬史家撰作時之行文熟語，並非光武當時已有此讖之篇名也。

《赤伏符》讖文，於光武晚年封禪時，遂錄入刻石銘文之中，其後未見六朝、唐、宋之類書、星象占驗，如《北堂書鈔》、《開元占經》、《太平御覽》等專集單獨引用，可見罕爲傳流。然而此讖得享後世盛名，影響當時政治形勢之評斷，實有澄清之必要，故羅列相關文獻，具爲探論如上。

經　學　研　究　論　叢
第　八　輯　　頁351～358
臺灣學生書局　2000年3月

尹灣漢簡研究文獻要目 (1996－1999)

許學仁編*

【專　著】

01 連雲港市博物館・東海縣博物館・中國社會科學院簡帛研究中心・中國文物研究所編《尹灣漢墓簡牘》，1997年9月，北京：中華書局。

02 廖伯源撰《簡讀與制度——尹灣漢墓簡牘官文書考證》，1998年9月，臺北：文津出版社。

03 《尹灣漢墓簡牘論文集》，1998年，北京：科學出版社。

04 連雲港市博物館・中國文物研究所編《尹灣漢墓簡牘綜論》，1999年2月，北京：科學出版社。

05 《連雲港市古代書法藝術集萃》，1997年，北京：文物出版社。

【論　文】

◇ 連雲港市博物館〈江蘇東海縣尹灣漢墓群發掘簡報〉，《文物》，1996年第8期，頁4－36。

* 許學仁，花蓮師範學院語文教育系教授。

Museum of Lianyungang City, 〈Excavation of Some Han Tombs at Yinwan, Donghai, Jiangsu〉

◇ 連雲港市博物館〈尹灣漢墓簡牘釋文選〉，《文物》，1996 年第 8 期，頁 26−31。

◇ 滕昭宗〈尹灣漢墓簡牘概述〉，《文物》，1996 年第 8 期，頁 32−36。

Teng Zhaozong, 〈A general Account of the Inscribed Slips from Han Tombs at Yinwan〉

◇ 連雲港市博物館・東海縣博物館・中國社會科學院簡帛研究中心〈漢代地方行政文書的重大發現：連雲港市尹灣漢墓出土簡牘〉，《簡帛研究》第 2 輯〈簡帛研究動態〉，頁 428−430，1996 年 9 月。

◇ 武可榮〈連雲港市歷年出土簡牘簡述〉，《書法叢刊》1997 年第 4 期。

◇ 連雲港市博物館・東海縣博物館・中國社會科學院簡帛研究中心・中國文物研究所編〈尹灣漢墓簡牘初探〉，《文物》，1996 年第 10 期，頁 68−71。

◇ 東　山〈尹灣漢墓簡牘學術研討會述略〉，《簡帛研究》第 3 期，頁 549−551，1998 年 12 月，廣西教育出版社。

◇ 謝桂華〈尹灣漢墓簡牘和西漢地方行政制度〉，《文物》，1997 年第 1 期，頁 42−48。

Xie Guihua, 〈Inscribed Slips from Han Tombs at Yinwan and the Local Administrative System in the Western Han Dynasty〉

◇ 周振鶴〈西漢地方行政制度的典型事例——讀尹灣六號漢墓出土木牘〉，《學術月刊》，1997 年第 5 期。

【案】又輯入《周振鶴自選集》頁 243−252，1999 年 1 月，廣西師範大學出版社。

◇ 吳大林・尹必蘭〈西漢東海郡各縣、邑、侯國及鄉官的設置〉，《東南文化》，1997 年第 4 期〈總 118 期〉，頁 74−77。

Wu Daling, Yin Binan, 〈The Structure of Local Administrations of Donghai Prefecture〉

◇ 廖伯源〈尹灣漢墓簡牘東海郡官文書內容雜考〉，《中國上古秦漢學會通訊》第3期，1997年6月，頁15－20。

◇ 高　敏〈試論尹灣漢墓出土《東海郡屬縣鄉吏員定簿》的史料價值〉，《鄭州大學學報》1997年第2期。

◇ 廖伯源〈尹灣漢墓簡牘與漢代郡縣屬吏制度〉，《大陸雜誌》第95卷第3期，1997年9月，頁14－20。

◇ 廖伯源〈漢代仕進制度新考（簡編）——《尹灣漢墓簡牘》研究之三〉（上），《大陸雜誌》第96卷第4期，1998年4月，頁29－45。

Liau Boyan〈The Wooden Administrative Documents Unearthed At Yin-Wan & the Systems to Select Government Officials in Han China〉

◇ 廖伯源〈漢代仕進制度新考（簡編）——《尹灣漢墓簡牘》研究之三〉（下），《大陸雜誌》第96卷第5期，1998年6月，頁38－40。

◇ 謝桂華〈尹灣漢墓所見東海郡行政文書考述〉，《尹灣漢墓簡牘綜論》，頁22－45，1999年2月，科學出版社。

◇ 劉　軍〈尹灣木牘長吏除遷考——漢簡人事研究之二〉，《出土文獻研究》第4輯，頁44－51，1998年11月，北京：中華書局。

◇ 陳　勇〈尹灣墓簡牘與西漢地方官吏任遷〉，《尹灣漢墓簡牘綜論》，頁76－85，1999年2月，科學出版社。

◇ 謝桂華〈尹灣漢墓新出《集簿》考述〉，《中國史研究》1997年第2期。

◇ 高　敏〈《集簿》的試讀、質疑與意義探討〉，《史學月刊》1997年第5期。

◇ 高　恆〈漢代上計度論考——兼評尹灣漢墓木牘《集簿》〉，《尹灣漢墓簡牘綜論》，頁128－138，1999年2月，科學出版社。

◇ 高海燕・喬　健〈從尹灣簡牘《集簿》談西漢東海郡的人口、土地、賦稅〉，《尹灣漢墓簡牘綜論》，頁144－147，1999年2月，科學出版社。

◇ 朱榮莉〈西漢東海郡的海鹽生產和管理機構〉，《尹灣漢墓簡牘綜論》，頁154－157，1999年2月，科學出版社。

◇ 廖伯源〈《尹灣漢墓簡牘・東海郡下轄長吏名籍》釋證選〉，《中國上古秦漢學會通訊》第4期，1998年5月，頁1－12。

◇ 李解民〈《東海郡下轄長吏名籍》研究〉，《尹灣漢墓簡牘綜論》，頁 46－75，1999 年 2 月，科學出版社。

◇ 高 敏〈尹灣漢簡《考績簿》所帶給我們的啓示〉，《鄭州大學學報》1998 年第 3 期。

◇ 滕昭宗〈尹灣漢簡上邑計〉，《中國文物報》1998 年第 53 期（總 618 期），1998 年 7 月 8 日，第 3 版「文博研究」。

◇ 李均明〈研究漢代武器裝備的珍貴史料——記尹灣漢墓出土「武庫永始四年集簿」〉，《中國文物報》第 48 期，1997 年 12 月 7 日，第 3 版。

◇ 李均民〈尹灣漢墓出土《武庫永始四年兵車器集簿》初探〉，《尹灣漢墓簡牘綜論》，頁 86－120，1999 年 2 月，科學出版社。

◇ 李解民〈尹灣 6 號漢墓 6 號木牘所書其它文字初探〉，《簡帛研究》，頁 471－480，1998 年 12 月，廣西教育出版社。

【案】尹灣 6 號漢墓 6 號木牘記載《武庫永始四年兵車器集簿》。

◇ 劉洪石〈「謁」「刺」考述〉，《文物》1996 年第 8 期，頁 51－52，轉 50。

【案】又輯入《尹灣漢墓簡牘綜論》，頁 139－143，1999 年 2 月，科學出版社。

◇ 劉洪石〈遣策初探〉，《尹灣漢墓簡牘綜論》，頁 121－127，1999 年 2 月，科學出版社。

◇ 石雪萬〈尹灣竹木簡綴述〉，《尹灣漢墓簡牘綜論》，頁 169－174，1999 年 2 月，科學出版社。

◇ 李學勤〈《博局占》與規矩紋〉，《文物》1997 年第 1 期，頁 49－51。

Li Xueqin〈“Divination by Gambling” and the “TLV” Design〉。

◇ 劉洪石〈東海尹灣漢墓數術類簡牘試讀〉，《東南文化》1997 年第 4 期〈總 118 期〉，頁 67－73。

Liu Hongshi〈Decipher of the bamboo slips unearthed from the Han tombs at Yinwan, Donghai Prefecture〉

◇ 劉樂賢〈尹灣漢墓出土數術文獻初探〉，《尹灣漢墓簡牘綜論》，頁 175－186，1999 年 2 月，科學出版社。

◇ 曾藍瑩〈尹灣漢墓《博局占》木牘試解〉，《文物》1999 年第 8 期，頁 62－65。

Zeng Lanying〈An Explanation of the TLV Diagram for Divination from Yinwan〉, 《WEN Wu》No.8, 1999, pp.62－65.

◇ 揚之水〈《神烏賦》譾論〉，《中國文化》第 14 期，1997 年。

◇ 裘錫圭〈《神烏賦》初探〉，《文物》1997 年第 1 期，頁 52－58。

Qiu Xiqui〈Preliminary Studies on "A Tu on the Spiritual Crow"〉

【案】又輯入《尹灣漢墓簡牘綜論》，頁 1－7，1999 年 2 月，科學出版社。

◇ 周寶宏〈漢簡《神烏賦》整理與研究〉，《古籍整理研究學刊》1997 年第 2 期。

◇ 萬光治〈尹灣漢簡《神烏賦》研究〉，《四川師範大學學報》社科版 1997 年第 3 期。

◇ 劉樂賢・王志平〈尹灣漢簡《神烏賦》與禽鳥奪巢故事〉，《文物》1997 年第 1 期，頁 59－61。

◇ 伏俊連〈從新出土的《神烏賦》看民間故事賦的產生、特徵及其在文學史上的地位〉，《西北師大學報》1997 年第 6 期。

◇ 虞萬里〈尹灣漢簡《神烏賦》箋釋〉，《第一屆國際暨第三屆全國訓詁學學術研討會論文集》，頁 533－547，1997 年，高雄中山大學。

【案】又刊載《學術集林》卷 13，頁 203－225，1997 年 12 月，上海遠東出版社。

◇ 譚家健〈《神烏賦》源流漫論〉，《中國文學研究》1998 年第 2 期。

◇ 裘錫圭〈「佐子」應讀爲「嗟子」〉，《文物》1998 年第 3 期，頁 42。

◎ 裘錫圭〈《神烏傅（賦）》初探〉，《尹灣漢墓簡牘綜論》，頁 1－7，1999 年 2 月，科學出版社。

◇ 王志平〈《神烏傅（賦）》與漢代經學〉，《尹灣漢墓簡牘綜論》，頁 8－17，1999 年 2 月，科學出版社。

◇ 駱名楠〈文壇古珍——《神烏傅（賦）》〉，《尹灣漢墓簡牘綜論》，頁 18－21，1999 年 2 月，科學出版社。

◎ 虞萬里〈尹灣漢簡《神烏賦》箋釋〉，《學術集林》卷 13，頁 203－225，1997 年 12 月，上海遠東出版社。

【案】原發表於《第一屆國際暨第三屆全國訓詁學學術研討會論文集》，頁 533－547，1997 年，高雄中山大學。

◇ 武可榮〈尹灣漢簡《神烏傅》草書墨跡的藝術特色〉，《尹灣漢墓簡牘綜論》，頁 187－189，1999 年 2 月，科學出版社。

◇ 藍 旭〈尹灣漢簡《神烏傅》研究綜述〉，《文史知識》1999 年第 2 期，頁 114－118，中華書局。

◇ 劉 洪〈章草起源探述——兼論尹灣漢墓新出土簡牘的章草文字〉，《尹灣漢墓簡牘綜論》，頁 190－193，1999 年 2 月，科學出版社。

◇ 蔡顯良〈談尹灣漢墓簡牘中的章草書法〉，《尹灣漢墓簡牘綜論》，頁 190－193，1999 年 2 月，科學出版社。

◇ 趙平安〈尹灣漢簡地名的整理和研究〉，《尹灣漢墓簡牘綜論》，頁 148－153，1999 年 2 月，科學出版社。

◇ 武可榮〈試析東海尹灣漢墓繒繡的內容與工藝〉，《文物》1996 年第 10 期，頁 64－67。

◇ 高 偉〈從尹灣漢墓「春種樹」面積資料談西漢東海郡的蠶桑、紡織業〉，《尹灣漢墓簡牘綜論》，頁 158－162，1999 年 2 月，科學出版社。

◇ 石雪方・楊麗華〈尹灣漢墓「長壽綈繡」綿衾形制內容考〉，《尹灣漢墓簡牘綜論》，頁 204－219，1999 年 2 月，科學出版社。

◇ 李祥仁〈尹灣漢墓「繒繡」的揭取與保護〉，《尹灣漢墓簡牘綜論》，頁 234－235，1999 年 2 月，科學出版社。

◇ 紀達凱〈海州地區泛代幕葬概況——兼論尹灣漢墓的個性表現〉，《尹灣漢墓簡牘綜論》，頁 196－199，1999 年 2 月，科學出版社。

◇ 程志娟〈《尹灣漢墓簡牘》反映漢代葬俗中的幾個問題〉，《尹灣漢墓簡牘綜論》，頁 234－235，1999 年 2 月，科學出版社。

◇ 高海燕〈從尹灣漢墓出土的玉璧、面罩考述漢代葬俗的心理因素〉，《尹灣漢墓簡牘綜論》，頁 220－223，1999 年 2 月，科學出版社。

◇ 孟娟娟〈談尹灣漢墓出土的面罩〉，《尹灣漢墓簡牘綜論》，頁 220－224－227，1999 年 2 月，科學出版社。

◇ 石雪方〈「乙醇樹脂一步法」脫水技術在木牘脫水中的應用，《尹灣漢墓簡牘綜論》，頁 228－233，1999 年 2 月，科學出版社。

經 學 研 究 論 叢
第 八 輯 頁359～368
臺灣學生書局 2000 年 3 月

長沙子彈庫戰國楚帛書研究文獻要目

許學仁編*

【專 著】

01. 蔡季襄《晚周繒書考證》，1944 年 8 月，臺北：藝文印書館。
02. 饒宗頤《長沙出土戰國繒書新釋》，1958 年，選堂叢書之四，香港義友昌記印務公司。
03. 許學仁《先秦楚文字研究》，1979 年 6 月，臺北：國立臺灣師範大學國文研究所碩士論文。

  【案】輯入《國立臺灣師範大學國文研究所集刊》第 24 號（上冊），頁 519－740，1980 年 6 月。
04. 李 零《長沙子彈庫戰國楚帛研究》，1985 年 7 月，北京：中華書局
05. 饒宗頤・曾憲通《楚帛書》，1985 年 9 月，香港：中華書局。
06. 曾憲通《長沙楚帛書文字編》，1993 年 2 月，北京：中華書局。
07. 饒宗頤・曾憲通《楚地出土文獻三種研究》，1993 年 8 月，北京：中華書局。
08. 李學勤《簡帛佚籍與學術史》，1994 年 12 月，臺灣：時報出版社。
09. 陳茂仁《楚帛書研究》，1996 年 1 月，國立中正大學中國文學研究所碩士論文。

* 許學仁，花蓮師範學院語文教育系教授。

10. 陳松長《帛書史話》，2000年1月，北京：中國大百科全書出版社。

【論　文】

〔中文部分〕

A01.陳　槃〈先秦兩漢帛書考〉，附錄〈長沙楚墓絹質彩繪照片小記〉，《中央研究院歷史語言研究所集刊》第24本，頁193－195，1953年6月，臺北：中央研究院歷史語言研究所。

A02.郭沫若〈關於晚周帛畫的考察〉，《人民文學》1953年11期，頁113－118。

A03.饒宗頤〈長沙楚墓時占神物圖卷考釋〉〈附摹本〉，《東方文化》第1卷第1期，頁69－84，1954年1月，香港大學。

A04.饒宗頤〈帛書解題〉，日比野丈夫譯，日本平凡社《書道全集》第1卷，圖版127－128〈附摹本〉，1954年。

A05.董作賓〈論長沙出土的繒書〉，《大陸雜誌》第10卷第6期，頁173－177〈附摹本〉，1955年3月。

A06.李學勤〈戰國提銘概述（下）〉，《文物》1959年第9期，頁58－61。

A07.李學勤〈補論戰國題銘的一些問題〉，《文物》1960年第7期，頁67－68。

A08.安志敏．陳公柔〈長沙戰國繒書及其有關問題〉〈附摹本〉，《文物》1963第9期，頁48－60。

A09.商承祚〈戰國楚帛書述略〉附〈弗利亞美術館照片及摹本〉，《文物》1964年第9期，頁8－20。

A10.李　棪〈楚國帛書中間兩段韻文試讀〉〈油印本〉，1964年12月，倫敦大學東方非洲學院演講稿。

A11.饒宗頤〈楚繒書十二月名覈論〉，《大陸雜誌》第30卷第1期，頁1－5〈附月名照片〉，1965年11月。

A12.李　棪〈楚國帛書諸家隸定句讀異同表〉〈稿本〉，1968年。

A13.嚴一萍〈楚繒書新考（上）（中）（下）〉，《中國文字》第26冊至28冊〈附月名照片〉，1967－1968年。

A14.金祥恆〈楚繒書『雹䖒』解〉，《中國文字》第28冊，1968年。

【案】又載《古器物中楚文之研究》。

A15.饒宗頤〈楚繒書之摹本籍圖像——三首神、肥遺與印度古神話之比較〉，《故宮月刊》第3卷第2期，頁1－26〈附紅外線照片及摹本〉，1968年10月。

A16.饒宗頤〈楚繒書疏證〉，《中央研究院歷史語言研究所集刊》第40本（上），頁1－32，1968年10月，臺北：中央研究院歷史語言研究所。

A17.陳　槃〈楚繒書疏證跋〉，《中央研究院歷史語言研究所集刊》第40本（上），頁33－35，1968年10月，臺北：中央研究院歷史語言研究所。

A18.唐健垣〈楚繒書新文字拾遺〉，《中國文字》第30冊，頁3321－3362，1968年。

A19.李　棪〈評巴納《楚繒書文字的韻與律》〉，《中國文化研究所學報》第4卷第2期，頁539－544，1971年，香港中文大學。

A20.曾憲通〈楚月名初探〉，《中山大學學報》〈社會科學版〉1980年，頁97－107。

【案】又載《古文字研究》第五輯，頁303－319，1981年1月，北京：中華書局，題爲：〈楚月名初探——兼談昭固墓竹簡的年代問題〉。又輯入〈楚地出土文獻三種研究〉頁343－361，北京：中華書局。

A21.陳邦懷〈戰國楚帛書文字考證〉，《古文字研究》第五輯，頁233－242，1981年1月，北京：中華書局。

【案】後又輯入《一得集》上卷，頁103－118，略有增刪，1989年10月，山東：齊魯書社。

A22.李學勤〈論楚帛書中的天象〉，《湖南考古輯刊》第1集，頁68－72，1982年12月，岳麓書社。

【案】又輯入《簡帛佚籍與學術史》，頁37－47，1994年12月，時報出版社。

A23.饒宗頤〈楚帛書十二月與爾雅〉，輯入《楚地出土文獻三種研究》，頁290－302，1993年8月，北京：中華書局。

【自注】1964年11月1日文，1983年冬月重訂。

A24.陳夢家〈戰國楚帛書考〉，《考古學報》1984年第2期。

A25.李學勤〈楚帛書中的古史與宇宙觀〉，《楚史論叢》初集，頁145－154，1984年10月，湖北人民出版社。

【案】又輯入《簡帛佚籍與學術史》，頁48－57，1994年12月，臺灣：時報出版社。

A26.曹錦炎〈楚帛書《月令》篇考釋〉，《江漢考古》1985年第1期，頁63－68。

A27.高　明〈楚繒書研究〉，《古文字研究》第12輯，頁397－406，1985年12月，北京：中華書局。

A28.吳九龍〈簡牘帛書中的「夭」字〉，《出土文獻研究》，1985年6月，文物出版社。

A29.何琳儀〈長沙帛書通釋〉，《江漢考古》1986年第1/2期，頁51－57/77－87。

A30.朱德熙〈長沙帛書考釋〈五篇〉〉，1986年8月，中國古文字研究會第六屆年會論文。輯入《古文字研究》第19輯，頁290－297，1992年8月，中華書局。

A31.李學勤〈再論帛書十二種〉，《湖南考古輯刊》第4輯，頁110－114，1987年10月，岳麓書社。

【案】又輯入《簡帛佚籍與學術史》，頁58－70，1994年12月，臺灣：時報出版社。

A32.李學勤〈長沙楚帛書通論〉，《楚文化研究論集》第1集，頁16－23，1987年1月，荊楚書社。

【案】又《李學勤集》頁266－273，1989年，黑龍江教育出版社。

A33.陳秉新〈長沙楚帛書文字考釋之辨正〉，《文物研究》第4輯，頁187－193，1988年，岳麓書社。

A34. 李　零〈《長沙子彈庫戰國帛書研究》補正〉，中國古文字研究會成立十週年紀念論文，1988年。

【案】輯入《古文字研究》第20輯，頁154－178，2000年3月。

A35.蔡成鼎〈帛書《四時篇》讀後〉，《江漢考古》1988年第1期〈總第26期〉，頁69－73。

A36.何琳儀〈長沙帛書通釋校補〉，《江漢考古》1989年第4期〈總第33期〉，頁48－53。

A37.林進忠〈長沙戰國楚帛書的書法〉，《臺灣美術》1989年第6期。

A38.徐　山〈長沙子彈庫戰國楚帛書行款問題質疑〉，《考古與文物》1990年第5期，頁92－94，轉86。

A39.連劭名〈長沙楚帛書與卦氣說〉，《考古》1990年第9期，頁849－854。

A40.饒宗頤〈楚帛書天象再議〉，《中國文化》1990年第3期，頁66－73。

A41.連劭名〈長沙楚帛書與中國古代的宇宙論〉，《文物》1991年第2期，頁40－46。

A42.李　零〈楚帛書與「式圖」〉，《江漢考古》1991年第1期〈總第38期〉，頁59－62。

A43.李　零〈楚帛書目驗記〉，《文物天地》1991年第6期，頁29－30。

A44.劉　釗〈說「禼」「皇」二字來源並談楚帛書「萬」「兒」二字的讀法〉，《江漢考古》1992年第1期〈總第42期〉，頁78－79。

A45.朱德熙〈長沙帛書考釋〈四篇〉〉，《語言文字學術論文集——慶祝王力先生學術活動五十週年》，頁151－157，1989年1月，上海：知識出版社。

A46.劉信芳〈《楚帛書》與《天問》類徵〉，《楚辭研究》頁253－263，1992年9月，北京：文津出版社。

A47.饒宗頤〈帛書丙篇與日書合證〉，《楚地出土文獻三種研究》，頁332－340，1993年8月，北京：中華書局。

A48.饒宗頤〈楚繪畫四論〉，《畫𩑈——國畫史論集》，頁27－50，時報文化出版公司。

【案】其二爲〈繒書四時樹法〉，其三爲〈繒書時二月神像中三首神與肥遺考〉。

A49.曾憲通〈楚帛書研究述要〉，《楚地出土文獻三種研究》，頁398－404，

1993 年 8 月，北京：中華書局。

A50.劉彬徽〈楚帛書出土五十周年紀論〉，《楚文化研究論集》第 4 集，頁 577－584，1994 年 6 月，河南人民出版社。

A51.阮文清〈楚帛書與中國創世紀神話〉，《楚文化研究論集》第 4 集，頁 597－607，1994 年 6 月，河南人民出版社。

A52.劉信芳〈中國最早的物候曆月名——楚帛書月名及神祇研究〉，《中華文史論叢》第 53 輯，頁 75－107，1994 年 6 月，上海古籍出版社。

A53.鄭 剛〈論楚帛書乙篇的性質〉，紀念容庚先生百年誕辰暨中國古文字學國際學術研討會論文，1994 年。刊載《容庚先生百年誕辰紀念文集（古文字研究專號）》，頁 596－606，1998 年 4 月，廣東人民出版社。

A54.李 零〈土城讀書記（五則）〉，紀念容庚先生百年誕辰暨中國古文字學國際學術研討會論文，1994 年。

【案】第一則爲楚帛書「熱氣寒氣，以爲其序」，後易名爲〈古文字雜識（五則）〉，載《國學研究》第三卷，頁 267－273，1994 年 5 月，北京大學。

A55.江林昌〈子彈庫楚帛書《四時》篇宇宙觀集有關問題新探——兼論古代太陽循環觀念〉，《長江文化論集》，頁 372－379，1995 年 7 月，湖北教育出版社。

【案】又輯入《楚辭與上古歷史文化研究——中國古代太陽循環文化揭密》，頁 272－286，1998 年 5 月，齊魯書社。

A56.吳振武〈楚帛書「夸步」解〉，《簡帛研究》第 2 輯，頁 56－58，1996 年 9 月，北京：法律出版社。

A57.鄭 剛〈楚帛書的星歲紀年和歲星占〉，《簡帛研究》第 2 輯，頁 59－68，1996 年 9 月，北京：法律出版社。

A58.馮 時〈楚帛書研究三題〉，《于省吾教授百年誕辰紀念文集》，頁 190－193，1996 年 9 月，吉林大學出版社。

A59.劉信芳〈楚帛書解詁〉，《中國文字》新 21 期，頁 67－108，1996 年 12 月，臺北：藝文印書館。

A60.劉信芳〈楚帛書論綱〉，《華學》第二輯，頁 53－60，1996 年 12 月，廣州：中山大學出版社。

◎ 李 零〈古文字雜識（五則）〉，《國學研究》第 3 卷，頁 267－273，1994 年 5 月，北京大學。

【案】本文原爲 50〈土城讀書記（五則）〉，紀念容庚先生百年誕辰暨中國古文字學國際學術研討會論文。

A61.游國慶〈楚帛書及楚域之文字書法與古璽淺探〉，《印林》第 17 卷第 1 期（總第 97 期），〈楚帛書及楚域之文字書法與古璽專輯〉，頁 2－24，1996 年 3 月。

A62.呂 威〈楚地帛書敦煌殘卷與佛教僞經中的伏羲女媧故事〉，《文學遺產》1996 年第 4 期。

A63.院文清〈楚帛書中的神話傳說與楚先祖譜系略證〉，王光鎬主編《文物考古文集》，頁 258－271，1997 年 9 月，武漢大學出版社

A64.周鳳五〈子彈庫帛書「熱氣倉氣」說〉，《中國文字》新廿三期，頁 237－240，1997 年 12 月，臺北：藝文印書館。

A65.陳茂仁〈淺探帛書《宜忌篇》章題之內涵〉，《第九屆中國文字學全國學術研討會論文集》，頁 225－237，1998 年 3 月，臺北：國立臺灣師範大學國文系。

A66.蔡季襄遺稿〈關於楚帛書流入美國經過的有關資料〉，《湖南省博物館文集》第 4 輯，頁 21－25，1998 年 4 月，《船山學刊》雜誌社。

A67.江林昌〈子彈庫楚帛書「推步規天」與古代宇宙觀〉，《簡帛研究》第 3 輯，頁 122－128，1998 年 12 月，廣西教育出版社。

A68.邢 文〈《堯典》星象、曆法與帛書《四時》〉，《華學》第 3 輯，頁 169－177，1998 年 12 月，紫禁城出版社。

A69.魏啓鵬〈帛書黃帝五正考釋〉，《華學》第 3 輯，頁 177－180，1998 年 12 月，紫禁城出版社。

A70.王志平〈楚帛書月名新探〉，《華學》第 3 輯，頁 181－188，1998 年 12 月，紫禁城出版社。

A71.陳茂仁〈由楚帛書置圖方式論其性質〉，輔仁大學中國文學系所主編《先秦兩漢論叢》第 1 輯，頁 299－314，1999 年 7 月，臺北：洪業文化事業有限公司。

【案】本文為第一屆先秦兩漢學術研討會宣讀論文（1999 年 4 月）。

A72.王志平〈睡虎地《日書・玄弋篇》探源〉，《文博》1999 年第 5 期（總第 92 期），頁 28－34。

【案】本文與 A62 比對睡虎地《日書・玄弋篇》，考訂楚帛書「荎月」（十二月月名），及斗除之月。

A73.曾憲通〈楚帛書文字新訂〉，吉林大學古文字研究室編《中國古文字研究》第 1 輯，頁 89－95，1999 年 6 月，長春：吉林大學出版社。

A74.王志平〈楚帛書「姑月」試探〉，《江漢考古》1999 年第 3 期，頁 55－56，1999 年 9 月。

A75.曾憲通〈楚帛書神話系統試論〉，清華大學主辦「第二屆中國古典文學國際研討會——紀念聞一多先生百週年誕辰」論文，頁 1－7，1999 年 10 月 23－24 日，新竹：清華大學國際會議廳。

◎ 李　零〈《長沙子彈庫戰國帛書研究》補正〉，《古文字研究》第 20 輯，頁 154－178，2000 年 3 月。

【案】中國古文字研究會成立十週年紀念宣讀論文，1988 年。

B1. 商志醰〈商承祚教授藏長沙子彈庫楚帛書國殘片〉，《文物天地》1992 年第 6 期，頁 29－30。

B2. 商志醰〈記商承祚教授藏長沙子彈庫楚國殘帛書〉，《文物》1992 年第 11 期，頁 32－33，轉 35。

Shang zhitan 〈The Fragmentary Silk Writings of the State of Chu Unearthed from Zidangku in Changsha Collected by Professor Shang Chengzuo〉，《WEN WU》No.11，1992，PP 32－33，35。

B3. 饒宗頤〈長沙子彈庫楚國殘帛書文字小記〉，《文物》1992 年第 11 期，頁 34－35。

B4. 李學勤〈試論長沙子彈庫楚帛書殘片〉，《文物》1992 年第 11 期，頁 36－39。

【案】又輯入《簡帛佚籍與學術史》第二篇「楚帛書研究」，頁 71－81，1994 年 12 月，時報出版社。

B5. 伊世同．何琳儀〈平星考——楚帛書殘片與長周期變星〉，《文物》1994 年第 6 期，頁 84－93。

B6. 李　零〈楚帛書的再認識〉，《李零自選集》頁 227－262，1998 年 2 月，廣西師範大學出版社。

B7. 楚　言〈楚帛書殘片回歸故里〉，《湖南省博物館文集》第 4 輯，頁 45－46，1998 年 4 月，《船山學刊》雜誌社。

〔日文部分〕

C1. 梅原末治〈近時出現的文字資料〉（附摹本），平凡社《書道全集》第 1 卷，頁 34－37，昭和二十九年（1954 年）。

【案】第四節爲〈長沙的帛書與竹簡〉。

C2. 澤谷昭次〈長沙楚墓時占神物圖卷〉（附摹本），日本河出書房《定本書道全集》第 1 卷，頁 183，昭和三十一年（1956 年）。

C3. 林巳奈夫〈長沙出土戰國帛書考〉，京都《東方學報》第 36 冊第 1 分，昭和三十九年十月（1964 年）。

C4. 林巳奈夫〈長沙出土戰國帛書考補正〉，《東方學報》第 37 冊，昭和四十一年（1966 年）。

C5. 林巳奈夫〈長沙出土戰國帛書十二神考〉（英文），載《古代中國藝術及其在太平洋地區之影響》第 1 冊，頁 77－101，1972 年。

C6. 林巳奈夫〈長沙出土戰國帛書十二神的由來〉（日文），《東方學報》第 42 冊，頁 24－51，昭和四十二年（1967 年）。

〔英文部分〕

D1. Noel Barnard，〈A Preliminary Study of the Chu Silk Manu-script — A new reconstruction of the text〉，《Monumenta Serica》 Vol.17，PP.1－11，1958年。

【案】原文為英文稿，諾埃爾・巴納〈楚繒書初探——文字之新復原〉，《華裔學志》第17卷，頁1－11，1958年。

D2. Noel Barnard，〈Rhyme and Metre in the Chu Silk Manuscript Text〉，Papers on Far Eastern History 4，1971年。

【案】原文為英文稿，諾埃爾・巴納〈楚繒書文字之韻律〉，澳洲大學，1971年。

D3. Noel Barnard，〈A Definitive Text of the Chu Silk Manu-script，－ a Morden Character Transcription，and a Ten-tative Translation〉，Monograph Serives，No.5，1972。

【案】原文為英文稿，諾埃爾・巴納〈楚繒書文字之總結——文字的摹本與試譯〉，澳洲大學，1972年。

D4. Noel Barnard，〈The Chu Silk Manuscript and other Archaeo-logical Document of Ancient China〉，New York，1972 年，Metropolitan Museum of Art，New York.5，1972年。

【案】原文為英文稿，諾埃爾・巴納〈楚繒書及其他考古學上的中國古文書〉，紐約，1972年。

D5. Noel Barnard，〈The Chu Silk Manuscript and Supplementary Volume〉，New York，1972年。

【案】原文為英文稿，諾埃爾・巴納〈楚繒書及其補遺〉，紐約，1972年。

D6. Noel Barnard，〈The Chu Silk Manuscript － Translation and Commentary〉，澳洲大學，1973年。

【案】原文為英文稿，諾埃爾・巴納〈楚繒書譯注〉，澳洲大學，1973年。

D7 Noel Barnard，〈The Twelve Peripheral Figures of the Chu Silk Manuscript〉，《中國文字》新12期，頁453－513。

【案】原文為英文稿，諾埃爾・巴納〈楚繒書周邊十二肖圖研究〉，《中國文字》新12期，臺北：藝文印書館。

經 學 研 究 論 叢
第 八 輯　　頁369～370
臺灣學生書局　2000 年 3 月

中國經學研究會會務簡訊

李添富*

中國經學研究會與國立臺灣大學聯合舉辦以《周易》與《左傳》爲中心議題之「第一屆中國經學學術研討會」，於中華民國八十八年五月七、八兩日，假國立臺灣大學第二學生活動中心盛大舉行，會中共發表論文三十一篇，成效卓著，深獲學界稱譽。

會中除學術討論之外，同時改選理、監事。經會員先生們踴躍投票後，本會第二屆理、監事會順利改選完成，新任理、監事會成員名錄如次：

理 事 長：陳新雄
常務理事：林慶彰　董金裕　蔡信發　簡宗梧
理　　事：黃沛榮　季旭昇　賴明德　許錟輝　莊雅州
　　　　　李威熊　李偉泰　詹海雲　蔡宗陽　張壽安
後補理事：余培林　王初慶　周學武　傅錫壬　陳廖安

常務監事：劉正浩
監　　事：羅宗濤　蔣秋華　吳　璵　方　介
後補監事：林聰舜
附註說明：林平和先生與林聰舜先生同票，經理事長抽籤後，由林聰舜先生當選。

* 李添富，輔仁大學中國文學系教授；中國經學研究會秘書長。

至於秘書處之組織、成員與聯絡方式則如次：

秘書長：李添富------（任職單位------輔仁大學中國文學系）

學術組：王初慶------（任職單位------輔仁大學中國文學系）

王金凌------（任職單位------輔仁大學中國文學系）

聯絡組：姚榮松------（任職單位------臺灣師範大學國文系）

趙中偉------（任職單位------輔仁大學中國文學系）

總務組：蔡宗陽------（任職單位------臺灣師範大學國文系）

汪中文------（任職單位------臺南師範學院語教系）

出版組：孫劍秋------（任職單位------東吳大學中國文學系）

鍾宗憲------（任職單位------輔仁大學中國文學系）

秘　書：李鵑娟------（就讀學校------輔仁大學中文研究所）

地　址：247-臺北縣蘆洲市民生街 129 巷 18 號 5 樓

電　話：02-22811775

傳　眞：02-22837449

e-mail　：tflee@mails.fju.edu.tw

另外，第二屆中國經學學術研討會，預訂於民國九十年四月下旬召開，本次會議將以《詩經》爲研討主題；確切時間、地點待與合辦單位商定後，另行公告並專函通知本會會員。擬於會中發表論文之學者專家，亦可於八十九年八月三十一日前，逕將三百字左右之論文提要暨個人學、經簡歷遞送至秘書處，以便彙整。

經　學　研　究　論　叢
第　八　輯　　頁371～386
臺灣學生書局　2000年3月

出版資訊

一、本專欄收國內外最新出版，有關經學和經學人物之相關專著。惟舊籍重印或再版書，則不予收入。

二、各提要略依經學總論、周易、尚書、詩經、三禮、三傳、四書、孝經、爾雅、讖緯、經學人物等之順序排列。

三、提要前之目錄項，分別依書名、作譯者、出版地、出版者、頁數（冊數）、出版年月等項排列。

四、各提要以簡介各書之內容為主，如有所評論，僅代表作者之意見。

五、歡迎各界人士提供與本專欄性質相符之著作，以便推介，來書請寄臺北市和平東路一段198號臺灣學生書局經學研究論叢編輯部收。

《宋明經學史》

《宋明經學史》　章權才著　廣州　廣東人民出版社　344頁　1999年9月

本書是作者繼《兩漢經學史》、《魏晉南北朝隋唐經學史》的續作。作為《中國經學史》的第三分冊，它所涉及的歷史範圍是從唐朝中葉至明朝中後期的數百年時光。而全書內容除開頭的緒論外，分為八章，然要而言之，可以用四個階段來概括這個經歷數百年發展歷程的龐大的經學系統：第一階段是唐宋之際，其中心是「明道」思潮的泛起；第二階段是兩宋時期，其中心是以程朱學派為主流地位的確立；第三階段是宋元以後，其中心是以《四書》統治局面的形成；第四階段是明代，其中心是經學中由理學而轉向心學的發展，而就總的趨勢來說，則是保守性和唯心主義的日漸增強。

章權才，廣東省梅縣人，1938 年生。廣州中山大學歷史系畢業，旋又考入上海復旦大學研究生院。歷任中山大學教師，廣東省社會科學聯合會《學術研究》副主編、主編，學術理論研究室主任，廣東社會科學大學秘書長，現爲廣東省社會科學院研究員、教授。章氏曾師事周予同氏，專攻中國經學史，著有《兩漢經學史》、《魏晉南北朝隨唐經學史》等著作，又曾參與撰編《中華民族凝聚力》叢書，及發表學術論文數十篇。 （張博成）

《三墳易探微》

《三墳易探微》 王興業著 青島 青島出版社 265頁 1999年8月

夏商有《連山》、《歸藏》之書，但後人多認定其卦象、卦義早已亡佚。今所見者，僅殘存於各種史料典籍上的片言只語而已。至於宋人所見《古三墳》，人們懷疑此書漢時已失傳，至宋忽出，顯係後人僞造。既以僞書視之，對此書有系統的整理、研究，便微乎其微。

1973 年馬王堆帛書《易經》出土，作者在探索帛書卦序的過程中，發現了其卦序與《古三墳》卦序之間的繼承關係，且帛書《易經》有兩個卦名與《歸藏》有關，從而證明《歸藏》的不可能僞。作者並以阜陽雙古堆西漢汝陰侯墓中出土的「太乙九宮占盤」及戰國時代的《靈樞經・九宮八風篇》的八風圖爲據，證明占盤上的「君」、「將」、「相」、「民」，不僅與伏羲的「爻卦大象」相通，更與《古三墳》的〈皇策辭〉相通。也是《連山》的「崇山君」、「伏山臣」、「列山民」、「兼山物」四卦的象與序，從而認證考古《易》之不僞。

作者由馬王堆帛書《易經》入手，對《連山・傳》、《氣墳・歸藏易》、《歸藏・傳》、《形墳・乾坤易》、《乾坤・傳》等古《易》資料進行詳細完整的研究與整理，並提出許多創見，爲今人利用最新出土資料，對前古《易》做出系統研究的一項新成果，填補了《易》學研究上的一項空白。因而有著重要的學術價值。全書分爲十四個子題，依序爲：〈《古三墳》非僞書說〉，〈伏羲《山墳・連山易》解譯〉，〈伏羲《連山・傳》解譯〉，〈神農《氣墳・歸藏易》解譯〉，〈神農《歸藏・傳》解譯〉，〈黃帝《形墳・乾坤易》解譯〉，〈黃帝《乾坤・傳》解譯〉，〈三皇《易》卦序的次生形態〉，〈連體卦序非筮人隨意編造說〉，〈三皇《易》陰陽思想的發展變化〉，〈三皇《易》的卦氣思想與發展〉，〈三皇《易》八卦卦象覓蹤〉，〈夏朝的《易》卦〉，〈商朝的《易》卦〉。附篇有：

〈《古三墳》及諸家論三皇《易》卦〉，〈夏《連山》輯佚及諸家論夏《易》〉，〈商《歸藏》輯佚及諸家論商《易》〉，〈王興業教授易學論著目錄〉。

作者王興業先生生於 1927 年，於 1999 年見此書樣稿出，含笑而逝。山東廣饒人。山東大學歷史系畢業，畢業後留校任教，歷任助教、講師、副教授、教授，中國周易學會常務理事等職。發表論文三十餘篇，有《孟子研究論文集》等編著行世。（葉純芳）

《周易漫談》

《周易漫談》 王居恭著 北京 中國書店 135 頁 1997 年 11 月

全書共分爲八個單元，以〈從算卦談起〉爲第一單元，說明算卦在我國古代社會的重要性，無論是祭祀、戰爭、婚姻、商旅等，都要藉由算卦來輔助決策。第二單元〈《周易》的結構〉，說明《周易》是由《經》與《傳》所組成，並介紹陳夢雷〈六十四卦衡圖說〉、邵雍《先天圖》，以及《伏羲六十四卦方位圖》。第三單元爲〈筮法〉，介紹「成卦法」與「變卦法」。第四單元爲〈《易》的數字〉，解析《河圖》、《洛書》的價值。第五單元說明〈《周易》之基本概念〉。第六單元〈《周易》作爲史料書〉，說明《周易》保存了原始性的史料，有助於後人對古代社會之研究。第七單元爲〈略述《周易》的哲理〉，分爲「談天」、「易教」、「論時」、「說象」、「憂患」等五個子題討論其哲理。最後一單元爲〈《周易參同契》簡介〉。《周易參同契》是道家煉內丹的著作，因其使用了一套《周易》卦符而稱之，其內容與《周易》並無關。文中說明丹書與《周易參同契》的關係，以及《周易參同契》對中國傳統科學的深遠影響。（葉純芳）

《易道：中華文化主幹》

《易道：中華文化主幹》 張其成著 北京 中國書店 278 頁 1999 年 1 月（《易學文化叢書》）

本書爲作者十餘年來潛心研究《易》學的心得。作者以中華文化爲背景，全面透視《易經》、《易傳》及《易》學。發現《易經》雖然爲占筮之書，卻反應中華先祖對宇宙生命的自覺探索，爲中華文化的總源頭；《易傳》匯聚了先秦哲人關於宇宙生命同構規律的大智慧，是中華哲學文化的第一次理性總結；《易》學代表了中國古人探索自然規律，人文價值的總學問，為中華文化的主旋律。《易》文化博大精深，而其核心卻簡單而凝練，即──《易》道。並大膽提出中華文化的主幹既不是儒家，也不是道家，而是通貫儒、道二家的「易道」。

全書共分五章，第一章《周易：中華文化的源頭活水》，概論《周易》的構成、含意、性質、時代及作者。第二章《易經：上古先民對宇宙生命的占問》，說明《易經》的符號系統──卦爻象，以及文字系統──卦爻辭。第三章《易傳：先秦哲人智慧的結晶》，介紹〈十翼〉以及解經的方法與《易傳》的思想精華。第四章《易學：中華文化的主旋律》，綜論先秦至現代的易學流派，兼論外國易學的研究。第五章《易道：中華文化的精神主幹》，提出中華文化的主幹既不是儒家，也不是道家，而是通貫儒、道二家的「易道」。結語《中西文化：從大衝突到大融合》，談當代新易家的使命。附錄有《周易》全文。

作者張其成，一九五九年生，安徽歙縣人。北京大學哲學博士、北京中醫藥大學博士後。兼任東方國際易學研究院學術委員、南京大學國學研究所客座教授、中國易學與科學研究會副秘書長、中國周易學會常務理事等職。著有《象數哲學研究》、《易符與易圖》、《東方生命花園》。主編有《易學大辭典》、《易經應用大百科》、《易學文化叢書》等。發表學術論文數十篇，曾獲國家教委霍英東基金會優秀青年教師等獎。

（葉純芳）

《說易》

《說易》　錢世明著　北京　京華出版社　240頁　1999年7月　（《儒學通說叢書》）

全書分為四個部分，第一部分為解說「易」與《易》。「易」，變化也。上古先民用蓍草占卜未來的吉凶，是通過對五十根草的一次又一次的運算，排列成卦形，而後做出判斷，這個演算的過程，因為有變化才會出現不同的數字，因此而稱為「易」。而解說「易」的書即是《易》。第二部分為《周易》的經和傳，說明卦是如何畫出來，爻與卦的關係，卦象、卦序、卦性，卦辭和爻辭的解釋，〈文言〉和〈彖傳〉，〈象傳〉的修、治思想，〈繫辭〉對《易》的闡發等。第三部分為卦例詳析，以《左傳》、《國語》中的筮例作爲解說卦象的變化及所顯現的徵兆。第四部分爲《周易》的啓示，說明《周易》的卦辭和爻辭充滿了思辨，對企業家經營是有啓示的作用。並於文中教導讀者簡便的求卦辦法。並將六十四卦的卦象、卦辭列於其後，並作說解。

本書爲通俗的易學著作，著重在卜筮的變化解析，較適於一般讀者閱讀。

（葉純芳）

《古老智慧的源泉——周易》

《古老智慧的源泉——周易》 余斯大著 昆明 雲南人民出版社 284頁 1999年8月 （《讀好書文庫》）

作者以爲，儘管有許多人認爲《周易》是一部哲學著作，但從根本性質上說，它是一部用來占卜的專書，所記載的只是我國上古巫術的一種。因此本書由巫說起，認爲原始的人類面對神秘莫測的大自然，既感到自己力量的薄弱，又產生要控制自然的慾望，由偶發現象說成有意識力量的行爲，以期達到自己的目的，此即巫術的來歷。第二部分爲〈神秘的符號系統〉，作者說明《周易》所使用的神秘符號的基本單位是陽爻與陰爻，由二者不同的組合，產生了六十四卦，爲一完整的符號系統。由這一系統表達先民的思想和認知，從而使《周易》可以對應方物，「易道廣大」。第三部分爲〈令人探索不已的答辭〉，說明六十四卦卦爻辭中，有很大一部分卦爻辭只記錄答案，不涉及所占的事，給後世研究者造成很大的迷惑，正因如此，《易》的卦爻辭是萬能的，是發展變化的，不論什麼問題，都可由此解答。第四部分是〈《十翼》的發揮〉，作者以爲《十翼》其實爲宣講《周易》的十篇學術報告。第五部分是〈《周易》的研究〉，歷代研究《周易》的學者可分爲兩派（象數派及義理派）六宗，而近代由於西方新思潮的傳入，使《易》學研究出現一個全新的局面，其特點是：一，運用新的觀點方法進行《易》學研究；二，研究方向往細微處發展。第六部分是〈域外人的眼光〉，說明《周易》在西方研究的情形與成果。第七部分是〈原著簡注〉，對《周易》一書作簡明的注解。書後附錄〈八十種中外推薦書目推薦者名單〉。此書內容淺顯易懂，適合一般讀者作爲入門的書籍。

（葉純芳）

《周易入門》

《周易入門》　陳德述、楊樹帆著　成都　巴蜀書社　447頁　1999年9月

研讀《周易》，古人即有「墨穴行，漆室作」之嘆。孔子曾說：「假我數年，五十以學《易》，可以無大過矣。」可見《周易》的難度遠在群經之上。兩千多年來，中國文化始終籠罩在它奇異的光彩之下。作者有鑑於坊間多種誤解《周易》的著作出現，使讀者對《周易》的眞面貌更加模糊難懂，爲了幫助讀者從撲朔迷離中尋得研讀《周易》的門徑，因而作爲此書。

本書與其他《周易》方面的書相比，有以下幾個方面的特點：

第一，系統、全面、簡明地介紹了與《周易》相關的基本知識。這些相關的知識是閱讀和讀懂《周易》的前提性的知識。本書的前五章即對這些基本知識作了詳細地介紹。第二，對六十四封的卦爻辭作了簡明、系統的注釋。本書第六、七章主要內容在注釋卦、爻辭時，對於生僻字作字義上的解釋，並爲其注音。對於卦爻的解釋，指出它們在卦象、爻象、爻位上的依據。在解釋卦爻辭時，儘量做到簡略，沒有繁瑣的考證，也沒有作想像的引申，以及不得要領的解釋。以作爲讀者深入學習和研究《周易》的基礎。第三，對《周易》與其他學科的關係，也作了簡要的論述和說明。第四，通過以上三個部分凸顯了兩個主題，一是《周易》的內容本身，包括名稱的由來、結構、特點、六十四卦的基本內涵以及相關的基本知識，從而揭示了「易道廣大悉備」的內在特質；二是《周易》在相關學科的滲透，從而揭示了易道的普遍價值和意義。

作者陳德述，1937 年生，四川省社會科學院哲學與文化研究所原所長、研究員，四川省周易研究會會長，中國周易研究會理事。有關《周易》方面的著作有：點校唐代李鼎祚《周易集解》、注釋明代智旭《周易禪解》。主要《易》學論文有：〈來知德的易學及其自然哲學〉、〈論周易的科學原理〉、〈周易乾坤兩卦與人性〉、〈周易的和合思想及其價值〉、〈孔子的中庸與周易的中道〉、〈周易與企業管理〉、〈周易與企業家精神〉、〈弘揚周易的中道，提高人的道德素質〉等。楊樹帆，1956 年生，西南民族學院中文系副教授，四川省易學研究會副會長，著有《周易符號思維模型論》一書。

（葉純芳）

《《尚書》文字校詁》

《《尚書》文字校詁》 臧克和著 上海 上海教育出版社 767頁 1995年5月

由於歷代傳本的歧異、歷代傳鈔翻刻的訛誤，以及歷代傳本中字體的變遷等諸多原因，造成《尙書》文字的繁難，遂使《尙書》文獻世稱難讀。時至今日，研究《尙書》的難處，仍然在於文字的處理上。因此，作者撰作本書的初步設想就是側重愚弄清文字的歷史流變，依據歷代不同的傳本，從中比較、分析、考訂《尙書》文字隸古的結構、字形的源流，及本來的意義。其目的是希望避免古代經學之煩和今日注疏解釋之陋。依照作者的研究意圖，本書的內容具體呈現出三個層次：一、關於《今文尙書》二十八篇文字的校詁；二、關於阮元校勘紀二十卷的校訂；三、關於《今文尙書》單位文字的考釋。此外，本書的最大特色，乃在於它盡可能地反映甲骨文、金文等出土文物可與《尙書》文字比勘的語例，盡可能地運用歷代石刻本等文字材料內容，以及唐寫本的日本寫本材料來進行比較、參照和補充。由此可見作者爲學之勤，蒐羅之富。

臧克和，山東諸城人，1956 年。華東師範大學中文系畢業。歷任華東師範大學教授、文字學研究中心研究員、中國古典文獻學導師、漢語言文字學研究生導師。著述甚夥，較著者有《語象論—《管錐篇》疏證》、《說文解字的文化說解》等，曾主編《漢字研究新視野》、《中國文字與儒家思想》，另於海內外發表學術論文八十餘篇。 （張博成）

《新譯詩經讀本》

《新譯詩經讀本》 滕志賢注譯、葉國良校閱 臺北 三民書局 上、下冊 1082頁 2000年1月

本書以「兼取諸家，直注明解」爲原則，注譯傳統重要典籍之一——《詩經》，希望藉由文字障礙的掃除，幫助有心的讀者，打開禁錮於古老話語中的豐沛寶藏。其注譯一方面鎔鑄眾說，擇善而從；一方面也力求明白可喻，達到學術普及化的要求。

《詩經》的語言古奧，文辭簡略，制度名物茫昧，又因年代久遠，作者多不可考，創作背景大多不明，作詩本意難以索求。本書的撰寫目的是爲幫助讀者比較輕鬆地踏進《詩經》的大門而奉獻一本經過整理的、通俗的、比較完備的《詩經》讀本。書中每一首詩除了原詩以外，還有語譯、注釋、研析、韻讀四部分，原詩採用《十三經注疏》本《毛詩》經文，並加標點分章。語譯則盡量採用直譯方式，不去刻意追求形式的優美整齊，注釋力求簡明準確，既尊崇毛、鄭，又不泥於毛、鄭，兼取各家精華，凡有歧解異說，則擇善而從，並標明所出；特殊文例，若易誤解，則加說明；凡遇舊說扞格難通者，則間出己意。本書篇內之研析旨在爲讀者指出一學習門徑，其中有詩旨辨析、章旨概括或藝術特色等等，以供讀者參考。

（陳淑誼）

《詩經今注今譯》

《詩經今注今譯》 王延海譯注 石家莊 河北人民出版社 879頁 2000年1月

中國素以詩國著稱於世，在琳瑯滿目的詩苑中，《詩經》是最先盛開的一朵奇葩，是中國第一部詩歌總集。他揭開了中國文學的序幕，標誌著中國詩歌的發展進入了鼎盛時期，無論就內容的深廣而言，抑或就藝術的水準而論，他都達到了空前的成就。因此，在中國的文學史上確立了他崇高的地位。

從漢代開始，人們基本上把他當作經典來研究，民初以來，人們又認爲他是一部文學總集。無論是經學的研究，還是文學的探討，其成果都是相當可觀的。而近年來出版的《詩經》今注今譯，數量更是驚人。

本書卷首有長達二十五頁的《詩經》概說一文，對《詩經》的基本問題的反映，社會形象，傑出的藝術成就，在中國文學史上的地位與影響等方面，做一扼要說明，屬於導讀性質的文章，對一般讀者研讀《詩經》，提供了基本的常識。正文部分，對於每首詩，首列篇旨解題，次經文、注釋、譯文。

本書爲作者在爲學生講授《詩經》時，發現青年學子對古代文化遺產的興趣極高，卻沒有一部適合學習和閱讀的《詩經》今注今譯出現，因此產生編寫此書的想法。作者希望大量吸收古今《詩經》研究的成果，特別是新成果，在字詞的注譯方面做到有理有據，使各種說法的來龍去脈盡量清楚準確，並注重釋義的精確有據。這既可以爲各類學生的學習提供豐富的理論和訓詁知識，較大地提高他們掌握古漢語的能力，以及閱讀古籍的技巧。增加學生的古代文化知識，同時也可以爲一般讀者閱讀欣賞《詩經》提供一個通俗而有價值的讀本。因此本書是以一般讀者爲主要對象的讀本性著作。（王清信）

《詩經圖注（國風）》

《詩經圖注（國風）》 劉毓慶編著 臺北 麗文文化事業公司 483頁 2000年4月

在《詩經》的解釋史中，毛《傳》鄭《箋》是漢學的代表，朱子的《詩集傳》是宋學的代表，不論漢學和宋學都有《詩序》的影響在內。朱子要擺脫《詩序》的影響，解詩主張從「涵詠詩義」入手，但仍有十分之六七與《詩序》相近，又受理學風氣的影響，頗不乏以理說詩的現象。民國以來，學者爲徹底打倒《詩序》，也提倡以詩解詩，卻又陷入混亂的筆戰中。足見即使沒有《詩序》的影響，要平心靜氣，客觀公正的詮釋詩篇，仍有其困難。今人的《詩經》注本，不受意識型態左右，而能就詩論詩的仍舊不少，但其中也不無缺點。作者在本書〈弁言〉中說明其著作動機：「一般注本所參考的圖籍僅毛、朱及清儒數家，引書達十種以上者則寥寥無幾。而且在注釋中出現兩種令人擔憂的傾向，一種是隨意解釋詩意，游談無根，奇建叢出；一種是沿襲前人，人誤亦誤。」

本書參考歷代《詩經》之專著百餘種，加上其他相關筆記雜考、經史著作、子書、地理及本草、詩話、類書及文字工具書、文集等專著，共計多達數百種。

書中內容分詩旨、正文、異文、韻腳、注釋、名物圖、章評、總考評，旨在力求全面反映《詩經》研究的成果。在注釋上，凡前人說可採者盡量採納，如舊有數說者，則羅列幾種主要意見，最後表明自己的觀點。如對所引古說，不置可否者，則是認爲可備一說。舊說不可通者，則加按語，考證求眞，別出新意。在押韻上，主要採用的是王力《詩經韻讀》的成說，也參考了江有誥的《詩經韻讀》，以及清儒戴震、錢大昕、段玉裁的一些觀點。在異文上，主要採取陳喬樅《四家詩異文考》及張愼儀《詩經異文補釋》的研究成果，並參考近年出土的阜陽漢簡、漢銅鏡等材料。在章句評點上，主要參考戴君恩《讀風臆評》、陳繼揆《讀風臆補》、牛運震《空山堂詩志》、鍾惺《詩經》評點、徐光啓《詩經六帖》、范王孫《詩志》、冉覲祖《詩經詳說》、梁中孚《詩經精義集抄》等書。最後篇末的考評，主要是探討詩篇的主旨，並對全篇作思想、藝術分析。有時注釋中一些較難說清的問題，也放入這部分中進行討論。而名物配圖採自各種圖籍與出土文物圖片，旨在廣聞博識，幫助於領會詩義。

作者在此書之前已先完成《雅頌新考》（太原：山西高校聯合出版社，1996 年 4 月）、《從經學到文學——明代詩經學史論》（北京：北京大學博士論文，1999 年）二書。加上此書，已有三種《詩經》學專著問世，足供研究《詩經》學者之參考，更可爲初學者之梯航。 （王清信）

《先民的歌唱——詩經》

《先民的歌唱——詩經》 胡先媛著 昆明 雲南人民出版社 333 頁 1999 年 7 月 （《讀好書文庫》）

《詩經》作爲中國最早的一部詩歌總集，具有崇高而獨特的歷史地位。自漢代被尊爲「經」以來，《詩經》就獲得了御用學術的桂冠，對於它的傳注訓詁解釋也成了一門專門的學問，其它有關的著作更是汗牛充棟、不勝枚舉。兩千多年來，文人學者對《詩經》各方面的研究成果，組了一座令人望而生畏的金字塔，時至今日，《詩經》的研究仍方興未艾，《詩經》這一古代文學瑰寶正日益放射出璀燦的光芒。

本書內容共八章，作者分別從不同的角度切入，說明《詩經》一書的內容與價值約可區分爲三大部分：第一部分從《詩經》的歷史地位切入，說明「《詩》之爲經」及「《詩經》成書之謎」；第二部分則從社會、文化與藝術各層面，闡發《詩經》的價值，探討此一部分的篇章有：「《詩經》中的社會生活」、「《詩經》的文化精神與藝術成就」、「社會生活中的《詩經》」、「《詩經》的永恆魅力」、「中外名人與《詩經》」；第三部分爲「《詩經》注錄」，作者分別從「風」、「雅」、「頌」各篇中選取最有代表性的若干篇章，集各家注及最新的研究成果，簡注於後，提供讀者了解《詩經》最方便快捷的途徑。

兩千多年來，《詩經》研究枝葉紛繁，學者輩出，著述如林。《詩經》豐富的思想、迷人的藝術不僅是中國文化的精髓，其影響更遠及海外。在中國的儒家社會中，了解並善加運用《詩經》是登上仁途的必要條件，是作爲一個彬彬君子的基本修養之一，同時，《詩經》也是表達思想優雅的工具。本書全面性地闡揚了《詩經》的要點並期勉讀者將《詩經》之精華融入於生活與思想之中。（陳淑誼）

《穿越《詩經》的畫廊》

《穿越《詩經》的畫廊》 王開林著 長沙 岳麓書社 284頁 1999年4月

本書作者王開林，1965 年出生於長沙市，1986 年畢業於北京大學中文系。迄今已出版《靈魂在遠方》等四部散文集。作品被收入海內外六十餘種散文選本。現爲中國作協會員，湖南省作協理事。

作者認爲今人研讀《詩經》應跳出「生硬的教義」（詩教）與「僵固的史實」（詩史）這兩大窠臼，將《詩經》視爲上古先民生活的連軸畫卷來欣賞。「《詩》可以興，可以觀，可以群，可以怨」，實則無所不可，因此《詩經》堪稱一條長而又長的畫廊，舉凡上古之風物情愫，應有盡有，須知諸多細微處，亦隱含了殊勝筆觸。今人要體貼古人胸臆，應先將詩家語轉作自家語，另換一番手眼去打探，若能入情入境，即可了了分明。

本書的寫作方式採主觀選取若干篇章，各篇中又僅擇取四至八句爲主題，專以優美動人的筆調與充沛自然的情感爲文，散文式的抒情與溫柔特質，時而追溯於遠古事蹟之中，時而跌宕在數千萬里之外，完全拋脫了《詩》之爲「經」的沈重包袱，引領讀者進入一個純粹美與想像的《詩經》世界。（陳淑誼）

《中國喪服制度史》

《中國喪服制度史》 丁凌華撰 上海 上海人民出版社 308頁 2000年1月

中國古代禮制，傳統上分爲吉禮、凶禮、賓禮、軍禮、嘉禮五大類，統稱「五禮」。《周禮》中將凶禮分解爲喪、荒、弔、襘、恤五個方面，都是指諸侯國之間遇天災人禍相互哀悼、慰問及救助之事。荒、弔、襘、恤逐步合併爲中央統一的賑撫災荒之事，原有的禮制功能單一化，而涉及宗族血統的喪禮則日趨複雜完備，以致於後世禮典中，凶禮內容幾乎完全爲喪禮所囊括，如《通典》所記唐以前歷代凶禮均爲喪禮，因此習慣上「喪禮」變成了「凶禮」的代名詞。

古代喪禮主要包括喪、葬、祭三大部分。「喪」是規定死者親屬在喪期內的行爲規範；「葬」是規定死者的應享待遇；「祭」是規定喪期內死者親屬與死者之間聯繫的中介儀式。三者之中，「喪」是喪禮的核心內容。

喪服制度橫跨古代禮制與法制兩大領域，也就是說，喪服制度在中國古代實際存在兩個形態，一是禮制形態，一是法制形態。而禮制形態又是法制型態的前提，故研究喪服制度的法制形態就不能不研究其禮制形態。作者認爲，喪服制度是研究古代禮法關係的最好切入口。

本書著重從法律文化的角度，闡述喪服制度在等級制社會中的支柱作用，論證其禮制形態與法制形態二者之異同。書中用了許多篇幅詳盡描繪禮制形態的等級特徵，第一章服飾制度、第二章服敘制度尤爲如此，第三、四章則主要敘述其法制形態。

本書是運用現代語言、現代方法系統研究中國傳統喪服制度史的專門著作，並嘗試將傳統五禮、凶禮、喪禮、喪服制度的關係作一明確的界分與闡述。將傳統喪服制度研究中，明確劃分爲喪服服飾制度、喪服服敘制度、守喪制度三大系統，並分類敘述，以使研究的思路更爲條理明晰。本書在內容深入、細節詳盡的基礎上，力求語言淺達而不俗，使讀者無閱讀上的困難，書中並附有約七十幅的圖表可與文字相互參證，加深理解。文中稀見字及異音字均注拼音，以助閱讀。

（王清信）

《劉師培《春秋左氏傳答問》研究》

《劉師培《春秋左氏傳答問》研究》 朱冠華著 北京 光明日報出版社 706 頁 1998 年 8 月

江蘇儀徵劉氏是清季以治《春秋左氏》學名家的家族。該家族的治學特點，乃對杜《注》孔《疏》多所不滿，而崇尚漢儒舊說。《春秋左氏傳答問》是劉氏家學的第四代——劉師培於 1912 年在四川國學學校講授之餘，應答學生有關《左傳》疑義，由其學生筆錄取裁而成的。全書凡三十八條，第以「漢儒舊說」作爲回應，秉承其家學崇漢抑杜之一貫立場。而其《左氏》之學更在當時備受贊譽，一時稱爲大師，故該書之見重於當時，是毋庸贅語的。

本書作者朱冠華先生嫻習於《春秋》《左傳》之學，認爲治《春秋》者義理固不可缺，然義理之所歸，必以客觀的史實爲據，如此才不免流於鑿空。因而取劉氏之《春秋左氏傳答問》作爲研究對象，撰成五十餘萬言的《劉師培《春秋左氏傳答問》研究》。其採取的研究方法是先條述賈逵、服虔舊說及杜《注》孔《疏》，以至唐宋以來諸儒之論，排比詮次，考校同異，一以事實爲據。雖然透過作者的研究，劉書可取者少，而可議者多，使得劉氏《春秋左氏傳答問》之學術價値，及其《左傳》研究之應得評價，或宜重新審定；但是對劉氏《左氏》學之研究，亦不無少助焉，故本書「大有功於劉氏」，堪稱「劉氏之諍友」也。 （張博成）

《四書與現代文化》

《四書與現代文化》 韓秀麗、李靜、陳雪英撰 北京 中國廣播電視出版社 205頁 1998年12月 （《諸子百家與現代文化叢書》）

近年來，對於中國傳統文化的研究已經引起學術界的重視，但對傳統文化與現代化的關係卻研究較少。本書作者有鑑於此，編寫了《四書與現代文化》一書。

本書共分七章，緒論說明四書並行之由來、歷史作用、思想內容以及在現代社會中的作用和意義。第一至六章皆在申論孔、孟的主張及四書的內涵。如第一章〈義利之辨〉，說明孔子「重義輕利」，孟子「貴義賤利」；第二章〈德治仁政〉，說明重德保民的治國方策；第三章〈內聖外王〉，說明修身、齊家、治國、平天下的政治哲學；第四章〈學、思、行〉，說明認識論、知識論與修養論的合一；第五章〈中庸之道〉，說明孔門傳授的心法；第六章〈人性本善〉，說明對人類本質及人生價値的開發；第七章說明四書對日本的影響及對中國現代化建設的正面與負面效應。

作者韓秀麗，1963 年生，北京師範大學哲學系哲學原理研究生主要課程班結業，現任北京聯合大學應用文理學院講師。寫有〈中國楹聯中的《聖經》故事〉等文章，曾參與《神奇辯士——公孫龍子》等書的編寫工作。

李靜，1963 年生，北京師範大學哲學專業研究生主要課程並結業。現任北京聯合大學應用文理學院講師，曾參與《鄧小平哲學貫通》等書的編寫工作。

陳雪英，1966 年生，獲北京師範大學哲學碩士學位。現任北京聯合大學商務

學院講師，寫有〈加強精神文明建設，促進中國社會可持續發展〉、〈馬克思主義哲學課的應有視角〉等文章。（王清信）

《論語今釋》

《論語今釋》 蔣沛昌注釋 長沙 岳麓書社 584頁 1999年8月

《論語》一書是用兩千多年前的文言文寫成的，讀起來使我們難以完全理解，近年來出版了不少文言、白話對照的《論語》譯著，對初學者讀懂經文多少有些幫助。但作者以爲，這種讀物似乎有些過多過濫，一些譯文難免走樣，有的甚至不得要領，有傷原作。《論語》的語句凝練優美，大都是富含人生眞諦和思想光華的語錄體，有些章節甚至是一首散文詩。把《論語》譯成現代漢語，只能起到一些解釋的作用，如果要求讀者據此誦讀，則《論語》的文采、意境和神韻則蕩然無存。作者並認爲「經無信譯」，因此主張對點校過的《論語》作些注解工作，本書就是這種主張的一次嘗試。

本書包括注釋和解釋兩個部分，所謂注釋，就是對書中一些生僻難認或異讀的字、比較費解的詞語作一些注音和必要的說明，幫助讀者掃除閱讀時的障礙。一些《論語》專家學者校勘或考證過的歧義，《今釋》中只作一般提敘，盡可能求其精當，不詳細註明資料出處。所謂解釋，就是對語句或章節的內在意義作一些疏導的工作，大都是公認的說法，少部分是當代一些學者的研讀成果，某一部份爲作者體認的成果。

作者認爲解讀《論語》，最好預先瞭解孔子的生平，所處的時代背景，爲此，作者爲讀者整理了三份資料：〈孔子其人，《論語》其書〉、〈孔子生平年表〉、〈孔子主要及門弟子簡介〉；並編繪兩張地圖：〈春秋時代政治形勢略圖〉、〈孔子訪問列國往返路線示意圖〉。（王清信）

《說大學中庸》

《說大學中庸》 錢世明撰 北京 京華出版社 146頁 1999年7月 （《儒學通說叢書》）

自從朱熹把《大學》、《中庸》和《論語》、《孟子》合爲一書，並作集注，

《大學》、《中庸》變成了學子必讀的書。《大學》、《中庸》單獨成「書」之後，受到儒家學者的重視，成了讀書的必修課本，主要是這兩部書講的是爲人的基本修身之道，和處事接物之道。用朱熹的話說：「《大學》是修身治人底規則，如人起屋相似，需先打個地盤，地盤既成，則可舉而行之矣。」（《朱子語類》卷 14）

關於《中庸》，孔子說過：「中庸之爲德也，其至矣乎！」（《論語·雍也》）明確地把中庸作爲至高的美德。作者認爲，只要實事求是的看儒家著述，就會發現許多被歪解了的概念與詞匯的原義。朱熹曾慨嘆《大學》、《中庸》、《論語》、《孟子》四書的道理粲然，只是一般人不認眞地閱讀它們。不看原書，亂用概念，便最容易上那些有意歪解古文詞義的專家學者的當，因此，治古代文化，治儒學，必須遵循實事求是的原則，才能避免曲解古文。所以作者首先對《大學》、《中庸》原文作疏通，然後再闡說，從而表達作者的觀點，故名之爲「通說」。作者並認爲，傳統的注疏形式是好的，對古籍句句不漏地保存，讀者便可以把上下文都看到，想斷章取義地曲解去欺騙讀者便無法辦到。

本書在文字上力求做到深入淺出，依古書原意來介紹《大學》、《中庸》。全書共分九個子題，依序是：一，什麼是「大學之道」；二，怎樣理解「格物致知」；三，修、齊、治、平；四，關於「誠意」與「愼獨」；五，仁者以財發身；六，《大學》譯解；七，小結——《大學》的主旨就在一個「德」字；八《中庸》概說；九，《中庸》譯解。（王清信）

《爾雅語言文化學》

《爾雅語言文化學》　盧國屏著　臺北　臺灣學生書局　414 頁　1999 年 12 月

過去，大家對《爾雅》的印象，多停留於訓詁的專著。因此，研究《爾雅》的人也不多。盧國屏先生以爲，這是大家不明瞭，《爾雅》具有語言文化系統架構，遂著手完成此書。全書中，盧先生將體例大致分成二部分：第一部分是探討〈釋詁〉、〈釋言〉、〈釋訓〉的詞彙系統詮釋，以及這三篇內容的差異。同時盧先生也根據這三篇的體例，而探討我國詞彙的優點、比較研究的方法，以及藉由這些語詞的分類，而說明先民思維意識的發展……等現象。第二部分則是探討：㈠人物稱謂，如〈釋親〉。㈡日常器用，如〈釋宮〉、〈釋器〉、〈釋樂〉。㈢天文地埋，如〈釋天〉、〈釋地〉、〈釋丘〉、〈釋山〉、〈釋水〉。㈣為動植物篇，如〈釋草〉、〈釋木〉、〈釋蟲〉、〈釋魚〉、〈釋鳥〉、〈釋畜〉等。盧先生依據每篇所出現的語詞，引證群經，同時又還原到與日常生活作應證。如此，讀者方能感受到，《爾雅》一書，絕非只是一些資料的堆積，更重要的是，它完全反應了上古時代，初民的生活、文化，和思維模式。因為有這些的因素，先民方能創出這麼多的語詞。因此，我們若要研究上的文化，除了以《說文解字》、史書為依據外，《爾雅》也可說是一部相當可靠的參考資料。

此外，在本書中，盧先生還附上了《爾雅音圖》中的若干書影，由這些書影資，除了可與《爾雅》內容作比對外，也可與《考古圖》作比較，而探討古器物型態，及反映先民生活的實景。因此盧先生將《爾雅》一書，採語言文化學的角度來詮釋，使我們對《爾雅》有了新的認識，也開創了《爾雅》的研究價值，這對學術研究將是個不可多得的創見。（周美華）

《東漢讖緯學新探》

《東漢讖緯學新探》 黃復山著 臺北 臺灣學生書局 395頁 2000年2月

讖緯是一門既神且怪的學問。它在東漢經學中，不惟帝王循之以制國體，甚而碩儒更藉之以解群經，其地位之高，作用之大，由此可見。

作者有感於讖緯影響東漢經學深遠，而北宋歐陽修卻視之若寇讎，因而激發其好奇之心，而積極地從事讖緯的研究。全書共分為六：壹、引論；貳、東漢圖讖《赤伏符》本事考；參、東漢《河圖》、《雒書》與「經讖」關係之探討；肆、《白虎通》引讖說原舛論略；伍、《公羊傳注疏》與讖緯關係探實；陸、《公羊傳注疏》中之讖緯資料類編考釋，書末另附有參考書目。

本書大抵以漢代史實及東漢光武帝詔編之圖讖八十一卷為據，考論上述諸項讖緯議題，由具體之條述考證中，可知《赤伏符》之「劉秀讖」改易自反莽義軍所造生讖語，並非光武出生前即已流傳；東漢之《河圖》、《雒書》與「經讖」皆在圖讖八十一卷中，原本即有重疊部分，非若《隋志》所謂九聖、孔子分別撰作；《白虎通》與《公羊傳注疏》於讖緯之引用，亦不如世俗所云之密切。因此在本書的論證之下，讖緯與漢代經學之疑義當可釐清。（張博成）

附錄一

《經學研究論叢》撰稿格式

本《論叢》爲方便編輯作業，謹訂下列撰稿格式：

一、章節使用符號，依一、㈠、1.、⑴……等順序表示。

二、使用新式標點，以 Word 全形標點符號表爲主。如刪節號爲……，書名號爲《 》，篇名號爲〈 〉，書名和篇名連用時，以「·」斷開。如《詩經·小雅·鹿鳴》。

三、用語句所用括號，外括號用「 」表示，有內括號時，用『 』表示。

四、獨立引文，每行低三格。

五、論文之體例，請依下列格式：

㈠人名生卒年

吳澄（1249—1333）

㈡年代時間

1.正德戊寅十三年（1518）

2.西元一九九九年

3.民國八十九年十月十七日

㈢古籍卷數

《王陽明全集》第二十六卷

六、注釋之體例，請依下列格式：

㈠注釋號碼請用阿拉伯數字標示，如❶，❷，❸，……。

㈡以隨頁註方式，採用 Word「插入」工具中之註腳表示。

㈢引用古籍

1.古籍原刻本

〔明〕梅鷟撰：《尚書考異》（清嘉慶十九年刊《平津館叢書》本），卷1，頁4。

2.古籍影印本

〔明〕羅欽順撰：《整菴存稿》（臺北：臺灣商務印書館，1983 年影印清乾隆年間寫《文淵閣四庫全書》本，第 1261 冊），卷 5，頁 63。

㈣引用專書

王夢鷗撰：《禮記校證》（臺北：藝文印書館，1976 年 12 月），頁 102。

㈤引用論文

1.期刊論文

屈萬里撰：〈宋人疑經的風氣〉，《大陸雜誌》第 29 卷第 3 期（1964 年 8 月），頁 23—25。

2.論文集論文

周予同撰：〈六經與孔子的關係〉，收錄於林慶彰主編《中國經學史論文選集》上冊（臺北：文史哲出版社，1992 年 10 月），頁 54—64。

3.學位論文

張以仁撰：《國語研究》（臺北：臺灣大學中國文學研究所碩士論文，1958 年），頁 201。

4.報紙論文

丁邦新撰：〈國內漢學研究的方向和問題〉，《中央日報》，1988 年 4 月 2 日第 22 版。

㈥再次徵引

1.再次徵引時，可用簡單方式處理，如：

❶ 程元敏撰：〈書疑考〉，《書目季刊》第 6 卷 3、4 期合刊（1971 年 6 月），頁 93。

❷ 同前註。

❸ 同前註，頁 98。

2.如果再次徵引的註，不接續，可用下列方式表示：

❹ 同註❶，頁 96。

附錄二

《經學研究論叢》稿約

一、本《論叢》每年三、九月各出版一輯。每年一、七月底截稿。

二、本《論叢》刊載海內外人士有關經學和經學家的相關論文和資訊。

三、本《論叢》僅刊登中文稿，且不接受任何已刊登過之稿件。

四、學術論文以一萬至兩萬字爲原則；出版資訊，每則以六至八百字爲限。特約稿不在此限。

五、稿件中涉及版權部分（如：圖片及較長之引文），請事先徵得作者或出版者之書面同意，本《論叢》不負版權責任。

六、來稿刊出後，學術論文部分贈送本《論叢》一冊，抽印本三十本；其他專欄，贈送本《論叢》一冊。皆不另付稿酬。

七、來稿請註明姓名、現職、電話（傳眞）、通信地址，以便連繫。

八、投稿方式：

㈠逕交或寄送（以下二處擇一）

1.[106] 臺北市大安區和平東路一段 198 號
臺灣學生書局經學研究論叢編輯部

2.[115] 臺北市南港區研究院路二段 128 號
中央研究院中國文哲研究所清代經學研究室

3.來稿請以電腦中文打字，並附上磁片。

㈡或以電子郵件寄送至以下位址：

lwenchon@pcmail.com.tw

請在「主旨」中註明「經學研究論叢投稿稿件」。

國家圖書館出版品預行編目資料

經學研究論叢・第八輯

林慶彰主編；張穩蘋編輯.— 初版.—臺北市：臺灣學生，2000[民 89]　面；公分

ISBN 957-15-1054-8 (平裝)

1. 經學 － 論文 － 講詞等

090.7　　89018914

經學研究論叢・第八輯（全一冊）

主編者：林慶彰
責任編輯：張穩蘋
出版者：臺灣學生書局
發行人：孫善治
發行所：臺灣學生書局
臺北市和平東路一段一九八號
郵政劃撥帳號00024668號
電話：(02)23634156
傳真：(02)23636334

本書局登記證字號：行政院新聞局局版北市業字第玖捌壹號

印刷所：宏輝彩色印刷公司
中和市永和路三六三巷四二號
電話：(02)22268853

定價：平裝新臺幣四〇〇元

西元二〇〇〇年九月初版

09006

ISBN 957-15-1054-8 (平裝)